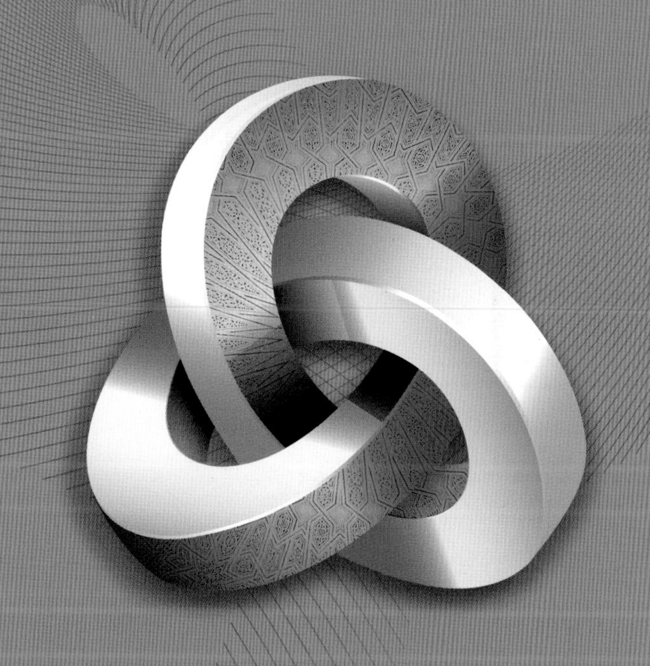

중학

수학 3-1

개념 해결의 법칙

이 책을 기획·검토해 주신 245명의 선생님들께 감사드립니다.

기획에 참여하신 선생님

강지훈 권은경 고수환 공경식 김정태 김지인 서정택 신준우 안우영
위성옥 윤인영 이경은 이동훈 이슬비 이재욱 전은숙 정태식 황선영

검토에 참여하신 선생님

서울

강연희 고혜련 기한성 김길수 김명후 김미애 김보미 김슬희 김연수
김용진 김재훈 김정문 김주현 김진위 김진희 김현아 김형수 나종학
박명호 박수견 박용진 박지견 박진선 박진수 서동욱 성은수 손현희
안은해 윤석태 윤혜영 이누리 이명숙 이수아 이영미 이윤배 이정희
이창기 장기헌 장성민 조세환 지은희 채미진 채진영 최송이

경기

강원우 곽효희 권수빈 권용운 기샛별 김경아 김 란 김세정 김연경
김재빈 김정연 김지송 김지윤 김태현 김혜림 김효진 김희정 맹주현
민동건 박민서 박용철 박재곤 방은선 배수남 백남흥 서정희 신수경
신지영 엄준호 오경미 유기정 유상현 윤금숙 윤혜선 이나경 이다영
이명선 이보미 이보형 이봉주 이신영 이은경 이은지 이재영 이지훈
이진경 이희숙 이희정 임인기 장도훈 정광현 정문숙 정필규 조성민
조은영 조진희 최경희 최다혜 최문정 최선민 최영미 홍가영

충청

강태원 권경희 권기윤 권용운 김근래 김미정 김선경 김영철 김장훈
김 진 김현진 남궁찬 남철희 라정흠 류현숙 박대권 박영락 박재춘
박진영 박찬웅 방승현 백용현 변애란 신상미 신옥주 안용기 이금수
이문석 이태영 정구환 정선우 정소영 정지영 천은경 최도환 최미선
최종권 최진욱 한미숙 허진형 황용하 황은숙

경상

강대희 구본희 구영모 권기현 금은희 김미숙 김보영 김수정 김현경
노정은 류민숙 문준호 민희영 박상만 박순정 박승배 박현숙 배두현
배홍재 심경숙 심영란 양선애 오창희 이상준 이언주 이유경 이현준
장수민 전선미 전진철 조현주 추명석 하미애 하희정 한창희 한혜경

전라

고미나 김경남 김대화 김돈오 김 련 김선주 김세현 김우신 김원미
김정희 김지현 나희정 류 민 박명숙 박성미 박성태 박정미 백성주
선재연 성준우 송정권 위효영 유현수 유혜정 이경묵 이상용 이수정
이은순 이재윤 임주미 장민경 장원익 전선재 정명숙 정미경 정연일
정은성 조창영 최상호 홍귀숙

강원

박상윤 신현숙

제주

이승환

개념 **해결의 법칙**

이 책은 수학을 어려워하는 학생의 눈높이에 맞춰 꼭 알아야 하는 개념을 쉽고 자세하게 설명한 책입니다. 수학을 처음 시작하는 학생이나 수학의 기초가 닦여 있지 않은 학생은 나도 할 수 있다!는 자신감을 가지고 학습하시기 바랍니다.

- 개념을 쉽고 정확하게 이해할 수 있도록 정리
- 개념을 확실하게 이해할 수 있도록 개념 이해 문제와 적용 문제 제시
- 교과서 수준의 대표 유형 문제와 대표 유형을 반복 연습할 수 있는 쌍둥이 문제 제시
- 빈칸 채우기를 통한 개념 정리와 대표 유형에서 학습한 문제와 유사한 문제들로 단원 마무리 구성

수학은 단계적인 학문이기 때문에 빠른 시간 안에 성적을 끌어올리기는 쉽지 않습니다.
비록 거북이 걸음이라 할지라도 꾸준하게 노력하는 사람만이 수학에서 승리할 수 있습니다.
개념 해결의 법칙은 쉽고 빠르게 기본 실력을 다지는데 그 목표를 두었습니다.
이 책을 사용하는 학생 모두가 수학에 자신감을 갖게 되기를 바랍니다.

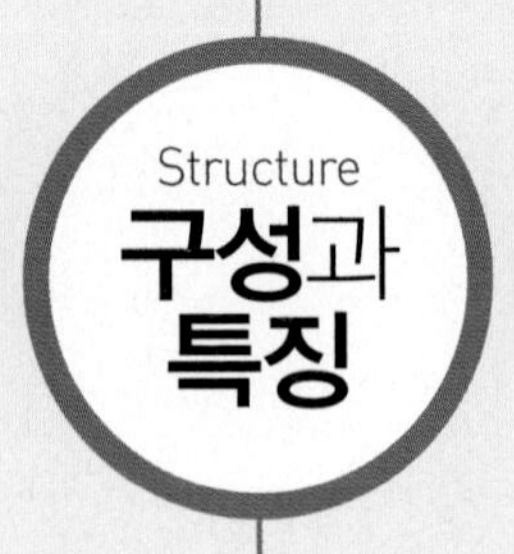

개념 정리

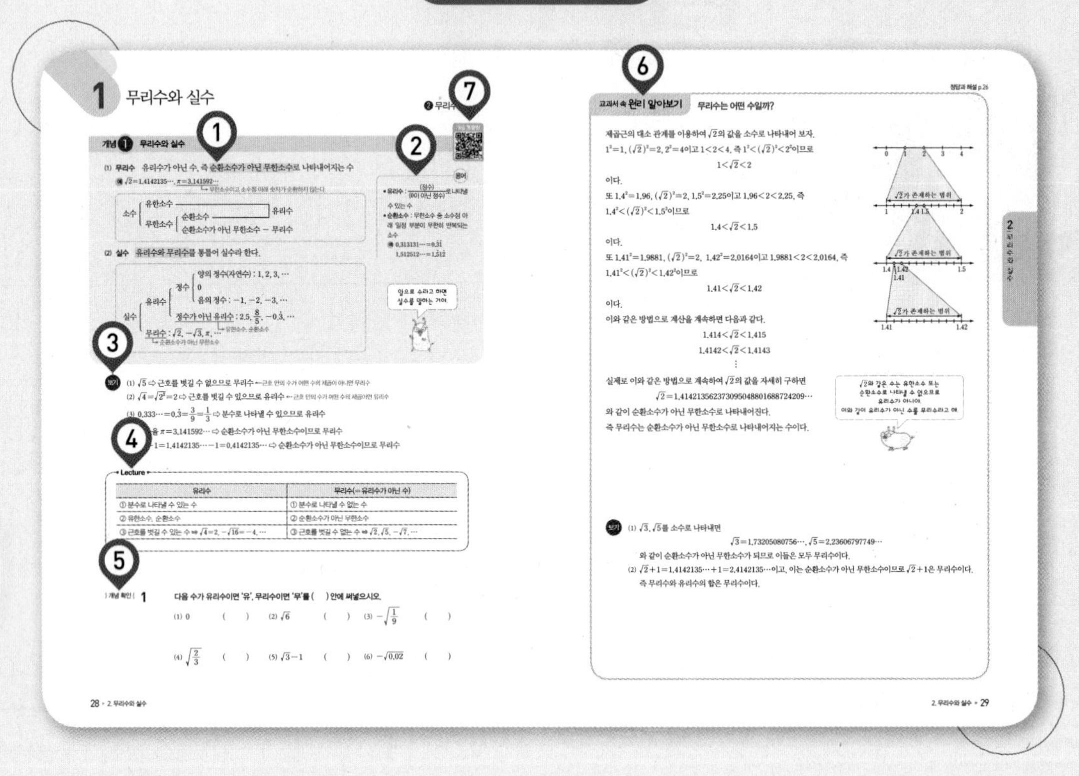

❶ **개념 설명** : 개념을 쉽고 정확하게 이해할 수 있도록 정리

❷ **용어** : 이전 학년 또는 앞 단원에서 배웠던 용어가 다시 나오는 경우에 대한 설명

❸ **보기** : 개념을 어떻게 적용시키는지 예를 보여줌

❹ **Lecture** : 중요한 내용 또는 반드시 짚고 가야할 내용을 정리

❺ **개념 확인** : 개념만으로 풀 수 있는 문제로 개념을 바르게 이해했는지 확인

❻ **교과서 속 원리 알아보기** : 교과서에 나오는 개념 중에서 보충 설명이 필요한 개념을 알아보기 쉽게 별도로 구성

❼ **개념 동영상** : QR코드를 스마트폰으로 스캔하여 동영상 강의를 시청!

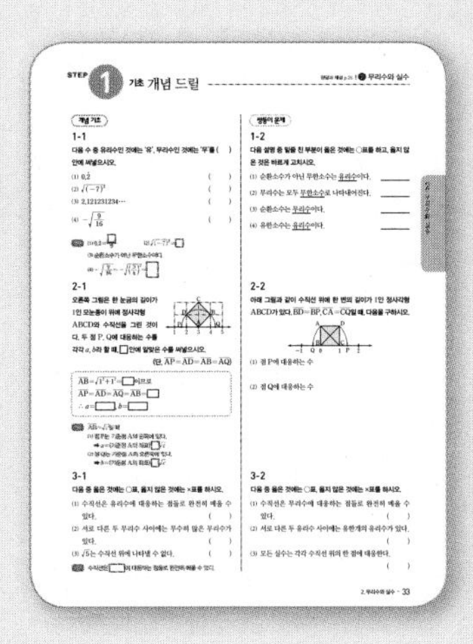

Step1 기초 개념 드릴

- **개념 기초** : 쉬운 개념 이해 문제와 적용 문제를 제시
- **쌍둥이 문제** : 유사한 문제로 반복 연습

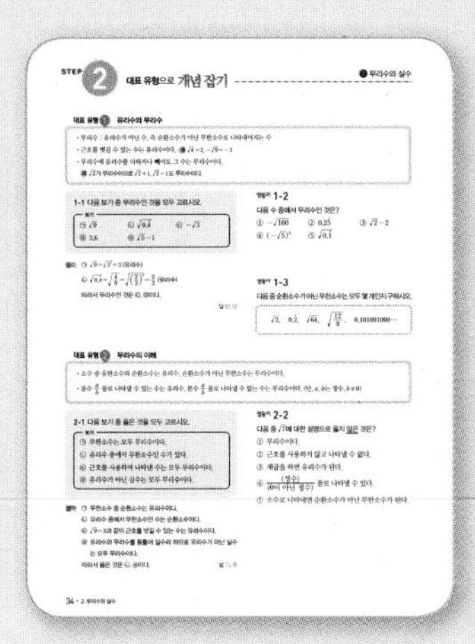

Step2 대표 유형으로 개념 잡기

- **교과서 또는 학교 시험에 나오는 필수 유형들을 개념과 함께 제시**
- **예제와 풀이, 쌍둥이 문제로 구성**

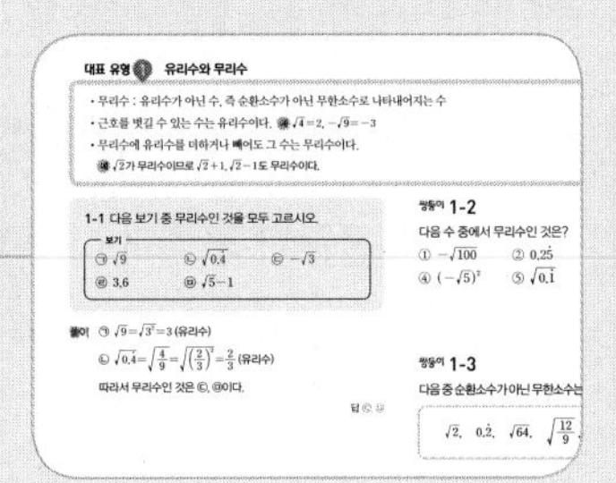

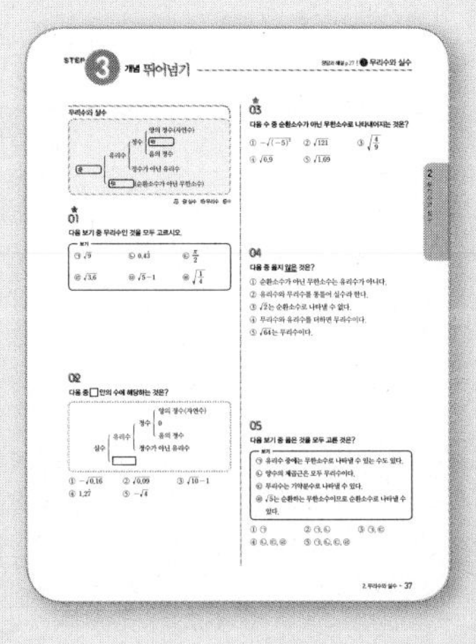

Step3 개념 뛰어넘기

- **빈칸 채우기를 통해 개념 정리 부분을 다시 한번 짚고 넘어가기**
- **대표 유형에서 학습한 문제와 유사한 문제들로 다시 한번 확인**
- **창의, 융합** : 새로운 문제 및 개념을 응용한 문제에 대한 적응력 기르기

부록 단원 종합 문제

Contents

차 례

1 제곱근의 뜻과 성질

중2	중3	고등학교
•유리수와 순환소수	•제곱근의 뜻과 성질	•복소수(고1)

학습 목표

• 제곱근의 뜻을 알고, 그 성질을 이해한다.

자~ 제곱근의 성질!
근호가 사라지는 마술을 보여드립니다.
짜잔!
Magic Show
$\sqrt{25}=\sqrt{5^2}$
$=5$
$\sqrt{25}=5$이구나!
한 번 더! 짜잔!
$\sqrt{49}=\sqrt{7^2}$
$=7$
우아, 신기하다.
어디로 사라졌지?
이 마술의 트릭은 바로 제곱근의 뜻을
정확히 아는 것입니다.
오~ 제곱근이 뭐예요?
3
−3
제곱
제곱근
9
제곱근이란
어떤 수 x를 제곱하여 $a(a\geq 0)$가 될 때,
x를 a의 제곱근이라 해요.
이를테면 9의 제곱근은 3과 −3이에요.
그럼 $\sqrt{2}$에서 근호를
사라지게 할 수 있나요?
그…그건……. 흠…….
자~ 오늘 마술은 여기까지!

1 제곱근의 뜻과 표현

개념 동영상

개념 1 제곱근의 뜻

(1) **제곱근** 어떤 수 x를 제곱하여 $a(a\geq 0)$가 될 때, x를 a의 제곱근이라 한다.

➡ $x^2=a(a\geq 0)$일 때, x는 a의 제곱근

예 $2^2=4$, $(-2)^2=4$이므로 4의 제곱근은 2와 -2

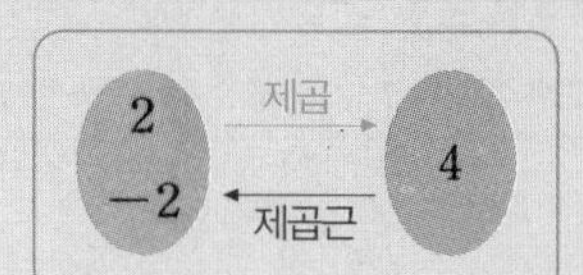

(2) **제곱근의 개수**

① 양수의 제곱근은 양수와 음수의 2개가 있고, 그 절댓값은 서로 같다.

② 0의 제곱근은 0 하나뿐이다.

③ 음수의 제곱근은 없다.

참고 제곱하여 음수가 되는 수는 없으므로 음수의 제곱근은 생각하지 않는다.

용어
- **제곱근**(뿌리 根 / square root) : 제곱한 수의 뿌리가 되는 수
- **거듭제곱** : 같은 수나 문자를 거듭하여 곱한 것
- **절댓값** : 수직선 위에서 어떤 수를 나타내는 점과 원점 사이의 거리

보기 (1) 16의 제곱근은
$x^2=16$을 만족하는 x의 값이므로 4, -4 (또는 ± 4)

(2) 0.36의 제곱근은
$x^2=0.36$을 만족하는 x의 값이므로 0.6, -0.6 (또는 ± 0.6)

절댓값이 같고 부호가 다른 두 수는 ±를 이용하여 한꺼번에 나타낼 수 있어. 예를 들어 3과 −3은 ±3으로 한꺼번에 나타낼 수 있어.

Lecture

- $a\geq 0$일 때
(a의 제곱근)=(제곱하여 a가 되는 수)=($x^2=a$를 만족하는 x의 값)

| 개념 확인 | **1** 다음 수의 제곱근을 구하시오.

(1) 36 (2) $\frac{1}{9}$ (3) 0.49

(4) 0 (5) $(-3)^2$ (6) -1

| 개념 확인 | **2** 다음 식을 만족하는 x의 값을 모두 구하시오.

(1) $x^2=1$ (2) $x^2=100$ (3) $x^2=0.81$

(4) $x^2=\frac{25}{16}$ (5) $x^2=0$ (6) $x^2=-25$

정답과 해설 p.20

개념 2 제곱근의 표현

(1) **제곱근의 표현**

제곱근을 나타내기 위해 기호 $\sqrt{\ }$(근호)를 사용하고, 이 기호를 '제곱근' 또는 '루트'라고 읽는다. 즉 $\sqrt{a}$ ➡ 제곱근 a, 루트 a

예 $\sqrt{3}$을 제곱근 3 또는 루트 3이라고 읽는다.

용어
- $\sqrt{\ }$는 뿌리를 뜻하는 라틴어 radix의 첫 글자 r를 변형하여 만든 것으로 알려져 있다.

(2) **양수 a의 제곱근**

양수 a의 제곱근 중

① 양수인 것 ➡ 양의 제곱근 ➡ $\sqrt{a}$
② 음수인 것 ➡ 음의 제곱근 ➡ $-\sqrt{a}$

한꺼번에 $\pm\sqrt{a}$로 나타내기도 한다. ↳ '플러스 마이너스 루트 a'라고 읽는다.

$a>0$일 때
$\sqrt{a}$, $-\sqrt{a}$ —제곱→ a, a —제곱근→ $\sqrt{a}$, $-\sqrt{a}$

(3) 근호 안의 수가 어떤 수의 제곱이면 근호를 사용하지 않고 제곱근을 나타낼 수 있다.

예 4의 제곱근을 근호를 사용하여 나타내면 $\pm\sqrt{4}$
$2^2=4$, $(-2)^2=4$이므로 4의 제곱근은 ±2
➡ $\pm\sqrt{4}=\pm2$

보기 주어진 수의 제곱근을 구하면 다음과 같다.

수	0	1	2	4	6	9	10	15	16	121	144
제곱근	0	±1	$\pm\sqrt{2}$	±2	$\pm\sqrt{6}$	±3	$\pm\sqrt{10}$	$\pm\sqrt{15}$	±4	±11	±12

Lecture

- 'a의 제곱근'과 '제곱근 a'의 비교 (단, $a>0$)
  - a의 제곱근 ➡ $\pm\sqrt{a}$
  - 제곱근 a ➡ $\sqrt{a}$

  예
  - 5의 제곱근 ➡ $\pm\sqrt{5}$
  - 제곱근 5 ➡ $\sqrt{5}$

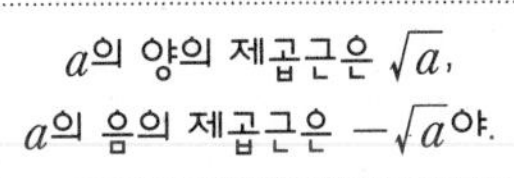

| 개념 확인 | 3 다음 수의 제곱근을 근호를 사용하여 나타내시오.

(1) 3 (2) $\frac{1}{5}$ (3) 0.1 (4) 13

| 개념 확인 | 4 다음 수를 근호를 사용하지 않고 나타내시오.

(1) $\sqrt{25}$ (2) $-\sqrt{49}$ (3) $\sqrt{100}$ (4) $-\sqrt{\frac{1}{4}}$

| 개념 확인 | 5 다음을 구하시오.

(1) 9의 양의 제곱근 (2) 9의 음의 제곱근
(3) 9의 제곱근 (4) 제곱근 9

STEP 1 기초 개념 드릴

개념 기초

1-1

다음 □ 안에 알맞은 수를 써넣으시오.

(1) 49의 제곱근 ➡ 제곱하여 □가 되는 수
➡ $x^2=$□를 만족하는 x의 값
➡ 7, □

(2) 8의 제곱근 ➡ 제곱하여 □이 되는 수
➡ $x^2=$□을 만족하는 x의 값
➡ □, □

연구 a의 제곱근 ➡ 제곱하여 a가 되는 수
➡ $x^2=a$를 만족하는 x의 값

쌍둥이 문제

1-2

다음 수의 제곱근을 구하시오.

(1) 25 (2) $(-6)^2$

(3) $\frac{25}{36}$ (4) $\frac{1}{3}$

(5) 0.64 (6) 0.2

2-1

다음 □ 안에 알맞은 것을 써넣으시오.

(1) $\sqrt{16}=$(16의 양의 제곱근)$=$□

(2) $-\sqrt{9}=$(9의 음의 제곱근)$=$□

(3) $\sqrt{0.04}=$(□의 양의 제곱근)$=$□

(4) $-\sqrt{\frac{1}{100}}=\left(\frac{1}{100}\text{의 }□\text{의 제곱근}\right)=$□

연구 근호 안의 수가 (어떤 수)^2 꼴이면 근호를 사용하지 않고 나타낼 수 있다.

2-2

다음 수를 근호를 사용하지 않고 나타내시오.

(1) $\sqrt{36}$ (2) $-\sqrt{4}$

(3) $-\sqrt{0.49}$ (4) $\sqrt{\frac{121}{36}}$

3-1

다음 수의 제곱근을 구하시오.

(1) $\sqrt{4}$ (2) $\sqrt{\frac{9}{25}}$

(3) $\sqrt{0.64}$ (4) $\sqrt{16}$

연구 (1) $\sqrt{4}=$□이므로 $\sqrt{4}$의 제곱근은 □의 제곱근과 같다.

3-2

다음 수의 제곱근을 구하시오.

(1) $\sqrt{100}$ (2) $\sqrt{\frac{1}{49}}$

(3) $\sqrt{1.21}$ (4) $\sqrt{81}$

대표 유형 1 제곱근의 뜻

$x^2=a(a\geq 0)$일 때, x를 a의 제곱근이라 한다.

예 9의 제곱근 ➡ 제곱하여 9가 되는 수 ➡ 3, -3

1-1 다음 수의 제곱근을 구하시오.

(1) 16 (2) $(-8)^2$

(3) $\frac{9}{16}$ (4) 0.81

풀이 (1) $4^2=16$, $(-4)^2=16$이므로 16의 제곱근은 ± 4

(2) $(-8)^2=64$이고 $8^2=64$, $(-8)^2=64$이므로 $(-8)^2$의 제곱근은 ± 8

(3) $\left(\frac{3}{4}\right)^2=\frac{9}{16}$, $\left(-\frac{3}{4}\right)^2=\frac{9}{16}$이므로 $\frac{9}{16}$의 제곱근은 $\pm\frac{3}{4}$

(4) $0.9^2=0.81$, $(-0.9)^2=0.81$이므로 0.81의 제곱근은 ± 0.9

답 (1) ± 4 (2) ± 8 (3) $\pm\frac{3}{4}$ (4) ± 0.9

쌍둥이 1-2

다음 중 제곱근을 구한 것으로 옳은 것은?

① 6의 제곱근 ➡ $\sqrt{6}$

② 0의 제곱근 ➡ 0

③ 4의 제곱근 ➡ $\sqrt{2}$, $-\sqrt{2}$

④ $\sqrt{9}$의 제곱근 ➡ 3, -3

⑤ 0.1의 제곱근 ➡ 0.1, -0.1

대표 유형 2 근호를 사용하지 않고 나타내기

근호 안의 수가 어떤 수의 제곱이면 근호를 사용하지 않고 나타낼 수 있다.

예 $\sqrt{9}=3$, $-\sqrt{9}=-3$

2-1 다음 보기의 수 중 제곱근을 근호를 사용하지 않고 나타낼 수 있는 것을 모두 고르시오.

보기

㉠ 12 ㉡ 0.3 ㉢ $\frac{1}{16}$ ㉣ 0.4 ㉤ $\frac{9}{25}$

풀이 주어진 수의 제곱근을 구하면

㉠ $\pm\sqrt{12}$ ㉡ $\pm\sqrt{0.3}$

㉢ $\pm\sqrt{\frac{1}{16}}=\pm\frac{1}{4}$ ㉣ $\pm\sqrt{0.4}$

㉤ $\pm\sqrt{\frac{9}{25}}=\pm\frac{3}{5}$

따라서 제곱근을 근호를 사용하지 않고 나타낼 수 있는 것은 ㉢, ㉤이다.

답 ㉢, ㉤

쌍둥이 2-2

다음 중 근호를 사용해야만 나타낼 수 있는 수는?

① $\sqrt{1}$ ② $\sqrt{1.21}$ ③ $\sqrt{1.6}$

④ $\sqrt{\frac{4}{49}}$ ⑤ $\sqrt{81}$

쌍둥이 2-3

다음 수 중 제곱근을 근호를 사용하지 않고 나타낼 수 있는 것은?

① 5 ② 0.9 ③ $\frac{8}{49}$

④ 1000 ⑤ 0.25

대표 유형 3 제곱근의 이해

$a>0$일 때
- a의 제곱근 ➡ 제곱하여 a가 되는 수 ➡ $\pm\sqrt{a}$
- 제곱근 a ➡ a의 양의 제곱근 ➡ $\sqrt{a}$

주의 음수의 제곱근은 없다. 예 -5의 제곱근은 없다.

3-1 다음 보기 중 옳은 것을 고르시오.

보기
ㄱ $\sqrt{4}$의 제곱근은 ±2이다.
ㄴ 0의 제곱근은 없다.
ㄷ 모든 수의 제곱근은 2개이다.
ㄹ 81의 제곱근은 ±9이다.

풀이 ㄱ $\sqrt{4}=2$의 제곱근은 $\pm\sqrt{2}$이다.
ㄴ 제곱해서 0이 되는 수는 0뿐이므로 0의 제곱근은 0이다.
ㄷ 양수의 제곱근은 양의 제곱근, 음의 제곱근의 2개,
0의 제곱근은 0뿐이므로 1개,
음수의 제곱근은 없다.
따라서 옳은 것은 ㄹ이다.

답 ㄹ

쌍둥이 3-2

다음 보기 중 옳은 것을 모두 고르시오.

보기
ㄱ 0의 제곱근은 2개이다.
ㄴ 7의 음의 제곱근은 $\sqrt{-7}$이다.
ㄷ 제곱근 4는 2이다.
ㄹ $(-3)^2$의 제곱근은 ±3이다.
ㅁ $\sqrt{9}$의 제곱근은 ±3이다.

쌍둥이 3-3

다음 중 옳은 것은?

① 제곱근 9는 ±3이다.
② 2의 양의 제곱근은 4이다.
③ -7의 제곱근은 $\pm\sqrt{7}$이다.
④ 제곱해서 0이 되는 수는 0뿐이다.
⑤ $(-4)^2$의 제곱근은 ±2이다.

대표 유형 4 제곱근 구하기

- 양수 a의 양의 제곱근 ➡ 제곱하여 a가 되는 수 중 양수
- 양수 a의 음의 제곱근 ➡ 제곱하여 a가 되는 수 중 음수

4-1 $(-5)^2$의 양의 제곱근을 a, $\sqrt{\frac{16}{81}}$의 음의 제곱근을 b라 할 때, $a-b$의 값을 구하시오.

풀이 $(-5)^2=25$의 양의 제곱근은 $\sqrt{25}$, 즉 5이므로 $a=5$
$\sqrt{\frac{16}{81}}=\frac{4}{9}$의 음의 제곱근은 $-\sqrt{\frac{4}{9}}$, 즉 $-\frac{2}{3}$이므로 $b=-\frac{2}{3}$
$\therefore a-b=5-\left(-\frac{2}{3}\right)=\frac{15}{3}+\frac{2}{3}=\frac{17}{3}$

답 $\frac{17}{3}$

쌍둥이 4-2

$\sqrt{16}$의 양의 제곱근을 A, $(-4)^2$의 음의 제곱근을 B라 할 때, $A+B$의 값을 구하시오.

쌍둥이 4-3

제곱근 81을 a, $\sqrt{81}$의 양의 제곱근을 b라 할 때, $a+b$의 값을 구하시오.

STEP 3 개념 뛰어넘기

제곱근의 뜻과 표현

(1) 제곱근

어떤 수 x를 제곱하여 $a(a\geq 0)$가 될 때, x를 a의 제곱근이라 한다.

즉 $x^2=$ ❶ ( ) $(a\geq 0)$일 때, x는 a의 제곱근

(2) 양수 a의 제곱근 중 ┌ 양의 제곱근 ➡ $\sqrt{a}$ └ 음의 제곱근 ➡ $-\sqrt{a}$

(3) a의 제곱근과 제곱근 a의 비교 (단, $a>0$)

┌ a의 제곱근 ➡ $\pm\sqrt{a}$ └ 제곱근 a ➡ $\sqrt{a}$

예 ┌ 4의 제곱근 ➡ $\pm\sqrt{4}=\pm 2$ └ 제곱근 4 ➡ ❷ ( ) $=2$

답 ❶ a ❷ $\sqrt{4}$

01

다음 중 'x는 15의 제곱근이다.'를 바르게 나타낸 식은?

① $x=\sqrt{15^2}$ ② $x=\sqrt{15}$ ③ $x=-\sqrt{15}$
④ $\sqrt{x}=15$ ⑤ $x^2=15$

02

다음 중 양수 a의 제곱근이 x임을 나타낸 것을 모두 고르면? (정답 2개)

① $x=\pm\sqrt{a}$ ② $a=\pm\sqrt{x}$ ③ $x=\sqrt{a}$
④ $a^2=x$ ⑤ $x^2=a$

03

다음 중 4의 음의 제곱근을 근호를 사용하여 바르게 나타낸 것은?

① $-\sqrt{4}$ ② $\sqrt{-4}$ ③ $-\sqrt{-4}$
④ $\sqrt{2}$ ⑤ $-\sqrt{2}$

04

다음 수 중 제곱근이 없는 것은?

① 0 ② 1 ③ 6
④ -25 ⑤ $\frac{1}{4}$

★ 05

다음은 수와 그 수의 제곱근을 차례로 쓴 것이다. 옳은 것은?

① $\sqrt{81}$, ± 9 ② 6, ± 3 ③ $\sqrt{49}$, -7
④ 25, 5 ⑤ 4, ± 2

06

다음 중 제곱근을 근호를 사용해야만 나타낼 수 있는 수는?

① 0.16 ② $\frac{4}{9}$ ③ 1
④ 5 ⑤ 81

07

다음 수 중 근호를 사용하지 않고 나타낼 수 있는 것의 개수를 구하시오.

$\sqrt{\frac{1}{10000}}$, $\sqrt{196}$, $\sqrt{0.4}$, $\sqrt{24}$

08

다음 중 그 값이 나머지 넷과 다른 하나는?

① 제곱근 5
② $\sqrt{25}$의 제곱근
③ $\sqrt{5^2}$의 제곱근
④ 제곱하여 5가 되는 수
⑤ $x^2=5$를 만족하는 x의 값

09

다음 보기 중 옳은 것을 모두 고르시오.

보기
㉠ 제곱근 49는 7이다.
㉡ $-\sqrt{25}$의 제곱근은 -5이다.
㉢ $\sqrt{16}$의 제곱근은 ± 4이다.
㉣ $(-8)^2$의 양의 제곱근은 8이다.
㉤ x의 제곱근이 a이면 $x^2=a$이다.

10

다음을 만족하는 x, y에 대하여 $x+y$의 값을 구하시오.

㉠ $\sqrt{(-9)^2}$의 양의 제곱근은 x이다.
㉡ 2^4의 음의 제곱근은 y이다.

11

서술형

$(-8)^2$의 양의 제곱근을 A, $\sqrt{16}$의 음의 제곱근을 B라 할 때, $A-B$의 값을 구하시오.

12

다음 그림과 같이 가로의 길이가 7 m, 세로의 길이가 5 m인 직사각형 모양의 화단과 넓이가 같은 정사각형 모양의 화단의 한 변의 길이를 구하시오.

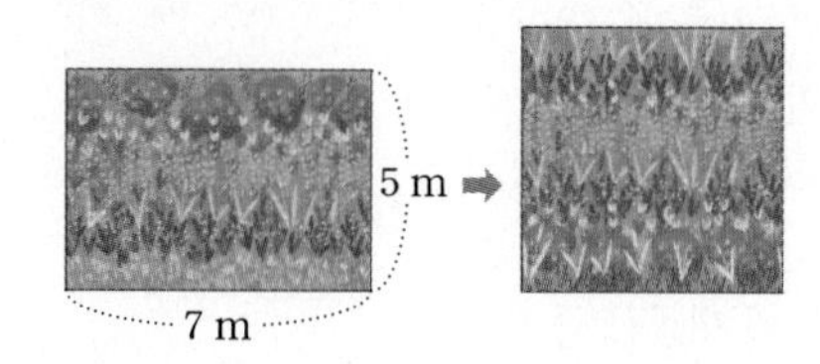

13

융합형

오른쪽 그림과 같이 $\angle B=90°$인 직각삼각형 ABC에서 x의 값을 구하시오.

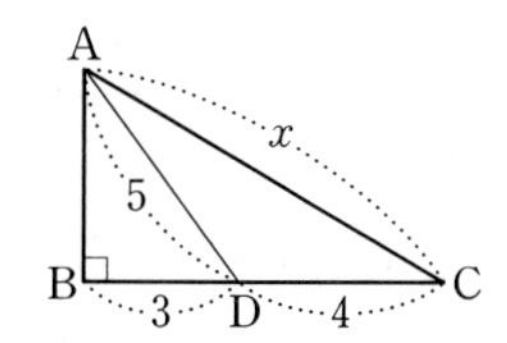

14

다음 네 학생의 제곱근에 대한 설명 중에서 옳지 않은 것을 모두 찾아 바르게 고치려고 한다. 물음에 답하시오.

기천 : 7의 제곱근은 $\pm\sqrt{7}$이야.
은주 : 제곱근 7은 $\pm\sqrt{7}$이지.
수현 : $\sqrt{81}=9$야.
희선 : $\sqrt{(-2)^2}=-2$지.

(1) 옳지 않은 설명을 한 학생이 누구인지 모두 찾으시오.

(2) 옳지 않은 것을 찾아 바르게 고치시오.

2 제곱근의 성질

개념 1 제곱근의 성질

$a>0$일 때

(1) a의 제곱근을 제곱하면 a가 된다.

➡ $(\sqrt{a})^2=a$, $(-\sqrt{a})^2=a$

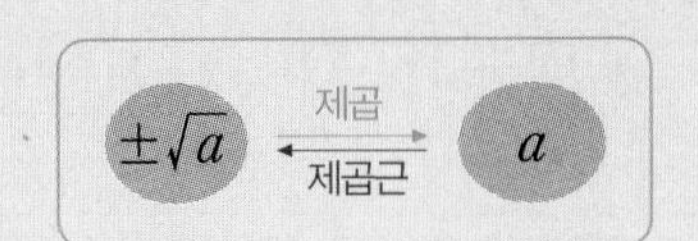

예 3의 제곱근은 $\pm\sqrt{3}$이므로 $(\sqrt{3})^2=3$, $(-\sqrt{3})^2=3$

(2) 근호 안의 수가 어떤 수의 제곱이면 근호를 사용하지 않고 나타낼 수 있다.

➡ $\sqrt{a^2}=a$, $\sqrt{(-a)^2}=a$ → $\sqrt{(-a)\times(-a)}=\sqrt{a^2}=a$

예 $\sqrt{3^2}=\sqrt{9}=3$, $\sqrt{(-3)^2}=\sqrt{9}=3$

보기 (1) $\sqrt{7}$은 7의 양의 제곱근이므로 $(\sqrt{7})^2=7$

$-\sqrt{7}$은 7의 음의 제곱근이므로 $(-\sqrt{7})^2=7$

(2) $4^2=16$이고 16의 양의 제곱근은 4이므로 $\sqrt{4^2}=\sqrt{16}=4$

$(-4)^2=16$이고 16의 양의 제곱근은 4이므로 $\sqrt{(-4)^2}=\sqrt{16}=4$

Lecture

- 음의 부호($-$)가 제곱 안에 있으면 양수가 된다. 예 $\sqrt{(-3)^2}=3$, $(-\sqrt{3})^2=3$
- 음의 부호($-$)가 제곱 밖에 있으면 음수가 된다. 예 $-\sqrt{3^2}=-3$, $-\sqrt{(-3)^2}=-3$

| 개념 확인 | **1** **다음 값을 구하시오.**

(1) $(\sqrt{5})^2$ (2) $(-\sqrt{6})^2$ (3) $\sqrt{2^2}$ (4) $\sqrt{(-10)^2}$

(5) $(-\sqrt{3})^2$ (6) $-\sqrt{7^2}$ (7) $-\left(-\sqrt{\frac{1}{3}}\right)^2$ (8) $-\sqrt{\left(-\frac{1}{2}\right)^2}$

| 개념 확인 | **2** **다음을 계산하시오.**

(1) $\sqrt{2^2}+\sqrt{(-5)^2}$ (2) $\sqrt{12^2}\div\sqrt{(-6)^2}$

(3) $(-\sqrt{14})^2\times\left(\sqrt{\frac{1}{7}}\right)^2$ (4) $\sqrt{(-13)^2}-(-\sqrt{15})^2$

개념 2 $\sqrt{A^2}$의 성질

$\sqrt{A^2}$은 A^2의 양의 제곱근이므로 A의 부호에 관계없이 항상 음이 아닌 값을 갖는다.

$$\sqrt{A^2}=|A|=\begin{cases} A\geq 0\text{일 때, } A & \to \text{부호 그대로} \\ A<0\text{일 때, } -A & \to \text{부호 반대로} \end{cases}$$

예 $\sqrt{3^2}=3$, $\sqrt{(-3)^2}=-(-3)=3$

(1) $a>0$일 때

① $\sqrt{a^2}$에서 $a>0$이므로 $\sqrt{a^2}=a$

② $\sqrt{(-a)^2}$에서 $-a<0$이므로 $\sqrt{(-a)^2}=-(-a)=a$

(2) $a<0$일 때

① $\sqrt{a^2}$에서 $a<0$이므로 $\sqrt{a^2}=-a$

② $\sqrt{(-a)^2}$에서 $-a>0$이므로 $\sqrt{(-a)^2}=-a$

→ a가 음수일 때에는 부호를 바꾸어 양수가 되도록 한다.

근호 안이 문자일 때에는 먼저 그 문자가 양수인지 음수인지 확인해야 해.

Lecture

● 근호 안이 문자인 경우 근호를 없앨 때, 다음과 같은 경우에 주의한다.

(1) $a>0$일 때, $-a<0$이므로

$\sqrt{(-a)^2}=-(-a)=a$

$-a$가 음수이므로 앞에 $-$가 붙는다.

(2) $a<3$일 때, $a-3<0$이므로

$\sqrt{(a-3)^2}=-(a-3)=-a+3$

$a-3$이 음수이므로 앞에 $-$가 붙는다.

| 개념 확인 | **3** $a>0$일 때, 다음 $\square$ 안에 알맞은 것을 써넣으시오.

(1) $\sqrt{(2a)^2}=\square$ ($2a>0$)

(2) $\sqrt{(-4a)^2}=-(\square)=\square$ ($-4a<0$)

(3) $\sqrt{a^2}+\sqrt{(-2a)^2}=\square+\{-(\square)\}=\square$ ($a>0$, $-2a<0$)

| 개념 확인 | **4** $a<0$일 때, 다음 식을 간단히 하시오.

(1) $\sqrt{(2a)^2}$

(2) $\sqrt{(-4a)^2}$

(3) $\sqrt{a^2}+\sqrt{(-2a)^2}$

개념 3 제곱근의 대소 관계

$a>0, b>0$일 때

(1) $a<b$이면 $\sqrt{a}<\sqrt{b}$

(2) $a<b$이면 $-\sqrt{a}>-\sqrt{b}$

(3) $\sqrt{a}<\sqrt{b}$이면 $a<b$

 (1) $2<3$이므로 $\sqrt{2}<\sqrt{3}$

(2) $2<3$이므로 $\sqrt{2}<\sqrt{3}$ $\therefore -\sqrt{2}>-\sqrt{3}$

참고

부등식의 성질

① $a<b$이면
$a+c<b+c, a-c<b-c$

② $a<b$이고 $c>0$이면
$ac<bc, \frac{a}{c}<\frac{b}{c}$

③ $a<b$이고 $c<0$이면
$ac>bc, \frac{a}{c}>\frac{b}{c}$

보기 근호가 있는 수와 근호가 없는 수의 대소 비교 방법

 근호가 없는 수를 근호가 있는 수로 나타낸 후 비교한다.

(1) 2와 $\sqrt{3}$의 대소 비교
$2=\sqrt{2^2}=\sqrt{4}$이므로 $\sqrt{4}>\sqrt{3}$
$\therefore 2>\sqrt{3}$

(2) -3과 $-\sqrt{10}$의 대소 비교
$3=\sqrt{3^2}=\sqrt{9}$이므로 $\sqrt{9}<\sqrt{10}$
$\therefore -\sqrt{9}>-\sqrt{10}$, 즉 $-3>-\sqrt{10}$

방법 2 각각을 제곱하여 비교한다. (단, 음수일 때에는 사용하지 않는다.)
$\sqrt{10}$과 3에서 $(\sqrt{10})^2=10$, $3^2=9$이고 $10>9$이므로 $\sqrt{10}>3$

설명 오른쪽 그림과 같이 넓이가 각각 $a, b(a<b)$인 정사각형의 한 변의 길이는 각각 $\sqrt{a}, \sqrt{b}$이다.
이때 정사각형의 넓이가 넓을수록 한 변의 길이도 길다.
즉 $a<b$이면 $\sqrt{a}<\sqrt{b}$
또, 정사각형의 한 변의 길이가 길수록 넓이도 넓다.
즉 $\sqrt{a}<\sqrt{b}$이면 $a<b$

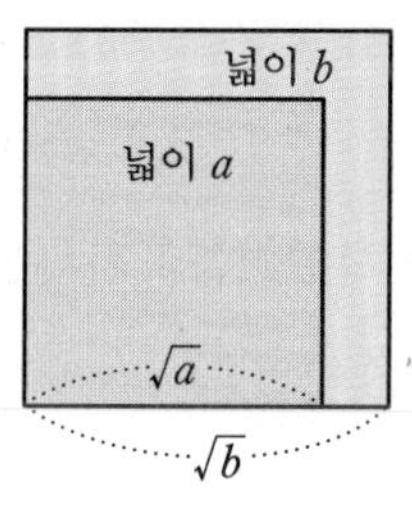

Lecture

- a와 $\sqrt{b}$의 대소 비교 $(a>0, b>0)$
  ① 근호가 있는 수로 나타낸 후 비교 ➡ $\sqrt{a^2}$과 $\sqrt{b}$를 비교
  ② 제곱하여 비교 ➡ a^2과 b를 비교

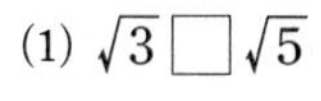 **5** 다음 □ 안에 알맞은 부등호를 써넣으시오.

(1) $\sqrt{3}\ \square\ \sqrt{5}$

(2) $\sqrt{\frac{2}{3}}\ \square\ \sqrt{\frac{2}{5}}$

(3) $-\sqrt{10}\ \square\ -\sqrt{7}$

(4) $-\sqrt{\frac{1}{2}}\ \square\ -\sqrt{\frac{1}{3}}$

(5) $5\ \square\ \sqrt{27}$

(6) $-5\ \square\ -\sqrt{27}$

STEP 1 기초 개념 드릴

개념 기초

1-1

다음 값을 구하시오.

(1) $(\sqrt{3})^2$

(2) $(-\sqrt{7})^2$

(3) $-\sqrt{8^2}$

(4) $-\sqrt{(-11)^2}$

(5) $\sqrt{\frac{4}{49}}$

(6) $-\sqrt{1.44}$

연구 (5) $\sqrt{\frac{4}{49}}=\sqrt{\left(\frac{2}{7}\right)^2}=\square$

(6) $-\sqrt{1.44}=-\sqrt{(\square)^2}=\square$

쌍둥이 문제

1-2

다음을 계산하시오.

(1) $\sqrt{36}\times(\sqrt{5})^2$

(2) $-(\sqrt{3})^2+\sqrt{(-6)^2}$

(3) $(-\sqrt{3})^2-\sqrt{(-1)^2}$

(4) $\sqrt{0.01}\times\sqrt{(-0.5)^2}$

(5) $\sqrt{\left(-\frac{1}{2}\right)^2}\div\left(\sqrt{\frac{1}{3}}\right)^2$

2-1

다음 식을 간단히 하시오.

(1) $a>2$일 때, $\sqrt{(a-2)^2}$

(2) $a<2$일 때, $\sqrt{(a-2)^2}$

연구 (1) $a-2\ \square\ 0$이므로 $\sqrt{(a-2)^2}=\square$

(2) $a-2\ \square\ 0$이므로 $\sqrt{(a-2)^2}=-(\square)=\square$

2-2

다음 식을 간단히 하시오.

(1) $x>1$일 때, $\sqrt{(x-1)^2}$

(2) $x<1$일 때, $\sqrt{(x-1)^2}$

(3) $0<a<1$일 때, $\sqrt{a^2}+\sqrt{(a-1)^2}$

(4) $0<a<1$일 때, $\sqrt{(-3a)^2}+\sqrt{(1-a)^2}$

3-1

다음 $\square$ 안에 알맞은 부등호를 써넣으시오.

(1) $\sqrt{8}\ \square\ 3$

(2) $0.1\ \square\ \sqrt{0.1}$

연구 (1) $3=\sqrt{3^2}=\sqrt{9}$이고 $\sqrt{8}\ \square\ \sqrt{9}$ $\quad\therefore \sqrt{8}\ \square\ 3$

(2) $0.1=\sqrt{(0.1)^2}=\sqrt{0.01}$이고 $\sqrt{0.01}\ \square\ \sqrt{0.1}$

$\therefore 0.1\ \square\ \sqrt{0.1}$

3-2

다음 $\square$ 안에 알맞은 부등호를 써넣으시오.

(1) $6\ \square\ \sqrt{35}$

(2) $\sqrt{0.5}\ \square\ 0.5$

(3) $-4\ \square\ -\sqrt{15}$

(4) $\frac{1}{2}\ \square\ \sqrt{\frac{2}{3}}$

(5) $-\sqrt{\frac{1}{5}}\ \square\ -\frac{1}{2}$

(6) $-\frac{1}{2}\ \square\ -\sqrt{\frac{1}{3}}$

STEP 2 대표 유형으로 개념 잡기

대표 유형 1 제곱근의 성질

$a>0$일 때

① $(\sqrt{a})^2=a$　② $(-\sqrt{a})^2=a$　③ $\sqrt{a^2}=a$　④ $\sqrt{(-a)^2}=a$

1-1 다음 중 그 값이 나머지 넷과 다른 하나는?

① $-\sqrt{3^2}$　② $-(\sqrt{3})^2$　③ $(-\sqrt{3})^2$

④ $-\sqrt{9}$　⑤ $-\sqrt{(-3)^2}$

풀이 ① $-\sqrt{3^2}=-3$　② $-(\sqrt{3})^2=-3$

③ $(-\sqrt{3})^2=3$　④ $-\sqrt{9}=-\sqrt{3^2}=-3$

⑤ $-\sqrt{(-3)^2}=-3$

따라서 그 값이 나머지 넷과 다른 하나는 ③이다.

답 ③

쌍둥이 1-2

다음 중 옳은 것은?

① $\sqrt{(-2)^2}=2$　② $-\sqrt{3^2}=3$

③ $-(-\sqrt{5})^2=5$　④ $\sqrt{(-6)^2}=-6$

⑤ $(-\sqrt{7})^2=-7$

대표 유형 2 제곱근의 성질을 이용한 계산

제곱근의 성질을 이용하여 근호를 없애고 유리수의 사칙 계산의 순서에 따라 계산한다.

2-1 다음 중 옳은 것을 모두 고르면? (정답 2개)

① $\sqrt{5^2}-\sqrt{(-8)^2}=-3$

② $(\sqrt{8})^2+(-\sqrt{2})^2=6$

③ $\sqrt{9}\times\sqrt{(-5)^2}=-15$

④ $\sqrt{(-12)^2}\div\sqrt{(-6)^2}=2$

⑤ $\sqrt{25}-(-\sqrt{7})^2=12$

풀이 ① $\sqrt{5^2}-\sqrt{(-8)^2}=5-8=-3$

② $(\sqrt{8})^2+(-\sqrt{2})^2=8+2=10$

③ $\sqrt{9}\times\sqrt{(-5)^2}=3\times5=15$

④ $\sqrt{(-12)^2}\div\sqrt{(-6)^2}=12\div6=2$

⑤ $\sqrt{25}-(-\sqrt{7})^2=5-7=-2$

따라서 옳은 것은 ①, ④이다.

답 ①, ④

쌍둥이 2-2

다음을 계산하시오.

(1) $\sqrt{(-7)^2}+(-\sqrt{5})^2+\frac{1}{2}\times\sqrt{2^2}$

(2) $\sqrt{64}-(-\sqrt{3})^2+\sqrt{(-9)^2}$

(3) $(-\sqrt{7})^2+\sqrt{(-5)^2}-\sqrt{121}$

(4) $\sqrt{(-5)^2}-(\sqrt{11})^2+\sqrt{81}\div(-\sqrt{3^2})$

대표 유형 3 $\sqrt{A^2}$의 성질

- 근호 안이 문자로 주어지면 근호를 없앨 때 부호에 주의한다.
  ➡ $\sqrt{(\text{양수})^2}=(\text{양수})$, $\sqrt{(\text{음수})^2}=-(\text{음수})$
- 근호 안에 수와 문자가 같이 있는 경우 다음에 주의한다.
  $a>0$일 때, $\sqrt{9a^2}=9a$ (×), $\sqrt{9a^2}=\sqrt{(3a)^2}=3a$ (○)

3-1 $a<0$일 때, 다음 중 옳은 것은?

① $-\sqrt{a^2}=-a$ ② $\sqrt{(-2a)^2}=-2a$
③ $\sqrt{(-4a)^2}=4a$ ④ $\sqrt{81a^2}=-81a$
⑤ $-\sqrt{(-3a)^2}=-3a$

풀이 ① $a<0$이므로 $-\sqrt{a^2}=-(-a)=a$
② $-2a>0$이므로 $\sqrt{(-2a)^2}=-2a$
③ $-4a>0$이므로 $\sqrt{(-4a)^2}=-4a$
④ $9a<0$이므로 $\sqrt{81a^2}=\sqrt{(9a)^2}=-9a$
⑤ $-3a>0$이므로 $-\sqrt{(-3a)^2}=-(-3a)=3a$
따라서 옳은 것은 ②이다.

답 ②

쌍둥이 3-2

$a>0$일 때, 다음 중 옳은 것을 모두 고르면? (정답 2개)

① $\sqrt{(-a)^2}=-a$ ② $-\sqrt{(3a)^2}=3a$
③ $\sqrt{(-5a)^2}=5a$ ④ $-\sqrt{16a^2}=-4a$
⑤ $-\sqrt{(-8a)^2}=8a$

쌍둥이 3-3

다음 식을 간단히 하시오.

(1) $a>0$일 때, $-\sqrt{a^2}+\sqrt{(-4a)^2}-\sqrt{9a^2}$

(2) $a<0$일 때, $\sqrt{a^2}+\sqrt{25a^2}-\sqrt{(-3a)^2}$

대표 유형 4 근호 안이 문자인 식의 계산

부등식의 성질을 이용하여 근호 안의 식의 부호를 파악한다.

$$\sqrt{(a-b)^2}=|a-b|=\begin{cases} a\geq b\text{일 때, } a-b \\ a<b\text{일 때, } -(a-b)=-a+b \end{cases}$$

4-1 $1<a<2$일 때, $\sqrt{(a-1)^2}-\sqrt{(a-2)^2}$을 간단히 하시오.

풀이 $1<a<2$일 때, $a-1>0$, $a-2<0$이므로

$$\begin{aligned}\sqrt{(a-1)^2}-\sqrt{(a-2)^2}&=a-1-\{-(a-2)\}\\&=a-1+a-2\\&=2a-3\end{aligned}$$

답 $2a-3$

쌍둥이 4-2

다음 식을 간단히 하시오.

(1) $0<x<5$일 때, $\sqrt{(x+5)^2}+\sqrt{(x-5)^2}$

(2) $2<a<3$일 때, $\sqrt{(a-3)^2}+\sqrt{(2-a)^2}$

(3) $0<a<b$일 때, $\sqrt{(-2a)^2}-(\sqrt{b})^2+\sqrt{(a-b)^2}$

대표 유형 5 $\sqrt{Ax}$ 꼴을 자연수로 만들기

$\sqrt{Ax}$ (A는 자연수)가 자연수가 되려면 Ax가 제곱수가 되어야 하므로

① A를 소인수분해한다.

② 소인수의 지수가 모두 짝수가 되도록 하는 x의 값을 구한다.

참고 • 제곱수 : 1, 4, 9, 16, …과 같이 자연수의 제곱인 수

• 제곱수의 성질 : 제곱수를 소인수분해하면 소인수의 지수가 모두 짝수이다.

5-1 $\sqrt{108x}$가 자연수가 되게 하는 자연수 x의 값 중에서 가장 작은 값을 구하시오.

풀이 108을 소인수분해하면 $108=2^2\times3^3$

즉 $\sqrt{108x}=\sqrt{2^2\times3^3\times x}$가 자연수가 되려면

$2^2\times3^3\times x$가 제곱수가 되어야 한다.

이때 $2^2\times3^3$에서 지수가 홀수인 소인수는 3이므로

$x=3\times1^2, 3\times2^2, 3\times3^2, \cdots$ → $x=3\times$(자연수)^2 꼴이어야 한다.

따라서 가장 작은 값은 $3\times1^2=3$

$$\begin{array}{r|r} 2 & 108 \\ 2 & 54 \\ 3 & 27 \\ 3 & 9 \\ & 3 \end{array}$$

답 3

쌍둥이 5-2

$\sqrt{24x}$가 자연수가 되게 하는 자연수 x의 값 중에서 가장 작은 두 자리 자연수를 구하시오.

쌍둥이 5-3

$\sqrt{60x}$가 자연수가 되게 하는 자연수 x의 값 중에서 가장 작은 값을 구하시오.

대표 유형 6 $\sqrt{\dfrac{A}{x}}$ 꼴을 자연수로 만들기

$\sqrt{\dfrac{A}{x}}$ (A는 자연수)가 자연수가 되려면 $\dfrac{A}{x}$가 제곱수가 되어야 하므로

① A를 소인수분해한다.

② A의 약수 중 소인수의 지수가 모두 짝수가 되도록 하는 x의 값을 구한다.

6-1 $\sqrt{\dfrac{72}{x}}$가 자연수가 되게 하는 자연수 x의 값 중에서 가장 작은 값을 구하시오.

풀이 72를 소인수분해하면 $72=2^3\times3^2$

즉 $\sqrt{\dfrac{72}{x}}=\sqrt{\dfrac{2^3\times3^2}{x}}$이 자연수가 되려면 $\dfrac{2^3\times3^2}{x}$이 제곱수가 되어야 한다.

이때 $2^3\times3^2$에서 지수가 홀수인 소인수는 2이므로

$x=2, 2\times2^2, 2\times3^2, 2\times2^2\times3^2$

따라서 가장 작은 값은 2이다.

$$\begin{array}{r|r} 2 & 72 \\ 2 & 36 \\ 2 & 18 \\ 3 & 9 \\ & 3 \end{array}$$

답 2

쌍둥이 6-2

$\sqrt{\dfrac{360}{x}}$이 자연수가 되게 하는 자연수 x의 값 중에서 가장 작은 값을 구하시오.

쌍둥이 6-3

$\sqrt{\dfrac{48}{a}}$이 자연수가 되게 하는 자연수 a의 값 중에서 가장 작은 값을 구하시오.

대표 유형 7 $\sqrt{A+x}$ 꼴을 자연수로 만들기

$\sqrt{A+x}$ (A는 자연수)가 자연수이다. ➡ $A+x$는 A보다 큰 제곱수이다. (단, x는 자연수)

참고 외워두면 편리한 제곱수

$11^2=121$, $12^2=144$, $13^2=169$, $14^2=196$, $15^2=225$, $16^2=256$, $17^2=289$, $20^2=400$, $25^2=625$

7-1 $\sqrt{13+x}$가 자연수가 되게 하는 자연수 x의 값 중에서 가장 작은 값을 구하시오.

풀이 $\sqrt{13+x}$가 자연수가 되려면 $13+x$가 13보다 큰 제곱수이어야 하므로

$13+x=16, 25, 36, \cdots$

따라서 자연수 x의 값은 $3, 12, 23, \cdots$이므로 가장 작은 값은 3이다.

답 3

쌍둥이 7-2

$\sqrt{81+x}$가 자연수가 되게 하는 자연수 x의 값 중에서 가장 작은 값을 구하시오.

쌍둥이 7-3

$\sqrt{110+x}$가 자연수가 되게 하는 자연수 x의 값 중에서 가장 작은 값을 구하시오.

대표 유형 8 $\sqrt{A-x}$ 꼴을 자연수로 만들기

- $\sqrt{A-x}$ (A는 자연수)가 자연수이다. ➡ $A-x$는 A보다 작은 제곱수이다. (단, x는 자연수)
- $\sqrt{A-x}$ (A는 자연수)가 정수이다. ➡ $A-x$는 0 또는 A보다 작은 제곱수이다. (단, x는 자연수)

8-1 $\sqrt{26-x}$가 정수가 되게 하는 자연수 x의 값을 모두 구하시오.

풀이 $\sqrt{26-x}$가 정수가 되려면 $26-x$가 0 또는 26보다 작은 제곱수이어야 하므로

$26-x=0, 1, 4, 9, 16, 25$

$\therefore x=26, 25, 22, 17, 10, 1$

답 1, 10, 17, 22, 25, 26

$\sqrt{26-x}$가 정수가 되어야 하므로 $26-x$가 0인 경우도 빠뜨리지 않도록 주의!

쌍둥이 8-2

$\sqrt{50-n}$이 자연수가 되게 하는 자연수 n의 값을 모두 구하시오.

쌍둥이 8-3

$\sqrt{12-x}$가 정수가 되게 하는 자연수 x의 값을 모두 구하시오.

대표 유형 9 제곱근의 대소 관계

- (음수) $<0<$ (양수)
- $a>0$, $b>0$일 때, $a<b$이면 $\sqrt{a}<\sqrt{b}$, $-\sqrt{a}>-\sqrt{b}$
- $\sqrt{}$가 없는 수는 $\sqrt{}$가 있는 수로 바꾸어 대소를 비교한다.

9-1 다음 수를 큰 수부터 차례로 나열할 때, 세 번째에 오는 수를 구하시오.

$$\frac{1}{3},\quad \sqrt{\frac{1}{5}},\quad -3,\quad -\sqrt{8}$$

풀이 $\frac{1}{3}=\sqrt{\frac{1}{9}}$과 $\sqrt{\frac{1}{5}}$의 대소를 비교하면

$\frac{1}{9}<\frac{1}{5}$이므로 $\sqrt{\frac{1}{9}}<\sqrt{\frac{1}{5}}$ $\quad\therefore \frac{1}{3}<\sqrt{\frac{1}{5}}$

$-3=-\sqrt{9}$와 $-\sqrt{8}$의 대소를 비교하면

$9>8$이므로 $\sqrt{9}>\sqrt{8}$ $\quad\therefore -\sqrt{9}<-\sqrt{8}$, 즉 $-3<-\sqrt{8}$

$\therefore -3<-\sqrt{8}<\frac{1}{3}<\sqrt{\frac{1}{5}}$

따라서 큰 수부터 차례로 나열하면 $\sqrt{\frac{1}{5}}, \frac{1}{3}, -\sqrt{8}, -3$이므로

세 번째에 오는 수는 $-\sqrt{8}$이다.

답 $-\sqrt{8}$

쌍둥이 9-2

다음 중 두 수의 대소 관계가 옳은 것은?

① $\sqrt{0.2}<0.2$ ② $-3>-\sqrt{8}$

③ $\sqrt{\frac{3}{4}}>\sqrt{\frac{2}{3}}$ ④ $-\frac{1}{2}>-\sqrt{\frac{1}{5}}$

⑤ $-\sqrt{7}>-\sqrt{6}$

쌍둥이 9-3

다음 수를 작은 수부터 차례로 나열하시오.

$$-\sqrt{3},\quad -2,\quad \sqrt{\frac{7}{2}},\quad \sqrt{5},\quad -\sqrt{\frac{4}{3}}$$

대표 유형 10 제곱근을 포함한 부등식

제곱근을 포함한 부등식의 각 변이 모두 양수이면 각 변을 제곱해도 부등호의 방향은 바뀌지 않는다.

➡ 양수 a, b에 대하여 $a<\sqrt{x}<b$이면 $a^2<x<b^2$

참고 음의 부호가 있을 때에는 음의 부호를 먼저 없앤다.

10-1 다음 부등식을 만족하는 자연수 x의 개수를 구하시오.

(1) $2<\sqrt{x}<3$

(2) $-3\le-\sqrt{x}<-1$

풀이 (1) $2<\sqrt{x}<3$의 각 변을 제곱하면 $4<x<9$

따라서 자연수 x는 5, 6, 7, 8의 4개이다.

(2) $-3\le-\sqrt{x}<-1$의 각 변에 -1을 곱하면 $1<\sqrt{x}\le3$

각 변을 제곱하면 $1<x\le9$

따라서 자연수 x는 2, 3, 4, 5, 6, 7, 8, 9의 8개이다.

답 (1) 4개 (2) 8개

쌍둥이 10-2

다음 부등식을 만족하는 자연수 x의 개수를 구하시오.

(1) $1\le\sqrt{x}<2$

(2) $-3<-\sqrt{x}\le-2$

(3) $3<\sqrt{3x}<6$

제곱근의 성질

(1) 제곱근의 성질

$a>0$일 때

$(\sqrt{a})^2=a$, $(-\sqrt{a})^2=$ ❶

$\sqrt{a^2}=a$, $\sqrt{(-a)^2}=$ ❷

(2) $\sqrt{A^2}$의 성질

$\sqrt{A^2}=|A|=\begin{cases} A\geq 0\text{일 때, } A \\ A<0\text{일 때, } ❸ \end{cases}$

답 ❶ a ❷ a ❸ $-A$

01

다음 중 그 값이 나머지 넷과 다른 하나는?

① $\sqrt{(-7)^2}$ ② $\sqrt{7^2}$ ③ $(-\sqrt{7})^2$
④ $-\sqrt{7^2}$ ⑤ $\sqrt{49}$

02

다음 중 계산이 옳은 것은?

① $\sqrt{36}+\sqrt{(-2)^2}=4$

② $(\sqrt{10})^2-(-\sqrt{7})^2=3$

③ $\sqrt{0.64}\times\left(-\sqrt{\frac{5}{9}}\right)^2=-\frac{2}{9}$

④ $\left(-\sqrt{\frac{2}{3}}\right)^2\div\sqrt{\frac{1}{9}}=-\frac{1}{2}$

⑤ $-\sqrt{2^4}\div\sqrt{\left(-\frac{1}{2}\right)^2}=8$

03

다음을 계산하시오.

(1) $\sqrt{2^2}\div(-\sqrt{2})^2-(\sqrt{2})^2\div\sqrt{(-2)^2}$

(2) $\sqrt{16}-\sqrt{\frac{4}{25}}\times\sqrt{(-5)^2}-\sqrt{(-3)^2}$

★

04

$a<0$, $b>0$일 때, $-\sqrt{(-2a)^2}+\sqrt{9a^2}+\sqrt{(-3b)^2}-\sqrt{4b^2}$을 간단히 하면?

① $3a-b$ ② $-3a+b$ ③ $-a+b$
④ $5a-b$ ⑤ $-5a+b$

05

x의 값의 범위가 다음과 같을 때, $\sqrt{(x+2)^2}-\sqrt{(x-3)^2}$을 간단히 하시오.

(1) $x<-2$

(2) $-2<x<3$

(3) $x>3$

★

06

서술형

$\sqrt{48x}$가 자연수가 되게 하는 자연수 x의 값 중에서 가장 작은 값과 그때의 $\sqrt{48x}$의 값을 구하려고 한다. 다음 물음에 답하시오.

(1) 48을 소인수분해하시오.

(2) $\sqrt{48x}$가 자연수가 되게 하는 자연수 x의 값 중에서 가장 작은 값을 구하시오.

(3) $\sqrt{48x}$의 값을 구하시오.

07

$\sqrt{\frac{75}{x}}$가 자연수가 되게 하는 자연수 x의 값 중에서 가장 작은 값을 구하시오.

08

$\sqrt{40-x}$, $\sqrt{x+5}$가 모두 정수가 되게 하는 자연수 x의 값의 합을 구하시오.

제곱근의 대소 관계

$a>0$, $b>0$일 때

(1) $a<b$이면 $\sqrt{a}<\sqrt{b}$, $-\sqrt{a}>-\sqrt{b}$

(2) $\sqrt{a}<\sqrt{b}$이면 $a<b$

예 $3<4$이므로 $\sqrt{3}$ ❶ $\sqrt{4}$, $-\sqrt{3}$ ❷ $-\sqrt{4}$

답 ❶< ❷>

09

다음 중 두 수의 대소 관계가 옳은 것은?

① $4>\sqrt{18}$ ② $-\sqrt{24}<-5$ ③ $2.5<\sqrt{6}$

④ $\frac{1}{3}<\sqrt{\frac{1}{6}}$ ⑤ $\frac{1}{5}>\sqrt{\frac{1}{5}}$

10

다음 수를 작은 수부터 차례로 나열할 때, 네 번째에 오는 수를 구하시오.

-3, $\sqrt{20}$, $\sqrt{\frac{1}{2}}$, $-\sqrt{6}$, $\sqrt{8}$, 4

11

다음은 부등식 $3<\sqrt{x}<4$를 만족하는 자연수 x의 값을 모두 구하는 과정이다. (1)~(5)에 알맞은 수를 써넣으시오.

$3<\sqrt{x}<4$에서

$3>0$, $4>0$이므로 부등식의 각 변을 제곱하면

$\boxed{(1)}^2<x<\boxed{(2)}^2$ ∴ $\boxed{(3)}<x<\boxed{(4)}$

따라서 구하는 자연수 x는 $\boxed{\quad(5)\quad}$이다.

★ 12

부등식 $6<\sqrt{3n}<8$을 만족하는 자연수 n의 값 중에서 가장 큰 수를 a, 가장 작은 수를 b라 할 때, $a-b$의 값을 구하시오.

13 서술형

부등식 $2<\sqrt{2x+1}<3$을 만족하는 모든 자연수 x의 값의 합을 구하시오.

14 창의력

x가 자연수일 때, $\sqrt{x}$ 이하의 자연수의 개수를 $N(x)$라 하자. 예를 들어 $2<\sqrt{5}<3$이므로 $N(5)=2$이다. 이때 $N(3)+N(6)+N(9)$의 값을 구하시오.

2 무리수와 실수

중2	중3	고등학교
•유리수와 순환소수	• 무리수 • 실수와 수직선	•복소수(고1)

학습 목표

- 무리수의 개념을 이해한다.
- 실수의 대소 관계를 판단할 수 있다.

지금까지 배운 수들을 정리해 볼까? 처음에는 자연수를 배웠어.
1 2 3 4 5 6 7 8 9
10 11 12 13 14 15 16 17 18 19
20 21 22 23 24 25 26 27 28 29 30
31 32 33 34 35 36 ……
…… 100 …
그 다음에는 정수를 배웠지. 정수는 양의 정수(자연수), 0, 음의 정수로 이루어져 있어.
정수
양의 정수(자연수) : 1, 2, 3, …
0
음의 정수 : −1, −2, −3, …
그리고 유리수를 배웠어. 유리수는 분수 꼴로 나타낼 수 있는 수야. 다음에는 무엇을 배우는지 볼까?
유리수
정수
양의 정수(자연수) : 1, 2, 3, …
0
음의 정수 : −1, −2, −3, …
정수가 아닌 유리수 : $-\frac{1}{2}$, $-\frac{2}{3}$, …
다음에는 무리수를 배울 거야. 순환소수가 아닌 무한소수를 무리수라고 해.
실수는 또 뭐야?
실수
유리수
정수
양의 정수(자연수)
0
음의 정수
정수가 아닌 유리수
무리수 : π, $\sqrt{2}$, $-\sqrt{3}$, …

1 무리수와 실수

개념 1 무리수와 실수

(1) **무리수** 유리수가 아닌 수, 즉 순환소수가 아닌 무한소수로 나타내어지는 수

예 $\sqrt{2}=1.4142135\cdots$, $\pi=3.141592\cdots$

→ 무한소수이고 소수점 아래 숫자가 순환하지 않는다.

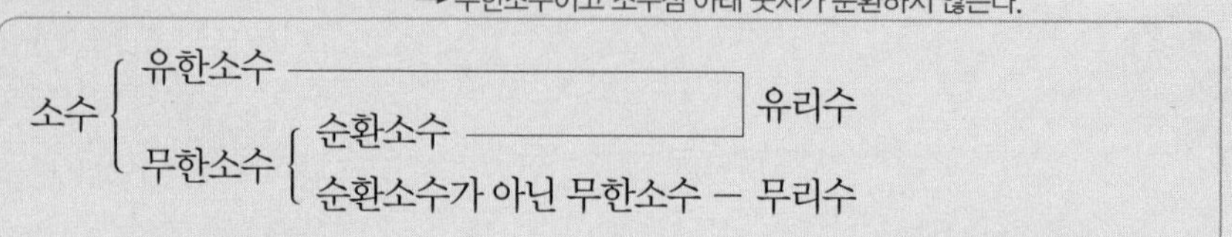

(2) **실수** 유리수와 무리수를 통틀어 실수라 한다.

실수
- 유리수
  - 정수
    - 양의 정수(자연수) : 1, 2, 3, ⋯
    - 0
    - 음의 정수 : -1, -2, -3, ⋯
  - 정수가 아닌 유리수 : 2.5, $\frac{8}{5}$, $-0.\dot{3}$, ⋯ → 유한소수, 순환소수
- 무리수 : $\sqrt{2}$, $-\sqrt{3}$, π, ⋯ → 순환소수가 아닌 무한소수

용어

- **유리수** : $\frac{(\text{정수})}{(0\text{이 아닌 정수})}$로 나타낼 수 있는 수
- **순환소수** : 무한소수 중 소수점 아래 일정 부분이 무한히 반복되는 소수

예 $0.313131\cdots=0.\dot{3}\dot{1}$
$1.512512\cdots=1.\dot{5}1\dot{2}$

앞으로 수라고 하면 실수를 말하는 거야.

보기

(1) $\sqrt{5}$ ⇨ 근호를 벗길 수 없으므로 무리수 ← 근호 안의 수가 어떤 수의 제곱이 아니면 무리수

(2) $\sqrt{4}=\sqrt{2^2}=2$ ⇨ 근호를 벗길 수 있으므로 유리수 ← 근호 안의 수가 어떤 수의 제곱이면 유리수

(3) $0.333\cdots=0.\dot{3}=\frac{3}{9}=\frac{1}{3}$ ⇨ 분수로 나타낼 수 있으므로 유리수

(4) 원주율 $\pi=3.141592\cdots$ ⇨ 순환소수가 아닌 무한소수이므로 무리수

(5) $\sqrt{2}-1=1.4142135\cdots-1=0.4142135\cdots$ ⇨ 순환소수가 아닌 무한소수이므로 무리수

Lecture

유리수	무리수(=유리수가 아닌 수)
① 분수로 나타낼 수 있는 수	① 분수로 나타낼 수 없는 수
② 유한소수, 순환소수	② 순환소수가 아닌 무한소수
③ 근호를 벗길 수 있는 수 ➡ $\sqrt{4}=2$, $-\sqrt{16}=-4$, ⋯	③ 근호를 벗길 수 없는 수 ➡ $\sqrt{2}$, $\sqrt{5}$, $-\sqrt{7}$, ⋯

| 개념 확인 | **1** 다음 수가 유리수이면 '유', 무리수이면 '무'를 ( ) 안에 써넣으시오.

(1) 0 ( ) (2) $\sqrt{6}$ ( ) (3) $-\sqrt{\frac{1}{9}}$ ( )

(4) $\sqrt{\frac{2}{3}}$ ( ) (5) $\sqrt{3}-1$ ( ) (6) $-\sqrt{0.02}$ ( )

교과서 속 원리 알아보기 무리수는 어떤 수일까?

제곱근의 대소 관계를 이용하여 $\sqrt{2}$의 값을 소수로 나타내어 보자.

$1^2=1$, $(\sqrt{2})^2=2$, $2^2=4$이고 $1<2<4$, 즉 $1^2<(\sqrt{2})^2<2^2$이므로

$$1<\sqrt{2}<2$$

이다.

또 $1.4^2=1.96$, $(\sqrt{2})^2=2$, $1.5^2=2.25$이고 $1.96<2<2.25$, 즉

$1.4^2<(\sqrt{2})^2<1.5^2$이므로

$$1.4<\sqrt{2}<1.5$$

이다.

또 $1.41^2=1.9881$, $(\sqrt{2})^2=2$, $1.42^2=2.0164$이고 $1.9881<2<2.0164$, 즉

$1.41^2<(\sqrt{2})^2<1.42^2$이므로

$$1.41<\sqrt{2}<1.42$$

이다.

이와 같은 방법으로 계산을 계속하면 다음과 같다.

$$1.414<\sqrt{2}<1.415$$

$$1.4142<\sqrt{2}<1.4143$$

$$\vdots$$

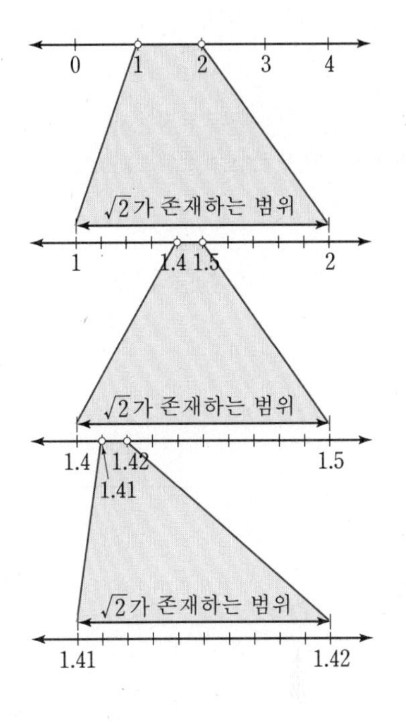

실제로 이와 같은 방법으로 계속하여 $\sqrt{2}$의 값을 자세히 구하면

$$\sqrt{2}=1.41421356237309504880168872 4209\cdots$$

와 같이 순환소수가 아닌 무한소수로 나타내어진다.

즉 무리수는 순환소수가 아닌 무한소수로 나타내어지는 수이다.

$\sqrt{2}$와 같은 수는 유한소수 또는 순환소수로 나타낼 수 없으므로 유리수가 아니야.
이와 같이 유리수가 아닌 수를 무리수라고 해.

(1) $\sqrt{3}$, $\sqrt{5}$를 소수로 나타내면

$$\sqrt{3}=1.73205080756\cdots,\ \sqrt{5}=2.23606797749\cdots$$

와 같이 순환소수가 아닌 무한소수가 되므로 이들은 모두 무리수이다.

(2) $\sqrt{2}+1=1.4142135\cdots+1=2.4142135\cdots$이고, 이는 순환소수가 아닌 무한소수이므로 $\sqrt{2}+1$은 무리수이다.
즉 무리수와 유리수의 합은 무리수이다.

개념 2 실수와 수직선

(1) 모든 실수는 각각 수직선 위의 한 점에 대응한다.

(2) 서로 다른 두 실수 사이에는 무수히 많은 실수가 있다.

(3) 수직선은 유리수와 무리수, 즉 실수에 대응하는 점들로 완전히 메울 수 있다.

서로 다른 두 유리수 사이에는 무수히 많은 유리수가 있다.
서로 다른 두 무리수 사이에는 무수히 많은 무리수가 있다.

보충 유리수(또는 무리수)를 나타내는 점만으로는 수직선을 완전히 메울 수 없다.

설명 직각삼각형의 빗변의 길이를 이용하여 무리수를 수직선 위에 다음과 같이 나타낼 수 있다.

(단, 모눈 한 칸은 한 변의 길이가 1인 정사각형이다.)

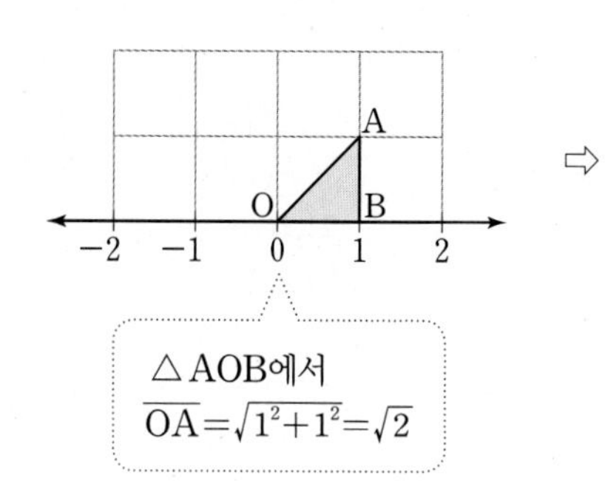

⇨

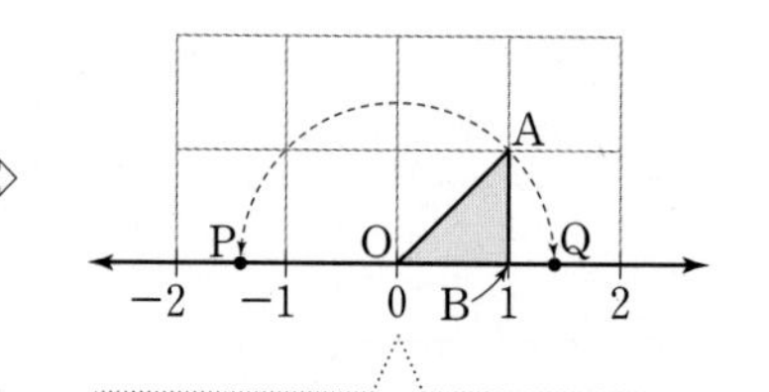

원점 O를 중심으로 하고 $\overline{OA}$를 반지름으로 하는 원을 그려 원이 수직선과 만나는 점을 각각 P, Q라 한다.

⇨

$\overline{OP}=\overline{OA}=\sqrt{2}$이므로
점 P에 대응하는 수는 $-\sqrt{2}$,
$\overline{OQ}=\overline{OA}=\sqrt{2}$이므로
점 Q에 대응하는 수는 $\sqrt{2}$이다.

오른쪽 그림에서 모눈 한 칸은 한 변의 길이가 1인 정사각형이다.
△ABC는 직각삼각형이므로
$\overline{AB}=\sqrt{1^2+2^2}=\sqrt{5}$
$\overline{PB}=\overline{AB}=\sqrt{5}$이고 점 B에 대응하는 수는 -1이므로
점 P에 대응하는 수는 $-1+\sqrt{5}$이다.
→ 점 P는 기준점 B의 오른쪽에 있다.

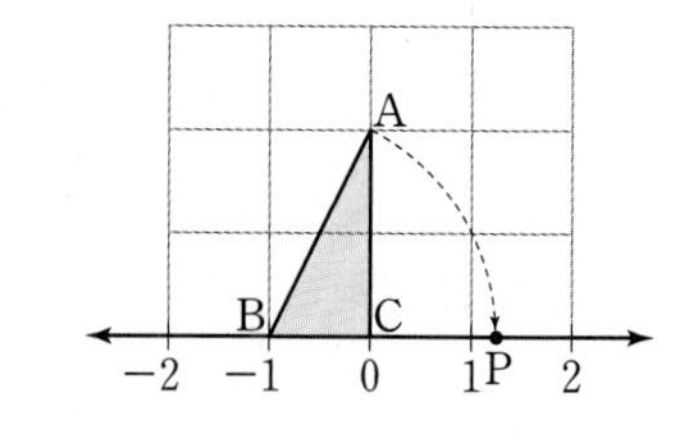

Lecture

● 피타고라스 정리
오른쪽 그림과 같이 ∠C=90°인 직각삼각형 ABC에서
$c^2=a^2+b^2$, 즉 $c=\sqrt{a^2+b^2}$

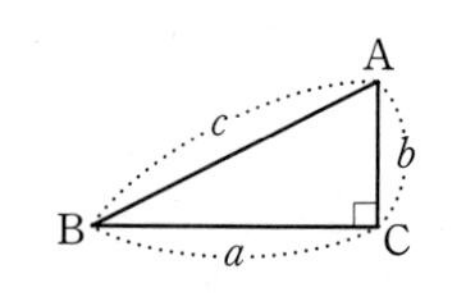

| 개념 확인 | **2** **다음 그림은 한 눈금의 길이가 1인 모눈종이 위에 두 직각삼각형 ABC, DEF와 수직선을 그린 것이다. 네 점 P, Q, R, S에 대응하는 수를 각각 구하시오. (단, $\overline{AC}=\overline{PC}=\overline{QC}$, $\overline{DE}=\overline{RE}=\overline{SE}$)**

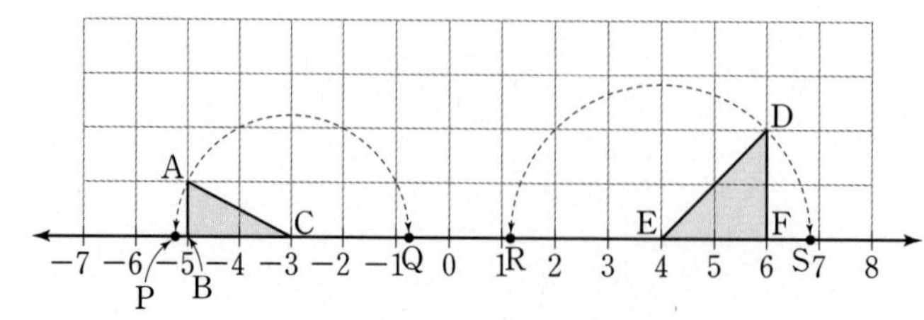

개념 3 실수의 대소 관계

(1) 실수의 대소 관계

① 양수는 0보다 크고, 음수는 0보다 작다.
➡ (음수)$<0<$(양수)

② 양수끼리는 절댓값이 큰 수가 크다.

③ 음수끼리는 절댓값이 큰 수가 작다.

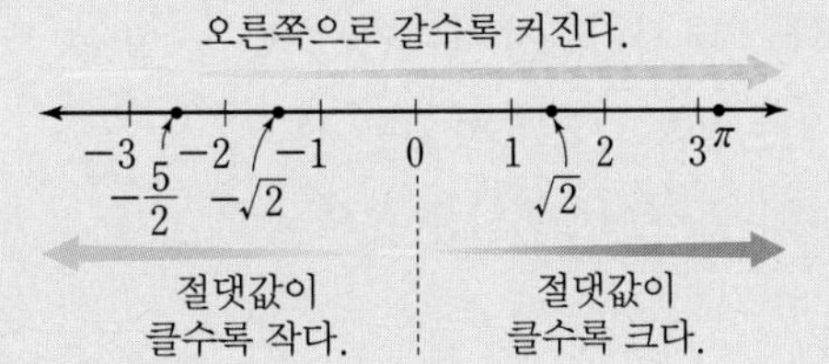

용어

- **실수의 절댓값**
실수의 절댓값도 유리수와 마찬가지로 수직선에서 원점과 그 실수에 대응하는 점 사이의 거리이다.
예 $|\sqrt{2}|=\sqrt{2}$, $|-\sqrt{2}|=\sqrt{2}$

(2) 두 실수 a, b의 대소 관계

① $a-b>0$이면 $a>b$ ② $a-b=0$이면 $a=b$ ③ $a-b<0$이면 $a<b$

예 $(\sqrt{3}+1)-(\sqrt{2}+1)=\sqrt{3}-\sqrt{2}>0$ $\therefore \sqrt{3}+1>\sqrt{2}+1$

보기 두 실수의 대소 관계는 다음과 같이 부등식의 성질을 이용하여 비교할 수도 있다.

(1) $\sqrt{7}-1$과 $\sqrt{10}-1$의 대소 비교
$\sqrt{7}<\sqrt{10}$이므로 양변에서 1을 빼면
$\sqrt{7}-1<\sqrt{10}-1$

(2) $2-\sqrt{3}$과 $2-\sqrt{2}$의 대소 비교
$\sqrt{3}>\sqrt{2}$이므로 양변에 -1을 곱하면 $-\sqrt{3}<-\sqrt{2}$ ······ ㉠
㉠의 양변에 2를 더하면 $2-\sqrt{3}<2-\sqrt{2}$

부등식의 양변에 음수를 곱하면 부등호의 방향은 바뀐다.

Lecture

- 두 실수의 대소 비교 방법
① 두 실수의 차를 이용한다.
예 $3-\sqrt{2}$, 2의 대소 비교 ➡ $(3-\sqrt{2})-2=1-\sqrt{2}<0$ $\therefore 3-\sqrt{2}<2$
② 부등식의 성질을 이용한다.
예 $1+\sqrt{2}$, $2+\sqrt{2}$의 대소 비교 ➡ $1<2$이므로 양변에 $\sqrt{2}$를 더하면 $1+\sqrt{2}<2+\sqrt{2}$

| 개념 확인 | 3 다음은 두 실수의 차를 이용하여 $3-\sqrt{2}$와 $3-\sqrt{5}$의 대소를 비교하는 과정이다. □ 안에 알맞은 부등호를 써넣으시오.

$3-\sqrt{2}-(3-\sqrt{5})=3-\sqrt{2}-3+\sqrt{5}=\sqrt{5}-\sqrt{2}$
이때 $\sqrt{5}-\sqrt{2}$ □ 0이므로 $3-\sqrt{2}$ □ $3-\sqrt{5}$

| 개념 확인 | 4 다음 □ 안에 알맞은 부등호를 써넣으시오.

(1) $\sqrt{3}+1$ □ $\sqrt{5}+1$

(2) $-3-\sqrt{7}$ □ $-4-\sqrt{7}$

(3) $2-\sqrt{5}$ □  $2-\sqrt{7}$

(4) $\sqrt{15}-\sqrt{17}$ □ $-\sqrt{17}+4$

정답과 해설 p.26

개념 동영상

개념 4 제곱근의 값

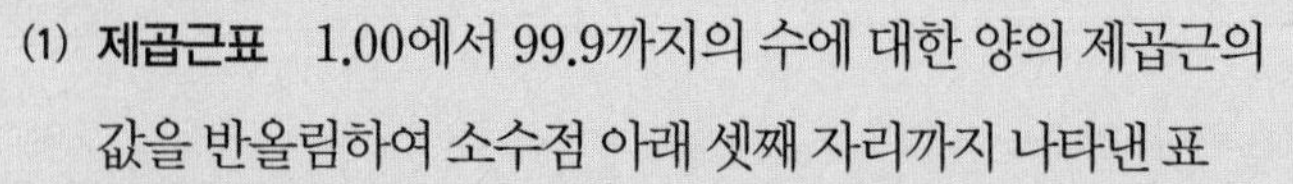
(1) **제곱근표** 1.00에서 99.9까지의 수에 대한 양의 제곱근의 값을 반올림하여 소수점 아래 셋째 자리까지 나타낸 표

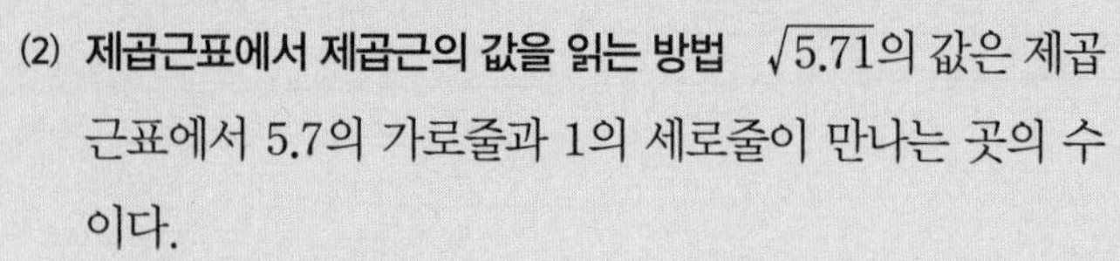
(2) **제곱근표에서 제곱근의 값을 읽는 방법** $\sqrt{5.71}$의 값은 제곱근표에서 5.7의 가로줄과 1의 세로줄이 만나는 곳의 수이다.

➡ $\sqrt{5.71}=2.390$

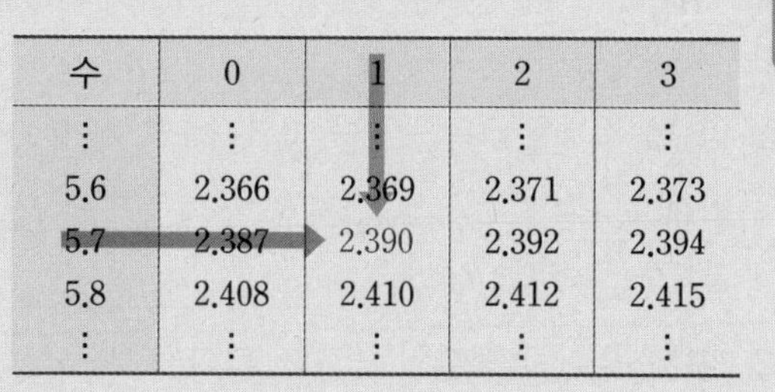

수	0	1	2	3
⋮	⋮	⋮	⋮	⋮
5.6	2.366	2.369	2.371	2.373
5.7	2.387	2.390	2.392	2.394
5.8	2.408	2.410	2.412	2.415
⋮	⋮	⋮	⋮	⋮

참고 제곱근표에서 1.00부터 9.99까지의 수는 0.01 간격으로, 10.0부터 99.9까지의 수는 0.1 간격으로 되어 있다.

보기 제곱근표를 이용하여 $\sqrt{37.2}$의 값을 구해 보면 $\sqrt{37.2}$의 값은 제곱근표에서 37의 가로줄과 2의 세로줄이 만나는 곳의 수인 6.099이다.

$\therefore \sqrt{37.2}=6.099$

수	0	1	2	⋯	9
35	5.916	5.925	5.933	⋯	5.992
36	6.000	6.008	6.017	⋯	6.075
37	6.083	6.091	6.099	⋯	6.156
38	6.164	6.173	6.181	⋯	6.237

Lecture

① $1.00 \le a \le 9.99$인 경우 ➡ $\sqrt{1.27}$의 값을 구할 때, 1.2는 표의 왼쪽에서, 7은 표의 위쪽에서 찾는다.

② $10.0 \le a \le 99.9$인 경우 ➡ $\sqrt{12.7}$의 값을 구할 때, 12는 표의 왼쪽에서, 7은 표의 위쪽에서 찾는다.

| 개념 확인 | **5** 아래 제곱근표를 보고 다음 제곱근의 값을 구하시오.

(1)

수	0	1	2	3	4
5.5	2.345	2.347	2.349	2.352	2.354
5.6	2.366	2.369	2.371	2.373	2.375
5.7	2.387	2.390	2.392	2.394	2.396
5.8	2.408	2.410	2.412	2.415	2.417
5.9	2.429	2.431	2.433	2.435	2.437

㉠ $\sqrt{5.5}$ ㉡ $\sqrt{5.63}$ ㉢ $\sqrt{5.82}$ ㉣ $\sqrt{5.91}$

(2)

수	0	1	2	3	4
15	3.873	3.886	3.899	3.912	3.924
16	4.000	4.012	4.025	4.037	4.050
17	4.123	4.135	4.147	4.159	4.171
18	4.243	4.254	4.266	4.278	4.290
19	4.359	4.370	4.382	4.393	4.405

㉠ $\sqrt{15}$ ㉡ $\sqrt{17.3}$ ㉢ $\sqrt{18.1}$ ㉣ $\sqrt{19.4}$

개념 기초

1-1

다음 수 중 유리수인 것에는 '유', 무리수인 것에는 '무'를 (　　) 안에 써넣으시오.

(1) $0.\dot{2}$ (　　)

(2) $\sqrt{(-7)^2}$ (　　)

(3) 2.121231234⋯ (　　)

(4) $-\sqrt{\frac{9}{16}}$ (　　)

연구 (1) $0.\dot{2}=\frac{\square}{9}$　(2) $\sqrt{(-7)^2}=\square$

(3) 순환소수가 아닌 무한소수이다.

(4) $-\sqrt{\frac{9}{16}}=-\sqrt{\left(\frac{3}{4}\right)^2}=\square$

2-1

오른쪽 그림은 한 눈금의 길이가 1인 모눈종이 위에 정사각형 ABCD와 수직선을 그린 것이다. 두 점 P, Q에 대응하는 수를 각각 a, b라 할 때, □ 안에 알맞은 수를 써넣으시오.

(단, $\overline{AP}=\overline{AD}=\overline{AB}=\overline{AQ}$)

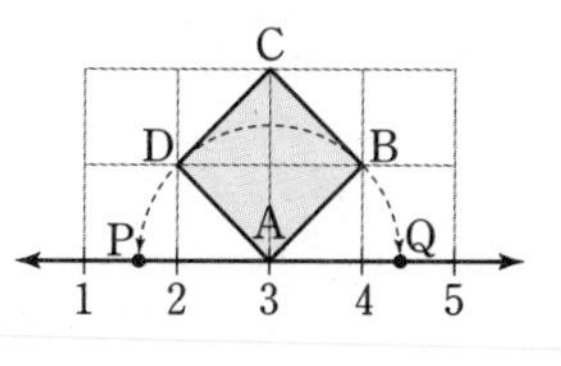

$\overline{AB}=\sqrt{1^2+1^2}=\square$이므로

$\overline{AP}=\overline{AD}=\overline{AQ}=\overline{AB}=\square$

$\therefore a=\square, b=\square$

연구 $\overline{AB}=\sqrt{c}$일 때

(1) 점 P는 기준점 A의 왼쪽에 있다.

➡ a=(기준점 A의 좌표)$\square\sqrt{c}$

(2) 점 Q는 기준점 A의 오른쪽에 있다.

➡ b=(기준점 A의 좌표)$\square\sqrt{c}$

3-1

다음 중 옳은 것에는 ○표, 옳지 않은 것에는 ×표를 하시오.

(1) 수직선은 유리수에 대응하는 점들로 완전히 메울 수 있다. (　　)

(2) 서로 다른 두 무리수 사이에는 무수히 많은 무리수가 있다. (　　)

(3) $\sqrt{5}$는 수직선 위에 나타낼 수 없다. (　　)

연구 수직선은 □에 대응하는 점들로 완전히 메울 수 있다.

쌍둥이 문제

1-2

다음 설명 중 밑줄 친 부분이 옳은 것에는 ○표를 하고, 옳지 않은 것은 바르게 고치시오.

(1) 순환소수가 아닌 무한소수는 <u>유리수</u>이다. ________

(2) 무리수는 모두 <u>무한소수</u>로 나타내어진다. ________

(3) 순환소수는 <u>무리수</u>이다. ________

(4) 유한소수는 <u>유리수</u>이다. ________

2-2

아래 그림과 같이 수직선 위에 한 변의 길이가 1인 정사각형 ABCD가 있다. $\overline{BD}=\overline{BP}$, $\overline{CA}=\overline{CQ}$일 때, 다음을 구하시오.

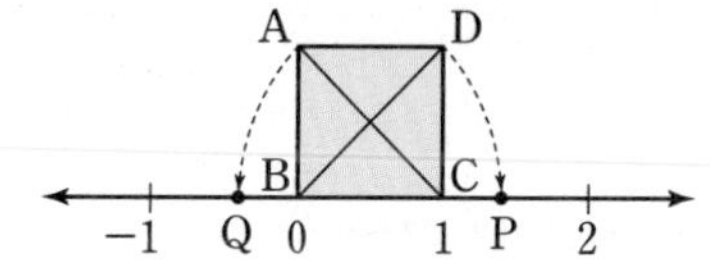

(1) 점 P에 대응하는 수

(2) 점 Q에 대응하는 수

3-2

다음 중 옳은 것에는 ○표, 옳지 않은 것에는 ×표를 하시오.

(1) 수직선은 무리수에 대응하는 점들로 완전히 메울 수 있다. (　　)

(2) 서로 다른 두 유리수 사이에는 유한개의 유리수가 있다. (　　)

(3) 모든 실수는 각각 수직선 위의 한 점에 대응한다. (　　)

2 무리수와 실수

대표 유형으로 개념 잡기

대표 유형 1 유리수와 무리수

- 무리수 : 유리수가 아닌 수, 즉 순환소수가 아닌 무한소수로 나타내어지는 수
- 근호를 벗길 수 있는 수는 유리수이다. 예 $\sqrt{4}=2$, $-\sqrt{9}=-3$
- 무리수에 유리수를 더하거나 빼어도 그 수는 무리수이다.
  예 $\sqrt{2}$가 무리수이므로 $\sqrt{2}+1$, $\sqrt{2}-1$도 무리수이다.

1-1 다음 보기 중 무리수인 것을 모두 고르시오.

보기
㉠ $\sqrt{9}$ ㉡ $\sqrt{0.\dot{4}}$ ㉢ $-\sqrt{3}$
㉣ 3.6 ㉤ $\sqrt{5}-1$

풀이 ㉠ $\sqrt{9}=\sqrt{3^2}=3$ (유리수)
㉡ $\sqrt{0.\dot{4}}=\sqrt{\frac{4}{9}}=\sqrt{\left(\frac{2}{3}\right)^2}=\frac{2}{3}$ (유리수)
따라서 무리수인 것은 ㉢, ㉤이다.

답 ㉢, ㉤

쌍둥이 1-2

다음 수 중에서 무리수인 것은?

① $-\sqrt{100}$ ② $0.2\dot{5}$ ③ $\sqrt{2}-2$
④ $(-\sqrt{5})^2$ ⑤ $\sqrt{0.\dot{1}}$

쌍둥이 1-3

다음 중 순환소수가 아닌 무한소수는 모두 몇 개인지 구하시오.

$\sqrt{2}$, $0.\dot{2}$, $\sqrt{64}$, $\sqrt{\frac{12}{9}}$, $0.101001000\cdots$

대표 유형 2 무리수의 이해

- 소수 중 유한소수와 순환소수는 유리수, 순환소수가 아닌 무한소수는 무리수이다.
- 분수 $\frac{a}{b}$ 꼴로 나타낼 수 있는 수는 유리수, 분수 $\frac{a}{b}$ 꼴로 나타낼 수 없는 수는 무리수이다. (단, a, b는 정수, $b\neq0$)

2-1 다음 보기 중 옳은 것을 모두 고르시오.

보기
㉠ 무한소수는 모두 무리수이다.
㉡ 유리수 중에서 무한소수인 수가 있다.
㉢ 근호를 사용하여 나타낸 수는 모두 무리수이다.
㉣ 유리수가 아닌 실수는 모두 무리수이다.

풀이 ㉠ 무한소수 중 순환소수는 유리수이다.
㉡ 유리수 중에서 무한소수인 수는 순환소수이다.
㉢ $\sqrt{9}=3$과 같이 근호를 벗길 수 있는 수는 유리수이다.
㉣ 유리수와 무리수를 통틀어 실수라 하므로 유리수가 아닌 실수는 모두 무리수이다.
따라서 옳은 것은 ㉡, ㉣이다.

답 ㉡, ㉣

쌍둥이 2-2

다음 중 $\sqrt{7}$에 대한 설명으로 옳지 않은 것은?

① 무리수이다.
② 근호를 사용하지 않고 나타낼 수 없다.
③ 제곱을 하면 유리수가 된다.
④ $\frac{(\text{정수})}{(0\text{이 아닌 정수})}$ 꼴로 나타낼 수 있다.
⑤ 소수로 나타내면 순환소수가 아닌 무한소수가 된다.

대표 유형 3 무리수를 수직선 위에 나타내기

- 밑변의 길이가 a이고 높이가 b인 직각삼각형에서 (빗변의 길이)$=\sqrt{a^2+b^2}$
- 대응하는 점이 기준점의 오른쪽에 있으면 ➡ (기준점의 좌표)+(빗변의 길이)
  대응하는 점이 기준점의 왼쪽에 있으면 ➡ (기준점의 좌표)−(빗변의 길이)

3-1 다음 그림에서 모눈 한 칸은 한 변의 길이가 1인 정사각형이다. $\overline{PQ}=\overline{PT}$일 때, 점 T에 대응하는 수를 구하시오.

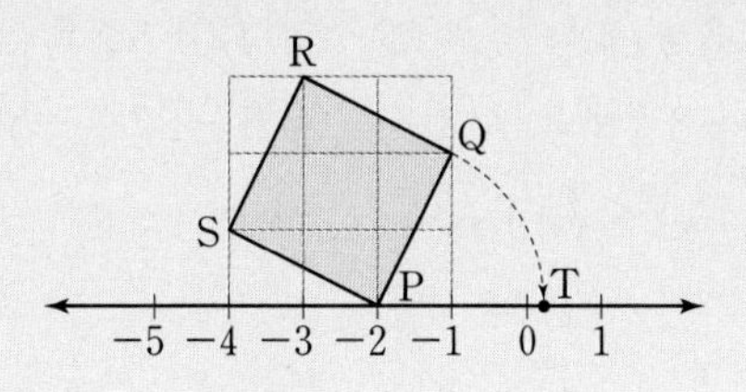

풀이 $\overline{PQ}=\sqrt{1^2+2^2}=\sqrt{5}$이므로
$\overline{PT}=\overline{PQ}=\sqrt{5}$
따라서 점 T에 대응하는 수는 $-2+\sqrt{5}$이다.

답 $-2+\sqrt{5}$

쌍둥이 3-2

아래 그림에서 모눈 한 칸은 한 변의 길이가 1인 정사각형이고 $\overline{BA}=\overline{BP}$, $\overline{BC}=\overline{BQ}$일 때, 다음을 구하시오.

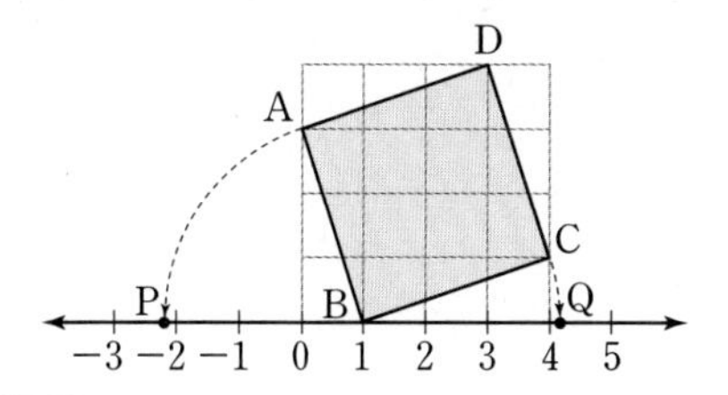

(1) $\overline{AB}$, $\overline{BC}$의 길이

(2) 점 P에 대응하는 수

(3) 점 Q에 대응하는 수

대표 유형 4 실수와 수직선

- 수직선은 실수(유리수와 무리수)에 대응하는 점들로 완전히 메울 수 있다.
- 음의 실수는 수직선에서 원점의 왼쪽에, 양의 실수는 수직선에서 원점의 오른쪽에 대응된다.

4-1 다음 보기 중 옳은 것을 모두 고르시오.

보기
ㄱ π는 수직선 위의 한 점에 대응시킬 수 있다.
ㄴ $\frac{1}{3}$과 $\frac{1}{2}$ 사이에는 유한개의 무리수가 있다.
ㄷ $\sqrt{2}$와 $\sqrt{5}$ 사이에는 무수히 많은 정수가 있다.
ㄹ $1-\sqrt{2}$는 수직선에서 원점의 왼쪽에 대응한다.

풀이 ㄴ $\frac{1}{3}$과 $\frac{1}{2}$ 사이에는 무수히 많은 무리수가 있다.
ㄷ $\sqrt{2}$와 $\sqrt{5}$ 사이에 있는 정수는 2의 1개이다.
ㄹ $1-\sqrt{2}<0$이므로 수직선에서 원점의 왼쪽에 대응한다.
따라서 옳은 것은 ㄱ, ㄹ이다.

답 ㄱ, ㄹ

쌍둥이 4-2

다음 중 옳지 않은 것을 모두 고르면? (정답 2개)

① 3과 4 사이에는 무리수가 없다.
② $\sqrt{13}$은 수직선 위에 나타낼 수 없다.
③ 모든 실수는 각각 수직선 위의 한 점에 대응한다.
④ $\sqrt{3}$과 $\sqrt{7}$ 사이에는 1개의 정수가 있다.
⑤ 서로 다른 두 실수 사이에는 무수히 많은 무리수가 있다.

대표 유형 5 두 실수의 대소 관계

- $a>0$, $b>0$일 때, $a<b$이면 $\sqrt{a}<\sqrt{b}$, $-\sqrt{a}>-\sqrt{b}$
- 두 실수 a, b에 대하여
  ① $a-b>0$이면 $a>b$　② $a-b=0$이면 $a=b$　③ $a-b<0$이면 $a<b$

5-1 다음 중 두 실수의 대소 관계가 옳은 것은?

① $2+\sqrt{2} > 2+\sqrt{3}$
② $\sqrt{7}-\sqrt{3} > \sqrt{7}-2$
③ $1-\sqrt{2} > \sqrt{5}-\sqrt{2}$
④ $1+\sqrt{2} < 2$
⑤ $3+\sqrt{10} < 6$

풀이 ① $2+\sqrt{2}-(2+\sqrt{3})=\sqrt{2}-\sqrt{3}<0$　$\therefore 2+\sqrt{2}<2+\sqrt{3}$
② $\sqrt{7}-\sqrt{3}-(\sqrt{7}-2)=2-\sqrt{3}=\sqrt{4}-\sqrt{3}>0$
$\therefore \sqrt{7}-\sqrt{3}>\sqrt{7}-2$
③ $1-\sqrt{2}-(\sqrt{5}-\sqrt{2})=1-\sqrt{5}<0$　$\therefore 1-\sqrt{2}<\sqrt{5}-\sqrt{2}$
④ $1+\sqrt{2}-2=\sqrt{2}-1>0$　$\therefore 1+\sqrt{2}>2$
⑤ $3+\sqrt{10}-6=\sqrt{10}-3=\sqrt{10}-\sqrt{9}>0$　$\therefore 3+\sqrt{10}>6$
따라서 두 실수의 대소 관계가 옳은 것은 ②이다.　답 ②

쌍둥이 5-2

다음 중 두 실수의 대소 관계가 옳은 것은?

① $4<3-\sqrt{2}$　② $\sqrt{2}+3<5$
③ $\sqrt{7}-3<-3+\sqrt{3}$　④ $1-\sqrt{2}<-\sqrt{5}+1$
⑤ $\sqrt{3}+\sqrt{7}<\sqrt{5}+\sqrt{3}$

쌍둥이 5-3

다음 중 두 실수의 대소 관계가 옳지 않은 것은?

① $\sqrt{5}<3$　② $2+\sqrt{3}<4$
③ $-\sqrt{3}<-\sqrt{2}$　④ $\sqrt{7}+1>\sqrt{6}+1$
⑤ $5-\sqrt{2}<5-\sqrt{3}$

대표 유형 6 두 실수 사이의 수

주어진 제곱근의 값을 이용하여 각 수의 값을 계산한다.

참고 두 수 a, b에 대하여 $\frac{a+b}{2}$는 수직선에서 a와 b를 나타내는 두 점의 중점에 대응하는 수이므로 a와 b 사이의 수이다.

6-1 다음 중 $\sqrt{2}$와 $\sqrt{3}$ 사이에 있는 수가 아닌 것은?
(단, $\sqrt{2}=1.414$, $\sqrt{3}=1.732$로 계산한다.)

① $\sqrt{2}+0.2$　② $\sqrt{3}-0.2$　③ $\sqrt{2}+0.03$
④ $\frac{\sqrt{2}+\sqrt{3}}{2}$　⑤ $\frac{\sqrt{2}-\sqrt{3}}{2}$

풀이 ① $\sqrt{2}+0.2=1.614$　$\therefore \sqrt{2}<\sqrt{2}+0.2<\sqrt{3}$
② $\sqrt{3}-0.2=1.532$　$\therefore \sqrt{2}<\sqrt{3}-0.2<\sqrt{3}$
③ $\sqrt{2}+0.03=1.444$　$\therefore \sqrt{2}<\sqrt{2}+0.03<\sqrt{3}$
④ $\frac{\sqrt{2}+\sqrt{3}}{2}$은 수직선에서 $\sqrt{2}$와 $\sqrt{3}$을 나타내는 두 점의 중점에 대응하는 수이므로 $\sqrt{2}$와 $\sqrt{3}$ 사이의 수이다.
⑤ $\sqrt{2}-\sqrt{3}<0$이므로 $\frac{\sqrt{2}-\sqrt{3}}{2}<0$
따라서 $\sqrt{2}$와 $\sqrt{3}$ 사이에 있는 수가 아닌 것은 ⑤이다.　답 ⑤

쌍둥이 6-2

다음 중 $\sqrt{3}$과 3 사이에 있는 수가 아닌 것은?
(단, $\sqrt{3}=1.732$로 계산한다.)

① 2　② $1+\sqrt{3}$
③ $\frac{\sqrt{3}+3}{2}$　④ $3-\sqrt{3}$
⑤ $0.1+\sqrt{3}$

무리수와 실수

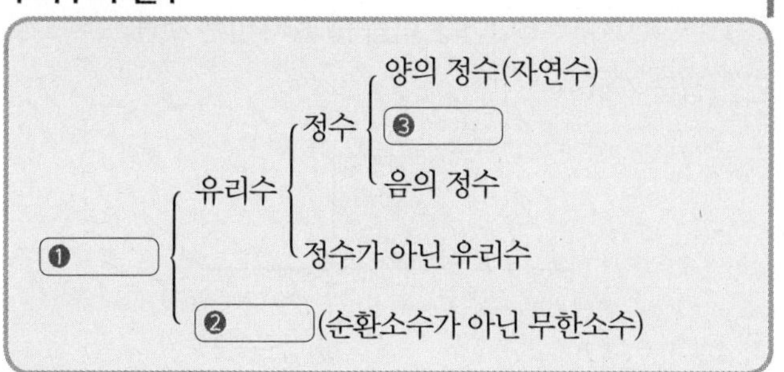

답 ❶ 실수 ❷ 무리수 ❸ 0

★

01

다음 보기 중 무리수인 것을 모두 고르시오.

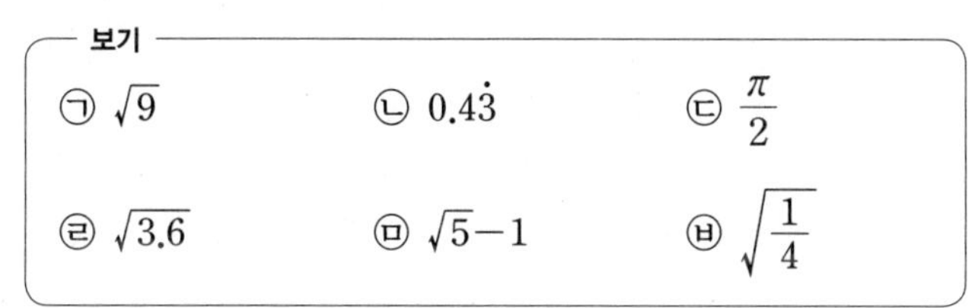

02

다음 중 □ 안의 수에 해당하는 것은?

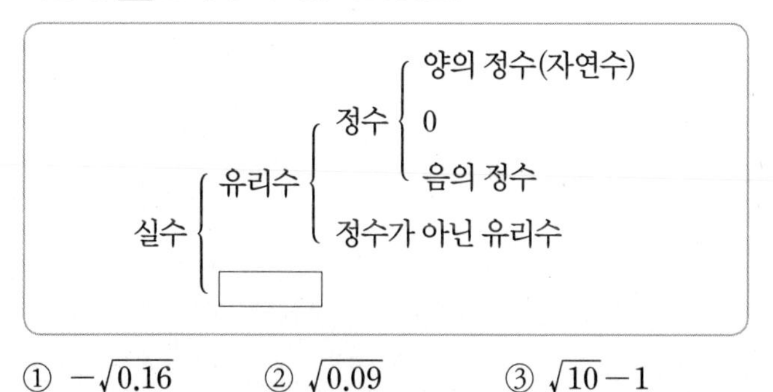

① $-\sqrt{0.16}$ ② $\sqrt{0.09}$ ③ $\sqrt{10}-1$
④ $1.2\dot{7}$ ⑤ $-\sqrt{4}$

★

03

다음 수 중 순환소수가 아닌 무한소수로 나타내어지는 것은?

① $-\sqrt{(-5)^2}$ ② $\sqrt{121}$ ③ $\sqrt{\frac{4}{9}}$
④ $\sqrt{0.9}$ ⑤ $\sqrt{1.69}$

04

다음 중 옳지 않은 것은?

① 순환소수가 아닌 무한소수는 유리수가 아니다.
② 유리수와 무리수를 통틀어 실수라 한다.
③ $\sqrt{2}$는 순환소수로 나타낼 수 없다.
④ 무리수와 유리수를 더하면 무리수이다.
⑤ $\sqrt{64}$는 무리수이다.

05

다음 보기 중 옳은 것을 모두 고른 것은?

보기
㉠ 유리수 중에는 무한소수로 나타낼 수 있는 수도 있다.
㉡ 양수의 제곱근은 모두 무리수이다.
㉢ 무리수는 기약분수로 나타낼 수 있다.
㉣ $\sqrt{5}$는 순환하는 무한소수이므로 순환소수로 나타낼 수 있다.

① ㉠ ② ㉠, ㉡ ③ ㉠, ㉢
④ ㉡, ㉢, ㉣ ⑤ ㉠, ㉡, ㉢, ㉣

실수와 수직선

(1) 모든 실수는 각각 수직선 위의 한 점에 대응한다.
(2) 서로 다른 두 실수 사이에는 무수히 많은 실수가 있다.
(3) 수직선은 ❶ [ ]에 대응하는 점들로 완전히 메울 수 있다.

답 ❶ 실수

06

다음 그림은 한 눈금의 길이가 1인 모눈종이 위에 직각삼각형 ABC와 수직선을 그린 것이다. 점 A를 중심으로 하고 $\overline{AC}$를 반지름으로 하는 원을 그려 수직선과 만나는 점을 P, Q라 할 때, 두 점 P, Q에 대응하는 수를 각각 구하시오.

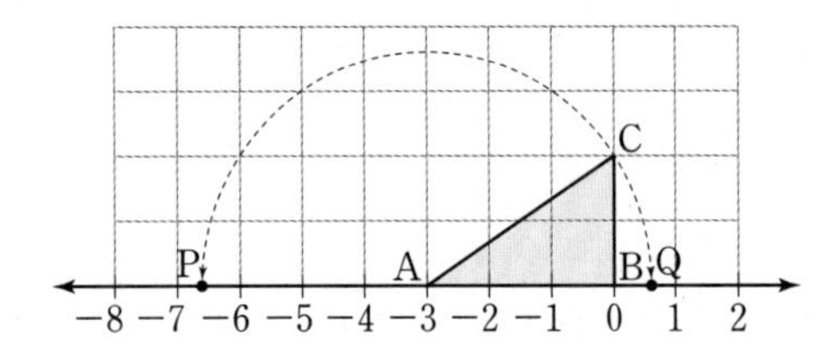

07

다음 그림에서 모눈 한 칸은 한 변의 길이가 1인 정사각형이다. $\overline{AB}=\overline{AP}$이고 점 P에 대응하는 수가 $-1+\sqrt{2}$일 때, 점 A에 대응하는 수를 구하시오.

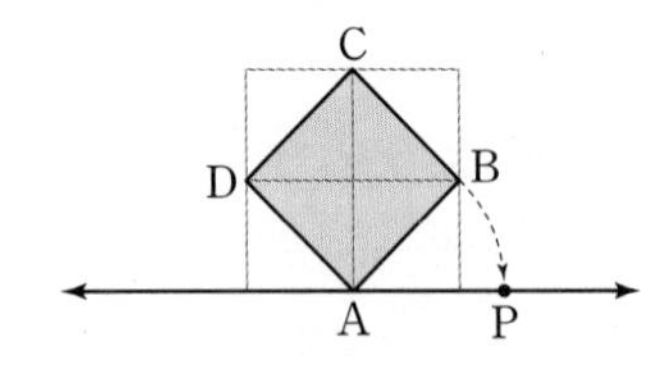

08

아래 그림에서 □ABCD는 한 변의 길이가 1인 정사각형이고 $\overline{CA}=\overline{CP}$, $\overline{BD}=\overline{BQ}$이다. 다음 중 옳지 않은 것을 모두 고르면? (정답 2개)

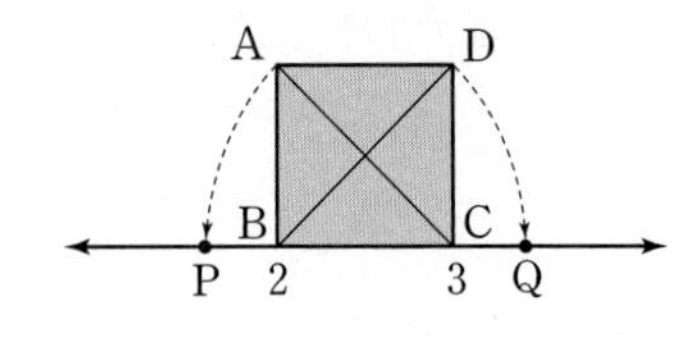

① $P(3-\sqrt{2})$
② $Q(2+\sqrt{2})$
③ $\overline{PB}=\sqrt{2}$
④ $\overline{BQ}=\sqrt{2}$
⑤ $\overline{PQ}=2\sqrt{2}$

09

다음 중 옳은 것은?

① 두 유리수 사이에는 무수히 많은 유리수가 있다.
② 순환소수가 아닌 무한소수는 수직선 위의 점에 대응시킬 수 없다.
③ 무리수에 대응하는 점들로 수직선을 완전히 메울 수 있다.
④ $\sqrt{2}$와 $\sqrt{5}$ 사이에는 2개의 무리수가 있다.
⑤ 3과 4 사이에는 무리수가 없다.

10

다음 보기 중에서 실수에 대한 설명으로 옳은 것을 모두 고르시오.

보기
ㄱ 2와 3 사이에는 무리수가 없다.
ㄴ $\sqrt{3}$과 3 사이에는 유리수가 존재한다.
ㄷ $\sqrt{5}$와 $\sqrt{7}$ 사이에 있는 무리수는 $\sqrt{6}$뿐이다.
ㄹ 수직선은 유리수와 무리수에 대응하는 점들로 완전히 메울 수 있다.

실수의 대소 관계

두 실수 a, b의 대소 관계는 $a-b$의 부호로 알 수 있다.
(1) $a-b>0$이면 a ❶ b
(2) $a-b=0$이면 $a=b$
(3) $a-b<0$이면 a ❷ b

답 ❶ > ❷ <

11

다음 중 두 실수의 대소 관계가 옳지 않은 것은?

① $\sqrt{6}+\sqrt{2}>\sqrt{6}+1$　② $3-\sqrt{7}>3-\sqrt{11}$
③ $2+\sqrt{6}>\sqrt{3}+\sqrt{6}$　④ $\sqrt{5}-2>3$
⑤ $\sqrt{13}+1>4$

12

서술형

다음 세 수 a, b, c에 대하여 물음에 답하시오.

$a=\sqrt{5}+2$,　$b=2+\sqrt{3}$,　$c=\sqrt{5}+\sqrt{3}$

(1) a, b의 대소 관계를 부등호를 사용하여 나타내시오.

(2) b, c의 대소 관계를 부등호를 사용하여 나타내시오.

(3) a, c의 대소 관계를 부등호를 사용하여 나타내시오.

(4) a, b, c의 대소 관계를 부등호를 사용하여 나타내시오.

13

창의력

다음 수직선 위의 네 점 A, B, C, D에 대응하는 수가 $\sqrt{2}+1$, $\sqrt{5}+1$, $2-\sqrt{2}$, $1-\sqrt{5}$ 중 하나일 때, 네 점 A, B, C, D에 대응하는 수를 각각 구하시오.

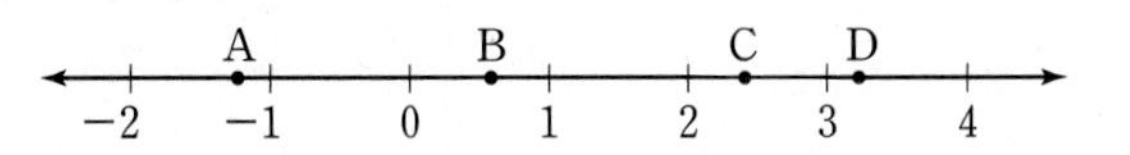

14

서술형

다음 그림에서 모눈 한 칸은 한 변의 길이가 1인 정사각형이다. $\overline{BA}=\overline{BP}$, $\overline{BC}=\overline{BQ}$일 때, 물음에 답하시오.

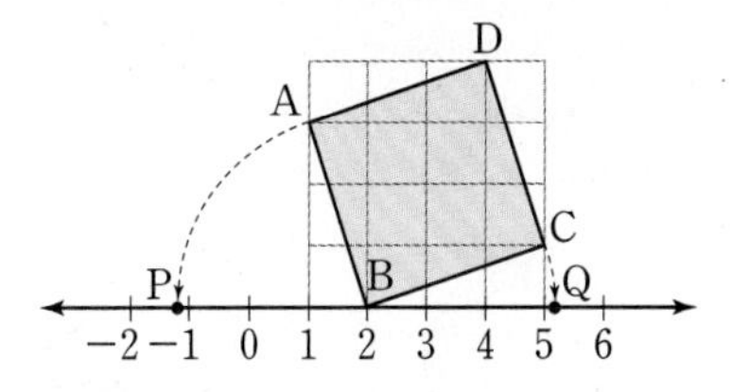

(1) 두 점 P, Q에 대응하는 수를 각각 구하시오.

(2) 두 점 P, Q 사이에 있는 무리수 3개를 말하시오.

15

다음 수 중에서 $\sqrt{2}$와 $\sqrt{5}$ 사이에 있는 수가 아닌 것은?
(단, $\sqrt{2}=1.414$, $\sqrt{5}=2.236$으로 계산한다.)

① $\sqrt{2}+0.5$　② $\sqrt{5}-2$　③ $\dfrac{\sqrt{2}+\sqrt{5}}{2}$
④ $\sqrt{5}-0.001$　⑤ 2

16

다음 제곱근표에서 $\sqrt{5.83}$의 값이 a이고, $\sqrt{b}$의 값이 2.456일 때, $a+b$의 값을 구하시오.

수	0	1	2	3	4	5
5.7	2.387	2.390	2.392	2.394	2.396	2.398
5.8	2.408	2.410	2.412	2.415	2.417	2.419
5.9	2.429	2.431	2.433	2.435	2.437	2.439
6.0	2.449	2.452	2.454	2.456	2.458	2.460

3 근호를 포함한 식의 계산

중2	중3	고등학교
• 유리수와 순환소수	• 근호를 포함한 식의 곱셈과 나눗셈 • 근호를 포함한 식의 덧셈과 뺄셈	• 복소수(고1)

학습 목표

• 근호를 포함한 식의 사칙계산을 할 수 있다.

오늘 ○○섬 부근에서
지진 해일이 발생하여
큰 피해를 입었습니다.
아빠, 지진 해일이
뭐예요?
지진 해일이란 지진에 의해
거대한 파도가 밀려와
해안을 덮치는 현상을 말하는 거야.
지진 해일의 속력은 수심이
깊을수록 빨라져.
그럼 지진 해일의 속력을
구하는 식이 있나요?
자~. 여기를 보면
알 수 있어.
수심이 h m인
곳에서 일어난
지진 해일의 속력은
초속 $\sqrt{9.8\times h}$ m이다.
수심 200 m인 곳과
수심 800 m인 곳에서
일어난 지진 해일의 속력의
차는 얼마인가요?
음……. 너의 궁금증을 해결하려면
먼저 근호를 포함한 식의 계산부터
배워야겠구나.
아~ 그럼 수학 공부부터
더 열심히 하고 올게요.
오~ 기특하네.

1 제곱근의 곱셈과 나눗셈

개념 1 제곱근의 곱셈과 나눗셈

(1) 제곱근의 곱셈

$a>0$, $b>0$이고 m, n이 유리수일 때

① $\sqrt{a}\times\sqrt{b}=\sqrt{a\times b}=\sqrt{ab}$ ② $m\sqrt{a}\times n\sqrt{b}=mn\sqrt{ab}$

예 ① $\sqrt{2}\times\sqrt{3}=\sqrt{2\times3}=\sqrt{6}$

② $2\sqrt{3}\times4\sqrt{5}=(2\times4)\times\sqrt{3\times5}=8\sqrt{15}$ ← 근호 안의 수끼리, 근호 밖의 수끼리 곱한다.

• 곱셈 기호의 생략
$a>0$, $b>0$일 때,
$\sqrt{a}\times\sqrt{b}$는 곱셈 기호를 생략하여
$\sqrt{a}\sqrt{b}$로 쓸 수 있다.
예 $\sqrt{2}\times\sqrt{3}=\sqrt{2}\sqrt{3}$

(2) 제곱근의 나눗셈

$a>0$, $b>0$이고 m, n이 유리수일 때

① $\sqrt{a}\div\sqrt{b}=\dfrac{\sqrt{a}}{\sqrt{b}}=\sqrt{\dfrac{a}{b}}$ ② $m\sqrt{a}\div n\sqrt{b}=\dfrac{m\sqrt{a}}{n\sqrt{b}}=\dfrac{m}{n}\sqrt{\dfrac{a}{b}}$ (단, $n\neq0$)

예 ① $\sqrt{6}\div\sqrt{2}=\dfrac{\sqrt{6}}{\sqrt{2}}=\sqrt{\dfrac{6}{2}}=\sqrt{3}$

② $4\sqrt{6}\div2\sqrt{3}=\dfrac{4\sqrt{6}}{2\sqrt{3}}=\dfrac{4}{2}\sqrt{\dfrac{6}{3}}=2\sqrt{2}$ ← 근호 안의 수끼리, 근호 밖의 수끼리 나눈다.

다음 식을 간단히 하면

(1) $-\sqrt{39}\times\sqrt{\dfrac{3}{13}}=-\sqrt{39\times\dfrac{3}{13}}=-\sqrt{3^2}=-3$ ← $\sqrt{}$를 벗길 수 있으면 벗긴다.

(2) $\sqrt{2}\sqrt{5}\sqrt{7}=\sqrt{2\times5\times7}=\sqrt{70}$

(3) $\sqrt{\dfrac{4}{3}}\div\sqrt{\dfrac{2}{9}}=\sqrt{\dfrac{4}{3}\div\dfrac{2}{9}}=\sqrt{\dfrac{4}{3}\times\dfrac{9}{2}}=\sqrt{6}$

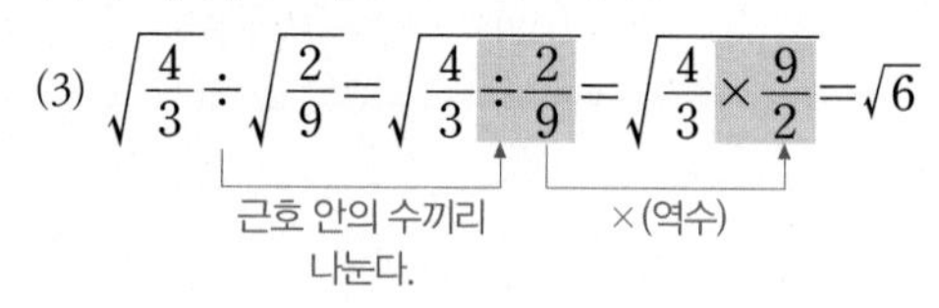

세 개 이상의 제곱근의 곱셈도
근호 안의 수끼리 곱하면 돼.

• Lecture •

- 제곱근의 곱셈 ➡ 근호 안의 수끼리, 근호 밖의 수끼리 계산한다.
- 제곱근의 나눗셈 ➡ 나눗셈은 역수의 곱셈으로 고쳐서 근호 안의 수끼리, 근호 밖의 수끼리 계산한다.

| 개념 확인 | **1** **다음 식을 간단히 하시오.**

(1) $\sqrt{2}\times\sqrt{7}$ (2) $\sqrt{\dfrac{6}{5}}\times\sqrt{\dfrac{5}{2}}$ (3) $\sqrt{2}\sqrt{3}\sqrt{5}$

(4) $-7\sqrt{3}\times2\sqrt{7}$ (5) $\sqrt{24}\div\sqrt{6}$ (6) $\dfrac{\sqrt{10}}{\sqrt{5}}$

(7) $-\sqrt{\dfrac{3}{5}}\div\sqrt{\dfrac{9}{10}}$ (8) $\sqrt{3}\div\dfrac{\sqrt{15}}{\sqrt{11}}$ (9) $10\sqrt{21}\div5\sqrt{3}$

개념 2 근호가 있는 식의 변형

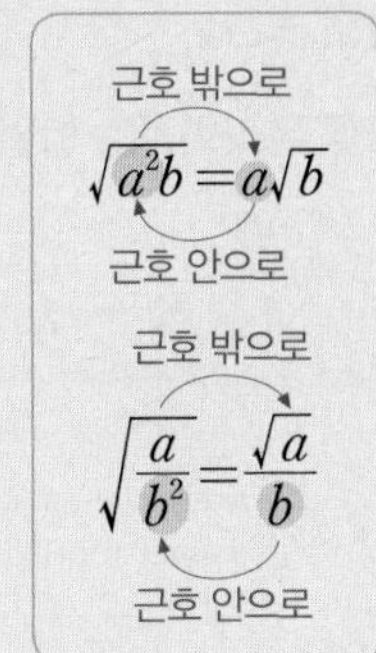

(1) 근호 밖의 양수는 제곱하여 근호 안으로 넣을 수 있다.

$a>0$, $b>0$일 때

① $a\sqrt{b}=\sqrt{a^2\times b}=\sqrt{a^2b}$　　예 ① $2\sqrt{3}=\sqrt{2^2\times3}=\sqrt{12}$

② $\frac{\sqrt{a}}{b}=\sqrt{\frac{a}{b^2}}$　　② $\frac{\sqrt{2}}{3}=\sqrt{\frac{2}{3^2}}=\sqrt{\frac{2}{9}}$

(2) 근호 안의 수가 제곱인 인수를 갖는 경우 이를 근호 밖으로 꺼낼 수 있다.

$a>0$, $b>0$일 때

① $\sqrt{a^2b}=\sqrt{a^2\times b}=a\sqrt{b}$　　예 ① $\sqrt{12}=\sqrt{2^2\times3}=2\sqrt{3}$

② $\sqrt{\frac{a}{b^2}}=\frac{\sqrt{a}}{b}$　　② $\sqrt{\frac{2}{9}}=\sqrt{\frac{2}{3^2}}=\frac{\sqrt{2}}{3}$

(1) 다음을 $\sqrt{a}$ 또는 $-\sqrt{a}$의 꼴로 나타내 보자.

① $-2\sqrt{5}=-\sqrt{2^2\times5}=-\sqrt{20}$ ← $-2\sqrt{5}=\sqrt{(-2)^2\times5}=\sqrt{20}$ (×)

② $\frac{4\sqrt{21}}{3}=\sqrt{\frac{4^2\times21}{3^2}}=\sqrt{\frac{112}{3}}$

(2) 다음을 $a\sqrt{b}$의 꼴로 나타내 보자. (단, b는 가장 작은 자연수)

① $\sqrt{27}=\sqrt{3^2\times3}=3\sqrt{3}$

② $\sqrt{0.19}=\sqrt{\frac{19}{100}}=\sqrt{\frac{19}{10^2}}=\frac{\sqrt{19}}{10}$ ← 근호 안이 소수일 때, 분수로 고쳐서 생각한다.

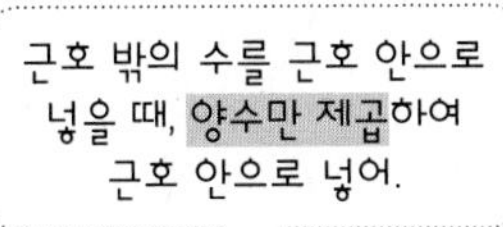

Lecture

- 근호 안의 수를 소인수분해하였을 때, 제곱인 인수가 있으면 근호 밖으로 꺼낸다. 즉 $a\sqrt{b}$의 꼴로 나타낼 때, b는 가장 작은 자연수가 되게 한다.

예 $\sqrt{72}=\sqrt{6^2\times2}=6\sqrt{2}$ (○), $\sqrt{72}=2\sqrt{18}$ (×) → $2\sqrt{3^2\times2}$, $\sqrt{72}=3\sqrt{8}$ (×) → $3\sqrt{2^2\times2}$

| 개념 확인 | 2 다음을 $\sqrt{a}$ 또는 $-\sqrt{a}$의 꼴로 나타내시오.

(1) $3\sqrt{2}$　(2) $4\sqrt{2}$　(3) $-3\sqrt{3}$　(4) $-2\sqrt{15}$

(5) $\frac{\sqrt{6}}{7}$　(6) $\frac{2\sqrt{3}}{5}$　(7) $-\frac{\sqrt{7}}{3}$　(8) $-\frac{2\sqrt{11}}{5}$

| 개념 확인 | 3 다음을 $a\sqrt{b}$의 꼴로 나타내시오. (단, b는 가장 작은 자연수)

(1) $\sqrt{45}$　(2) $\sqrt{80}$　(3) $-\sqrt{48}$　(4) $-\sqrt{108}$

(5) $\sqrt{\frac{6}{25}}$　(6) $-\sqrt{\frac{15}{49}}$　(7) $\sqrt{0.11}$　(8) $-\sqrt{0.13}$

개념 3 분모의 유리화

(1) **분모의 유리화** 분모에 근호가 있을 때, 분모, 분자에 같은 무리수를 각각 곱하여 분모를 유리수로 고치는 것

(2) **분모를 유리화하는 방법**

$a>0$일 때

$$\frac{b}{\sqrt{a}}=\frac{b\times\sqrt{a}}{\sqrt{a}\times\sqrt{a}}=\frac{b\sqrt{a}}{a}$$

같다.

$$\frac{1}{\sqrt{2}}\xrightarrow{\frac{1\times\sqrt{2}}{\sqrt{2}\times\sqrt{2}}}\frac{\sqrt{2}}{2}$$

무리수 유리수

분모를 유리화할 때에는 반드시 분모, 분자에 같은 수를 곱해야 한다.

예 $\frac{\sqrt{3}}{\sqrt{2}}=\frac{\sqrt{3}\times\sqrt{2}}{\sqrt{2}\times\sqrt{2}}=\frac{\sqrt{6}}{2}$ (○), $\frac{\sqrt{3}}{\sqrt{2}}=\frac{\sqrt{3}}{\sqrt{2}\times\sqrt{2}}=\frac{\sqrt{3}}{2}$ (×)

보기 다음 수의 분모를 유리화하면

(1) $\frac{1}{\sqrt{2}}=\frac{\sqrt{2}}{\sqrt{2}\times\sqrt{2}}=\frac{\sqrt{2}}{2}$ ← $\sqrt{2}$를 분모, 분자에 각각 곱한다.

(2) $\frac{\sqrt{2}}{\sqrt{5}}=\frac{\sqrt{2}\times\sqrt{5}}{\sqrt{5}\times\sqrt{5}}=\frac{\sqrt{10}}{5}$ ← $\sqrt{5}$를 분모, 분자에 각각 곱한다.

(3) $\frac{3}{2\sqrt{3}}=\frac{3\times\sqrt{3}}{2\sqrt{3}\times\sqrt{3}}=\frac{3\sqrt{3}}{2\times3}=\frac{\sqrt{3}}{2}$ ← $\sqrt{3}$을 분모, 분자에 각각 곱한다. 이때 약분이 되면 약분한다.

(4) $\frac{5}{\sqrt{8}}=\frac{5}{2\sqrt{2}}=\frac{5\times\sqrt{2}}{2\sqrt{2}\times\sqrt{2}}=\frac{5\sqrt{2}}{2\times2}=\frac{5\sqrt{2}}{4}$ ← 먼저 $\sqrt{8}$을 $a\sqrt{b}$의 꼴로 고친다.

Lecture

- 분모의 근호 안에 제곱인 인수가 포함되어 있으면 $a\sqrt{b}$의 꼴로 고친 후 분모를 유리화한다.

예 $\frac{1}{\sqrt{18}}=\frac{1}{\sqrt{3^2\times2}}=\frac{1}{3\sqrt{2}}=\frac{\sqrt{2}}{3\sqrt{2}\times\sqrt{2}}=\frac{\sqrt{2}}{3\times2}=\frac{\sqrt{2}}{6}$

| 개념 확인 | **4** 다음은 분모를 유리화하는 과정이다. □ 안에 알맞은 수를 써넣으시오.

(1) $\frac{3}{\sqrt{2}}=\frac{3\times\square}{\sqrt{2}\times\sqrt{2}}=\square$

(2) $\frac{\sqrt{5}}{3\sqrt{3}}=\frac{\sqrt{5}\times\square}{3\sqrt{3}\times\square}=\square$

(3) $\frac{2}{\sqrt{12}}=\frac{2}{\square\sqrt{3}}=\frac{1}{\sqrt{3}}=\frac{\square}{\sqrt{3}\times\sqrt{3}}=\square$

(4) $\frac{\sqrt{5}}{\sqrt{24}}=\frac{\sqrt{5}}{2\sqrt{\square}}=\frac{\sqrt{5}\times\sqrt{\square}}{2\sqrt{\square}\times\sqrt{\square}}=\square$

| 개념 확인 | **5** 다음 수의 분모를 유리화하시오.

(1) $\frac{2}{\sqrt{7}}$ (2) $\frac{2}{3\sqrt{2}}$ (3) $-\frac{\sqrt{3}}{2\sqrt{5}}$ (4) $\frac{6}{\sqrt{18}}$

개념 4 제곱근표에 없는 제곱근의 값

제곱근표에 없는 수 (1보다 작거나 100보다 큰 양수)의 제곱근의 값은 제곱근의 성질을 이용하여 구할 수 있다.

(1) 100보다 큰 수의 제곱근의 값

$\sqrt{100a}=10\sqrt{a}$, $\sqrt{10000a}=100\sqrt{a}$, ⋯를 이용 ➡ $\sqrt{a}$의 값을 찾아 대입

(2) 0보다 크고 1보다 작은 수의 제곱근의 값

$\sqrt{\dfrac{a}{100}}=\dfrac{\sqrt{a}}{10}$, $\sqrt{\dfrac{a}{10000}}=\dfrac{\sqrt{a}}{100}$, ⋯를 이용 ➡ $\sqrt{a}$의 값을 찾아 대입

$\sqrt{2.35}=1.533$, $\sqrt{23.5}=4.848$일 때

(1) $\sqrt{235}=\sqrt{100\times2.35}=10\sqrt{2.35}=10\times1.533=15.33$

$\sqrt{2350}=\sqrt{100\times23.5}=10\sqrt{23.5}=10\times4.848=48.48$

(2) $\sqrt{0.0235}=\sqrt{\dfrac{2.35}{100}}=\dfrac{\sqrt{2.35}}{10}=\dfrac{1.533}{10}=0.1533$

$\sqrt{0.235}=\sqrt{\dfrac{23.5}{100}}=\dfrac{\sqrt{23.5}}{10}=\dfrac{4.848}{10}=0.4848$

근호 안의 수가 100보다 큰 수는 소수점을 왼쪽으로 두 자리씩 이동!!
근호 안의 수가 0보다 크고 1보다 작은 수는 소수점을 오른쪽으로 두 자리씩 이동!!

Lecture

- 100보다 큰 수의 제곱근의 값은 근호 안의 수를 10^2, 10^4, ⋯과의 곱으로 나타낸 후 $\sqrt{a^2b}=a\sqrt{b}$임을 이용하여 구한다.
- 0보다 크고 1보다 작은 수의 제곱근의 값은 근호 안의 수를 $\dfrac{1}{10^2}$, $\dfrac{1}{10^4}$, ⋯과의 곱으로 나타낸 후 $\sqrt{\dfrac{b}{a^2}}=\dfrac{\sqrt{b}}{a}$임을 이용하여 구한다.

| 개념 확인 | **6** $\sqrt{3}=1.732$, $\sqrt{30}=5.477$**일 때, 다음 □ 안에 알맞은 수를 써넣으시오.**

(1) $\sqrt{300}=\sqrt{\square\times3}=\square\sqrt{3}=\square\times1.732=\square$

(2) $\sqrt{3000}=\sqrt{100\times\square}=10\sqrt{\square}=10\times\square=\square$

(3) $\sqrt{30000}=\sqrt{10000\times\square}=100\sqrt{\square}=100\times\square=\square$

| 개념 확인 | **7** $\sqrt{2}=1.414$, $\sqrt{20}=4.472$**일 때, 다음 □ 안에 알맞은 수를 써넣으시오.**

(1) $\sqrt{0.02}=\sqrt{\dfrac{2}{\square}}=\dfrac{\sqrt{2}}{\square}=\dfrac{1.414}{\square}=\square$

(2) $\sqrt{0.2}=\sqrt{\dfrac{\square}{100}}=\dfrac{\sqrt{\square}}{10}=\dfrac{\square}{10}=\square$

(3) $\sqrt{0.0002}=\sqrt{\dfrac{\square}{10000}}=\dfrac{\sqrt{\square}}{100}=\dfrac{\square}{100}=\square$

STEP 1 기초 개념 드릴

개념 기초

1-1

다음은 $a\sqrt{b}$의 꼴로 나타내는 과정이다. □ 안에 알맞은 수를 써넣으시오. (단, b는 가장 작은 자연수)

(1) $\sqrt{18}=\sqrt{\square^2\times2}=\square\sqrt{2}$

(2) $-\sqrt{28}=-\sqrt{2^2\times\square}=-2\sqrt{\square}$

(3) $\sqrt{\dfrac{3}{16}}=\sqrt{\dfrac{3}{\square^2}}=\dfrac{\sqrt{3}}{\square}$

연구 근호 안의 수를 소인수분해하여 제곱인 인수는 근호 밖으로 꺼낸다.

쌍둥이 문제

1-2

다음을 $a\sqrt{b}$의 꼴로 나타내시오. (단, b는 가장 작은 자연수)

(1) $\sqrt{75}$

(2) $-\sqrt{90}$

(3) $-\sqrt{200}$

(4) $\sqrt{\dfrac{21}{4}}$

(5) $-\sqrt{\dfrac{13}{64}}$

(6) $\dfrac{\sqrt{81}}{\sqrt{3}}$

2-1

다음 □ 안에 알맞은 수를 써넣으시오.

$$\sqrt{15}\times\sqrt{20}=\sqrt{15}\times2\sqrt{\square}$$
$$=2\sqrt{\square}$$
$$=\square$$

연구 근호 안의 수를 소인수분해하여 $a\sqrt{b}$의 꼴로 고친 후 계산한다.

2-2

다음 식을 간단히 하시오.

(1) $\sqrt{12}\times\sqrt{45}$

(2) $\sqrt{18}\times\sqrt{12}$

(3) $\sqrt{8}\times\sqrt{10}$

(4) $\sqrt{28}\times\sqrt{63}$

3-1

다음 □ 안에 알맞은 수를 써넣으시오.

$$2\sqrt{5}\div\sqrt{10}\div\sqrt{6}=2\sqrt{5}\times\frac{1}{\sqrt{10}}\times\frac{1}{\square}$$
$$=\frac{2}{\square}=\frac{2}{2\sqrt{3}}$$
$$=\frac{1}{\square}$$
$$=\square$$

분모의 유리화

연구 ① 나눗셈은 역수의 곱셈으로 고친다.
② 계산 결과가 분수 꼴이고 분모에 근호가 있으면 분모를 유리화하여 나타낸다.

3-2

다음 식을 간단히 하시오.

(1) $4\sqrt{3}\div\sqrt{24}$

(2) $\sqrt{3}\div(-4\sqrt{18})$

(3) $\sqrt{6}\div\sqrt{18}$

(4) $\sqrt{10}\div\sqrt{15}$

대표 유형 1 제곱근의 곱셈

$a>0$, $b>0$이고 m, n이 유리수일 때
$\sqrt{a}\times\sqrt{b}=\sqrt{a\times b}=\sqrt{ab}$, $m\sqrt{a}\times n\sqrt{b}=(m\times n)\times\sqrt{a\times b}=mn\sqrt{ab}$

1-1 다음을 만족하는 두 유리수 a, b에 대하여 $2a+b$의 값을 구하시오.

$a=-2\sqrt{\frac{6}{5}}\times\sqrt{\frac{10}{3}}$, $b=\sqrt{7}\times2\sqrt{2}\times\sqrt{14}$

풀이 $a=-2\sqrt{\frac{6}{5}\times\frac{10}{3}}=-2\sqrt{2^2}=-2\times2=-4$
$b=2\sqrt{7\times2\times14}=2\sqrt{14^2}=2\times14=28$
$\therefore 2a+b=2\times(-4)+28=20$

답 20

쌍둥이 1-2
다음 중 옳은 것은?
① $\sqrt{2}\sqrt{3}=6$
② $\sqrt{\frac{1}{8}}\sqrt{8}=1$
③ $\sqrt{5}\sqrt{7}=\sqrt{12}$
④ $\sqrt{\frac{5}{4}}\sqrt{\frac{12}{5}}=\frac{\sqrt{3}}{4}$
⑤ $2\sqrt{3}\sqrt{2}=\sqrt{6}$

쌍둥이 1-3
$3\sqrt{5}\times\left(-\sqrt{\frac{3}{5}}\right)\times(-4\sqrt{2})$를 간단히 하시오.

대표 유형 2 제곱근의 나눗셈

$a>0$, $b>0$이고 m, n이 유리수일 때
$\sqrt{a}\div\sqrt{b}=\frac{\sqrt{a}}{\sqrt{b}}=\sqrt{\frac{a}{b}}$, $m\sqrt{a}\div n\sqrt{b}=\frac{m\sqrt{a}}{n\sqrt{b}}=\frac{m}{n}\sqrt{\frac{a}{b}}$ (단, $n\neq0$)

2-1 다음 보기 중 옳은 것을 모두 고르시오.

보기
㉠ $8\sqrt{24}\div2\sqrt{8}=4\sqrt{3}$
㉡ $-3\sqrt{12}\div\sqrt{6}=-3\sqrt{3}$
㉢ $\sqrt{42}\div(-\sqrt{7})=\sqrt{-6}$
㉣ $\sqrt{18}\div\sqrt{3}=\sqrt{6}$

풀이 ㉠ $8\sqrt{24}\div2\sqrt{8}=\frac{8\sqrt{24}}{2\sqrt{8}}=4\sqrt{\frac{24}{8}}=4\sqrt{3}$

㉡ $-3\sqrt{12}\div\sqrt{6}=\frac{-3\sqrt{12}}{\sqrt{6}}=-3\sqrt{\frac{12}{6}}=-3\sqrt{2}$

㉢ $\sqrt{42}\div(-\sqrt{7})=\frac{\sqrt{42}}{-\sqrt{7}}=-\sqrt{\frac{42}{7}}=-\sqrt{6}$

㉣ $\sqrt{18}\div\sqrt{3}=\frac{\sqrt{18}}{\sqrt{3}}=\sqrt{\frac{18}{3}}=\sqrt{6}$

따라서 옳은 것은 ㉠, ㉣이다.

답 ㉠, ㉣

쌍둥이 2-2
다음 중 옳지 않은 것은?
① $\sqrt{48}\div\sqrt{3}=4$
② $3\sqrt{15}\div\sqrt{5}=3\sqrt{3}$
③ $\frac{5\sqrt{7}}{2}\div\frac{\sqrt{14}}{\sqrt{2}}=\frac{5}{2}$
④ $\sqrt{27}\div\frac{1}{\sqrt{3}}=3$
⑤ $6\sqrt{18}\div(-3\sqrt{3})=-2\sqrt{6}$

대표 유형 3 근호가 있는 식의 변형

- $a>0$, $b>0$일 때, $\sqrt{a^2b}=a\sqrt{b}$, $\sqrt{\frac{a}{b^2}}=\frac{\sqrt{a}}{b}$
- 근호 안의 수가 소수이면 분모가 10^2, 10^4, $\cdots$인 분수로 고쳐서 나타낸다.

예 $\sqrt{0.05}=\sqrt{\frac{5}{100}}=\frac{\sqrt{5}}{10}$, $\sqrt{0.003}=\sqrt{\frac{30}{10000}}=\frac{\sqrt{30}}{100}$

3-1 다음 중 옳은 것은?

① $7\sqrt{2}=\sqrt{14}$ ② $-3\sqrt{3}=\sqrt{-27}$

③ $\sqrt{300}=3\sqrt{10}$ ④ $\frac{\sqrt{2}}{5}=\sqrt{\frac{2}{5}}$

⑤ $\sqrt{\frac{8}{9}}=\frac{2\sqrt{2}}{3}$

풀이 ① $7\sqrt{2}=\sqrt{7^2\times2}=\sqrt{98}$

② $-3\sqrt{3}=-\sqrt{3^2\times3}=-\sqrt{27}$

③ $\sqrt{300}=\sqrt{10^2\times3}=10\sqrt{3}$

④ $\frac{\sqrt{2}}{5}=\sqrt{\frac{2}{5^2}}=\sqrt{\frac{2}{25}}$

⑤ $\sqrt{\frac{8}{9}}=\sqrt{\frac{2^2\times2}{3^2}}=\frac{2\sqrt{2}}{3}$

따라서 옳은 것은 ⑤이다.

답 ⑤

쌍둥이 3-2

다음을 구하시오. (단, a, b는 유리수)

(1) $3\sqrt{2}=\sqrt{a}$이고 $\sqrt{20}=2\sqrt{b}$일 때, $a+b$의 값

(2) $\sqrt{48}=a\sqrt{3}$, $\sqrt{72}=b\sqrt{2}$일 때, $\sqrt{ab}$의 값

쌍둥이 3-3

$\sqrt{0.002}=k\sqrt{5}$일 때, 유리수 k의 값을 구하시오.

대표 유형 4 문자를 사용한 제곱근의 표현

근호 안의 수를 소인수분해하고, $\sqrt{ab}=\sqrt{a}\sqrt{b}$임을 이용한다. (단, $a>0$, $b>0$)

4-1 $\sqrt{3}=a$, $\sqrt{5}=b$라 할 때, $\sqrt{45}$를 a, b를 사용하여 나타내시오.

풀이 $\sqrt{45}=\sqrt{3^2\times5}$

$=\sqrt{3}\times\sqrt{3}\times\sqrt{5}$ ($\sqrt{3}=a$, $\sqrt{5}=b$를 대입)

$=a\times a\times b$

$=a^2b$

답 a^2b

쌍둥이 4-2

$\sqrt{2}=a$, $\sqrt{3}=b$라 할 때, $\sqrt{150}$을 a, b를 사용하여 나타내면?

① $5a^2b$ ② $5ab$ ③ $\sqrt{5}ab^2$

④ $\sqrt{5}ab$ ⑤ ab^2

쌍둥이 4-3

$\sqrt{3}=a$, $\sqrt{5}=b$라 할 때, $\sqrt{60}$을 a, b를 사용하여 나타내면?

① $2ab$ ② $3ab$ ③ a^2b

④ $2a^2b$ ⑤ $2ab^2$

대표 유형 5 분모의 유리화

• 분모의 근호 안에 제곱인 인수가 있으면 근호 밖으로 꺼낸 후 분모를 유리화한다.

• $a>0$일 때, $\dfrac{b}{\sqrt{a}}=\dfrac{b\times\sqrt{a}}{\sqrt{a}\times\sqrt{a}}=\dfrac{b\sqrt{a}}{a}$

5-1 $\dfrac{5}{\sqrt{27}}=a\sqrt{3}$, $\dfrac{1}{2\sqrt{5}}=b\sqrt{5}$일 때, ab의 값을 구하시오.

(단, a, b는 유리수)

풀이 $\dfrac{5}{\sqrt{27}}=\dfrac{5}{3\sqrt{3}}=\dfrac{5\times\sqrt{3}}{3\sqrt{3}\times\sqrt{3}}=\dfrac{5\sqrt{3}}{9}$ $\quad\therefore a=\dfrac{5}{9}$

$\dfrac{1}{2\sqrt{5}}=\dfrac{\sqrt{5}}{2\sqrt{5}\times\sqrt{5}}=\dfrac{\sqrt{5}}{10}$ $\quad\therefore b=\dfrac{1}{10}$

$\therefore ab=\dfrac{5}{9}\times\dfrac{1}{10}=\dfrac{1}{18}$

답 $\dfrac{1}{18}$

쌍둥이 5-2

다음 중 분모를 유리화한 것으로 옳지 않은 것은?

① $\dfrac{\sqrt{3}}{\sqrt{6}}=\dfrac{\sqrt{2}}{2}$ ② $\dfrac{\sqrt{40}}{\sqrt{24}}=\dfrac{\sqrt{15}}{3}$

③ $\dfrac{3}{5\sqrt{3}}=\dfrac{\sqrt{3}}{5}$ ④ $\dfrac{3\sqrt{2}}{\sqrt{14}}=\dfrac{3\sqrt{7}}{7}$

⑤ $\dfrac{\sqrt{3}}{3\sqrt{11}}=\dfrac{\sqrt{11}}{11}$

쌍둥이 5-3

$\dfrac{5\sqrt{6}}{a\sqrt{10}}$의 분모를 유리화하였더니 $\dfrac{\sqrt{15}}{3}$가 되었다. 이때 자연수 a의 값을 구하시오.

대표 유형 6 제곱근의 곱셈과 나눗셈의 혼합 계산

① 유리수와 같이 앞에서부터 차례로 계산한다.
② 나눗셈은 역수의 곱셈으로 바꾼다.
③ 근호 안의 수끼리, 근호 밖의 수끼리 계산한다.
④ 계산 결과가 분수 꼴이면서 그 분모에 근호가 있을 때에는 분모를 유리화한다.

6-1 $2\sqrt{5}\times\sqrt{7}\div\sqrt{10}$을 간단히 하시오.

풀이 $2\sqrt{5}\times\sqrt{7}\div\sqrt{10}=2\sqrt{5}\times\sqrt{7}\times\dfrac{1}{\sqrt{10}}$

$=\dfrac{2\sqrt{7}}{\sqrt{2}}$

$=\dfrac{2\sqrt{7}\times\sqrt{2}}{\sqrt{2}\times\sqrt{2}}$

$=\dfrac{2\sqrt{14}}{2}$

$=\sqrt{14}$

답 $\sqrt{14}$

쌍둥이 6-2

다음 식을 간단히 하시오.

(1) $4\sqrt{5}\div2\sqrt{18}\times3\sqrt{6}$

(2) $-\dfrac{2\sqrt{2}}{3}\times\sqrt{\dfrac{15}{8}}\div\dfrac{\sqrt{3}}{6}$

(3) $\dfrac{4}{\sqrt{10}}\times\sqrt{40}\div\dfrac{\sqrt{10}}{2}$

대표 유형 7 제곱근의 곱셈과 나눗셈의 도형에서의 활용

- 넓이가 $a\ \text{cm}^2$인 정사각형의 한 변의 길이는 $\sqrt{a}\ \text{cm}$이다.
- (직육면체의 부피)=(밑면의 넓이)×(높이)=(가로의 길이)×(세로의 길이)×(높이)

7-1 밑변의 길이가 12 m, 높이가 10 m인 삼각형 모양의 꽃밭이 있다. 이 꽃밭과 넓이가 같은 정사각형 모양의 꽃밭을 만들려고 할 때, 정사각형 모양의 꽃밭의 한 변의 길이를 구하시오.

풀이 삼각형 모양의 꽃밭의 넓이는

$\frac{1}{2}\times 12\times 10=60\ (\text{m}^2)$

따라서 넓이가 $60\ \text{m}^2$인 정사각형 모양의 꽃밭의 한 변의 길이는

$\sqrt{60}=2\sqrt{15}\ (\text{m})$이다.

답 $2\sqrt{15}$ m

쌍둥이 7-2

아래 그림에서 정사각형 A와 직사각형 B의 넓이가 서로 같을 때, 다음 물음에 답하시오.

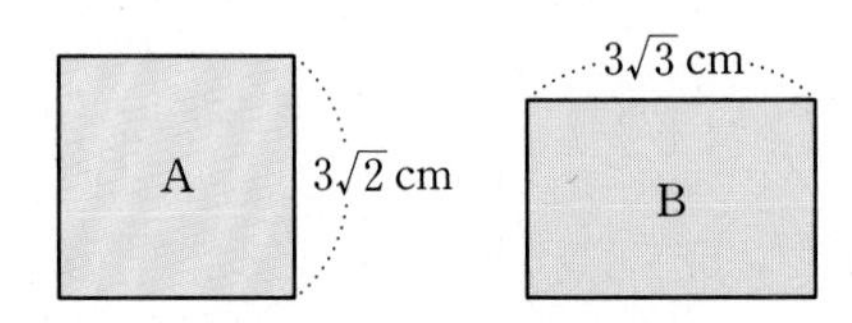

(1) 정사각형 A의 넓이를 구하시오.

(2) 직사각형 B의 세로의 길이를 구하시오.

쌍둥이 7-3

가로의 길이가 $2\sqrt{3}$ cm, 세로의 길이가 $3\sqrt{2}$ cm인 직육면체의 부피가 $72\ \text{cm}^3$일 때, 이 직육면체의 높이를 구하시오.

대표 유형 8 제곱근표에 없는 제곱근의 값

- 100보다 큰 수의 제곱근의 값 ➡ $\sqrt{100a}=10\sqrt{a}$, $\sqrt{10000a}=100\sqrt{a}$, …를 이용하여 식을 변형한다.
- 0보다 크고 1보다 작은 수의 제곱근의 값 ➡ $\sqrt{\frac{a}{100}}=\frac{\sqrt{a}}{10}$, $\sqrt{\frac{a}{10000}}=\frac{\sqrt{a}}{100}$, …를 이용하여 식을 변형한다.

8-1 $\sqrt{1.56}=1.249$, $\sqrt{15.6}=3.950$일 때, 다음 중 옳은 것은?

① $\sqrt{156}=124.9$
② $\sqrt{1560}=39.50$
③ $\sqrt{0.0156}=0.01249$
④ $\sqrt{15600}=395.0$
⑤ $\sqrt{0.00156}=0.3950$

풀이 ① $\sqrt{156}=\sqrt{100\times 1.56}=10\sqrt{1.56}=10\times 1.249=12.49$

② $\sqrt{1560}=\sqrt{100\times 15.6}=10\sqrt{15.6}=10\times 3.950=39.50$

③ $\sqrt{0.0156}=\sqrt{\frac{1.56}{100}}=\frac{\sqrt{1.56}}{10}=\frac{1.249}{10}=0.1249$

④ $\sqrt{15600}=\sqrt{10000\times 1.56}=100\sqrt{1.56}=100\times 1.249=124.9$

⑤ $\sqrt{0.00156}=\sqrt{\frac{15.6}{10000}}=\frac{\sqrt{15.6}}{100}=\frac{3.950}{100}=0.03950$

따라서 옳은 것은 ②이다.

답 ②

쌍둥이 8-2

$\sqrt{5}=2.236$, $\sqrt{50}=7.071$일 때, 다음 중 옳은 것은?

① $\sqrt{500}=70.71$
② $\sqrt{5000}=223.6$
③ $\sqrt{50000}=707.1$
④ $\sqrt{0.5}=0.7071$
⑤ $\sqrt{0.005}=0.02236$

쌍둥이 8-3

다음 보기 중 $\sqrt{21.4}$의 값을 이용하여 그 값을 구할 수 있는 것을 모두 고르시오.

보기

㉠ $\sqrt{2.14}$
㉡ $\sqrt{2140}$
㉢ $\sqrt{214}$
㉣ $\sqrt{0.214}$

계산력 집중 연습 | 제곱근의 곱셈과 나눗셈

정답과 해설 p.31

1 다음 식을 간단히 하시오.

(1) $-\sqrt{2}\times\sqrt{8}$

(2) $2\sqrt{5}\times3\sqrt{2}$

(3) $\sqrt{\frac{15}{2}}\sqrt{\frac{6}{5}}$

(4) $8\sqrt{14}\div(-2\sqrt{7})$

(5) $\sqrt{30}\div\frac{\sqrt{8}}{2}$

2 다음 수의 분모를 유리화하시오.

(1) $\frac{\sqrt{5}}{\sqrt{13}}$

(2) $-\frac{3}{\sqrt{15}}$

(3) $-\sqrt{\frac{2}{11}}$

(4) $\frac{\sqrt{5}}{4\sqrt{6}}$

(5) $\frac{20}{3\sqrt{10}}$

(6) $-\frac{9}{2\sqrt{3}}$

(7) $\frac{3}{\sqrt{8}}$

(8) $\frac{2}{\sqrt{27}}$

(9) $\frac{\sqrt{3}}{\sqrt{32}}$

(10) $\frac{3\sqrt{3}}{\sqrt{90}}$

3 다음 식을 간단히 하시오.

(1) $2\sqrt{3}\times\sqrt{5}\div\sqrt{10}$

(2) $\sqrt{21}\div\sqrt{35}\times\sqrt{15}$

(3) $\frac{1}{\sqrt{3}}\div\frac{3}{\sqrt{2}}\times\frac{\sqrt{7}}{\sqrt{6}}$

(4) $\sqrt{3}\times\frac{\sqrt{5}}{\sqrt{2}}\div\frac{1}{\sqrt{5}}$

(5) $\frac{6}{\sqrt{3}}\div\frac{\sqrt{6}}{\sqrt{5}}\times\frac{\sqrt{18}}{\sqrt{15}}$

(6) $\sqrt{\frac{6}{5}}\times\frac{2}{\sqrt{3}}\div\sqrt{\frac{8}{15}}$

(7) $\sqrt{12}\times\sqrt{2}\div\frac{\sqrt{5}}{\sqrt{2}}$

(8) $\frac{30}{\sqrt{12}}\div\sqrt{15}\times\sqrt{\frac{48}{5}}$

제곱근의 곱셈과 나눗셈

(1) 제곱근의 곱셈과 나눗셈
$a>0$, $b>0$일 때
① $\sqrt{a}\times\sqrt{b}=\sqrt{ab}$ ② $\sqrt{a}\div\sqrt{b}=\frac{\sqrt{a}}{\sqrt{b}}=\sqrt{\frac{a}{b}}$

(2) 근호가 있는 식의 변형
$a>0$, $b>0$일 때
① $\sqrt{a^2b}=a\sqrt{b}$ 예 $\sqrt{12}=\sqrt{2^2\times3}=2\sqrt{3}$
② $\sqrt{\frac{a}{b^2}}=\frac{\sqrt{a}}{b}$ 예 $\sqrt{\frac{2}{9}}=\sqrt{\frac{2}{3^2}}=\frac{\sqrt{2}}{3}$

(3) 분모의 유리화 : 분모에 근호가 있을 때, 분모, 분자에 같은 무리수를 각각 곱하여 분모를 ❶ ☐ 로 고치는 것
예 $\frac{1}{\sqrt{2}}=\frac{\sqrt{2}}{\sqrt{2}\times\sqrt{2}}=\frac{\sqrt{2}}{2}$

답 ❶ 유리수

01

다음 중 옳은 것은?

① $\sqrt{5}\sqrt{7}=35$
② $(-\sqrt{2})\times(-\sqrt{7})=-\sqrt{14}$
③ $\sqrt{15}\sqrt{\frac{2}{5}}=\sqrt{6}$
④ $-\frac{\sqrt{35}}{\sqrt{5}}=-7$
⑤ $\sqrt{42}\div\sqrt{14}=3$

02

다음 중 ☐ 안에 들어갈 수가 가장 작은 것은?

① $2\sqrt{2}=\sqrt{\square}$ ② $-\sqrt{32}=-4\sqrt{\square}$
③ $\frac{\sqrt{3}}{2}=\sqrt{\frac{3}{\square}}$ ④ $\sqrt{2}\times\sqrt{5}=\sqrt{\square}$
⑤ $\sqrt{18}\div\sqrt{\square}=\sqrt{6}$

03

다음 보기 중 주어진 수를 근호 안의 수가 가장 작은 자연수가 되도록 $a\sqrt{b}$의 꼴로 옳게 나타낸 것을 모두 고른 것은?

보기
㉠ $\sqrt{12}=2\sqrt{3}$ ㉡ $\sqrt{44}=4\sqrt{11}$
㉢ $\sqrt{60}=2\sqrt{15}$ ㉣ $\sqrt{128}=4\sqrt{8}$

① ㉠, ㉡ ② ㉠, ㉢ ③ ㉡, ㉢
④ ㉡, ㉣ ⑤ ㉢, ㉣

★ 04

$\sqrt{2}=a$, $\sqrt{3}=b$라 할 때, $\sqrt{18}$을 a, b를 사용하여 나타내면?

① a^3b^2 ② a^3b ③ a^2b
④ ab^2 ⑤ ab

05

$\frac{5}{2\sqrt{5}}$의 분모를 유리화하시오.

06 서술형

$\sqrt{\frac{27}{50}}=\frac{3\sqrt{3}}{a\sqrt{2}}=\frac{3\sqrt{6}}{b}$일 때, $\sqrt{ab}$의 값을 구하시오.

(단, a, b는 유리수)

07

$\dfrac{2\sqrt{2}}{a\sqrt{6}}$의 분모를 유리화하였더니 $\dfrac{2\sqrt{3}}{9}$이 되었다. 이때 자연수 a의 값을 구하시오.

★
08

$\dfrac{\sqrt{35}}{\sqrt{12}} \times \dfrac{2\sqrt{6}}{\sqrt{7}} \div \sqrt{\dfrac{5}{3}}$를 간단히 하시오.

09

창의 융합

오른쪽 그림은 직사각형 ABCD에서 $\overline{AD}$, $\overline{CD}$를 각각 한 변으로 하는 두 정사각형 ADGH, CEFD를 그린 것이다. □ADGH$=54$ cm^2, □CEFD$=10$ cm^{2}일 때, □ABCD의 넓이를 구하시오.

10

융합형

오른쪽 그림과 같이 가로, 세로의 길이가 각각 $\sqrt{30}$ cm, $\sqrt{6}$ cm인 직육면체의 부피가 $24\sqrt{10}$ cm^{3}일 때, 이 직육면체의 높이를 구하시오.

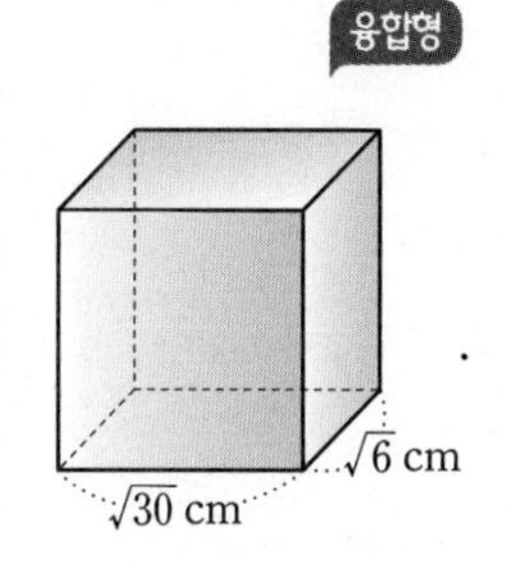

제곱근표에 없는 제곱근의 값

(1) 100보다 큰 수의 제곱근의 값
$\sqrt{100a}=10\sqrt{a}$, $\sqrt{10000a}=$ ❶ $\sqrt{a}$, …를 이용

(2) 0보다 크고 1보다 작은 수의 제곱근의 값
$\sqrt{\dfrac{a}{100}}=\dfrac{\sqrt{a}}{❷}$, $\sqrt{\dfrac{a}{10000}}=\dfrac{\sqrt{a}}{100}$, …를 이용

답 ❶ 100 ❷ 10

11

$\sqrt{6}=2.449$, $\sqrt{60}=7.746$일 때, 다음 중 옳은 것은?

① $\sqrt{0.006}=0.7746$
② $\sqrt{0.06}=0.02449$
③ $\sqrt{600}=244.9$
④ $\sqrt{6000}=77.46$
⑤ $\sqrt{60000}=774.6$

12

다음 중 $\sqrt{3}=1.732$임을 이용하여 그 값을 구할 수 없는 것은?

① $\sqrt{0.0003}$
② $\sqrt{0.003}$
③ $\sqrt{0.03}$
④ $\sqrt{300}$
⑤ $\sqrt{30000}$

13

$\sqrt{5}=2.236$임을 이용하여 $\sqrt{a}=223.6$임을 계산하였다. 이때 a의 값은?

① 0.05
② 50
③ 500
④ 5000
⑤ 50000

2 제곱근의 덧셈과 뺄셈

개념 1 제곱근의 덧셈과 뺄셈

제곱근의 덧셈과 뺄셈은 근호 안의 수가 같은 것을 동류항으로 보고 다항식의 덧셈, 뺄셈과 같은 방법으로 계산한다.

(1) **제곱근의 덧셈**

$a>0$이고 m, n이 유리수일 때

$m\sqrt{a}+n\sqrt{a}=(m+n)\sqrt{a}$ 예 $2\sqrt{3}+4\sqrt{3}=(2+4)\sqrt{3}=6\sqrt{3}$

(2) **제곱근의 뺄셈**

$a>0$이고 m, n이 유리수일 때

$m\sqrt{a}-n\sqrt{a}=(m-n)\sqrt{a}$ 예 $2\sqrt{3}-4\sqrt{3}=(2-4)\sqrt{3}=-2\sqrt{3}$

용어
- **동류항**
  문자와 차수가 모두 같은 항
  예 a와 $2a$, $-3x^2$과 $2x^2$

다음 식을 간단히 하면

(1) $\sqrt{2}+\sqrt{8}=\sqrt{2}+2\sqrt{2}=3\sqrt{2}$ ← 근호 안에 제곱인 인수가 있으면 제곱인 인수를 근호 밖으로 꺼낸 후 계산한다.

(2) $2\sqrt{5}+\sqrt{3}-\sqrt{5}+3\sqrt{3}=2\sqrt{5}-\sqrt{5}+\sqrt{3}+3\sqrt{3}=\sqrt{5}+4\sqrt{3}$ ← 여기에서 계산 끝!

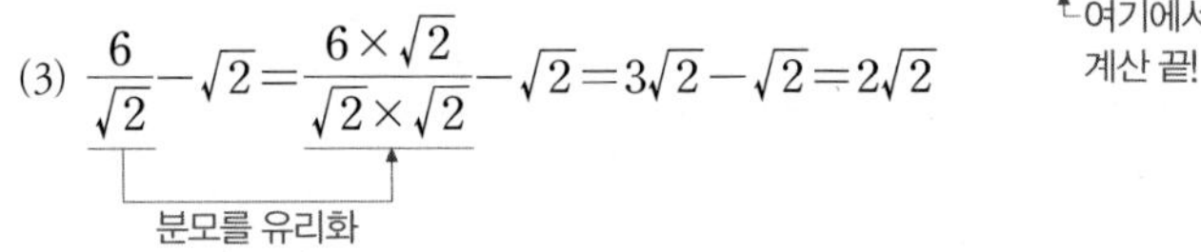

(3) $\dfrac{6}{\sqrt{2}}-\sqrt{2}=\dfrac{6\times\sqrt{2}}{\sqrt{2}\times\sqrt{2}}-\sqrt{2}=3\sqrt{2}-\sqrt{2}=2\sqrt{2}$ (분모를 유리화)

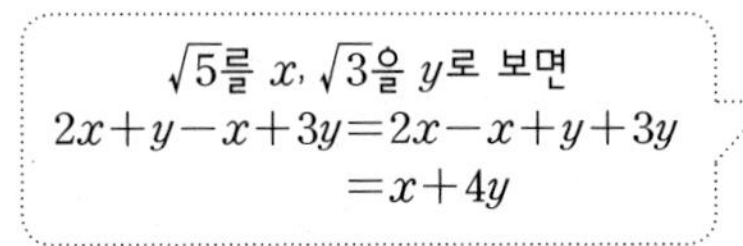

Lecture

- 제곱근의 덧셈과 뺄셈은 근호 안의 수가 같지 않으면 더 이상 간단히 할 수 없다.
  즉 $\sqrt{a}+\sqrt{b}\neq\sqrt{a+b}$, $\sqrt{a}-\sqrt{b}\neq\sqrt{a-b}$
  예 $\sqrt{2}+\sqrt{3}=\sqrt{2+3}=\sqrt{5}$ (×), $\sqrt{5}-\sqrt{3}=\sqrt{5-3}=\sqrt{2}$ (×)

| 개념 확인 | **1** **다음 식을 간단히 하시오.**

(1) $3\sqrt{3}+2\sqrt{3}$ (2) $4\sqrt{5}-3\sqrt{5}-\sqrt{5}$ (3) $\sqrt{3}-2\sqrt{7}+5\sqrt{3}$

| 개념 확인 | **2** **다음 식을 간단히 하시오.**

(1) $\sqrt{18}+\sqrt{32}$ (2) $\sqrt{54}-\sqrt{24}$ (3) $\sqrt{7}+\dfrac{1}{\sqrt{7}}$

(4) $\dfrac{3}{\sqrt{5}}-\dfrac{\sqrt{5}}{5}$ (5) $\sqrt{48}-\sqrt{27}-\sqrt{75}$ (6) $\sqrt{48}+4\sqrt{2}-\sqrt{50}-\sqrt{12}$

정답과 해설 p.33

개념 2 근호가 있는 식의 계산

개념 동영상

(1) 괄호가 있는 경우 분배법칙을 이용하여 괄호를 풀어 계산한다.

$a>0, b>0, c>0$일 때

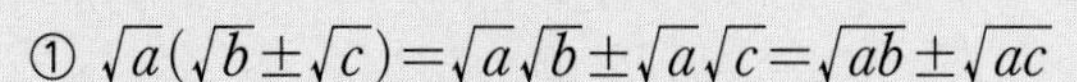

① $\sqrt{a}(\sqrt{b}\pm\sqrt{c})=\sqrt{a}\sqrt{b}\pm\sqrt{a}\sqrt{c}=\sqrt{ab}\pm\sqrt{ac}$

② $(\sqrt{a}\pm\sqrt{b})\sqrt{c}=\sqrt{a}\sqrt{c}\pm\sqrt{b}\sqrt{c}=\sqrt{ac}\pm\sqrt{bc}$

예 ① $\sqrt{2}(\sqrt{3}+\sqrt{5})=\sqrt{2}\sqrt{3}+\sqrt{2}\sqrt{5}=\sqrt{6}+\sqrt{10}$

② $(\sqrt{5}-\sqrt{3})\sqrt{2}=\sqrt{5}\sqrt{2}-\sqrt{3}\sqrt{2}=\sqrt{10}-\sqrt{6}$

보충

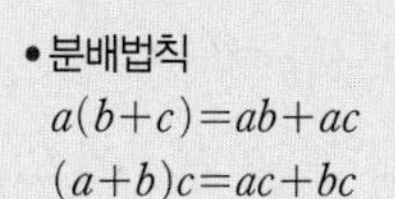

• 분배법칙
$a(b+c)=ab+ac$
$(a+b)c=ac+bc$

(2) 분모에 무리수가 있는 경우 분모를 유리화하여 계산한다.

$a>0, b>0, c>0$일 때

$$\frac{\sqrt{b}+\sqrt{c}}{\sqrt{a}}=\frac{(\sqrt{b}+\sqrt{c})\sqrt{a}}{\sqrt{a}\times\sqrt{a}}=\frac{\sqrt{ab}+\sqrt{ac}}{a}$$

예 $\frac{\sqrt{5}+\sqrt{2}}{\sqrt{3}}=\frac{(\sqrt{5}+\sqrt{2})\sqrt{3}}{\sqrt{3}\times\sqrt{3}}=\frac{\sqrt{15}+\sqrt{6}}{3}$

보기 (1) 분모를 유리화하지 않아도 되는 경우

$$(\sqrt{24}-\sqrt{15})\div\sqrt{3}=\frac{\sqrt{24}-\sqrt{15}}{\sqrt{3}}=\frac{\sqrt{24}}{\sqrt{3}}-\frac{\sqrt{15}}{\sqrt{3}}=\sqrt{8}-\sqrt{5}=2\sqrt{2}-\sqrt{5}$$

(2) 분모를 유리화하는 경우

$$(\sqrt{5}-\sqrt{7})\div\sqrt{3}=\frac{\sqrt{5}-\sqrt{7}}{\sqrt{3}}=\frac{(\sqrt{5}-\sqrt{7})\sqrt{3}}{\sqrt{3}\times\sqrt{3}}=\frac{\sqrt{15}-\sqrt{21}}{3}$$

Lecture

● 근호가 있는 식의 계산

① 괄호가 있는 경우 분배법칙을 이용하여 괄호를 푼다.
② 분모에 무리수가 있는 경우 분모를 유리화한다.
➡ 근호 안을 간단히 한다.

| 개념 확인 | **3** **다음 식을 간단히 하시오.**

(1) $\sqrt{2}(3-2\sqrt{5})$ (2) $(\sqrt{10}+\sqrt{20})\sqrt{5}$ (3) $(\sqrt{24}-\sqrt{8})\div\sqrt{2}$

| 개념 확인 | **4** **다음 수의 분모를 유리화하시오.**

(1) $\frac{\sqrt{5}-3\sqrt{3}}{\sqrt{2}}$ (2) $\frac{3+\sqrt{3}}{\sqrt{10}}$ (3) $\frac{5-\sqrt{5}}{\sqrt{5}}$

개념 3 근호를 포함한 복잡한 식의 계산

(1) 근호를 포함한 복잡한 식의 계산

① 괄호가 있으면 분배법칙을 이용하여 괄호를 푼다.

② 근호 안에 제곱인 인수가 있으면 근호 밖으로 꺼낸다.

③ 분모에 무리수가 있으면 분모를 유리화한다.

④ 곱셈과 나눗셈을 먼저 한 후 근호 안의 수가 같은 것끼리 덧셈과 뺄셈을 한다.

(2) 실수의 대소 관계 두 실수 a, b의 대소 관계는 유리수에서와 같이 $a-b$의 값의 부호에 따라

① $a-b>0$이면 $a>b$　　② $a-b=0$이면 $a=b$　　③ $a-b<0$이면 $a<b$

(1) 다음 식을 간단히 하면

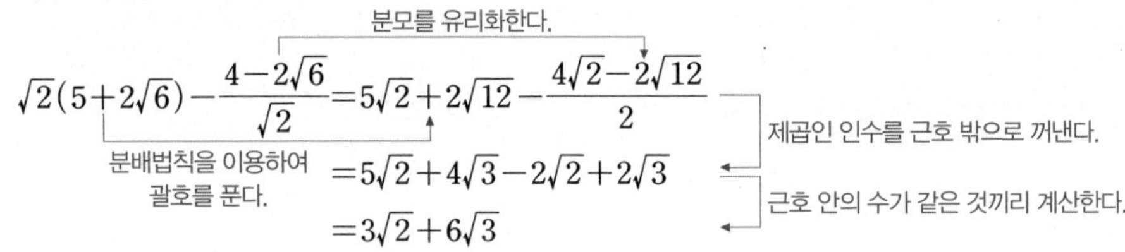

$$\sqrt{2}(5+2\sqrt{6})-\frac{4-2\sqrt{6}}{\sqrt{2}}=5\sqrt{2}+2\sqrt{12}-\frac{4\sqrt{2}-2\sqrt{12}}{2}$$
$$=5\sqrt{2}+4\sqrt{3}-2\sqrt{2}+2\sqrt{3}$$
$$=3\sqrt{2}+6\sqrt{3}$$

(2) $3\sqrt{2}$와 $\sqrt{5}+2\sqrt{2}$의 대소를 비교해 보자.

$3\sqrt{2}-(\sqrt{5}+2\sqrt{2})=3\sqrt{2}-\sqrt{5}-2\sqrt{2}=\sqrt{2}-\sqrt{5}<0$

$\therefore 3\sqrt{2}<\sqrt{5}+2\sqrt{2}$

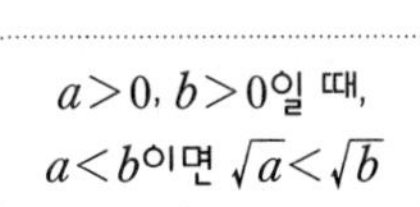

Lecture

- 두 실수의 대소 비교 방법
  - ① 두 실수의 차를 이용한다.
  - ② 부등식의 성질을 이용한다.
  - ③ 제곱근의 값을 이용한다.

| 개념 확인 | **5** **다음 식을 간단히 하시오.**

(1) $\sqrt{6}\times\sqrt{2}-3\sqrt{3}$

(2) $\sqrt{18}\div\sqrt{6}+4\times\sqrt{3}$

(3) $\sqrt{6}\div\frac{\sqrt{2}}{\sqrt{3}}-\frac{\sqrt{20}}{2}$

(4) $(\sqrt{50}-5)\div\sqrt{5}+\sqrt{2}(\sqrt{10}-\sqrt{5})$

| 개념 확인 | **6** **다음 □ 안에 < 또는 >를 써넣으시오.**

(1) $\sqrt{2}+2$ □ $3\sqrt{2}-1$

(2) $5\sqrt{3}-3\sqrt{2}$ □ $\sqrt{2}+2\sqrt{3}$

정답과 해설 p.34

개념 4 무리수의 정수 부분과 소수 부분

(1) 무리수는 정수 부분과 소수 부분으로 나눌 수 있다.

예 $\sqrt{2}=1.414\cdots=1+0.414\cdots$ (1: 정수 부분, 0.414…: 소수 부분)

(2) 무리수의 소수 부분은 무리수에서 정수 부분을 빼서 나타낸다.

예 $\sqrt{2}=1+0.414\cdots$ (1을 이항)

$\sqrt{2}-1=0.414\cdots$

즉 $\sqrt{2}$의 소수 부분은 $\sqrt{2}-1$로 나타낼 수 있다.

$\sqrt{a}$가 무리수일 때
$\sqrt{a}=$(정수 부분)+(소수 부분)
➡ (소수 부분)$=\sqrt{a}-$(정수 부분)

(1) $\sqrt{3}$의 정수 부분과 소수 부분을 구해 보자.

$\sqrt{1}<\sqrt{3}<\sqrt{4}$이므로 $1<\sqrt{3}<2$ (1: 정수 부분)

즉 $\sqrt{3}$은 1과 2 사이의 수이므로

정수 부분 ➡ 1, 소수 부분 ➡ $\sqrt{3}-1$

(2) $1+\sqrt{5}$의 정수 부분과 소수 부분을 구해 보자.

$\sqrt{4}<\sqrt{5}<\sqrt{9}$이므로 $2<\sqrt{5}<3$

각 변에 1을 더하면 $3<1+\sqrt{5}<4$

즉 $1+\sqrt{5}$는 3과 4 사이의 수이므로

정수 부분 ➡ 3, 소수 부분 ➡ $(1+\sqrt{5})-3=\sqrt{5}-2$

(3) $5-\sqrt{11}$의 정수 부분과 소수 부분을 구해 보자.

$\sqrt{9}<\sqrt{11}<\sqrt{16}$이므로 $3<\sqrt{11}<4$

각 변에 -1을 곱하면 $-4<-\sqrt{11}<-3$

각 변에 5를 더하면 $1<5-\sqrt{11}<2$

즉 $5-\sqrt{11}$은 1과 2 사이의 수이므로

정수 부분 ➡ 1, 소수 부분 ➡ $(5-\sqrt{11})-1=4-\sqrt{11}$

Lecture

- $\sqrt{1}=\sqrt{1^2}=1$, $\sqrt{4}=\sqrt{2^2}=2$, $\sqrt{9}=\sqrt{3^2}=3$, $\sqrt{16}=\sqrt{4^2}=4$이므로
  ① $\sqrt{2}$, $\sqrt{3}$의 정수 부분은 1
  ② $\sqrt{5}$, $\sqrt{6}$, $\sqrt{7}$, $\sqrt{8}$의 정수 부분은 2
  ③ $\sqrt{10}$, $\sqrt{11}$, …, $\sqrt{15}$의 정수 부분은 3

| 개념 확인 | **7** 다음 수의 정수 부분과 소수 부분을 각각 구하시오.

(1) $\sqrt{7}$ (2) $\sqrt{13}$

(3) $2+\sqrt{5}$ (4) $3-\sqrt{2}$

개념 기초

1-1

다음 보기 중 옳은 것을 고르시오.

보기

㉠ $\sqrt{2}+\sqrt{5}=\sqrt{7}$　㉡ $\sqrt{8}-\sqrt{5}=\sqrt{3}$

㉢ $2+\sqrt{3}=2\sqrt{3}$　㉣ $4\sqrt{5}-\sqrt{5}=3\sqrt{5}$

연구 $\sqrt{a}+\sqrt{b}\neq\sqrt{a+b}$, $\sqrt{a}-\sqrt{b}\,\square\,\sqrt{a-b}$

$m\sqrt{a}-n\sqrt{a}=(\square)\sqrt{a}$

2-1

다음 □ 안에 알맞은 수를 써넣으시오.

$\frac{5-\sqrt{15}}{\sqrt{5}}+\sqrt{5}(\sqrt{20}-1)$

$=\frac{(5-\sqrt{15})\square}{\sqrt{5}\times\square}+\sqrt{\square}-\sqrt{5}$

$=\frac{5\sqrt{5}-5\sqrt{3}}{5}+\square-\sqrt{5}$

$=\square+10$

연구 ① 분모를 유리화한다.

② 분배법칙을 이용하여 괄호를 푼다.

③ 제곱인 인수를 근호 밖으로 꺼낸다.

④ 근호 안의 수가 같은 것끼리 계산한다.

3-1

다음은 두 수 $3\sqrt{3}-2$, $6-2\sqrt{3}$의 대소를 비교하는 과정이다. □ 안에 알맞은 수 또는 부등호를 써넣으시오.

$(3\sqrt{3}-2)-(6-2\sqrt{3})=3\sqrt{3}-2-6+2\sqrt{3}$

$=\square-8$

$=\sqrt{75}-\sqrt{\square}\,\square\,0$

$\therefore 3\sqrt{3}-2\,\square\,6-2\sqrt{3}$

연구 두 실수 a, b의 대소 관계

① $a-b>0$이면 $a>b$

② $a-b=0$이면 $a=b$

③ $a-b<0$이면 $a<b$

쌍둥이 문제

1-2

다음 식을 간단히 하시오.

(1) $3\sqrt{5}+\sqrt{5}$

(2) $6\sqrt{7}-\sqrt{7}-4\sqrt{7}$

(3) $2\sqrt{2}+6\sqrt{3}-5\sqrt{2}-8\sqrt{3}$

(4) $\sqrt{50}-\sqrt{32}+2\sqrt{18}$

(5) $2\sqrt{12}+\frac{6}{\sqrt{3}}-\sqrt{3}$

2-2

다음 식을 간단히 하시오.

(1) $\frac{9}{\sqrt{3}}+\sqrt{2}\times\sqrt{24}$

(2) $-\frac{16}{\sqrt{8}}-\sqrt{40}\div\sqrt{5}$

(3) $4\sqrt{3}\times2\sqrt{6}-8\sqrt{10}\div4\sqrt{5}$

(4) $\sqrt{7}(\sqrt{14}-2)-(\sqrt{32}+\sqrt{28})\div2$

3-2

다음 □ 안에 알맞은 부등호를 써넣으시오.

(1) $4-\sqrt{3}\,\square\,1+\sqrt{3}$

(2) $1-\sqrt{7}\,\square\,2\sqrt{7}-7$

(3) $2\sqrt{3}-1\,\square\,3\sqrt{2}-1$

STEP 2 대표 유형으로 개념 잡기

대표 유형 1 제곱근의 덧셈과 뺄셈 (1)

근호 안의 수가 같은 것을 동류항으로 생각하고 다항식의 덧셈, 뺄셈과 같은 방법으로 계산한다.
$a>0$이고 m, n이 유리수일 때, $m\sqrt{a}+n\sqrt{a}=(m+n)\sqrt{a}$, $m\sqrt{a}-n\sqrt{a}=(m-n)\sqrt{a}$

1-1 다음 식을 간단히 하시오.

(1) $2\sqrt{7}+\sqrt{63}+2\sqrt{28}$

(2) $3\sqrt{5}-\sqrt{20}+\dfrac{5}{\sqrt{5}}$

풀이 (1) $2\sqrt{7}+\sqrt{63}+2\sqrt{28}=2\sqrt{7}+3\sqrt{7}+4\sqrt{7}=9\sqrt{7}$

(2) $3\sqrt{5}-\sqrt{20}+\dfrac{5}{\sqrt{5}}=3\sqrt{5}-2\sqrt{5}+\dfrac{5\times\sqrt{5}}{\sqrt{5}\times\sqrt{5}}$
$=3\sqrt{5}-2\sqrt{5}+\sqrt{5}=2\sqrt{5}$

답 (1) $9\sqrt{7}$ (2) $2\sqrt{5}$

쌍둥이 1-2

다음 중 옳지 않은 것은?

① $7\sqrt{3}+3\sqrt{3}+5\sqrt{3}=15\sqrt{3}$
② $-5\sqrt{2}-7\sqrt{2}-6\sqrt{2}=-18\sqrt{2}$
③ $\sqrt{8}+\sqrt{18}+\sqrt{32}=9\sqrt{2}$
④ $\sqrt{27}+\sqrt{48}-\sqrt{3}=6\sqrt{3}$
⑤ $\sqrt{24}-\sqrt{54}+5\sqrt{6}=-4\sqrt{6}$

쌍둥이 1-3

$\sqrt{3}-\dfrac{1}{\sqrt{3}}=k\sqrt{3}$일 때, 유리수 k의 값을 구하시오.

대표 유형 2 제곱근의 덧셈과 뺄셈 (2)

근호 안의 수가 다른 무리수끼리는 더 이상 계산할 수 없다.
예 $\sqrt{4}+\sqrt{9}=2+3=5$, $\sqrt{4+9}=\sqrt{13}=3.605\cdots$이므로 $\sqrt{4}+\sqrt{9}\neq\sqrt{4+9}$

2-1 $3\sqrt{18}+6\sqrt{20}-\sqrt{8}-7\sqrt{45}=a\sqrt{2}+b\sqrt{5}$일 때, $a+b$의 값을 구하시오. (단, a, b는 유리수)

풀이 $3\sqrt{18}+6\sqrt{20}-\sqrt{8}-7\sqrt{45}=9\sqrt{2}+12\sqrt{5}-2\sqrt{2}-21\sqrt{5}$
$=9\sqrt{2}-2\sqrt{2}+12\sqrt{5}-21\sqrt{5}$
$=7\sqrt{2}-9\sqrt{5}$

따라서 $a=7$, $b=-9$이므로
$a+b=7+(-9)=-2$

답 -2

쌍둥이 2-2

다음 식을 간단히 하시오.

(1) $2\sqrt{5}-\sqrt{48}-\sqrt{45}+\sqrt{108}$

(2) $2\sqrt{18}+3\sqrt{12}-\sqrt{32}-3\sqrt{27}$

(3) $\dfrac{2\sqrt{3}}{\sqrt{6}}-4\sqrt{3}+\dfrac{6}{\sqrt{2}}+\sqrt{27}$

대표 유형 3 분배법칙을 이용한 식의 계산

$a>0, b>0, c>0$일 때
$\sqrt{a}(\sqrt{b}\pm\sqrt{c})=\sqrt{a}\sqrt{b}\pm\sqrt{a}\sqrt{c}$, $(\sqrt{a}\pm\sqrt{b})\sqrt{c}=\sqrt{a}\sqrt{c}\pm\sqrt{b}\sqrt{c}$

3-1 $\sqrt{32}-2\sqrt{6}+\sqrt{2}(1-2\sqrt{3})=a\sqrt{2}+b\sqrt{6}$일 때, $a+b$의 값을 구하시오. (단, a, b는 유리수)

풀이 $\sqrt{32}-2\sqrt{6}+\sqrt{2}(1-2\sqrt{3})=4\sqrt{2}-2\sqrt{6}+\sqrt{2}-2\sqrt{6}$
$=4\sqrt{2}+\sqrt{2}-2\sqrt{6}-2\sqrt{6}$
$=5\sqrt{2}-4\sqrt{6}$

따라서 $a=5$, $b=-4$이므로
$a+b=5+(-4)=1$

답 1

쌍둥이 3-2
다음 식을 간단히 하시오.
(1) $\sqrt{3}(2\sqrt{2}+\sqrt{15})$

(2) $(\sqrt{30}-\sqrt{18})\div\sqrt{6}$

(3) $\sqrt{2}(\sqrt{3}+\sqrt{6})-\sqrt{12}(\sqrt{2}-3)$

(4) $\dfrac{2\sqrt{2}-3}{\sqrt{3}}-\dfrac{\sqrt{3}-\sqrt{6}}{\sqrt{2}}$

대표 유형 4 제곱근의 계산 결과가 유리수가 될 조건

a, b가 유리수이고 $\sqrt{m}$이 무리수일 때, $a+b\sqrt{m}$이 유리수가 될 조건
➡ 무리수 부분이 0이어야 하므로 $b=0$

4-1 $\sqrt{2}(a\sqrt{3}-\sqrt{12})-\sqrt{3}(2\sqrt{3}+\sqrt{2})$가 유리수가 되도록 하는 유리수 a의 값을 구하시오.

풀이 $\sqrt{2}(a\sqrt{3}-\sqrt{12})-\sqrt{3}(2\sqrt{3}+\sqrt{2})$
$=a\sqrt{6}-\sqrt{24}-6-\sqrt{6}$
$=a\sqrt{6}-2\sqrt{6}-6-\sqrt{6}$
$=-6+(a-3)\sqrt{6}$

이때 유리수가 되려면 $a-3=0$이어야 하므로
$a=3$

답 3

쌍둥이 4-2
$7\sqrt{3}+2a-4-2a\sqrt{3}$가 유리수가 되도록 하는 유리수 a의 값을 구하시오.

쌍둥이 4-3
$\sqrt{2}(a+4\sqrt{2})-\sqrt{3}(3\sqrt{3}+2\sqrt{6})$이 유리수가 되도록 하는 유리수 a의 값을 구하시오.

대표 유형 5 근호를 포함한 복잡한 식의 계산

① 괄호가 있으면 분배법칙을 이용하여 괄호를 푼다.
② $\sqrt{a^2b}$의 꼴은 $a\sqrt{b}$의 꼴로 고친다.
③ 분모에 무리수가 있으면 분모를 유리화한다.
④ 곱셈, 나눗셈을 먼저 한 후 근호 안의 수가 같은 것끼리 덧셈, 뺄셈을 한다.

5-1 $\sqrt{48}\left(\frac{8}{\sqrt{6}}-\sqrt{3}\right)+(\sqrt{98}-12)\div\sqrt{2}$를 간단히 하시오.

풀이 $\sqrt{48}\left(\frac{8}{\sqrt{6}}-\sqrt{3}\right)+(\sqrt{98}-12)\div\sqrt{2}$

$=4\sqrt{3}\left(\frac{8}{\sqrt{6}}-\sqrt{3}\right)+\frac{7\sqrt{2}-12}{\sqrt{2}}$

$=\frac{32}{\sqrt{2}}-12+\frac{14-12\sqrt{2}}{2}$

$=16\sqrt{2}-12+7-6\sqrt{2}$

$=10\sqrt{2}-5$

답 $10\sqrt{2}-5$

쌍둥이 5-2

다음 식을 간단히 하시오.

(1) $\sqrt{24}\left(\sqrt{3}-\frac{5}{\sqrt{2}}\right)-(\sqrt{12}-\sqrt{18})\div\sqrt{6}$

(2) $\sqrt{2}\left(\frac{2}{\sqrt{6}}-\frac{10}{\sqrt{12}}\right)+\sqrt{3}\left(\frac{6}{\sqrt{18}}-3\right)$

(3) $(\sqrt{6}+2\sqrt{3})\sqrt{2}-\frac{3-6\sqrt{2}}{\sqrt{3}}$

대표 유형 6 실수의 대소 관계

세 수 A, B, C의 대소 관계
➡ $A<B$이고 $B<C$이면 $A<B<C$

6-1 세 수 $A=5\sqrt{2}-2, B=3\sqrt{2}+1, C=4\sqrt{3}-2$의 대소 관계를 부등호를 사용하여 나타내시오.

풀이 $A-B=(5\sqrt{2}-2)-(3\sqrt{2}+1)=5\sqrt{2}-2-3\sqrt{2}-1$

$=2\sqrt{2}-3=\sqrt{8}-\sqrt{9}<0$

$\therefore A<B$ ……㉠

$A-C=(5\sqrt{2}-2)-(4\sqrt{3}-2)=5\sqrt{2}-2-4\sqrt{3}+2$

$=5\sqrt{2}-4\sqrt{3}=\sqrt{50}-\sqrt{48}>0$

$\therefore A>C$ ……㉡

㉠, ㉡에 의하여 $C<A<B$

답 $C<A<B$

쌍둥이 6-2

다음 중 두 수의 대소 관계가 옳은 것은?

① $3>\sqrt{5}+1$
② $\sqrt{21}-3<2$
③ $\sqrt{7}+2<\sqrt{6}+2$
④ $5-2\sqrt{5}<\sqrt{5}-2$
⑤ $8-\sqrt{10}<\sqrt{55}-\sqrt{10}$

쌍둥이 6-3

다음 중 세 수 $a=2\sqrt{3}+2, b=3\sqrt{3}-1, c=2+\sqrt{3}$의 대소 관계를 바르게 나타낸 것은?

① $a<b<c$
② $a<c<b$
③ $b<a<c$
④ $b<c<a$
⑤ $c<b<a$

대표 유형 7 제곱근의 계산의 도형에서의 활용

(1) 직육면체

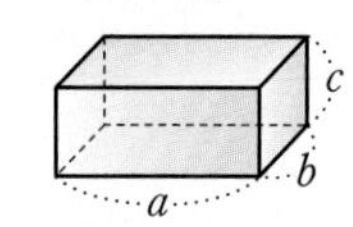

➡ 겉넓이 $S=2(ab+bc+ca)$
부피 $V=abc$

(2) 사다리꼴

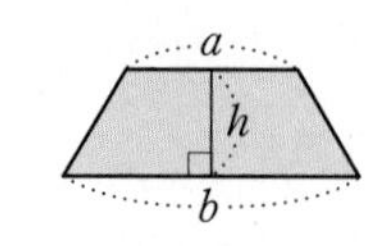

➡ 넓이 $S=\frac{1}{2}(a+b)h$

7-1 오른쪽 그림과 같이 가로의 길이가 $(\sqrt{3}+\sqrt{6})$ cm, 세로의 길이가 $\sqrt{6}$ cm, 높이가 $\sqrt{3}$ cm인 직육면체의 겉넓이를 구하시오.

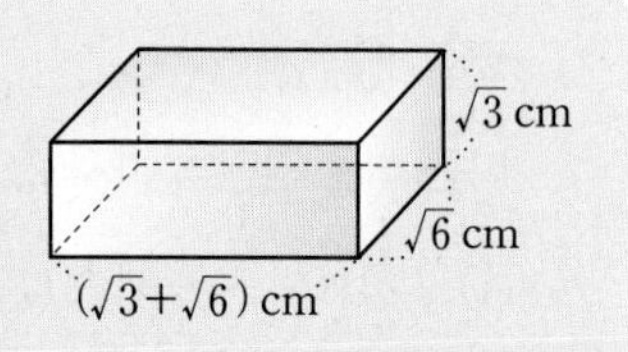

풀이 (직육면체의 겉넓이)

$=2\times\{(\sqrt{3}+\sqrt{6})\times\sqrt{6}+\sqrt{6}\times\sqrt{3}+\sqrt{3}(\sqrt{3}+\sqrt{6})\}$

$=2\times(\sqrt{18}+6+\sqrt{18}+3+\sqrt{18})$

$=2\times(3\sqrt{2}+6+3\sqrt{2}+3+3\sqrt{2})$

$=2\times(9\sqrt{2}+9)$

$=18\sqrt{2}+18\ (\text{cm}^2)$

답 $(18\sqrt{2}+18)\ \text{cm}^2$

쌍둥이 7-2

오른쪽 그림과 같이 윗변의 길이가 $\sqrt{8}$ cm, 아랫변의 길이가 $\sqrt{40}$ cm, 높이가 $\sqrt{10}$ cm인 사다리꼴의 넓이를 구하시오.

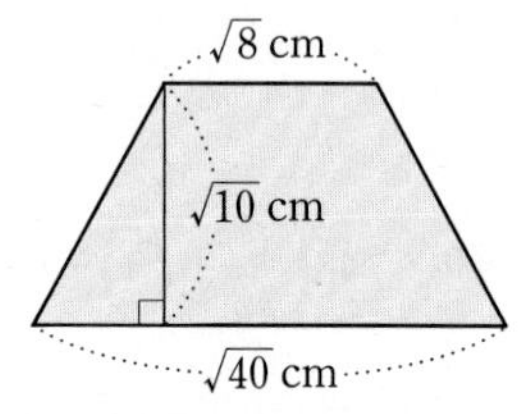

대표 유형 8 무리수의 정수 부분과 소수 부분

- $\sqrt{a}$가 무리수일 때
  $\sqrt{a}=$(정수 부분)+(소수 부분) ➡ (소수 부분)$=\sqrt{a}-$(정수 부분)
- 기억해 두면 편리한 무리수의 값의 범위
  ① $1<\sqrt{2}<2$, $1<\sqrt{3}<2$
  ② $2<\sqrt{5}<3$, $2<\sqrt{6}<3$, $2<\sqrt{7}<3$, $2<\sqrt{8}<3$

8-1 $7-\sqrt{5}$의 정수 부분을 a, 소수 부분을 b라 할 때, $a-b$의 값을 구하시오.

풀이 $\sqrt{4}<\sqrt{5}<\sqrt{9}$이므로 $2<\sqrt{5}<3$

각 변에 -1을 곱하면 $-3<-\sqrt{5}<-2$

각 변에 7을 더하면 $4<7-\sqrt{5}<5$

따라서 정수 부분은 4, 소수 부분은 $(7-\sqrt{5})-4=3-\sqrt{5}$이므로

$a=4$, $b=3-\sqrt{5}$

$\therefore a-b=4-(3-\sqrt{5})=1+\sqrt{5}$

답 $1+\sqrt{5}$

쌍둥이 8-2

$6-\sqrt{3}$의 정수 부분을 a, 소수 부분을 b라 할 때, $2a+b$의 값을 구하시오.

쌍둥이 8-3

$\dfrac{\sqrt{12}+\sqrt{2}}{\sqrt{2}}$의 정수 부분을 a, 소수 부분을 b라 할 때, $b-a$의 값을 구하시오.

계산력 집중 연습 | 제곱근의 덧셈과 뺄셈

정답과 해설 p.36

1 다음 식을 간단히 하시오.

(1) $4\sqrt{7}-3\sqrt{7}-2\sqrt{7}$

(2) $2\sqrt{5}+4\sqrt{5}-3\sqrt{5}$

(3) $\sqrt{32}-\sqrt{8}+\sqrt{18}$

(4) $2\sqrt{7}+\sqrt{63}+2\sqrt{28}$

(5) $\sqrt{48}-\sqrt{27}+\sqrt{12}-\sqrt{75}$

(6) $2\sqrt{24}+\dfrac{4}{\sqrt{6}}-3\sqrt{6}$

(7) $\sqrt{\dfrac{3}{4}}-\dfrac{3}{\sqrt{12}}+\sqrt{3}$

(8) $2\sqrt{2}+3\sqrt{5}-4\sqrt{2}-\sqrt{5}$

(9) $7\sqrt{10}-10\sqrt{7}-2\sqrt{10}+2\sqrt{7}$

(10) $\sqrt{72}-\sqrt{75}+\sqrt{32}-\sqrt{27}$

(11) $6\sqrt{2}-\sqrt{75}-\dfrac{6}{\sqrt{2}}+\sqrt{27}$

(12) $\sqrt{27}-\sqrt{45}-\dfrac{6}{2\sqrt{3}}+\dfrac{10}{\sqrt{5}}$

2 다음 식을 간단히 하시오.

(1) $6\div\sqrt{6}+\sqrt{54}$

(2) $2\sqrt{42}\div\sqrt{7}-3\sqrt{18}\times\sqrt{3}$

(3) $3\sqrt{10}\times\sqrt{2}-2\sqrt{60}\div\sqrt{3}$

(4) $6\sqrt{14}\div\sqrt{2}-3\sqrt{21}\div2\sqrt{3}$

(5) $\sqrt{27}\times\dfrac{2}{\sqrt{3}}-\sqrt{40}\div\dfrac{\sqrt{5}}{2}$

(6) $\dfrac{\sqrt{27}+3}{\sqrt{3}}-\dfrac{\sqrt{8}+\sqrt{6}}{\sqrt{2}}$

(7) $\sqrt{75}\left(\sqrt{6}-\dfrac{2}{\sqrt{3}}\right)-\dfrac{5}{\sqrt{3}}(\sqrt{6}+\sqrt{27})$

(8) $\sqrt{12}(2-\sqrt{3})+(6-\sqrt{12})\div\dfrac{\sqrt{3}}{2}$

제곱근의 덧셈과 뺄셈 (1)

(1) 제곱근의 덧셈과 뺄셈

$a>0$이고 m, n이 유리수일 때

① $m\sqrt{a}+n\sqrt{a}=($ ❶ $)\sqrt{a}$

② $m\sqrt{a}-n\sqrt{a}=($ ❷ $)\sqrt{a}$

(2) 근호가 있는 식의 계산

① 괄호가 있으면 분배법칙을 이용하여 괄호를 푼다.

② 분모에 무리수가 있으면 분모를 유리화한다.

답 ❶ $m+n$ ❷ $m-n$

01

다음 중 옳은 것은?

① $5\sqrt{7}-\dfrac{21}{\sqrt{7}}=\sqrt{7}$

② $\sqrt{32}+\sqrt{18}-\sqrt{72}=2\sqrt{2}$

③ $\sqrt{20}-\sqrt{45}-\sqrt{80}=-5\sqrt{5}$

④ $\sqrt{12}-\sqrt{27}+\sqrt{48}=-3\sqrt{3}$

⑤ $\sqrt{18}-\dfrac{3}{\sqrt{2}}+\sqrt{32}=\dfrac{10\sqrt{2}}{2}$

02

$\sqrt{45}+\sqrt{108}-\sqrt{48}-\sqrt{80}$을 간단히 하면 $a\sqrt{3}+b\sqrt{5}$일 때, $2a+b$의 값을 구하시오. (단, a, b는 유리수)

03

$\dfrac{3}{\sqrt{45}}+\dfrac{5}{\sqrt{8}}-\dfrac{\sqrt{18}}{4}-\dfrac{4}{\sqrt{20}}$를 간단히 하면?

① $\dfrac{\sqrt{2}}{4}+\dfrac{\sqrt{5}}{5}$　② $\dfrac{\sqrt{2}}{4}-\dfrac{\sqrt{5}}{5}$　③ $\dfrac{\sqrt{2}}{2}+\dfrac{\sqrt{5}}{5}$

④ $\dfrac{\sqrt{2}}{2}-\dfrac{\sqrt{5}}{5}$　⑤ $-\dfrac{\sqrt{2}}{2}+\dfrac{\sqrt{5}}{5}$

04

$\sqrt{3}(\sqrt{2}+2)-\sqrt{2}(\sqrt{6}-2\sqrt{2})$를 간단히 하시오.

★

05

$\sqrt{24}-2\sqrt{12}-\sqrt{6}\left(3-\dfrac{4}{\sqrt{18}}\right)=a\sqrt{3}+b\sqrt{6}$일 때, $a-b$의 값은? (단, a, b는 유리수)

① $-\dfrac{8}{3}$　② $-\dfrac{5}{3}$　③ $-\dfrac{3}{2}$

④ 1　⑤ $\dfrac{3}{2}$

06

서술형

$\sqrt{7}(4\sqrt{7}-a)+\sqrt{28}(3-\sqrt{7})$이 유리수가 되도록 하는 유리수 a의 값을 구하시오.

제곱근의 덧셈과 뺄셈 (2)

(1) 근호를 포함한 복잡한 식의 계산

① 괄호가 있으면 분배법칙을 이용하여 괄호를 푼다.

② $\sqrt{a^2b}$의 꼴은 (❶)$\sqrt{b}$의 꼴로 고친다.

③ 분모에 무리수가 있으면 분모를 (❷)한다.

④ 곱셈, 나눗셈을 먼저 한 후 근호 안의 수가 같은 것끼리 덧셈, 뺄셈을 한다.

(2) 무리수의 정수 부분과 소수 부분

(무리수)=(정수 부분)+(소수 부분)이므로

(소수 부분)=(무리수)−(정수 부분)

답 ❶ a ❷ 유리화

07

$6\sqrt{22} \div \frac{\sqrt{11}}{2} - \frac{10}{\sqrt{6}} \times \sqrt{3}$을 간단히 하면?

① $-2\sqrt{2}$ ② $2\sqrt{2}$ ③ $7\sqrt{2}$

④ $23\sqrt{2}$ ⑤ $28\sqrt{2}$

08

서술형

$\frac{\sqrt{18}+\sqrt{6}}{\sqrt{3}} + 2\sqrt{8} - \sqrt{3}(4\sqrt{2}+\sqrt{6}) = a\sqrt{2} + b\sqrt{6}$일 때, $a-b$의 값을 구하시오. (단, a, b는 유리수)

09

다음 중 두 수의 대소 관계가 옳은 것은?

① $\sqrt{10}-1<2$ ② $\sqrt{10}-3>\sqrt{10}-\sqrt{8}$

③ $3\sqrt{2}-2>2+\sqrt{2}$ ④ $\sqrt{5}+\sqrt{7}>\sqrt{8}+\sqrt{5}$

⑤ $3\sqrt{2}-1>2\sqrt{3}-1$

10

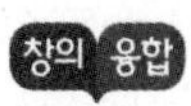

다음 그림과 같이 넓이가 각각 $3\ \mathrm{m}^2$, $27\ \mathrm{m}^2$, $75\ \mathrm{m}^2$인 세 정사각형이 붙어 있는 모양의 화단이 있다. 이 화단의 둘레 전체에 울타리를 치려고 할 때, 울타리의 총 길이를 구하시오.

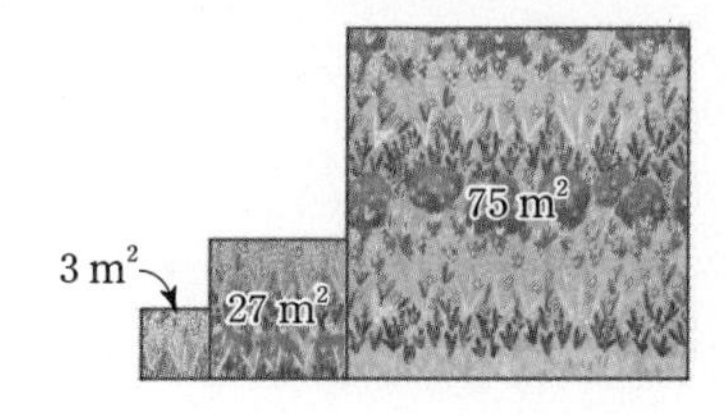

11

$\sqrt{13}+1$의 정수 부분을 a, 소수 부분을 b라 할 때, a^2+b의 값은?

① $16+2\sqrt{13}$ ② $13+2\sqrt{13}$ ③ $16+\sqrt{13}$

④ $13+\sqrt{13}$ ⑤ $12+\sqrt{13}$

12

$3-\sqrt{3}$의 정수 부분을 a, 소수 부분을 b라 할 때, $a-b$의 값을 구하시오.

4 다항식의 곱셈

중 2	중3	고등학교
•다항식의 덧셈과 뺄셈 •다항식의 곱셈과 나눗셈	• **다항식의 곱셈**	•다항식의 연산 (고 1) •나머지정리 (고 1) •인수분해 (고 1)

학습 목표

• 다항식의 곱셈을 할 수 있다.

1 곱셈 공식

- 개념 1 다항식과 다항식의 곱셈
- 개념 2 곱셈 공식 (1) – 합, 차의 제곱
- 개념 3 곱셈 공식 (2) – 합과 차의 곱
- 개념 4 곱셈 공식 (3) – 두 일차식의 곱

2 곱셈 공식의 활용

- 개념 1 곱셈 공식을 이용한 수의 계산
- 개념 2 곱셈 공식을 이용한 근호를 포함한 식의 계산
- 개념 3 복잡한 식의 전개
- 개념 4 곱셈 공식의 변형

오늘의 마지막 곡은
곱셈 공식입니다!
소리 질러!
yo~ 지금부터
알려줄게 곱셈 공식!
겁 먹을 필요 없지 곱셈 공식!
리듬에 맞춰 구구단을 외우듯
그냥 따라해!
첫 번째 공식은 합, 차의 제곱 공식
$(a+b)^2=a^2+2ab+b^2$!
and $(a-b)^2=a^2-2ab+b^2$!
두 번째 공식은 합과 차의 곱 공식~
$(a+b)(a-b)=a^2-b^2$!
마지막 공식! x의 계수가 1인 아닌 두 일차식의 곱은
$(ax+b)(cx+d)=acx^2+(ad+bc)x+bd$!
세 번째 공식은 x의 계수가 1인 두 일차식의 곱
$(x+a)(x+b)=x^2+(a+b)x+ab$!
두 일차식의 곱셈 공식을 외우는 건 쉽지 않아.
그럴 땐 전개해서 동류항끼리 간단히 해!!
THE END!!
HIP HO

1 곱셈 공식

개념 1 다항식과 다항식의 곱셈

분배법칙을 이용하여 전개하고 동류항이 있으면 간단히 정리한다.

$$(a+b)(c+d)=\underset{①}{ac}+\underset{②}{ad}+\underset{③}{bc}+\underset{④}{bd}$$

예 $(x+3)(x+5)=\underset{①}{x\times x}+\underset{②}{x\times 5}+\underset{③}{3\times x}+\underset{④}{3\times 5}$

$=x^2+5x+3x+15=x^2+8x+15$ (동류항: $5x$, $3x$)

직사각형의 넓이와 다항식의 곱셈

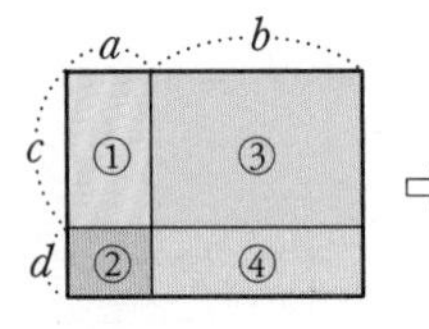

$(a+b)(c+d)=$(큰 직사각형의 넓이)

$=①+②+③+④$

$=ac+ad+bc+bd$

$(x+y)(x+y+1)=\underset{①}{x^2}+\underset{②}{xy}+\underset{③}{x}+\underset{④}{xy}+\underset{⑤}{y^2}+\underset{⑥}{y}$

$=x^2+y^2+2xy+x+y$

Lecture

- $(a+b)(c+d)=ac+ad+bc+bd$

| 개념 확인 | **1** **다음 식을 전개하시오.**

(1) $(a+b)(3b-4)$

(2) $(2x-1)(y+5)$

(3) $(3x+2)(4y-1)$

(4) $(x+2y)(2x+y)$

| 개념 확인 | **2** **다음 식을 전개하시오.**

(1) $(x+y)(2x-3y+1)$

(2) $(x+2y+1)(3x-y)$

정답과 해설 p.38

개념 동영상

개념 2 곱셈 공식(1) – 합, 차의 제곱

(1) 합의 제곱

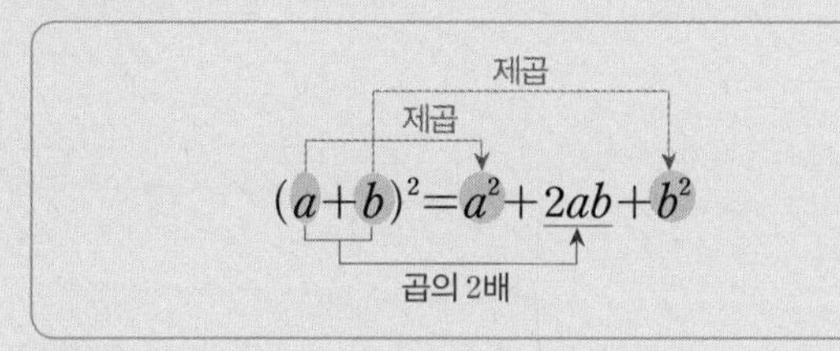

설명 $(a+b)^2=(a+b)(a+b)$

$=a^2+ab+ba+b^2$

$=a^2+2ab+b^2$

예 $(x+5)^2=x^2+2\times x\times 5+5^2$

$=x^2+10x+25$

(2) 차의 제곱

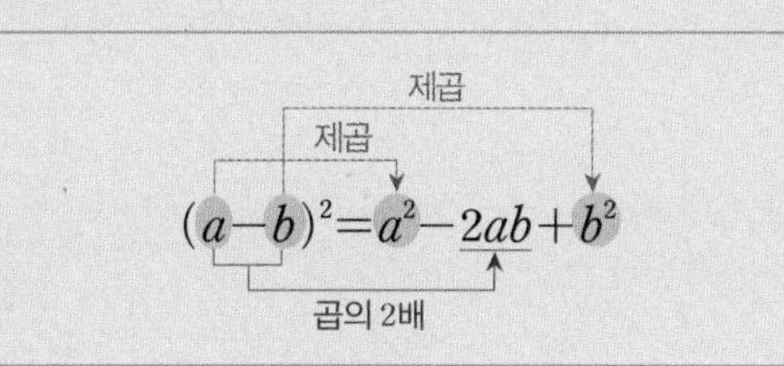

설명 $(a-b)^2=(a-b)(a-b)$

$=a^2-ab-ba+b^2$

$=a^2-2ab+b^2$

예 $(x-5)^2=x^2-2\times x\times 5+5^2$

$=x^2-10x+25$

참고 ① $(-a-b)^2=\{-(a+b)\}^2=(a+b)^2$

② $(-a+b)^2=\{-(a-b)\}^2=(a-b)^2$

설명 직사각형의 넓이와 곱셈 공식(1)

(1)

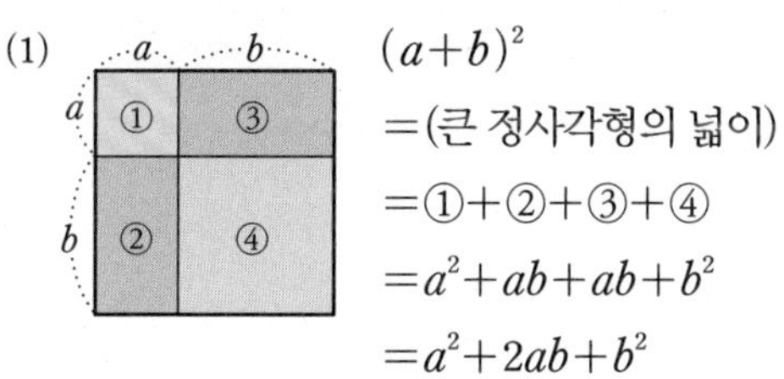

$(a+b)^2$

$=$(큰 정사각형의 넓이)

$=$①$+$②$+$③$+$④

$=a^2+ab+ab+b^2$

$=a^2+2ab+b^2$

(2)

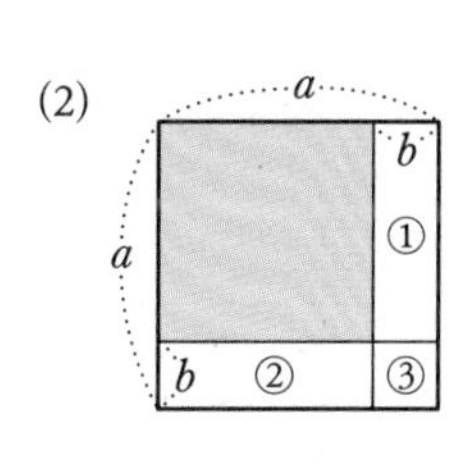

$(a-b)^2$

$=$(색칠한 정사각형의 넓이)

$=$(큰 정사각형의 넓이)$-$①$-$②$-$③

$=a^2-b(a-b)-b(a-b)-b^2$

$=a^2-ab+b^2-ab+b^2-b^2$

$=a^2-2ab+b^2$

$(a+b)^2\neq a^2+b^2$, $(a-b)^2\neq a^2-b^2$ 임에 주의하자.

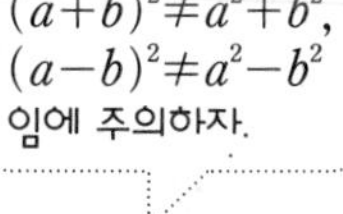

Lecture

- $(a+b)^2=a^2+2ab+b^2$, $(a-b)^2=a^2-2ab+b^2$
- $(-a-b)^2=\{-(a+b)\}^2=(a+b)^2$, $(-a+b)^2=\{-(a-b)\}^2=(a-b)^2$

| 개념 확인 | 3 다음 식을 전개하시오.

(1) $(x+3)^2$

(2) $(3x+4y)^2$

(3) $(x-4)^2$

(4) $(2x-y)^2$

| 개념 확인 | 4 다음 식을 전개하시오.

(1) $(-x+2)^2$

(2) $(-2x+y)^2$

(3) $(-2x-3)^2$

(4) $(-3x-2y)^2$

개념 3 곱셈 공식(2) – 합과 차의 곱

$(a+b)(a-b)=a^2-b^2$

합 차 제곱의 차

설명 $(a+b)(a-b)=a^2-ab+ba-b^2$

$=a^2-b^2$

예 $(x+2)(x-2)=x^2-2^2=x^2-4$

참고 $(-a+b)(a+b)=(b-a)(b+a)=b^2-a^2$

$(-a+b)(-a-b)=(-a)^2-b^2=a^2-b^2$

$(-a-b)(a-b)=(-b-a)(-b+a)=(-b)^2-a^2=b^2-a^2$

설명 직사각형의 넓이와 곱셈 공식(2)

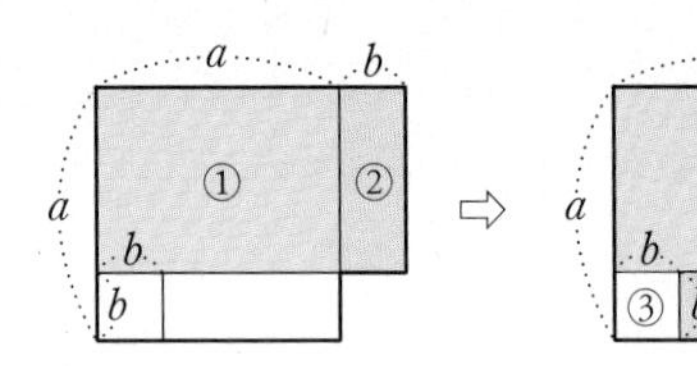

$(a+b)(a-b)=$(색칠한 직사각형의 넓이)

$=①+②$ ― $②=b(a-b)$, $④=(a-b)b$ $\therefore ②=④$

$=①+④$

$=(①+③+④)-③$

$=a^2-b^2$

보기 (1) $(x+3)(x-3)=x^2-3^2=x^2-9$

(2) $(-5a+2)(-5a-2)=(-5a)^2-2^2=25a^2-4$

Lecture

- $(a+b)(a-b)=a^2-b^2$
- $(-a+b)(a+b)=(b-a)(b+a)=b^2-a^2$
- $(-a+b)(-a-b)=(-a)^2-b^2=a^2-b^2$

| 개념 확인 | **5** 다음 식을 전개하시오.

(1) $(x+4)(x-4)$

(2) $(2x+1)(2x-1)$

(3) $(3x+5y)(3x-5y)$

(4) $(7a+2b)(7a-2b)$

| 개념 확인 | **6** 다음 식을 전개하시오.

(1) $(-a+2)(-a-2)$

(2) $(-3x+2y)(-3x-2y)$

(3) $(-3-y)(-3+y)$

(4) $(-2x+3)(2x+3)$

정답과 해설 p.39

개념 4 곱셈 공식(3) – 두 일차식의 곱

(1) x의 계수가 1인 두 일차식의 곱

$$(x+a)(x+b)=x^2+(a+b)x+ab$$

(합: $a+b$, 곱: ab)

설명 $(x+a)(x+b)=x^2+bx+ax+ab$

$=x^2+(a+b)x+ab$

예 $(x-2)(x-3)=x^2+(-2-3)x+(-2)\times(-3)$

$=x^2-5x+6$

(2) x의 계수가 1이 아닌 두 일차식의 곱

$$(ax+b)(cx+d)=acx^2+(ad+bc)x+bd$$

(외항의 곱: ad, 내항의 곱: bc)

설명 $(ax+b)(cx+d)=acx^2+adx+bcx+bd$

$=acx^2+(ad+bc)x+bd$

예 $(4x+5)(3x+2)=(4\times3)x^2+(4\times2+5\times3)x+5\times2$

$=12x^2+23x+10$

설명 직사각형의 넓이와 곱셈 공식(3)

(1)

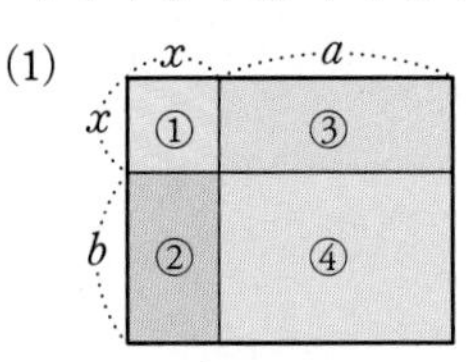

$(x+a)(x+b)=$(큰 직사각형의 넓이)

$=①+②+③+④$

$=x^2+bx+ax+ab$

$=x^2+(a+b)x+ab$

(2)

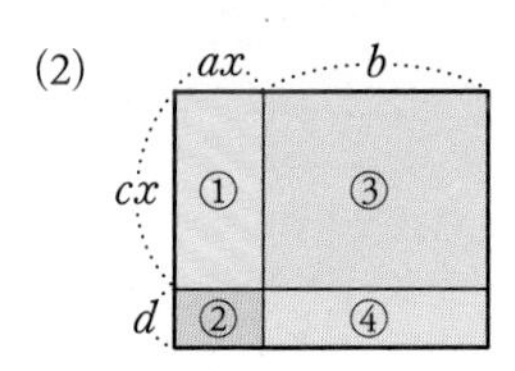

$(ax+b)(cx+d)=$(큰 직사각형의 넓이)

$=①+②+③+④$

$=acx^2+adx+bcx+bd$

$=acx^2+(ad+bc)x+bd$

공식이 생각나지 않을 때에는 분배법칙을 이용하여 전개한 후 동류항끼리 모아서 간단히 하면 돼.

Lecture

- $(x+a)(x+b)=x^2+(a+b)x+ab$
- $(ax+b)(cx+d)=acx^2+(ad+bc)x+bd$

| 개념 확인 | **7** 다음 식을 전개하시오.

(1) $(a+3)(a+5)$ (2) $(a+3)(a-7)$

(3) $(x-10)(x-3)$ (4) $(x-3y)(x+4y)$

| 개념 확인 | **8** 다음 식을 전개하시오.

(1) $(2x+3)(3x+1)$ (2) $(5x-3)(2x+1)$

(3) $(2a-1)(a-4)$ (4) $(4x-7y)(x+3y)$

STEP 1 기초 개념 드릴

개념 기초

1-1

다음 □ 안에 알맞은 것을 써넣으시오.

(1) $(a+2)(3b-4)$

$=a\times3b+a\times(\square)+2\times\square+2\times(-4)$

$=\square$

(2) $(x-y)(x+y-3)$

$=x^2+\square-3x-xy-y^2+\square$

$=\square$

연구 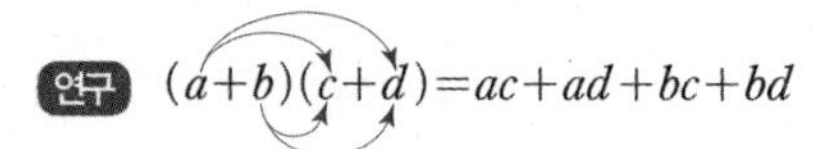
$(a+b)(c+d)=ac+ad+bc+bd$

쌍둥이 문제

1-2

다음 식을 전개하시오.

(1) $(a+b)(x+y)$

(2) $(4x-1)(y+7)$

(3) $(a+3)(5a-2b+4)$

(4) $(2x+3y-5)(3x-4)$

2-1

다음 □ 안에 알맞은 것을 써넣으시오.

(1) $(2x-1)^2=(2x)^2-2\times\square\times1+\square^2$

$=\square$

(2) 부호가 같다.

$(-x+4)(-x-4)=(\square)^2-4^2$

부호가 다르다. $=\square-\square$

연구 $(a+b)^2=a^2+2ab+b^2$, $(a-b)^2=a^2-2ab+b^2$
$(a+b)(a-b)=a^2-b^2$

2-2

다음 식을 전개하시오.

(1) $(3a+2)^2$

(2) $(-4x-3y)^2$

(3) $(5x+7)(5x-7)$

(4) $(-3a+2)(-3a-2)$

3-1

다음 □ 안에 알맞은 것을 써넣으시오.

(1) $(x-3y)(x+5y)$

$=x^2+(-3y+\square)x+(-3y)\times\square$

$=x^2+\square xy-\square$

(2) $(2x-3y)(3x+4y)$

$=(\square\times3)x^2+\{2\times4y+(\square)\times3\}x+(-3y)\times\square$

$=\square x^2-xy-\square$

연구 $(x+a)(x+b)=x^2+(a+b)x+ab$
$(ax+b)(cx+d)=acx^2+(ad+bc)x+bd$

3-2

다음 식을 전개하시오.

(1) $(x-1)(x-2)$

(2) $(x-2y)(x+4y)$

(3) $(5x-3)(4x+2)$

(4) $(-3x-2y)(4x-y)$

STEP 2 대표 유형으로 개념 잡기

대표 유형 1 전개식에서 계수 구하기

전개식에서 계수를 구할 때에는 구하는 항이 나오는 부분만 계산하면 편리하다.
➡ xy의 계수를 구할 때에는 xy가 나오는 항만 계산한다.

1-1 $(2x+3y)(x-4y+3)$을 전개하였을 때, xy의 계수를 구하시오.

풀이 xy가 나오는 항만 계산하면

$-8xy$
$(2x+3y)(x-4y+3)$의 전개식에서
$3xy$

xy항은 $2x\times(-4y)+3y\times x=-8xy+3xy=-5xy$
따라서 xy의 계수는 -5이다.

답 -5

쌍둥이 1-2
$(x+2)(x+3y-4)$를 전개하였을 때, x의 계수를 구하시오.

쌍둥이 1-3
$(3x-2y+1)(4x+3y)$를 전개하였을 때, xy의 계수와 y의 계수의 합을 구하시오.

대표 유형 2 곱셈 공식(1) – 합, 차의 제곱

- $(a+b)^2=a^2+2ab+b^2$, $(a-b)^2=a^2-2ab+b^2$
- $(-a-b)^2=\{-(a+b)\}^2=(a+b)^2$, $(-a+b)^2=\{-(a-b)\}^2=(a-b)^2$

2-1 다음 식을 전개하시오.
(1) $\left(x+\frac{1}{2}\right)^2$ (2) $(-4x+7)^2$

풀이 (1) $\left(x+\frac{1}{2}\right)^2=x^2+2\times x\times\frac{1}{2}+\left(\frac{1}{2}\right)^2$
$=x^2+x+\frac{1}{4}$

(2) $(-4x+7)^2=(4x-7)^2$
$=(4x)^2-2\times 4x\times 7+7^2$
$=16x^2-56x+49$

답 (1) $x^2+x+\frac{1}{4}$ (2) $16x^2-56x+49$

쌍둥이 2-2
다음 중 옳은 것은?
① $(x-2)^2=x^2-2x+4$
② $\left(3x-\frac{1}{3}\right)^2=9x^2-3x+\frac{1}{9}$
③ $(x+6)^2=x^2+12x+9$
④ $(-2x+2)^2=4x^2-8x+4$
⑤ $\left(\frac{1}{2}x-y\right)^2=\frac{1}{2}x^2-xy+y^2$

대표 유형 3 곱셈 공식(2) – 합과 차의 곱

- $(a+b)(a-b)=a^2-b^2$
- $(-a+b)(a+b)=(b-a)(b+a)=b^2-a^2$

3-1 다음 식을 전개하시오.

(1) $\left(2x+\frac{1}{3}\right)\left(2x-\frac{1}{3}\right)$

(2) $(4a+2)(2-4a)$

풀이 (1) $\left(2x+\frac{1}{3}\right)\left(2x-\frac{1}{3}\right)=(2x)^2-\left(\frac{1}{3}\right)^2$

$=4x^2-\frac{1}{9}$

(2) $(4a+2)(2-4a)=(2+4a)(2-4a)$

$=2^2-(4a)^2$

$=4-16a^2$

답 (1) $4x^2-\frac{1}{9}$ (2) $4-16a^2$

쌍둥이 3-2

다음 중 옳지 않은 것은?

① $(-2x+y)(-2x-y)=4x^2-y^2$

② $\left(x-\frac{1}{5}\right)\left(x+\frac{1}{5}\right)=x^2-\frac{1}{25}$

③ $(4a-2b)(4a+2b)=16a^2-4b^2$

④ $(-x-y)(y-x)=y^2-x^2$

⑤ $(1-4x)(1+4x)=1-16x^2$

대표 유형 4 곱셈 공식(3) – 두 일차식의 곱

- $(x+a)(x+b)=x^2+(a+b)x+ab$
- $(ax+b)(cx+d)=acx^2+(ad+bc)x+bd$

4-1 다음 식을 전개하시오.

(1) $(x+5)(x-6)$

(2) $(4x+1)(2x-3)$

풀이 (1) $(x+5)(x-6)=x^2+(5-6)x+5\times(-6)$

$=x^2-x-30$

(2) $(4x+1)(2x-3)$

$=(4\times2)x^2+\{4\times(-3)+1\times2\}x+1\times(-3)$

$=8x^2-10x-3$

답 (1) x^2-x-30 (2) $8x^2-10x-3$

쌍둥이 4-2

다음 중 옳지 않은 것을 모두 고르면? (정답 2개)

① $(x+3)(x-5)=x^2-2x-15$

② $(x-4y)(x+9y)=x^2+5xy+36y^2$

③ $(x+5)(2x+4)=2x^2+14x+20$

④ $(-5x-3y)(-4x+5y)=20x^2-13xy-15y^2$

⑤ $(2x-3)(3x+1)=6x^2-11x-3$

대표 유형 5 전개식에서 미지수 구하기

곱셈 공식을 이용하여 좌변을 전개한 후 계수끼리 비교한다.

5-1 다음 물음에 답하시오.

(1) $(x+a)^2=x^2+4x+b$일 때, 상수 a, b의 값을 각각 구하시오.

(2) $(5x+3)(2x+a)=10x^2+bx-12$일 때, $a+b$의 값을 구하시오. (단, a, b는 상수)

풀이 (1) $(x+a)^2=x^2+2ax+a^2=x^2+4x+b$에서

$2a=4$, $a^2=b$

$\therefore a=2, b=4$

(2) $(5x+3)(2x+a)=(5\times2)x^2+(5\times a+3\times2)x+3\times a$

$=10x^2+(5a+6)x+3a$

$=10x^2+bx-12$

에서 $5a+6=b$, $3a=-12$

따라서 $a=-4$, $b=-14$이므로

$a+b=-4+(-14)=-18$

답 (1) $a=2$, $b=4$ (2) -18

쌍둥이 5-2

$(2x+a)^2=4x^2-12x+b$일 때, 상수 a, b의 값을 각각 구하시오.

쌍둥이 5-3

$(3x+A)(Bx+5)=6x^2+Cx-10$일 때, $A+B+C$의 값을 구하시오. (단, A, B, C는 상수)

대표 유형 6 도형에서 곱셈 공식의 활용

직사각형의 넓이를 구하는 식을 세운 후 곱셈 공식을 이용하여 전개한다.

6-1 오른쪽 그림과 같이 한 변의 길이가 $3x$인 정사각형을 가로의 길이는 2만큼 줄이고 세로의 길이는 5만큼 늘였다. 이때 색칠한 직사각형의 넓이를 구하시오.

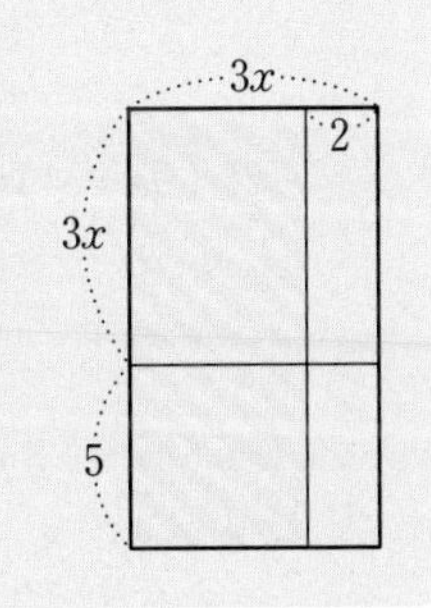

풀이 색칠한 직사각형에서

(가로의 길이)$=3x-2$, (세로의 길이)$=3x+5$이므로

(색칠한 직사각형의 넓이)

$=(3x-2)(3x+5)$

$=(3\times3)x^2+\{3\times5+(-2)\times3\}x+(-2)\times5$

$=9x^2+9x-10$

답 $9x^2+9x-10$

쌍둥이 6-2

오른쪽 그림과 같이 한 변의 길이가 a인 정사각형에서 가로의 길이와 세로의 길이를 각각 b만큼 줄였다. 이때 색칠한 정사각형의 넓이를 나타내는 식은?

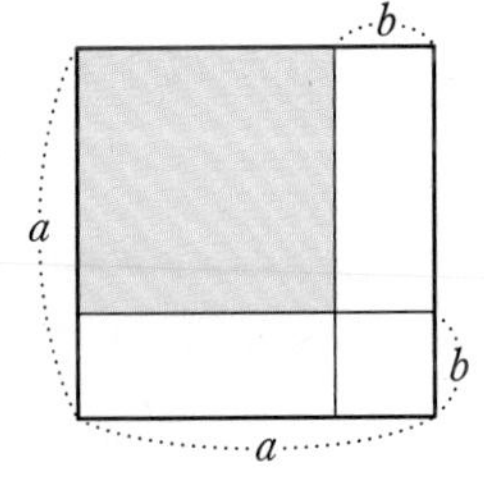

① $a^2+2ab+b^2$ ② $a^2-2ab+b^2$

③ $a^2+2ab-b^2$ ④ $a^2-2ab-b^2$

⑤ a^2-b^2

4 다항식의 곱셈

계산력 집중 연습 | 곱셈 공식

정답과 해설 p.41

1 다음 식을 전개하시오.

(1) $(3x-2y)^2$

(2) $\left(2a+\frac{1}{3}b\right)^2$

(3) $(-5x+2)^2$

(4) $(-2x-7y)^2$

(5) $\left(-4a+\frac{1}{2}b\right)^2$

2 다음 식을 전개하시오.

(1) $(x+1)(x-1)$

(2) $(-2x+5)(2x+5)$

(3) $(3x+4)(3x-4)$

(4) $(3a+2b)(-3a+2b)$

(5) $\left(-\frac{3}{4}x-y\right)\left(-\frac{3}{4}x+y\right)$

3 다음 식을 전개하시오.

(1) $(x+2)(x+3)$

(2) $(a-1)(a-8)$

(3) $(x-5)(x+4)$

(4) $(-3+a)(a+4)$

(5) $(x-3y)(x-y)$

4 다음 식을 전개하시오.

(1) $(x+2)(3x+4)$

(2) $(9a-4)(2a+5)$

(3) $(4m-3)(2m-9)$

(4) $(-5m-4)(3m-4)$

(5) $\left(4x+\frac{2}{3}\right)\left(x+\frac{1}{2}\right)$

곱셈 공식

(1) 다항식과 다항식의 곱셈
$(a+b)(c+d)=ac+ad+bc+$ ❶
(2) 곱셈 공식
① $(a+b)^2=a^2+2ab+b^2$, $(a-b)^2=a^2-2ab+b^2$ ← 합, 차의 제곱
② $(a+b)(a-b)=a^2-b^2$ ← 합과 차의 곱
③ $(x+a)(x+b)=x^2+(a+b)x+ab$
④ $(ax+b)(cx+d)=acx^2+($❷$)x+bd$

답 ❶ bd ❷ $ad+bc$

01

$(x-2y)(3x+y)$의 전개식에서 x^2의 계수를 a, xy의 계수를 b라 할 때, $a-b$의 값을 구하시오.

02

다음 중 전개식이 나머지 넷과 다른 하나는?

① $(a+b)^2$ ② $(-a-b)^2$
③ $\{-(a+b)\}^2$ ④ $\{a-(-b)\}^2$
⑤ $\{-(-a+b)\}^2$

03

다음 식을 만족하는 상수 a, b, c에 대하여 $a+b+c$의 값을 구하시오.

㉠ $(x+3)(x-3)=x^2-a$
㉡ $(3x-4)(2x+5)=6x^2+bx+c$

★ 04

다음 중 옳은 것은?

① $(x+7)^2=x^2+49$
② $\left(\frac{1}{2}x-2y\right)^2=\frac{1}{4}x^2-xy+4y^2$
③ $(-x-7)(-x+7)=-x^2-49$
④ $(x+6)(x-5)=x^2-x-30$
⑤ $(5x-1)(4x-5)=20x^2-29x+5$

05

$(x-8)(2x+a)=2x^2+bx-16$일 때, $a+b$의 값은? (단, a, b는 상수)

① -14 ② -12 ③ -8
④ 11 ⑤ 12

★ 06

서술형

오른쪽 그림과 같이 가로의 길이가 $5x$, 세로의 길이가 $3x$인 직사각형 모양의 꽃밭에 폭이 1인 길을 만들었다. 이때 길을 제외한 꽃밭의 넓이를 구하시오.

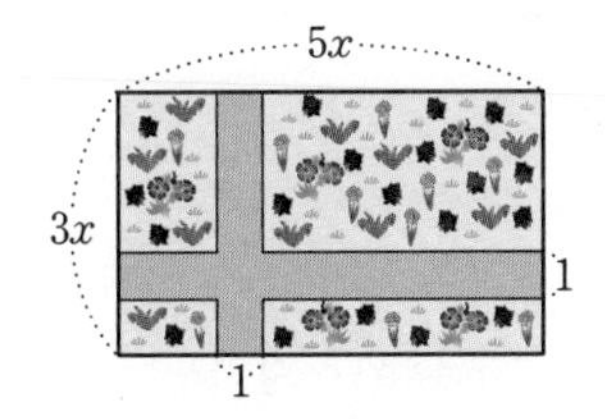

2 곱셈 공식의 활용

개념 1 곱셈 공식을 이용한 수의 계산

(1) 수의 제곱의 계산

$(a+b)^2=a^2+2ab+b^2$ 또는 $(a-b)^2=a^2-2ab+b^2$을 이용한다.

(2) 두 수의 곱의 계산

$(a+b)(a-b)=a^2-b^2$ 또는 $(x+a)(x+b)=x^2+(a+b)x+ab$를 이용한다.

(1) 수의 제곱의 계산 – 합, 차의 제곱 공식을 이용

① $(a+b)^2=a^2+2ab+b^2$ 이용

⇨ $51^2=(50+1)^2$
$=50^2+2\times50\times1+1^2$
$=2500+100+1$
$=2601$

② $(a-b)^2=a^2-2ab+b^2$ 이용

⇨ $49^2=(50-1)^2$
$=50^2-2\times50\times1+1^2$
$=2500-100+1$
$=2401$

(2) 두 수의 곱의 계산 – 합과 차의 곱 공식 또는 두 일차식의 곱 공식을 이용

① $(a+b)(a-b)=a^2-b^2$ 이용

⇨ $51\times49=(50+1)(50-1)$
$=50^2-1^2$
$=2500-1$
$=2499$

② $(x+a)(x+b)=x^2+(a+b)x+ab$ 이용

⇨ $51\times53=(50+1)(50+3)$
$=50^2+(1+3)\times50+1\times3$
$=2500+200+3$
$=2703$

Lecture

- 수의 제곱의 계산 ➡ $(a+b)^2=a^2+2ab+b^2$ 또는 $(a-b)^2=a^2-2ab+b^2$을 이용
- 두 수의 곱의 계산 ➡ $(a+b)(a-b)=a^2-b^2$ 또는 $(x+a)(x+b)=x^2+(a+b)x+ab$를 이용

간단한 수의 제곱은 그냥 계산하는 것이 더 쉽다. 하지만 큰 수나 소수의 제곱은 곱셈 공식을 이용하는 것이 더 편리해.

| 개념 확인 | **1** **곱셈 공식을 이용하여 다음을 계산하시오.**

(1) 103^2 (2) 98^2

| 개념 확인 | **2** **곱셈 공식을 이용하여 다음을 계산하시오.**

(1) 102×98 (2) 101×103

정답과 해설 p.42

개념 동영상

개념 2 곱셈 공식을 이용한 근호를 포함한 식의 계산

(1) 곱셈 공식을 이용한 무리수의 계산

$\sqrt{\ }$를 x와 같은 문자로 생각하고 곱셈 공식을 이용하여 전개한다.

$$(\sqrt{3}+1)^2=(\sqrt{3})^2+2\times\sqrt{3}\times1+1^2$$
$$(x+1)^2=x^2+2\times x\times1+1^2$$

보충

- 곱셈 공식
  ① $(a\pm b)^2=a^2\pm2ab+b^2$
  ② $(a+b)(a-b)=a^2-b^2$
  ③ $(x+a)(x+b)$
  $=x^2+(a+b)x+ab$
  ④ $(ax+b)(cx+d)$
  $=acx^2+(ad+bc)x+bd$

(2) 곱셈 공식을 이용한 분모의 유리화

분모가 2개의 항으로 되어 있는 무리수인 수는 곱셈 공식 $(a+b)(a-b)=a^2-b^2$을 이용하여 분모를 유리화한다.

$a>0, b>0$일 때

$$\frac{c}{\sqrt{a}+\sqrt{b}}=\frac{c(\sqrt{a}-\sqrt{b})}{(\sqrt{a}+\sqrt{b})(\sqrt{a}-\sqrt{b})}=\frac{c\sqrt{a}-c\sqrt{b}}{a-b}$$

부호 반대

예 $\frac{1}{\sqrt{3}+\sqrt{2}}=\frac{\sqrt{3}-\sqrt{2}}{(\sqrt{3}+\sqrt{2})(\sqrt{3}-\sqrt{2})}=\frac{\sqrt{3}-\sqrt{2}}{3-2}=\sqrt{3}-\sqrt{2}$

(1) 곱셈 공식을 이용하여 다음을 계산해 보자.

① $(\sqrt{2}+\sqrt{5})^2=(\sqrt{2})^2+2\times\sqrt{2}\times\sqrt{5}+(\sqrt{5})^2=2+2\sqrt{10}+5=7+2\sqrt{10}$

② $(\sqrt{2}+1)(\sqrt{2}-1)=(\sqrt{2})^2-1^2=2-1=1$

(2) $\frac{1}{\sqrt{5}-2}$의 분모를 유리화하면

$$\frac{1}{\sqrt{5}-2}=\frac{\sqrt{5}+2}{(\sqrt{5}-2)(\sqrt{5}+2)}=\frac{\sqrt{5}+2}{5-4}=\sqrt{5}+2$$

Lecture

- 분모가 2개의 항으로 되어 있는 무리수인 수는 곱셈 공식 $(a+b)(a-b)=a^2-b^2$을 이용하여 분모를 유리화한다.
  ↳ 두 수의 합 또는 차

4 다항식의 곱셈

개념 확인 3 곱셈 공식을 이용하여 다음을 계산하시오.

(1) $(\sqrt{7}+\sqrt{3})^2$ (2) $(\sqrt{3}-\sqrt{2})^2$

(3) $(4+\sqrt{5})(4-\sqrt{5})$ (4) $(\sqrt{5}-4)(\sqrt{5}+2)$

개념 확인 4 다음 수의 분모를 유리화하시오.

(1) $\frac{1}{2+\sqrt{3}}$ (2) $\frac{\sqrt{3}}{\sqrt{3}-1}$ (3) $\frac{\sqrt{2}}{\sqrt{3}+\sqrt{2}}$

개념 3 복잡한 식의 전개

(1) 공통부분이 없는 경우

곱셈 공식을 이용하여 전개한 후 동류항끼리 모아서 간단히 한다.

(2) 공통부분이 있는 경우

공통부분을 한 문자로 놓은 후 곱셈 공식을 이용하여 전개한다.

보기 (1) $(x+2)^2+(x-1)(x+1)$ — 합의 제곱, 합과 차의 곱 이용 → 곱셈 공식을 이용하여 전개한다.

$=x^2+4x+4+x^2-1$

$=x^2+x^2+4x+4-1$ → 동류항끼리 간단히 한다.

$=2x^2+4x+3$

(2) $(a+b+1)(a+b-1)$ → 공통부분인 $a+b$를 A로 놓는다.

$=(A+1)(A-1)$ → 곱셈 공식을 이용하여 전개한다.

$=A^2-1$ → A를 다시 원래의 식 $a+b$로 바꾼다.

$=(a+b)^2-1$ → 곱셈 공식을 이용하여 전개한 후 정리한다.

$=a^2+2ab+b^2-1$

Lecture

- 공통부분이 있는 식의 전개
  ➡ 공통부분을 한 문자로 놓은 후 곱셈 공식을 이용하여 전개한다.

| 개념 확인 | **5** 다음 식을 전개하시오.

(1) $(x-2)^2-2(x+3)(x-5)$

(2) $(2x-3)(3x+2)-(x+3)^2$

| 개념 확인 | **6** 다음 식을 전개하시오.

(1) $(x-y+3)(x-y-3)$

(2) $(a+b+1)(a+b-3)$

개념 동영상

개념 4 곱셈 공식의 변형

(1) 두 수의 합과 곱을 알 때, 제곱의 합

$$a^2+b^2=(a+b)^2-2ab$$

설명 $(a+b)^2=a^2+2ab+b^2$

⬇ 이항

$a^2+b^2=(a+b)^2-2ab$

(2) 두 수의 차와 곱을 알 때, 제곱의 합

$$a^2+b^2=(a-b)^2+2ab$$

설명 $(a-b)^2=a^2-2ab+b^2$

⬇ 이항

$a^2+b^2=(a-b)^2+2ab$

(3) 두 수의 합과 곱을 알 때, 차의 제곱

$$(a-b)^2=(a+b)^2-4ab$$

설명 $(a+b)^2-2ab=(a-b)^2+2ab$

⬇ 이항

$(a-b)^2=(a+b)^2-4ab$

(4) 두 수의 차와 곱을 알 때, 합의 제곱

$$(a+b)^2=(a-b)^2+4ab$$

설명 $(a-b)^2+2ab=(a+b)^2-2ab$

⬇ 이항

$(a+b)^2=(a-b)^2+4ab$

보기 (1) $a+b=6$, $ab=5$일 때

$a^2+b^2=(a+b)^2-2ab$
$=6^2-2\times5$
$=36-10=26$

(2) $a-b=4$, $ab=-3$일 때

$a^2+b^2=(a-b)^2+2ab$
$=4^2+2\times(-3)$
$=16-6=10$

(3) $a+b=6$, $ab=5$일 때

$(a-b)^2=(a+b)^2-4ab$
$=6^2-4\times5$
$=36-20=16$

(4) $a-b=4$, $ab=-3$일 때

$(a+b)^2=(a-b)^2+4ab$
$=4^2+4\times(-3)$
$=16-12=4$

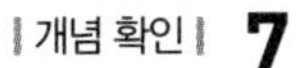

Lecture

- $a+b$와 ab의 값이 주어진 경우
  ➡ $a^2+b^2=(a+b)^2-2ab$ 또는 $(a-b)^2=(a+b)^2-4ab$를 이용
- $a-b$와 ab의 값이 주어진 경우
  ➡ $a^2+b^2=(a-b)^2+2ab$ 또는 $(a+b)^2=(a-b)^2+4ab$를 이용

| 개념 확인 | **7** $x+y=6$, $xy=3$일 때, 다음 식의 값을 구하시오.

(1) x^2+y^2

(2) $(x-y)^2$

| 개념 확인 | **8** $x-y=-2$, $xy=2$일 때, 다음 식의 값을 구하시오.

(1) x^2+y^2

(2) $(x+y)^2$

STEP 1 기초 개념 드릴

개념 기초

1-1

다음 $\square$ 안에 알맞은 수를 써넣으시오.

(1) $102^2=(100+2)^2$
$=100^2+2\times100\times2+2^2$
$=10000+\square+4=\square$

(2) $48\times52=(50-\square)(50+\square)$
$=50^2-\square^2$
$=2500-\square=\square$

연구 어떤 수의 제곱이나 두 수의 곱을 계산할 때, 곱셈 공식을 이용하면 편리하다.

쌍둥이 문제

1-2

곱셈 공식을 이용하여 다음을 계산하시오.

(1) 97^2

(2) 103×97

(3) 103×104

2-1

곱셈 공식을 이용하여 다음을 계산하시오.

(1) $(\sqrt{2}+\sqrt{3})^2$

(2) $(\sqrt{3}+1)(\sqrt{3}-1)$

연구 (1) $(\sqrt{2}+\sqrt{3})^2=(\sqrt{2})^2+2\times\sqrt{2}\times\square+(\square)^2$
(2) $(\sqrt{3}+1)(\sqrt{3}-1)=(\sqrt{3})^2-\square^2$

2-2

곱셈 공식을 이용하여 다음을 계산하시오.

(1) $(\sqrt{7}-\sqrt{2})^2$

(2) $(\sqrt{5}+\sqrt{7})(\sqrt{5}-\sqrt{7})$

3-1

다음은 분모를 유리화하는 과정이다. $\square$ 안에 알맞은 수를 써넣으시오.

(1) $\dfrac{1}{\sqrt{2}-1}=\dfrac{\square}{(\sqrt{2}-1)(\square)}=\square$

(2) $\dfrac{\sqrt{2}}{3+2\sqrt{2}}=\dfrac{\sqrt{2}(\square)}{(3+2\sqrt{2})(\square)}=\square$

연구 분모가 $\sqrt{a}+\sqrt{b}$일 때에는 $\sqrt{a}-\sqrt{b}$를, $\sqrt{a}-\sqrt{b}$일 때에는 $\sqrt{a}+\sqrt{b}$를 분모, 분자에 각각 곱하여 분모를 유리화한다.

3-2

다음 수의 분모를 유리화하시오.

(1) $\dfrac{4}{3-\sqrt{5}}$

(2) $\dfrac{\sqrt{3}}{\sqrt{3}-2}$

(3) $\dfrac{\sqrt{6}}{\sqrt{2}+\sqrt{3}}$

(4) $\dfrac{\sqrt{10}+3}{\sqrt{10}-3}$

STEP 2 대표 유형으로 개념 잡기

대표 유형 1 곱셈 공식을 이용한 수의 계산

- 수의 제곱의 계산 ➡ $(a+b)^2=a^2+2ab+b^2$ 또는 $(a-b)^2=a^2-2ab+b^2$ 이용
- 두 수의 곱의 계산 ➡ $(a+b)(a-b)=a^2-b^2$ 또는 $(x+a)(x+b)=x^2+(a+b)x+ab$ 이용

1-1 다음 중 203×204를 계산할 때 가장 편리한 곱셈 공식은?

① $(a+b)^2=a^2+2ab+b^2$
② $(a-b)^2=a^2-2ab+b^2$
③ $(a+b)(a-b)=a^2-b^2$
④ $(x+a)(x+b)=x^2+(a+b)x+ab$
⑤ $(ax+b)(cx+d)=acx^2+(ad+bc)x+bd$

풀이 $203\times204=(200+3)(200+4)$
$=200^2+(3+4)\times200+3\times4$ ← $(x+a)(x+b)=x^2+(a+b)x+ab$ 이용
$=40000+1400+12$
$=41412$
따라서 가장 편리한 곱셈 공식은 ④이다. **답** ④

쌍둥이 1-2
다음 중 주어진 수를 계산할 때 가장 편리한 곱셈 공식으로 옳지 않은 것은?

① 102^2 ➡ $(a+b)^2=a^2+2ab+b^2$
② 48×53 ➡ $(a-b)(a+b)=a^2-b^2$
③ 997^2 ➡ $(a-b)^2=a^2-2ab+b^2$
④ 203×197 ➡ $(a+b)(a-b)=a^2-b^2$
⑤ 101×102 ➡ $(x+a)(x+b)=x^2+(a+b)x+ab$

쌍둥이 1-3
곱셈 공식을 이용하여 58×62를 계산하시오.

대표 유형 2 곱셈 공식을 이용한 근호를 포함한 식의 계산

곱셈 공식
① $(a+b)^2=a^2+2ab+b^2$, $(a-b)^2=a^2-2ab+b^2$
② $(a+b)(a-b)=a^2-b^2$
③ $(x+a)(x+b)=x^2+(a+b)x+ab$
④ $(ax+b)(cx+d)=acx^2+(ad+bc)x+bd$

2-1 $(\sqrt{5}-2)^2+(5-2\sqrt{5})^2=a+b\sqrt{5}$일 때, $a+2b$의 값을 구하시오. (단, a, b는 유리수)

풀이 $(\sqrt{5}-2)^2=(\sqrt{5})^2-2\times\sqrt{5}\times2+2^2$
$=5-4\sqrt{5}+4=9-4\sqrt{5}$
$(5-2\sqrt{5})^2=5^2-2\times5\times2\sqrt{5}+(2\sqrt{5})^2$
$=25-20\sqrt{5}+20=45-20\sqrt{5}$
$\therefore (\sqrt{5}-2)^2+(5-2\sqrt{5})^2=9-4\sqrt{5}+45-20\sqrt{5}$
$=54-24\sqrt{5}$
따라서 $a=54$, $b=-24$이므로
$a+2b=54+2\times(-24)=54-48=6$ **답** 6

쌍둥이 2-2
다음 중 옳은 것은?

① $(\sqrt{6}+2)^2=8+4\sqrt{2}$
② $(\sqrt{7}-\sqrt{5})^2=12-2\sqrt{35}$
③ $(3+2\sqrt{2})(3-2\sqrt{2})=9-4\sqrt{2}$
④ $(\sqrt{5}+\sqrt{2})(\sqrt{5}-3\sqrt{2})=5-2\sqrt{2}$
⑤ $(3\sqrt{3}-\sqrt{2})(2\sqrt{3}+\sqrt{2})=16-5\sqrt{6}$

대표 유형 3 곱셈 공식을 이용한 분모의 유리화

곱셈 공식 $(a+b)(a-b)=a^2-b^2$을 이용하여 분모를 유리화한다.

분모	$a+\sqrt{b}$	$a-\sqrt{b}$	$\sqrt{a}+\sqrt{b}$	$\sqrt{a}-\sqrt{b}$
분모, 분자에 곱하는 수	$a-\sqrt{b}$	$a+\sqrt{b}$	$\sqrt{a}-\sqrt{b}$	$\sqrt{a}+\sqrt{b}$

부호 반대

3-1 $\dfrac{\sqrt{6}-\sqrt{2}}{\sqrt{6}+\sqrt{2}}$의 분모를 유리화하면 $A+B\sqrt{3}$일 때, $A+B$의 값을 구하시오. (단, A, B는 유리수)

풀이 $\dfrac{\sqrt{6}-\sqrt{2}}{\sqrt{6}+\sqrt{2}}=\dfrac{(\sqrt{6}-\sqrt{2})^2}{(\sqrt{6}+\sqrt{2})(\sqrt{6}-\sqrt{2})}$

$=\dfrac{(\sqrt{6})^2-2\times\sqrt{6}\times\sqrt{2}+(\sqrt{2})^2}{(\sqrt{6})^2-(\sqrt{2})^2}$

$=\dfrac{6-2\sqrt{12}+2}{6-2}=\dfrac{8-4\sqrt{3}}{4}$

$=2-\sqrt{3}$

따라서 $A=2$, $B=-1$이므로

$A+B=2+(-1)=1$

답 1

쌍둥이 3-2

다음 수의 분모를 유리화하시오.

(1) $\dfrac{1}{\sqrt{3}+2}$ (2) $\dfrac{\sqrt{6}}{5+2\sqrt{6}}$

(3) $\dfrac{\sqrt{3}+\sqrt{2}}{\sqrt{3}-\sqrt{2}}$ (4) $\dfrac{\sqrt{5}-2}{\sqrt{5}+2}$

쌍둥이 3-3

$\dfrac{1}{1+\sqrt{2}}-\dfrac{1}{1-\sqrt{2}}$을 간단히 하시오.

대표 유형 4 복잡한 식의 전개 (1) – 공통부분이 없는 경우

곱셈 공식을 이용하여 전개한 후 동류항끼리 모아서 간단히 한다.

4-1 $(2x-3y)^2-(x-5y)(7x+2y)$를 전개하였을 때, xy의 계수를 구하시오.

풀이 $(2x-3y)^2-(x-5y)(7x+2y)$

$=4x^2-12xy+9y^2-(7x^2-33xy-10y^2)$

$=4x^2-12xy+9y^2-7x^2+33xy+10y^2$

$=-3x^2+21xy+19y^2$

따라서 xy의 계수는 21이다.

답 21

다른 풀이 xy가 나오는 항만 계산하면

$2\times2x\times(-3y)-\{x\times2y+(-5y)\times7x\}$

$=-12xy+33xy=21xy$

쌍둥이 4-2

$(x+3)(x+7)-(2x-5)(4x+2)$를 전개하시오.

쌍둥이 4-3

$(x-4)^2+2(x+3)(x-3)=ax^2+bx+c$일 때, 상수 a, b, c에 대하여 $a-b+c$의 값을 구하시오.

대표 유형 5 복잡한 식의 전개 (2) – 공통부분이 있는 경우

① 공통부분을 A로 놓는다.
② 곱셈 공식을 이용하여 전개한다.
③ A에 다시 원래의 식을 대입하여 정리한다.

5-1 다음 식을 전개하시오.
(1) $(3x-y+2)(3x-y-2)$
(2) $(x-y+3)^2$

풀이 (1) $3x-y=A$로 놓으면

$$\begin{aligned}(3x-y+2)(3x-y-2)&=(A+2)(A-2)\\&=A^2-4\\&=(3x-y)^2-4\\&=9x^2-6xy+y^2-4\end{aligned}$$

$A=3x-y$를 대입한다.

(2) $x-y=A$로 놓으면

$$\begin{aligned}(x-y+3)^2&=(A+3)^2\\&=A^2+6A+9\\&=(x-y)^2+6(x-y)+9\\&=x^2-2xy+y^2+6x-6y+9\end{aligned}$$

$A=x-y$를 대입한다.

답 (1) $9x^2-6xy+y^2-4$ (2) $x^2-2xy+y^2+6x-6y+9$

쌍둥이 5-2

$(a-b+1)(a-b-6)$을 전개하시오.

쌍둥이 5-3

$(a-2b+2)^2$을 전개하시오.

대표 유형 6 식의 값 구하기 (1) – x, y의 값이 주어진 경우

주어진 식에 x, y의 값을 대입하여 식의 값을 구한다.
식이 복잡한 경우에는 식을 먼저 간단히 한 후 x, y의 값을 대입한다.

6-1 $x=\sqrt{5}-2$, $y=\sqrt{5}+2$일 때, $\frac{1}{x}+\frac{1}{y}$의 값을 구하시오.

풀이 $\frac{1}{x}+\frac{1}{y}=\frac{x+y}{xy}$이고

$xy=(\sqrt{5}-2)(\sqrt{5}+2)=5-4=1$

$x+y=(\sqrt{5}-2)+(\sqrt{5}+2)=2\sqrt{5}$

$\therefore \frac{1}{x}+\frac{1}{y}=\frac{x+y}{xy}=\frac{2\sqrt{5}}{1}=2\sqrt{5}$

답 $2\sqrt{5}$

쌍둥이 6-2

다음 식의 값을 구하시오.
(1) $x=4\sqrt{3}-\sqrt{5}$, $y=2\sqrt{5}+\sqrt{3}$일 때, $\sqrt{3}x-\sqrt{5}y$의 값

(2) $x=2+\sqrt{3}$, $y=2-\sqrt{3}$일 때, $\frac{y}{x}-\frac{x}{y}$의 값

쌍둥이 6-3

$x=\frac{1}{\sqrt{3}-2}$, $y=\frac{1}{\sqrt{3}+2}$일 때, $x+y$의 값을 구하시오.

대표 유형 7 식의 값 구하기 (2) – $x=a+\sqrt{b}$가 주어진 경우

$x=a+\sqrt{b}$로 주어진 경우 먼저 다음과 같이 변형한다.

$x=a+\sqrt{b}$ ➡ $x-a=\sqrt{b}$ ➡ $(x-a)^2=b$

7-1 $x=\sqrt{5}+1$일 때, x^2-2x-2의 값을 구하시오.

풀이 $x=\sqrt{5}+1$에서 $x-1=\sqrt{5}$

양변을 제곱하면 $(x-1)^2=(\sqrt{5})^2$

$x^2-2x+1=5$, $x^2-2x=4$

$\therefore x^2-2x-2=4-2=2$

답 2

쌍둥이 7-2

$x=-1+\sqrt{5}$일 때, x^2+2x+6의 값을 구하시오.

쌍둥이 7-3

$x=\dfrac{6}{3-\sqrt{3}}$일 때, $x^2-6x+10$의 값을 구하시오.

대표 유형 8 식의 값 구하기 (3) – $a+b$ 또는 $a-b$와 ab의 값이 주어진 경우

다음과 같이 곱셈 공식의 변형을 이용하여 식의 값을 구한다.

- $a+b$와 ab의 값이 주어진 경우
  ➡ $a^2+b^2=(a+b)^2-2ab$ 또는 $(a-b)^2=(a+b)^2-4ab$를 이용하여 식을 변형한다.
- $a-b$와 ab의 값이 주어진 경우
  ➡ $a^2+b^2=(a-b)^2+2ab$ 또는 $(a+b)^2=(a-b)^2+4ab$를 이용하여 식을 변형한다.

8-1 $a-b=-2$, $ab=1$일 때, 다음 식의 값을 구하시오.

(1) a^2+b^2 (2) $\dfrac{b}{a}+\dfrac{a}{b}$

풀이 (1) $a^2+b^2=(a-b)^2+2ab$

$=(-2)^2+2\times1$

$=4+2=6$

(2) $\dfrac{b}{a}+\dfrac{a}{b}=\dfrac{a^2+b^2}{ab}=\dfrac{6}{1}=6$

답 (1) 6 (2) 6

쌍둥이 8-2

$a+b=5$, $ab=-2$일 때, 다음 식의 값을 구하시오.

(1) a^2+b^2

(2) $(a-b)^2$

쌍둥이 8-3

$x+y=2\sqrt{3}$, $xy=2$일 때, x^2+y^2의 값을 구하시오.

계산력 집중 연습 | 곱셈 공식의 활용

정답과 해설 p.45

1 곱셈 공식을 이용하여 다음을 계산하시오.

(1) 54^2

(2) 99^2

(3) 7.8^2

(4) 201×199

(5) 105×106

2 곱셈 공식을 이용하여 다음을 계산하시오.

(1) $(\sqrt{2}+1)^2$

(2) $(\sqrt{5}-\sqrt{3})^2$

(3) $(2\sqrt{2}+\sqrt{5})(2\sqrt{2}-\sqrt{5})$

(4) $(\sqrt{6}+2)(\sqrt{6}+3)$

(5) $(2\sqrt{3}+1)(3\sqrt{3}-5)$

3 다음 수의 분모를 유리화하시오.

(1) $\dfrac{8}{7-3\sqrt{5}}$

(2) $\dfrac{2-\sqrt{3}}{2+\sqrt{3}}$

(3) $\dfrac{\sqrt{5}+\sqrt{3}}{\sqrt{5}-\sqrt{3}}$

(4) $\dfrac{\sqrt{10}-\sqrt{2}}{\sqrt{10}+\sqrt{2}}$

4 다음 식을 전개하시오.

(1) $(2x-3)(3x+2)-(2x+1)(2x-1)$

(2) $(2x+1)^2-(x+3)(x+4)$

(3) $(x+y+4)(x+y-4)$

(4) $(2x+3y-1)^2$

(5) $(x-3)(x+3)(x^2+9)$

곱셈 공식의 활용 (1)

(1) 곱셈 공식을 이용한 수의 계산
① 수의 제곱의 계산
$(a+b)^2=a^2+2ab+b^2$ 또는
$(a-b)^2=a^2-2ab+b^2$ 이용
② 두 수의 곱의 계산
$(a+b)(a-b)=a^2-b^2$ 또는
$(x+a)(x+b)=x^2+(a+b)x+ab$ 이용

(2) 곱셈 공식을 이용한 근호를 포함한 식의 계산
① $\sqrt{\ }$ 를 문자로 생각하고 곱셈 공식을 이용한다.
② 곱셈 공식 $(a+b)(a-b)=$ ❶ [ ] 을 이용하여 분모를 유리화한다.

답 ❶ a^2-b^2

01

다음 중 곱셈 공식 $(x+a)(x+b)=x^2+(a+b)x+ab$를 이용하여 계산하면 가장 편리한 것은?

① 96^2 ② 1003^2 ③ 198×202
④ 102×103 ⑤ 49×51

02

서술형

곱셈 공식을 이용하여 8.1×7.9를 계산할 때, 다음 물음에 답하시오.

(1) 가장 편리한 곱셈 공식을 말하시오.

(2) 곱셈 공식을 이용하여 8.1×7.9를 계산하시오.

03

다음 중 옳은 것은?

① $(2\sqrt{3}+3)^2=12+12\sqrt{3}$
② $(\sqrt{5}+4)(\sqrt{5}-7)=-28-3\sqrt{5}$
③ $(\sqrt{8}-\sqrt{12})^2=20-2\sqrt{6}$
④ $(5\sqrt{3}+\sqrt{2})(4\sqrt{3}-\sqrt{2})=58-\sqrt{6}$
⑤ $(\sqrt{7}+3)(\sqrt{7}-3)=4$

★

04

다음 중 분모를 유리화한 것이 옳지 않은 것은?

① $\dfrac{\sqrt{5}}{\sqrt{12}}=\dfrac{\sqrt{15}}{6}$ ② $\dfrac{1}{\sqrt{3}+2}=2-\sqrt{3}$
③ $\dfrac{\sqrt{2}}{2-\sqrt{5}}=\dfrac{\sqrt{10}}{3}$ ④ $\dfrac{2}{\sqrt{5}+\sqrt{3}}=\sqrt{5}-\sqrt{3}$
⑤ $\dfrac{\sqrt{6}}{3+2\sqrt{2}}=3\sqrt{6}-4\sqrt{3}$

05

$\dfrac{1}{2+\sqrt{3}}+\dfrac{2+\sqrt{3}}{2-\sqrt{3}}$을 간단히 하면?

① $2-3\sqrt{3}$ ② $2+\sqrt{3}$ ③ $2+3\sqrt{3}$
④ $9+3\sqrt{3}$ ⑤ $12+3\sqrt{3}$

06

$(2+a\sqrt{2})(\sqrt{2}-1)$이 유리수가 될 때, 유리수 a의 값을 구하시오.

곱셈 공식의 활용 (2)

(1) 복잡한 식의 전개
① 공통부분이 없는 경우 : 곱셈 공식을 이용하여 전개한 후 동류항끼리 모아서 간단히 한다.
② 공통부분이 있는 경우 : 공통부분을 한 문자로 놓은 후 곱셈 공식을 이용하여 전개한다.

(2) 곱셈 공식의 변형
① $a^2+b^2=(a+b)^2-2ab$
② $a^2+b^2=(a-b)^2+$ ❶
③ $(a-b)^2=(a+b)^2-4ab$
④ $(a+b)^2=(a-b)^2+$ ❷

답 ❶ $2ab$ ❷ $4ab$

07

$(x-a)^2-(3x-5)(2x+4)$를 간단히 하였더니 x의 계수가 6이었다. 이때 상수 a의 값은?

① -8 ② -4 ③ -2
④ 4 ⑤ 8

08

다음 식을 전개하시오.

$$(2a+3b+1)(2a+3b-1)$$

09

창의력

$(2-1)(2+1)(2^2+1)(2^4+1)=2^A-1$일 때, 자연수 A의 값은?

① 16 ② 8 ③ 6
④ 4 ⑤ 2

10

$a=\sqrt{3}+\sqrt{2}$, $b=\sqrt{3}-\sqrt{2}$일 때, $(a+b)(a-b)$의 값은?

① 1 ② $2\sqrt{2}$ ③ $2\sqrt{3}$
④ 6 ⑤ $4\sqrt{6}$

11

창의력

$x=\dfrac{1}{4-\sqrt{15}}$일 때, x^2-8x-1의 값을 구하시오.

★ 12

$x=\dfrac{1}{3-\sqrt{10}}$, $y=\dfrac{1}{3+\sqrt{10}}$일 때, 다음 물음에 답하시오.

(1) $x+y$의 값을 구하시오.

(2) xy의 값을 구하시오.

(3) x^2+y^2의 값을 구하시오.

13

$a+b=3$, $ab=2$일 때, $\dfrac{b}{a}+\dfrac{a}{b}$의 값을 구하시오.

5 인수분해 공식

중2	중3	고등학교
•다항식의 덧셈과 뺄셈 •다항식의 곱셈과 나눗셈	• **인수분해의 뜻** • **인수분해 공식**	•다항식의 연산 (고 1) •나머지정리 (고 1) •인수분해 (고 1)

학습 목표

- 인수와 인수분해의 뜻을 안다.
- 인수분해 공식을 이해하고, 이를 이용하여 인수분해할 수 있다.

다항식의 곱을 전개하는
곱셈 공식 기억나니?
어, 앞에서 배웠잖아.
$(a+b)^2=a^2+2ab+b^2$
$(a-b)^2=a^2-2ab+b^2$
$(x+a)(x+b)=x^2+(a+b)x+ab$
$(ax+b)(cx+d)=acx^2+(ad+bc)x+bd$
인수분해는 곱셈 공식을 거꾸로 적용하여
다항식을 인수의 곱으로 나타내는 거야.
음 … 어려울 것 같아.
우리 인수분해로 4행시나 지어 볼까?
내가 운을 띄울게.
인!
인수분해는 어렵단다.
하지만
수!
수학을 포기하면 안 돼.
분!
분하지만 인수분해는
익숙해지면 아주 쉬워.
해!
해결책은 연습만이 살 길이야.
오~ 인수분해가 익숙해지도록
열심히 공부해야 되겠다.
OOK

1 인수분해의 뜻과 공식

개념 1 인수분해

(1) 인수분해의 뜻

① 인수 : 하나의 다항식을 두 개 이상의 다항식의 곱으로 나타낼 때, 곱해진 각각의 식

② 인수분해 : 하나의 다항식을 두 개 이상의 인수의 곱으로 나타내는 것

$$x^2+3x+2 \underset{\text{전개}}{\overset{\text{인수분해}}{\rightleftarrows}} (x+1)(x+2)$$

($(x+1)$, $(x+2)$: 인수)

참고 모든 자연수는 1과 자기 자신을 약수로 갖는 것처럼 다항식도 1과 자기 자신을 인수로 갖는다.

➡ $(x+1)(x+2)$의 인수는 1, $x+1$, $x+2$, $(x+1)(x+2)$이다.

(2) 공통으로 들어 있는 인수를 이용한 인수분해

다항식의 각 항에 공통으로 들어 있는 인수를 찾은 후 분배법칙을 이용하여 공통으로 들어 있는 인수로 묶어 인수분해한다.

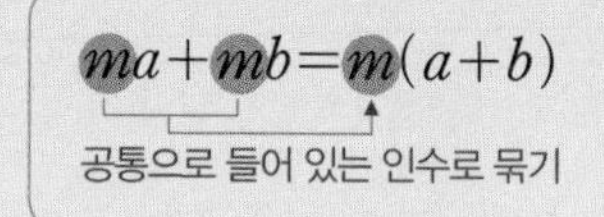

주의 인수분해를 할 때에는 공통으로 들어 있는 인수가 남지 않도록 모두 묶어내야 한다.

➡ $12ma+8mb=4(3mb+2mb)$ (×), $12ma+8mb=2m(6a+4b)$ (×), $12ma+8mb=4m(3a+2b)$ (○)

공통으로 들어 있는 인수 m이 남아 있다. 공통으로 들어 있는 인수 2가 남아 있다. 공통으로 들어 있는 인수

다음 식을 공통으로 들어 있는 인수를 이용하여 인수분해해 보자.

(1) $3x^2-15x=3x\times x+3x\times(-5)=3x(x-5)$ (공통으로 들어 있는 인수)

(2) $3a(a-1)+2b(a-1)=(a-1)(3a+2b)$ (공통으로 들어 있는 인수)

공통으로 들어 있는 인수가 다항식인 경우에는 다항식을 하나의 문자로 생각하여 인수분해하면 돼.

Lecture

- 인수분해는 하나의 다항식을 두 개 이상의 인수의 곱으로 나타내는 것으로, 전개를 거꾸로 한 것이다.
- 공통으로 들어 있는 인수가 있을 때에는 공통으로 들어 있는 인수를 모두 묶어 인수분해한다.

| 개념 확인 | **1** $xy(x+y)$**의 인수를 모두 구하시오.**

| 개념 확인 | **2** **다음 식을 공통으로 들어 있는 인수를 이용하여 인수분해하시오.**

(1) $ax-bx$ (2) $ax-2ay$ (3) $3ab+6ac$

(4) x^2+2x (5) $a(x+1)-b(x+1)$ (6) $2(a-1)-b(a-1)$

정답과 해설 p.47

개념 동영상

개념 2 인수분해 공식 (1)

(1) **완전제곱식** 다항식의 제곱으로 된 식 또는 이 식에 상수를 곱한 식

예 $(x+3)^2$, $2(a-b)^2$, $-2(3x-y)^2$

(2) **$a^2+2ab+b^2$, $a^2-2ab+b^2$의 꼴의 인수분해**

같은 부호 같은 부호

$$a^2+2ab+b^2=(a+b)^2,\ a^2-2ab+b^2=(a-b)^2$$

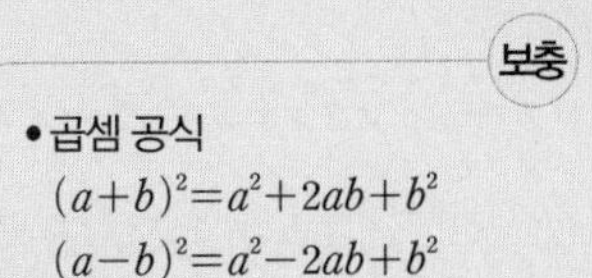

보충

• 곱셈 공식

$(a+b)^2=a^2+2ab+b^2$

$(a-b)^2=a^2-2ab+b^2$

보기 다음 식을 인수분해해 보자.

(1) $x^2+10x+25=x^2+2\times x\times 5+5^2=(x+5)^2$

(2) $x^2-12x+36=x^2-2\times x\times 6+6^2=(x-6)^2$

(3) $4x^2+12x+9=(2x)^2+2\times 2x\times 3+3^2=(2x+3)^2$

(4) $9x^2-6xy+y^2=(3x)^2-2\times 3x\times y+y^2=(3x-y)^2$

Lecture

- $a^2+2ab+b^2=(a+b)^2$
- $a^2-2ab+b^2=(a-b)^2$

| 개념 확인 | **3** **다음 식을 인수분해하시오.**

(1) x^2+2x+1

(2) x^2-6x+9

(3) $25x^2-10x+1$

(4) $36x^2+12x+1$

(5) $x^2-4xy+4y^2$

(6) $x^2+16xy+64y^2$

(7) $9x^2-12xy+4y^2$

(8) $49x^2+42xy+9y^2$

(9) $x^2-x+\frac{1}{4}$

(10) $\frac{1}{25}x^2+\frac{2}{5}x+1$

개념 3 완전제곱식이 되기 위한 조건

(1) x^2+ax+b가 완전제곱식이 되기 위한 b의 조건 $b=\left(\frac{a}{2}\right)^2$

➡ $x^2+ax+b=x^2+2\times x\times\frac{a}{2}+\left(\frac{a}{2}\right)^2=\left(x+\frac{a}{2}\right)^2$

(2) x^2+ax+b^2이 완전제곱식이 되기 위한 a의 조건 $a=\pm 2b$

➡ $x^2+ax+b^2=x^2+2\times x\times(\pm b)+b^2=(x\pm b)^2$

참고 ① x^2의 계수가 1일 때, 완전제곱식이 되려면 (상수항)$=\left\{\frac{(x\text{의 계수})}{2}\right\}^2$이어야 한다.

② x^2의 계수가 1이 아닐 때에는 $a^2\pm 2ab+b^2$의 꼴의 인수분해를 이용한다.

➡ $■^2\pm 2\times■\times▲+▲^2=(■\pm▲)^2$

보기 다음 식이 완전제곱식이 되도록 □ 안에 알맞은 수를 구해 보자.

(1) $a^2+12a+□$에서 $□=\left(\frac{12}{2}\right)^2=6^2=36$

(2) $4x^2+□+25y^2=(2x)^2+□+(5y)^2$에서

$□=\pm 2\times 2x\times 5y=\pm 20xy$

Lecture

보기 (2)에서 실수하기 쉬운 내용

- $4x^2+□+25y^2$이 완전제곱식이 되기 위한 조건을 $□=20xy$로 답하지 않도록 부호에 주의한다. ➡ $□=\pm 20xy$
- $4x^2+□+25y^2$이 완전제곱식이 되기 위한 조건을 $□=\pm 20$으로 답하지 않도록 문자에 주의한다. ➡ $□=\pm 20xy$

| 개념 확인 | **4** 다음 식이 완전제곱식이 되도록 □ 안에 알맞은 수를 써넣으시오.

(1) $x^2+4x+□$

(2) $x^2-8x+□$

(3) $x^2+18x+□$

(4) $x^2-14x+□$

| 개념 확인 | **5** 다음 식이 완전제곱식이 되도록 □ 안에 알맞은 수를 모두 써넣으시오.

(1) $x^2+□x+25$

(2) $x^2+□x+64$

(3) $4x^2+□x+1$

(4) $16x^2+□x+9$

정답과 해설 p.47

개념 동영상

개념 4 인수분해 공식 (2)

(1) a^2-b^2의 꼴의 인수분해

$$\underbrace{a^2-b^2}_{\text{제곱의 차}}=\underbrace{(a+b)}_{\text{합}}\underbrace{(a-b)}_{\text{차}}$$

예 $x^2-4=x^2-2^2=(x+2)(x-2)$, $-x^2+y^2=y^2-x^2=(y+x)(y-x)$

보충
- 곱셈 공식
  $(a+b)(a-b)=a^2-b^2$
  $(x+a)(x+b)=x^2+(a+b)x+ab$

(2) $x^2+(a+b)x+ab$의 꼴의 인수분해

$$x^2+\underline{(a+b)}x+\underline{ab}=(x+a)(x+b)$$

두 수의 곱

두 수의 합

참고 $x^2+(a+b)x+ab$의 꼴의 인수분해 방법
① 곱하여 상수항이 되는 두 정수를 모두 찾는다.
② ①에서 찾은 두 수 중 그 합이 x의 계수가 되는 두 정수 a, b를 찾는다.
③ $(x+a)(x+b)$의 꼴로 인수분해한다.

보기 x^2+6x+8을 인수분해해 보자.
① 곱하여 8이 되는 두 정수를 모두 찾는다.
② ①에서 찾은 두 수 중 그 합이 x의 계수 6이 되는 두 정수를 찾으면 2, 4이다.
③ $x^2+6x+8=(x+2)(x+4)$

곱이 8인 두 정수	합
1, 8	9
2, 4	**6**
−8, −1	−9
−4, −2	−6

Lecture
- $a^2-b^2=(a+b)(a-b)$
- $x^2+(a+b)x+ab=(x+a)(x+b)$

개념 확인 **6** 다음 식을 인수분해하시오.

(1) x^2-25

(2) $49x^2-1$

(3) $x^2-\frac{1}{9}$

(4) $9x^2-16y^2$

개념 확인 **7** 다음 표를 완성하고 주어진 식을 인수분해하시오.

(1) x^2-3x-4

곱이 −4인 두 정수	합
1, −4	
−1, 4	
−2, 2	

(2) x^2-5x+6

곱이 6인 두 정수	합
−1, −6	
−2, −3	
1, 6	
2, 3	

정답과 해설 p.47

개념 5 인수분해 공식 (3)

$acx^2+(ad+bc)x+bd$의 꼴의 인수분해 ← x^2의 계수가 1이 아닌 이차식의 인수분해

$$acx^2+(ad+bc)x+bd=(ax+b)(cx+d)$$

참고 $acx^2+(ad+bc)x+bd$의 꼴의 인수분해 방법

① 곱하여 acx^2이 되는 두 단항식을 세로로 나열한다.
② 곱하여 상수항 bd가 되는 두 정수를 세로로 나열한다.
③ 대각선 방향으로 곱하여 더한 것이 $(ad+bc)x$가 되는 것을 찾는다.
④ $(ax+b)(cx+d)$의 꼴로 인수분해한다.

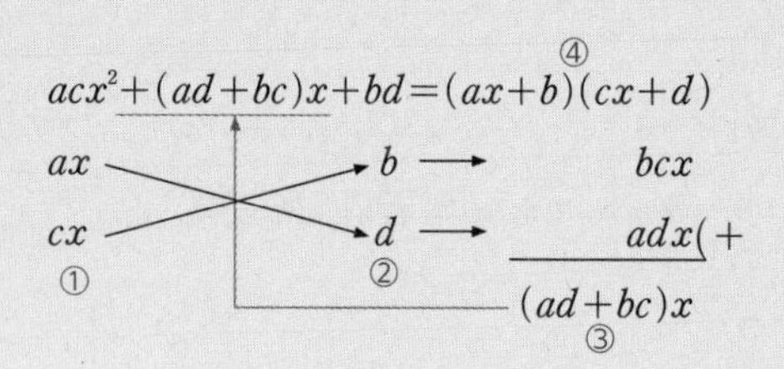

보기 $2x^2-5x-3$을 인수분해해 보자.
곱하여 $2x^2$이 되는 두 단항식과 곱하여 -3이 되는 두 정수를 세로로 나열하면 다음과 같이 4가지가 나온다.
이 중에서 대각선 방향으로 곱하여 더한 것이 $-5x$가 되는 것을 찾으면 ③이다.

① x, $2x$ / $-1 \to -2x$, $3 \to 3x$ (+) / x (×)

② x, $2x$ / $1 \to 2x$, $-3 \to -3x$ (+) / $-x$ (×)

③ x, $2x$ / $-3 \to -6x$, $1 \to x$ (+) / $-5x$ (○)

④ x, $2x$ / $3 \to 6x$, $-1 \to -x$ (+) / $5x$ (×)

⇨ $2x^2-5x-3=(x-3)(2x+1)$

Lecture

- $acx^2+(ad+bc)x+bd=(ax+b)(cx+d)$

| 개념 확인 | **8** 다음은 주어진 식을 인수분해하는 과정이다. □ 안에 알맞은 것을 써넣고, 주어진 식을 인수분해하시오.

(1) $3x^2+2x-8$

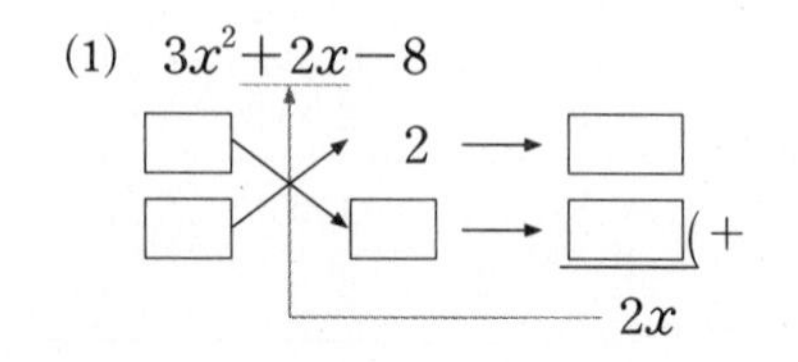

(2) $4x^2+16xy+15y^2$

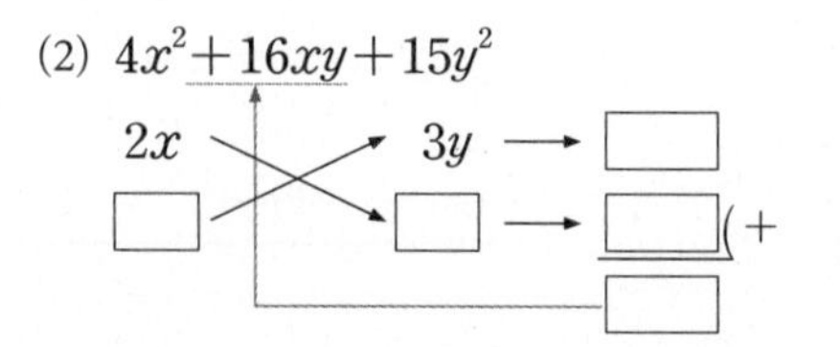

개념 기초

1-1

다음 식을 인수분해하시오.

(1) a^2-2a

(2) $xy+2y$

(3) m^2n-mn^2+mn

(4) $(x+y)+(x-3y)(x+y)$

연구 $ma+mb=m(a+b)$

2-1

다음 식을 인수분해하시오.

(1) x^2-2x+1 (2) $4x^2+4xy+y^2$

(3) $9x^2+30xy+25y^2$ (4) a^2-81

(5) $-4a^2+b^2$ (6) $9x^2-36y^2$

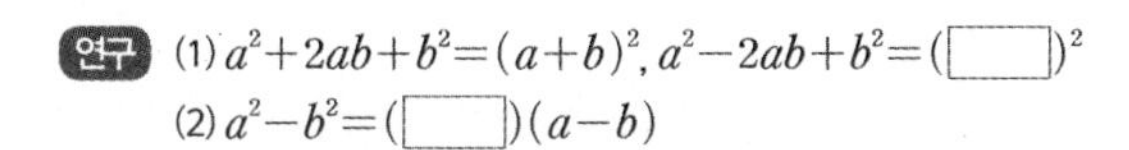

3-1

다음 식을 인수분해하시오.

(1) $x^2-9x+14$ (2) x^2+2x-8

(3) $x^2+4xy-32y^2$ (4) $2x^2+7x+3$

(5) $6x^2-7x+2$ (6) $6x^2+xy-15y^2$

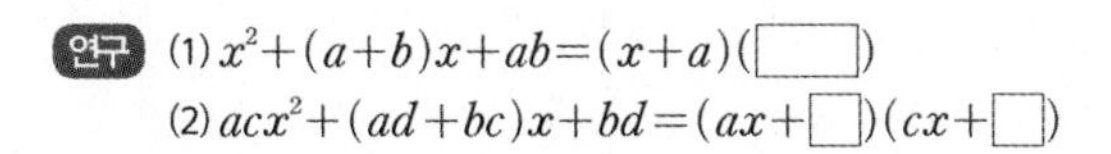

쌍둥이 문제

1-2

다음 식을 인수분해하시오.

(1) $2xy+6xz$

(2) $4x^2y+7xy$

(3) $2a^2b^2-2ab+2a$

(4) $m(x-y)+(x-y)$

(5) $xy(a+2)-3(a+2)$

2-2

다음 식을 인수분해하시오.

(1) x^2+4x+4 (2) $9x^2-6x+1$

(3) $3x^2+6x+3$ (4) $2x^2-20x+50$

(5) $x^2-\frac{2}{3}x+\frac{1}{9}$ (6) $16x^2-1$

(7) $-\frac{1}{4}a^2+1$ (8) $5a^2-45b^2$

3-2

다음 식을 인수분해하시오.

(1) x^2-3x+2 (2) $x^2+5x-24$

(3) $x^2+6x-40$ (4) $x^2-7xy-8y^2$

(5) $6x^2-11x-7$ (6) $5x^2+7x-6$

(7) $8x^2+2xy-3y^2$ (8) $10x^2+xy-3y^2$

대표 유형 1 공통으로 들어 있는 인수를 이용한 인수분해

분배법칙을 이용하여 공통으로 들어 있는 인수로 묶어 인수분해한다.
이때 공통으로 들어 있는 인수가 남지 않도록 모두 묶어 내야 한다.
예 $x^2y+xy^2=x(xy+y^2)$ (×), $x^2y+xy^2=y(x^2+xy)$ (×), $x^2y+xy^2=xy(x+y)$ (○)

1-1 다음 중 $6x^2y+8xy$의 인수가 아닌 것은?

① 1 ② $2xy$ ③ $3xy+4$
④ $3x+4$ ⑤ $2xy(3x+4)$

풀이 $6x^2y+8xy=2xy\times 3x+2xy\times 4=2xy(3x+4)$
따라서 주어진 다항식의 인수가 아닌 것은 ③이다.

답 ③

쌍둥이 1-2

다음 중 $2x^2y-4xy^2$의 인수가 아닌 것은?

① 2 ② x ③ xy
④ x^2 ⑤ $x-2y$

쌍둥이 1-3

다음 중 공통으로 들어 있는 인수로 묶어 인수분해한 것으로 옳지 않은 것은?

① $ax+5ay=a(x+5y)$
② $x^2-2ax=x(x-2a)$
③ $8x^2-4xy=4x(2x-y)$
④ $ax+ay-az=a(x+y-z)$
⑤ $2x^2+4x=2(x^2+2x)$

대표 유형 2 $a^2+2ab+b^2$, $a^2-2ab+b^2$의 꼴의 인수분해

공통으로 들어 있는 인수가 있을 때에는 공통으로 들어 있는 인수로 묶어 낸 후 완전제곱식을 이용하여 인수분해한다.
예 $-18x^2+24x-8=-2(9x^2-12x+4)=-2(3x-2)^2$

2-1 다음 중 완전제곱식으로 인수분해할 수 없는 것은?

① x^2-2x+1 ② $4x^2+12x+9$
③ $2x^2-12x+18$ ④ $\frac{1}{9}x^2-\frac{1}{3}x+1$
⑤ $-x^2+14x-49$

풀이 ① $x^2-2x+1=(x-1)^2$
② $4x^2+12x+9=(2x+3)^2$
③ $2x^2-12x+18=2(x^2-6x+9)=2(x-3)^2$
⑤ $-x^2+14x-49=-(x^2-14x+49)=-(x-7)^2$
따라서 완전제곱식으로 인수분해할 수 없는 것은 ④이다.

답 ④

쌍둥이 2-2

다음 중 완전제곱식으로 인수분해할 수 없는 것은?

① $x^2-10x+25$ ② $\frac{1}{4}x^2-\frac{1}{3}xy+\frac{1}{9}y^2$
③ $16x^2+8x+1$ ④ $\frac{1}{4}x^2-x+1$
⑤ $4x^2-10xy+25y^2$

대표 유형 3 완전제곱식이 되기 위한 조건 (1)

• $x^2+ax+\square$가 완전제곱식이 되기 위한 조건 ➡ $\square=\left(\frac{a}{2}\right)^2$

• x에 대한 이차식에서 x^2의 계수가 1일 때, 완전제곱식이 되기 위한 조건 ➡ (상수항)$=\left\{\frac{(x\text{의 계수})}{2}\right\}^2$

3-1 다음 식이 완전제곱식이 되도록 $\square$ 안에 알맞은 수를 써넣으시오.

(1) $x^2-12x+\square$ (2) $4x^2-20xy+\square y^2$

풀이 (1) $\square=\left(\frac{-12}{2}\right)^2=(-6)^2=36$

(2) $4x^2-20xy+\square y^2=(2x)^2-2\times2x\times5y+\square y^2$에서

$\square y^2=(5y)^2=25y^2$ $\therefore \square=25$

답 (1) 36 (2) 25

쌍둥이 3-2

다음 식이 완전제곱식이 되도록 $\square$ 안에 알맞은 수를 써넣으시오.

(1) $x^2-6x+\square$ (2) $x^2+10x+\square$

(3) $9a^2+24ab+\square b^2$ (4) $4x^2-12xy+\square y^2$

쌍둥이 3-3

$4x^2+x+a=(2x+b)^2$일 때, 상수 a, b의 값을 각각 구하시오.

대표 유형 4 완전제곱식이 되기 위한 조건 (2)

$x^2+\square x+b^2$이 완전제곱식이 되기 위한 조건 ➡ $\square=\pm2b$

주의 x의 계수가 미지수일 때에는 양수, 음수의 경우를 모두 생각한다.

4-1 다음 식이 완전제곱식이 되도록 $\square$ 안에 알맞은 수를 모두 써넣으시오.

(1) $4x^2+\square x+49$ (2) $x^2+\square xy+\frac{1}{4}y^2$

풀이 (1) $4x^2+\square x+49=(2x)^2+\square x+7^2$에서

$\square=\pm2\times2\times7=\pm28$

(2) $x^2+\square xy+\frac{1}{4}y^2=x^2+\square xy+\left(\frac{1}{2}y\right)^2$에서

$\square=\pm2\times1\times\frac{1}{2}=\pm1$

답 (1) ±28 (2) ±1

쌍둥이 4-2

다음 식이 완전제곱식이 되도록 $\square$ 안에 알맞은 수를 모두 써넣으시오.

(1) $x^2+\square xy+16y^2$

(2) $4a^2+\square a+9$

(3) $9x^2+\square x+25$

(4) $x^2+\square xy+\frac{1}{16}y^2$

대표 유형 5 근호 안이 완전제곱식으로 인수분해되는 식

근호 안의 식이 완전제곱식으로 인수분해될 때,

$$\sqrt{A^2}=\begin{cases} A & (A\geq 0) \\ -A & (A<0) \end{cases}$$

예 $0<x<4$일 때, $\sqrt{(x-4)^2}=-(x-4)$
↳ $0<x<4$일 때, $x-4<0$

5-1 $0<x<5$일 때, $\sqrt{x^2}+\sqrt{x^2-10x+25}$를 간단히 하시오.

풀이 $\sqrt{x^2}+\sqrt{x^2-10x+25}=\sqrt{x^2}+\sqrt{(x-5)^2}$이고
$0<x<5$일 때, $x>0$, $x-5<0$이므로
$\sqrt{x^2}+\sqrt{(x-5)^2}=x-(x-5)=x-x+5=5$

답 5

쌍둥이 5-2
$0<a<2$일 때, $\sqrt{a^2}-\sqrt{a^2-4a+4}$를 간단히 하시오.

쌍둥이 5-3
$-4<a<1$일 때, $\sqrt{a^2-2a+1}-\sqrt{a^2+8a+16}$을 간단히 하시오.

대표 유형 6 a^2-b^2의 꼴의 인수분해

$a^2-b^2=(a+b)(a-b)$

참고 특별한 조건이 없으면 다항식의 인수분해는 유리수 범위 내에서 더 이상 인수분해할 수 없을 때까지 계속한다.

6-1 다음 중 x^2-9y^2의 인수가 아닌 것은?

① 1
② $x-3y$
③ $x+3y$
④ $(x+3)(x-3)$
⑤ $(x+3y)(x-3y)$

풀이 $x^2-9y^2=x^2-(3y)^2=(x+3y)(x-3y)$
따라서 주어진 다항식의 인수가 아닌 것은 ④이다.

답 ④

쌍둥이 6-2
다음 중 인수분해한 것이 옳지 않은 것은?

① $4x^2-1=(2x+1)(2x-1)$
② $x^2-\frac{1}{16}=\left(x+\frac{1}{4}\right)\left(x-\frac{1}{4}\right)$
③ $3x^2-12=3(x+2)(x-2)$
④ $-9x^2+100=(-3x+10)(-3x-10)$
⑤ $\frac{9}{4}x^2-\frac{16}{25}y^2=\left(\frac{3}{2}x+\frac{4}{5}y\right)\left(\frac{3}{2}x-\frac{4}{5}y\right)$

대표 유형 7 $x^2+(a+b)x+ab$의 꼴의 인수분해

$x^2+(a+b)x+ab=(x+a)(x+b)$

예 $x^2-10xy+16y^2=(x-2y)(x-8y)$

$x \quad -2y \longrightarrow -2xy$

$x \quad -8y \longrightarrow -8xy\,(+$

$-10xy$

문자가 x, y 모두 있을 때에는 y를 빠뜨리지 말아야 해.

7-1 $x^2+Ax+12=(x+3)(x+B)$일 때, 상수 A, B의 값을 각각 구하시오.

풀이 $x^2+Ax+12=(x+3)(x+B)$에서 우변을 전개하면

$x^2+Ax+12=x^2+(3+B)x+3B$

각 항의 계수를 비교하면

$12=3B$이므로 $B=4$

$A=3+B$이므로 $A=3+4=7$

답 $A=7$, $B=4$

다른 풀이 $x^2+Ax+12=(x+3)(x+B)$ (곱, 합)

즉 $A=3+B$, $12=3B$이므로 $B=4$, $A=7$

쌍둥이 7-2

$x^2-11x+24$가 x의 계수가 1인 두 일차식의 곱으로 인수분해될 때, 이 두 일차식의 합을 구하시오.

쌍둥이 7-3

$x^2+5x+a=(x+b)(x-3)$일 때, 상수 a, b에 대하여 $a+b$의 값을 구하시오.

대표 유형 8 $acx^2+(ad+bc)x+bd$의 꼴의 인수분해

$acx^2+(ad+bc)x+bd=(ax+b)(cx+d)$

예 $2x^2-5x+2=(x-2)(2x-1)$

$x \quad -2 \longrightarrow -4x$

$2x \quad -1 \longrightarrow -x\,(+$

$-5x$

8-1 $6x^2+Ax-10=(2x+B)(Cx+5)$일 때, 상수 A, B, C의 값을 각각 구하시오.

풀이 $6x^2+Ax-10=(2x+B)(Cx+5)$에서 우변을 전개하면

$6x^2+Ax-10=2Cx^2+(10+BC)x+5B$

각 항의 계수를 비교하면

$6=2C$이므로 $C=3$

$-10=5B$이므로 $B=-2$

$A=10+BC$이므로 $A=10+(-2)\times3=4$

답 $A=4$, $B=-2$, $C=3$

쌍둥이 8-2

$10x^2-9x-7$이 x의 계수가 자연수인 두 일차식의 곱으로 인수분해될 때, 두 일차식의 합은?

① $7x-8$ ② $7x-6$ ③ $7x+6$
④ $11x-6$ ⑤ $11x+8$

쌍둥이 8-3

$4x^2-5x+A=(x-2)(Bx+C)$일 때, $A+B+C$의 값을 구하시오. (단, A, B, C는 상수)

대표 유형 9 두 다항식에 공통으로 들어 있는 인수 구하기

두 다항식에 공통으로 들어 있는 인수를 구하는 방법
① 두 다항식을 각각 인수분해한다.
② 공통으로 들어 있는 인수를 찾는다.

9-1 두 다항식 $x^2+xy-2y^2$와 x^2y-xy^2에 공통으로 들어 있는 인수는?

① x ② y ③ $x-y$
④ $x+y$ ⑤ xy

풀이 $x^2+xy-2y^2=(x-y)(x+2y)$
$x^2y-xy^2=xy(x-y)$
따라서 두 다항식에 공통으로 들어 있는 인수는 ③이다.

답 ③

쌍둥이 9-2

두 다항식 x^2+x-6과 $4x^2-3x-10$에 공통으로 들어 있는 인수는?

① $x-2$ ② $x+2$ ③ $x+3$
④ $4x-5$ ⑤ $4x+5$

쌍둥이 9-3

두 다항식 $x^2+3x-18$과 $3x^2-7x-6$에 공통으로 들어 있는 인수를 구하시오. (단, 공통으로 들어 있는 인수는 x의 계수가 1인 일차식이다.)

대표 유형 10 인수가 주어진 이차식의 미지수의 값 구하기

x에 대한 이차식 ax^2+bx+c가 $mx+n$을 인수로 가진다.
➡ $ax^2+bx+c=(mx+n)(●x+▲)$임을 이용하여 나머지 인수를 구한다.

예 $2x^2+x-1$이 $x+1$을 인수로 가진다.
➡ $2x^2+x-1=(x+1)(2x+▲)$
→ 이차식의 인수가 주어지면 나머지 인수의 x의 계수를 알 수 있다.

참고 '~을 인수로 가진다.'와 '~으로 나누어떨어진다.'는 같은 뜻이다.

10-1 $x^2-Ax+12$가 $x+3$을 인수로 가질 때, 상수 A의 값을 구하시오.

풀이 x^2의 계수가 1이므로
$x^2-Ax+12=(x+3)(x+\square)$로 놓으면
$3\times\square=12$ $\therefore \square=4$
즉 $(x+3)(x+4)=x^2+7x+12$이므로
$-A=7$ $\therefore A=-7$

답 -7

쌍둥이 10-2

다항식 $3x^2+5x+a$가 $x-2$로 나누어떨어질 때, 상수 a의 값을 구하시오.

쌍둥이 10-3

$x-4$가 두 다항식 x^2-6x+a와 $2x^2+bx-4$에 공통으로 들어 있는 인수일 때, $a+b$의 값을 구하시오. (단, a, b는 상수)

대표 유형 11 도형에서의 활용 (1)

(주어진 직사각형의 넓이의 합)=(새로 만든 직사각형 또는 정사각형의 넓이)

← 한 변의 길이가 $x+1$인 정사각형

$x^2 \quad + \quad 2x \quad + \quad 1 \quad = \quad (x+1)^2$

11-1 다음 그림과 같이 넓이가 각각 x^2, x, 1인 세 종류의 직사각형 모형 9개가 있다. 이들 모형을 모두 사용하여 하나의 큰 정사각형을 만들 때, 새로 만든 정사각형의 둘레의 길이를 구하시오.

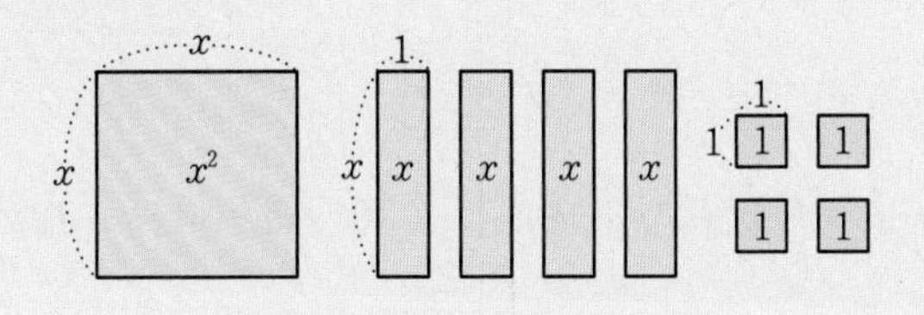

풀이 주어진 직사각형의 넓이의 합을 식으로 나타내면

$x^2+x+x+x+x+1+1+1+1=x^2+4x+4=(x+2)^2$

따라서 새로 만든 정사각형의 한 변의 길이는 $x+2$이므로 둘레의 길이는 $4(x+2)=4x+8$

답 $4x+8$

쌍둥이 11-2

다음 그림과 같이 넓이가 각각 x^2, x, 1인 세 종류의 직사각형 모형 9개를 모두 사용하여 하나의 큰 직사각형을 만들려고 한다. 이때 만들어진 직사각형의 가로의 길이와 세로의 길이의 합을 구하시오.

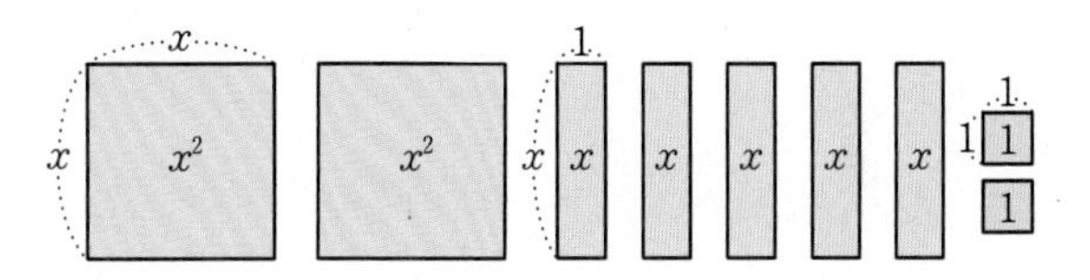

대표 유형 12 도형에서의 활용 (2)

- (직사각형의 넓이)=(가로의 길이)×(세로의 길이)
- (사다리꼴의 넓이)=$\frac{1}{2}$×{(아랫변의 길이)+(윗변의 길이)}×(높이)

12-1 오른쪽 그림과 같이 직사각형의 가로의 길이가 $x-3$이고 넓이가 $2x^2-7x+3$일 때, 이 직사각형의 둘레의 길이를 구하시오.

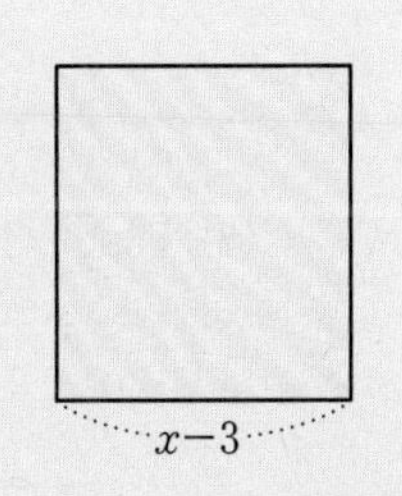

풀이 $2x^2-7x+3=(x-3)(2x-1)$

따라서 세로의 길이는 $2x-1$이므로 구하는 직사각형의 둘레의 길이는

$2\{(x-3)+(2x-1)\}=6x-8$

답 $6x-8$

쌍둥이 12-2

오른쪽 그림과 같은 사다리꼴의 넓이가 $4x^2+19x+21$일 때, 이 사다리꼴의 높이를 구하시오.

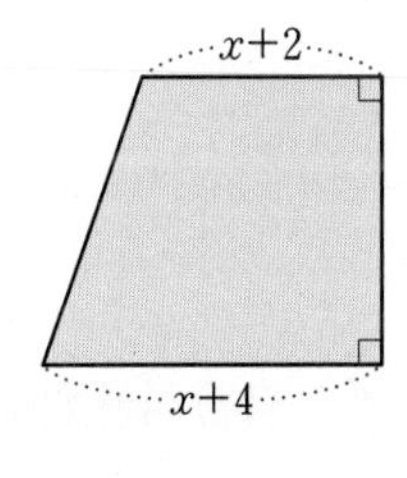

쌍둥이 12-3

정사각형 모양의 공원의 넓이가 $81a^2+72ab+16b^2$일 때, 이 공원의 둘레의 길이를 구하시오.

계산력 집중 연습 | 인수분해

정답과 해설 p.51

1 다음 식을 인수분해하시오.

(1) m^2-4m

(2) x^2y-2xy

(3) $10a^2b-5a^2b^2$

(4) $(a+b)^2+7(a+b)$

(5) $3a^2(b+1)-12a(b+1)$

2 다음 식을 인수분해하시오.

(1) $x^2+12x+36$

(2) $x^2-22x+121$

(3) $49x^2-14x+1$

(4) $9x^2+24x+16$

(5) $x^2+\frac{1}{2}x+\frac{1}{16}$

(6) $\frac{1}{36}x^2-\frac{1}{3}x+1$

(7) $3x^2-30xy+75y^2$

(8) $16x^2-16xy+4y^2$

3 다음 식을 인수분해하시오.

(1) $4a^2-9$

(2) $49a^2-16b^2$

(3) $-9x^2+4y^2$

(4) $45x^2-125y^2$

4 다음 식을 인수분해하시오.

(1) $x^2+11x+30$

(2) x^2-x-12

(3) $x^2+xy-56y^2$

(4) $x^2-9xy+18y^2$

(5) $3x^2-9x-30$

(6) $2x^2-24xy+64y^2$

(7) $-x^2+7x+18$

(8) $-x^2-4xy+12y^2$

5 다음 식을 인수분해하시오.

(1) $3x^2+10x-8$

(2) $7x^2-3x-4$

(3) $9x^2-13x+4$

(4) $3x^2-xy-2y^2$

(5) $15x^2-11xy-12y^2$

(6) $6x^2+14x-20$

(7) $8x^2-20xy-12y^2$

(8) $-12x^2-17xy+5y^2$

STEP 3 개념 뛰어넘기

인수분해 공식

(1) $ma+mb=$ ❶ $(a+b)$
(2) $a^2+2ab+b^2=(a+b)^2$, $a^2-2ab+b^2=(a-b)^2$
(3) $a^2-b^2=(a+b)(a-b)$
(4) $x^2+(a+b)x+ab=(x+a)(x+b)$
(5) $acx^2+(ad+bc)x+bd=(ax+b)($ ❷ $)$

답 ❶ m ❷ $cx+d$

01

다음 중 아래 식에 대한 설명으로 옳지 않은 것은?

$$6xy+2y^2 \underset{(나)}{\overset{(가)}{\rightleftarrows}} 2y(3x+y)$$

① (가)의 과정을 인수분해한다고 한다.
② (나)의 과정을 전개한다고 한다.
③ $3x$는 $6xy+2y^2$의 인수이다.
④ $6x+2y$는 $6xy+2y^2$의 인수이다.
⑤ 공통으로 들어 있는 인수를 이용하여 인수분해한 것이다.

★
02

다음 중 x^3y-3xy^2의 인수인 것을 모두 고르면? (정답 2개)

① x^2 ② xy ③ $x(x-3)$
④ x^2-3y^2 ⑤ x^3-3xy

03

다음 중 인수분해한 것이 옳지 않은 것은?

① $ax-ay=a(x-y)$
② $ab^2-ab=ab(b-1)$
③ $x^2-xy=x(x-y)$
④ $4x^3-2x=2x(2x^2-2x)$
⑤ $-2x^2+4x=-2x(x-2)$

04

다음 중 완전제곱식으로 인수분해할 수 없는 것은?

① $x^2+2xy+y^2$ ② $a^2-8ab+16b^2$
③ $a^2+a-\frac{1}{4}$ ④ $\frac{1}{4}x^2+\frac{1}{3}x+\frac{1}{9}$
⑤ $x^2+\frac{6}{5}x+\frac{9}{25}$

05

서술형

$x^2-16x+A=(x-B)^2$일 때, $A+B$의 값을 구하시오. (단, A, B는 상수)

06

다음 식이 완전제곱식이 될 때, □ 안에 들어갈 양수 중 가장 큰 것은?

① a^2-2a+□ ② □a^2-4a+1
③ a^2+ab+□b^2 ④ $9a^2-6a+$□
⑤ $4b^2+$□$b+\frac{1}{4}$

07

$(x-3)(x+7)+k$가 완전제곱식이 되도록 하는 상수 k의 값을 구하시오.

5 인수분해 공식

★
08

$-1<a<3$일 때, $\sqrt{a^2+2a+1}-\sqrt{a^2-6a+9}$를 간단히 하면?

① -4　② -2　③ $-2a+2$
④ $-2a-4$　⑤ $2a-2$

09

다음 중 인수분해가 바르게 된 것은?

① $a^2-1=(a-1)^2$
② $a^2-81b^2=(a+9)(a-9)$
③ $4a^2-25b^2=(4a+5b)(4a-5b)$
④ $64x^2-49y^2=(8+7y)(8-7y)$
⑤ $16x^2-9=(4x+3)(4x-3)$

10

$49x^2-9y^2=(ax+by)(ax-by)$일 때, $a+b$의 값은?
(단, a, b는 양수)

① 3　② 4　③ 7
④ 10　⑤ 15

11

$(x+5)(x+6)-6$을 인수분해하면?

① $(x-5)(x-6)$　② $(x-3)(x-8)$
③ $(x-5)(x+8)$　④ $(x+3)(x+8)$
⑤ $(x+6)(x+8)$

12

창의력

다항식 x^2+kx-8이 x의 계수가 1이고 상수항이 정수인 두 일차식의 곱으로 인수분해될 때, 상수 k의 값의 개수를 구하시오.

★
13

다음 □ 안에 알맞은 수 중 가장 큰 것은?

① $x^2-36=(x+6)(x-\square)$
② $x^2+10xy+25y^2=(x+\square y)^2$
③ $x^2-x-12=(x-4)(x+\square)$
④ $4x^2+5x-6=(x+2)(\square x-3)$
⑤ $6x^2-19x-7=(\square x-7)(3x+1)$

14

서술형

$12x^2+ax-5=(bx-5)(4x+c)$일 때, $a+b+c$의 값을 구하시오. (단, a, b, c는 상수)

15

다항식 $(2x+3)(4x-3)+10$이 x의 계수가 자연수인 두 일차식의 곱으로 인수분해될 때, 이 두 일차식의 합은?

① $9x-2$ ② $9x+2$ ③ $9x+4$
④ $6x-2$ ⑤ $6x+2$

★
16

두 다항식 x^2-x-6과 $2x^2+2x-24$에 공통으로 들어 있는 인수는?

① $x+2$ ② $x-3$ ③ $x+3$
④ $2x-4$ ⑤ $2x+4$

17

다음 중 $x-3$으로 나누어떨어지지 <u>않는</u> 것은?

① x^2y-3xy ② x^2-9
③ $2x^2-12x+18$ ④ $2x^2-5x-3$
⑤ $3x^2+15xy+18y^2$

18

$2x-1$이 $6x^2+ax-2$의 인수일 때, 상수 a의 값을 구하시오.

19

다음 그림과 같이 넓이가 각각 x^2, x, 1인 세 종류의 직사각형 모형 10개를 모두 사용하여 하나의 큰 직사각형을 만들 때, 만들어진 직사각형의 넓이는?

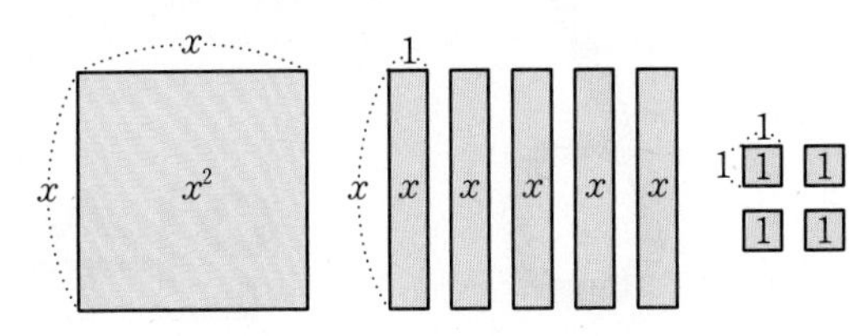

① $(x+1)(x+4)$ ② $(x-1)(x+4)$
③ $(x+2)^2$ ④ $(x+2)(x+3)$
⑤ $(x-2)(x+3)$

20

가로의 길이가 $2x+a$, 세로의 길이가 $3x+2$인 직사각형 모양의 운동장의 넓이가 $6x^2+bx+6$일 때, $a+b$의 값을 구하시오. (단, a, b는 상수)

★
21

이차식 x^2+Ax+B를 인수분해하는데 영모는 x의 계수를 잘못 보고 $(x+3)(x-8)$로 인수분해하였고, 승환이는 상수항을 잘못 보고 $(x-2)(x+4)$로 인수분해하였다. 다음 물음에 답하시오. (단, A, B는 상수)

(1) 상수 A, B의 값을 각각 구하시오.

(2) 처음 이차식을 바르게 인수분해하시오.

6 인수분해 공식의 활용

중2	중3	고등학교
• 다항식의 덧셈과 뺄셈 • 다항식의 곱셈과 나눗셈	• **인수분해 공식** • **인수분해 공식의 활용**	• 다항식의 연산 (고 1) • 나머지정리 (고 1) • 인수분해 (고 1)

학습 목표

- 인수분해 공식을 이해하고, 이를 이용하여 인수분해할 수 있다.
- 인수분해 공식을 활용하여 복잡한 수의 계산을 할 수 있다.
- 인수분해 공식을 활용하여 식의 값을 구할 수 있다.

와~. 그림들이 정말 예쁘다.
오길 잘한 것 같아.
여길 봐! 여기 바깥쪽 부분은 한 변의 길이가 1.03 m인 정사각형 모양이고 안쪽 부분은 한 변의 길이가 0.97 m인 정사각형 모양의 액자래. 이 액자의 테두리의 넓이는 얼마일까?
1.03^2, 0.97^2을 계산해서 차를 구하면…… 계산이 너무 복잡해.
훗, 0.12 m^2야.
뭐야? 어떻게 그렇게 빨리 계산했어?
$1.03^2-0.97^2$을 계산할 때 인수분해 공식 $a^2-b^2=(a+b)(a-b)$를 이용해 봐!
음 … $1.03^2-0.97^2$ $=(1.03+0.97)(1.03-0.97)$ 이니까 $2\times0.06=0.12$ (m^2)네.
정답! 금방 구하지?
응, 수의 계산에서 인수분해 공식을 적절히 이용하면 빠르고 정확하게 답을 구할 수 있구나.

1 인수분해 공식의 활용

개념 1 복잡한 식의 인수분해 (1)

(1) 공통으로 들어 있는 인수가 있는 경우의 인수분해

공통으로 들어 있는 인수로 묶어 인수분해 공식을 이용한다.

 공통으로 들어 있는 인수로 묶을 때에는 공통으로 들어 있는 인수가 남지 않도록 모두 묶어 내야 한다.

(2) 치환하는 경우의 인수분해

① 한 문자로 치환하는 경우 : 공통부분을 하나의 문자로 치환하여 인수분해한다.

② 두 문자로 치환하는 경우 : 각각의 식을 서로 다른 문자로 치환하여 인수분해한다.

보충

• 인수분해 공식

① $a^2 \pm 2ab + b^2 = (a \pm b)^2$

② $a^2 - b^2 = (a+b)(a-b)$

③ $x^2 + (a+b)x + ab = (x+a)(x+b)$

④ $acx^2 + (ad+bc)x + bd = (ax+b)(cx+d)$

보기 (1) 공통으로 들어 있는 인수가 있는 다항식의 인수분해

① $ax^2 - a = a(x^2-1) = a(x+1)(x-1)$

② $x^3y - 3x^2y - 10xy = xy(x^2-3x-10) = xy(x+2)(x-5)$

(2) 치환을 이용한 다항식의 인수분해

① 한 문자로 치환하는 경우

$(x-y)^2 - 5(x-y) + 6$

$= A^2 - 5A + 6$ ← $x-y=A$로 치환

$= (A-2)(A-3)$ ← 인수분해

$= \{(x-y)-2\}\{(x-y)-3\}$ ← $A=x-y$를 다시 대입

$= (x-y-2)(x-y-3)$

② 두 문자로 치환하는 경우

$(x+4)^2 - (y-4)^2$

$= A^2 - B^2$ ← $x+4=A$, $y-4=B$로 치환

$= (A+B)(A-B)$ ← 인수분해

$= \{(x+4)+(y-4)\}\{(x+4)-(y-4)\}$ ← $A=x+4$, $B=y-4$를 다시 대입

$= (x+y)(x-y+8)$

Lecture

• 치환하여 인수분해한 후 반드시 치환한 문자 대신 원래의 식을 다시 대입한다.
원래의 식을 대입할 때 괄호를 이용하면 부호로 인한 실수를 줄일 수 있다.

| 개념 확인 | **1** **다음 식을 인수분해하시오.**

(1) $a^2b - 4b^3$　　(2) $x^3 + 7x^2 + 12x$　　(3) $3x^3y + 12x^2y - 15xy$

(4) $(x+y)x^2 - 16(x+y)$　　(5) $(x+1)^2 + 3(x+1) - 18$　　(6) $(a-4)^2 - (b+5)^2$

정답과 해설 p.54

개념 2 복잡한 식의 인수분해 (2)

개념 동영상 

(1) 항이 4개인 경우의 인수분해

① 공통부분이 생기도록 (2항)+(2항)으로 묶는다.

② $(\quad)^2-(\quad)^2$의 꼴이 되도록 (1항)+(3항) 또는 (3항)+(1항)으로 묶는다.
→ (3항)은 완전제곱식이 된다.

(2) 항이 5개 이상인 경우의 인수분해

문자가 여러 개인 다항식은 차수가 가장 낮은 문자에 대하여 내림차순으로 정리한다.

이때 차수가 같으면 어느 한 문자에 대하여 내림차순으로 정리해도 상관없다.

보충

- 차수
어떤 항에서 문자가 곱해진 개수
- 한 문자에 대하여 차수가 높은 항부터 차수가 낮은 항의 순서로 정리하는 것을 내림차순으로 정리한다고 한다.

보기 (1) 항이 4개인 경우의 인수분해

① (2항)+(2항)으로 묶는 경우

$ax-ay+2bx-2by$
$=(ax-ay)+(2bx-2by)$ ← (2항)+(2항)으로 묶기
$=a(x-y)+2b(x-y)$
$=(x-y)(a+2b)$

② (3항)+(1항)으로 묶는 경우

$a^2+2ab-1+b^2$
$=(a^2+2ab+b^2)-1$ ← (3항)+(1항)으로 묶기
$=(a+b)^2-1^2$ ← $(\quad)^2-(\quad)^2$의 꼴로 만들기
$=(a+b+1)(a+b-1)$

(2) 항이 5개 이상인 경우의 인수분해

$x^2+xy+x-y-2$
$=xy-y+x^2+x-2$ ← 차수가 가장 낮은 문자 y에 대하여 내림차순으로 정리
$=y(x-1)+(x-1)(x+2)$ ← 인수분해
$=(x-1)(y+x+2)$
$=(x-1)(x+y+2)$ ← 알파벳 순으로 정리

| 개념 확인 | 2 다음 식을 인수분해하시오.

(1) $2xy-2y-x+1$

(2) $xy-5y+x-5$

(3) $x^2-2x+1-y^2$

(4) $x^2-4xy+4y^2-9$

| 개념 확인 | 3 다음은 주어진 식을 인수분해하는 과정이다. □ 안에 알맞은 식을 써넣으시오.

$x^2+xy-6x-2y+8=xy-2y+x^2-6x+8$
$=y(\square)+(\square)(x-4)$
$=\square$

정답과 해설 p.54

개념 3 인수분해 공식의 활용

(1) 인수분해 공식을 이용한 수의 계산

인수분해 공식을 이용하면 복잡한 수의 계산도 간단히 할 수 있다.

(2) 인수분해 공식을 이용한 식의 값

인수분해 공식을 이용하여 식을 간단히 한 후 주어진 수를 대입하여 계산한다.

보기 (1) 인수분해 공식을 이용한 수의 계산

① $75\times105-75\times5=75\times(105-5)=75\times100=7500$ ← 75를 공통으로 들어 있는 인수로 생각하여 $ma-mb=m(a-b)$를 이용한다.

② $98^2+2\times98\times2+2^2=(98+2)^2=100^2=10000$ ← $98=a$, $2=b$로 생각하여 $a^2+2ab+b^2=(a+b)^2$을 이용한다.

③ $65^2-35^2=(65+35)(65-35)=100\times30=3000$ ← $65=a$, $35=b$로 생각하여 $a^2-b^2=(a+b)(a-b)$를 이용한다.

(2) 인수분해 공식을 이용한 식의 값

$x=3+\sqrt{2}$, $y=3-\sqrt{2}$일 때, $x^2+2xy+y^2$의 값을 구하면

⇨ $x^2+2xy+y^2=(x+y)^2=(3+\sqrt{2}+3-\sqrt{2})^2=6^2=36$

문자에 수를 대입하여 계산한 결과를 식의 값이라 해.

Lecture

- 수의 계산에서 많이 이용되는 인수분해 공식

➡ $ma+mb=m(a+b)$, $a^2+2ab+b^2=(a+b)^2$, $a^2-2ab+b^2=(a-b)^2$, $a^2-b^2=(a+b)(a-b)$

| 개념 확인 | **4** **인수분해 공식을 이용하여 다음을 계산하시오.**

(1) $15\times75+15\times25$

(2) $99^2+2\times99+1$

(3) $73^2-2\times73\times3+3^2$

(4) 64^2-36^2

| 개념 확인 | **5** **인수분해 공식을 이용하여 다음을 구하시오.**

(1) $x=2-2\sqrt{2}$일 때, x^2-4x+4의 값

(2) $x=2+\sqrt{5}$, $y=2-\sqrt{5}$일 때, x^2-y^2의 값

(3) $a=\sqrt{2}+1$, $b=\sqrt{2}-1$일 때, $a^2-2ab+b^2$의 값

STEP 1 기초 개념 드릴

개념 기초

1-1

다음은 치환을 이용하여 인수분해하는 과정이다. □ 안에 알맞은 것을 써넣으시오.

$2(x-2)^2-(x-2)-1$) $x-2=A$로 치환
$=2A^2-A-1$) 인수분해
$=(A-1)(\square)$) $A=x-2$를 다시 대입
$=(x-2-1)\{\square\}$) 간단히 하기
$=(x-3)(\square)$

연구 공통부분이 있으면 공통부분을 하나의 문자로 치환한다.

쌍둥이 문제

1-2

다음 식을 인수분해하시오.

(1) $(x-3)^2-2(x-3)-48$

(2) $(x+y)(x+y+3)-4$

(3) $(4a+3b)^2-(a-b)^2$

(4) $(x+1)^2+6(x+1)(y-2)+5(y-2)^2$

2-1

다음은 주어진 식을 인수분해하는 과정이다. □ 안에 알맞은 것을 써넣으시오.

$a^2-ab+ac-bc$) (2항)+(2항)으로 묶기
$=(a^2-ab)+(\square)$
$=a(a-b)+\square(a-b)$
$=(a-b)(a+\square)$

연구 항이 4개인 경우는 (2항)+(2항) 또는 (3항)+(1항)으로 묶는다.

2-2

다음 식을 인수분해하시오.

(1) x^3+x^2-4x-4

(2) $a^3-a^2b-ac^2+bc^2$

(3) $9x^2-y^2+6x+1$

(4) $4x^2+4x-9y^2+1$

3-1

다음은 $x+y=\sqrt{2}$, $x-y=2\sqrt{6}$일 때, 인수분해 공식을 이용하여 x^2-y^2의 값을 구하는 과정이다. □ 안에 알맞은 것을 써넣으시오.

x^2-y^2) 인수분해
$=(x+y)(\square)$) $x+y=\sqrt{2}$, $x-y=2\sqrt{6}$을 대입
$=\sqrt{2}\times(\square)$
$=\square$

연구 식의 값을 구할 때는 먼저 인수분해 공식을 이용하여 식을 간단히 한다.

3-2

인수분해 공식을 이용하여 다음을 구하시오.

(1) $n=103$일 때, n^2-6n+9의 값

(2) $x=3\sqrt{2}+2\sqrt{3}$, $y=3\sqrt{2}-2\sqrt{3}$일 때, x^2-y^2의 값

(3) $a+b=4$, $a-b=-2$일 때, $a^2(a-b)+b^2(b-a)$의 값

STEP 2 대표 유형으로 개념 잡기

대표 유형 1 공통으로 들어 있는 인수로 묶어 인수분해하기

공통으로 들어 있는 인수가 있으면 공통으로 들어 있는 인수로 묶어 인수분해 공식을 이용하여 인수분해한다.
이때 인수분해가 더 이상 되지 않을 때까지 인수분해한다.

예 $(a+b)a^2-(a+b)=(a+b)(a^2-1)$ → 인수분해를 더 할 수 있다.
$=(a+b)(a+1)(a-1)$

1-1 다음 식을 인수분해하시오.

(1) $a^3-2a^2b+ab^2$

(2) $x^3y+6x^2y^2+9xy^3$

풀이 (1) $a^3-2a^2b+ab^2=a(a^2-2ab+b^2)$
$=a(a-b)^2$

(2) $x^3y+6x^2y^2+9xy^3=xy(x^2+6xy+9y^2)$
$=xy(x+3y)^2$

답 (1) $a(a-b)^2$ (2) $xy(x+3y)^2$

쌍둥이 1-2

다음 식을 인수분해하시오.

(1) $(a+2b)x^2-4(a+2b)y^2$

(2) $30ax^2-25ax-20a$

(3) $(a-b)a^2-3a(a-b)+2(a-b)$

대표 유형 2 치환을 이용한 인수분해 (1)

① 공통부분을 한 문자로 치환한다. ➡ ② 치환한 식을 인수분해한다. ➡ ③ 원래의 식을 다시 대입하여 간단히 한다.

2-1 다음 식을 인수분해하시오.

(1) $3(x-3)^2-5(x-3)-2$

(2) $(x-5y)(x-5y+2)+1$

풀이 (1) $x-3=A$로 치환하면

$3(x-3)^2-5(x-3)-2=3A^2-5A-2$
$=(A-2)(3A+1)$
$=\{(x-3)-2\}\{3(x-3)+1\}$
$=(x-5)(3x-8)$

(2) $x-5y=A$로 치환하면

$(x-5y)(x-5y+2)+1=A(A+2)+1$
$=A^2+2A+1$
$=(A+1)^2$
$=(x-5y+1)^2$

답 (1) $(x-5)(3x-8)$ (2) $(x-5y+1)^2$

쌍둥이 2-2

다음 식을 인수분해하시오.

(1) $5(x-3)^2-7(x-3)-6$

(2) $(x-2)^2-4(x-2)-12$

(3) $(x+y)(x+y+2)-3$

(4) $(a-2b)(a-2b+3)-40$

대표 유형 3 치환을 이용한 인수분해 (2)

① 각각의 식을 서로 다른 문자로 치환한다. ➡ ② 치환한 식을 인수분해한다. ➡ ③ 원래의 식을 다시 대입하여 간단히 한다.

3-1 다음 식을 인수분해하시오.

(1) $(x-3)^2-(y-3)^2$

(2) $3(x+2)^2-16(x+2)(2y-1)+5(2y-1)^2$

풀이 (1) $x-3=A$, $y-3=B$로 치환하면

$(x-3)^2-(y-3)^2$
$=A^2-B^2$
$=(A+B)(A-B)$
$=\{(x-3)+(y-3)\}\{(x-3)-(y-3)\}$
$=(x+y-6)(x-y)$

(2) $x+2=A$, $2y-1=B$로 치환하면

$3(x+2)^2-16(x+2)(2y-1)+5(2y-1)^2$
$=3A^2-16AB+5B^2$
$=(A-5B)(3A-B)$
$=\{x+2-5(2y-1)\}\{3(x+2)-(2y-1)\}$
$=(x-10y+7)(3x-2y+7)$

답 (1) $(x+y-6)(x-y)$ (2) $(x-10y+7)(3x-2y+7)$

쌍둥이 3-2

다음 식을 인수분해하시오.

(1) $(3x+1)^2-4(x+1)^2$

(2) $(2x-1)^2-(x-1)^2$

(3) $(x+4)^2+6(x+4)(x-1)+9(x-1)^2$

(4) $(x-1)^2-2(x-1)(y+2)-24(y+2)^2$

대표 유형 4 항이 4개인 경우의 인수분해 (1) – (2항)+(2항)

공통부분이 생기도록 2항씩 묶어 인수분해한다.

예 $ab-a+b-1=(ab-a)+(b-1)=a(b-1)+(b-1)=(b-1)(a+1)$
(2항씩 묶는다. / 공통부분)

4-1 $xy-xz+y^2-yz$를 인수분해하시오.

풀이 $xy-xz+y^2-yz=(xy-xz)+(y^2-yz)$
$=x(y-z)+y(y-z)$
$=(y-z)(x+y)$

답 $(y-z)(x+y)$

쌍둥이 4-2

다음 식을 인수분해하시오.

(1) $xy-4x-y+4$

(2) a^3+a^2-a-1

(3) $x^2-ax-bx+ab$

(4) x^3+x^2-3x-3

대표 유형 5 항이 4개인 경우의 인수분해 (2) – (1항)+(3항)

A^2-B^2의 꼴이 되도록 (1항)+(3항) 또는 (3항)+(1항)으로 묶어 인수분해 공식을 이용한다.

예 $a^2+2a+1-b^2=\underbrace{(a^2+2a+1)}_{(3항)}\underbrace{-b^2}_{(1항)}=\underbrace{(a+1)^2-b^2}_{(\ )^2-(\ )^2의 꼴}=(a+b+1)(a-b+1)$

5-1 다음 식을 인수분해하시오.

(1) $4a^2+b^2+4ab-25$

(2) $9x^2-y^2-2y-1$

풀이 (1) $4a^2+b^2+4ab-25=(4a^2+4ab+b^2)-25$
$=(2a+b)^2-5^2$
$=(2a+b+5)(2a+b-5)$

(2) $9x^2-y^2-2y-1=9x^2-(y^2+2y+1)$
$=(3x)^2-(y+1)^2$
$=(3x+y+1)(3x-y-1)$

답 (1) $(2a+b+5)(2a+b-5)$
(2) $(3x+y+1)(3x-y-1)$

쌍둥이 5-2

다음 식을 인수분해하시오.

(1) $a^2+6a+9-b^2$

(2) $a^2-b^2+8b-16$

(3) x^2-y^2+4x+4

(4) $4x^2-y^2-10y-25$

대표 유형 6 항이 5개 이상인 경우의 인수분해

• 차수가 가장 낮은 문자에 대하여 내림차순으로 정리하여 인수분해한다.

예 $a^2+ab-a+b-2=\underbrace{ab+b}_{b에\ 대하여\ 내림차순으로\ 정리}+a^2-a-2=b(a+1)+(a-2)(a+1)=(a+1)(a+b-2)$

• 차수가 같으면 어느 한 문자에 대하여 내림차순으로 정리하여 인수분해하여도 그 결과는 같다.

6-1 $x^2+2x+xy+y+1$을 인수분해하시오.

풀이 $x^2+2x+xy+y+1=xy+y+x^2+2x+1$
$=y(x+1)+(x+1)^2$
$=(x+1)(y+x+1)$
$=(x+1)(x+y+1)$

답 $(x+1)(x+y+1)$

쌍둥이 6-2

다음은 주어진 식을 인수분해하는 과정이다. □ 안에 알맞은 것을 써넣으시오.

$x^2+xy+2x+3y-3$
$=xy+\square+x^2+\square-3$
$=y(\square)+(x-1)(\square)$
$=(\square)(x+y-1)$

쌍둥이 6-3

$x^2-y^2+x+7y-12$를 인수분해하시오.

대표 유형 7 인수분해 공식을 이용한 수의 계산

- 수를 문자로 생각하고 인수분해 공식을 이용하여 계산한다.
- 수의 계산에서 많이 이용되는 인수분해 공식

➡ $ma+mb=m(a+b)$, $a^2+2ab+b^2=(a+b)^2$, $a^2-2ab^2+b^2=(a-b)^2$, $a^2-b^2=(a+b)(a-b)$

7-1 인수분해 공식을 이용하여 다음을 계산하시오.

(1) $\sqrt{41^2-40^2}$ (2) $37\times65^2-37\times35^2$

풀이 (1) $\sqrt{41^2-40^2}=\sqrt{(41+40)(41-40)}$

$=\sqrt{81\times1}$

$=\sqrt{81}=9$

(2) $37\times65^2-37\times35^2=37\times(65^2-35^2)$

$=37\times(65+35)(65-35)$

$=37\times100\times30$

$=111000$

답 (1) 9 (2) 111000

쌍둥이 7-2

인수분해 공식을 이용하여 다음을 계산하시오.

(1) $2020\times2.1+2020\times0.9$

(2) $\frac{1}{4}\times23^2-\frac{1}{4}\times21^2$

(3) $\sqrt{52^2-48^2}$

대표 유형 8 인수분해 공식을 이용하여 식의 값 구하기 (1)

인수분해 공식을 이용하여 식을 간단히 한 후 주어진 수를 대입한다. 이때 주어진 수가 복잡하면 주어진 수를 먼저 간단히 한다.

예 $x=\frac{2}{\sqrt{3}+1}$일 때, x^2+2x+1의 값을 구하려면 먼저 x의 분모를 유리화하여 간단히 한다.

➡ $x=\frac{2}{\sqrt{3}+1}=\frac{2(\sqrt{3}-1)}{(\sqrt{3}+1)(\sqrt{3}-1)}=\frac{2(\sqrt{3}-1)}{3-1}=\sqrt{3}-1$이므로

$x^2+2x+1=(x+1)^2=\{(\sqrt{3}-1)+1\}^2=(\sqrt{3})^2=3$

8-1 $a=1+\sqrt{5}$, $b=1-\sqrt{5}$일 때, a^2-b^2의 값을 구하시오.

풀이 $a^2-b^2=(a+b)(a-b)$

$=\{(1+\sqrt{5})+(1-\sqrt{5})\}\{(1+\sqrt{5})-(1-\sqrt{5})\}$

$=2\times2\sqrt{5}=4\sqrt{5}$

답 $4\sqrt{5}$

쌍둥이 8-2

인수분해 공식을 이용하여 다음을 구하시오.

(1) $x=4-\sqrt{2}$일 때, $x^2-8x+16$의 값

(2) $x=\frac{1}{\sqrt{2}+\sqrt{3}}$, $y=\frac{1}{\sqrt{2}-\sqrt{3}}$일 때, $x^2+2xy+y^2$의 값

대표 유형 9 인수분해 공식을 이용하여 식의 값 구하기 (2)

인수분해 공식을 이용하여 주어진 식을 인수분해한 후 문자의 값을 대입하여 식의 값을 구한다.

9-1 $x+y=3$, $x-y=\sqrt{5}$일 때, $x^3-x^2y-xy^2+y^3$의 값을 구하시오.

풀이 $x^3-x^2y-xy^2+y^3=(x^3-x^2y)+(-xy^2+y^3)$
$=x^2(x-y)-y^2(x-y)$
$=(x-y)(x^2-y^2)$
$=(x-y)(x+y)(x-y)$
$=(x+y)(x-y)^2$
$=3\times(\sqrt{5})^2$
$=15$

답 15

쌍둥이 9-2

$x+2y=9$일 때, $x^2+4xy+4y^2-6$의 값을 구하시오.

쌍둥이 9-3

인수분해 공식을 이용하여 다음을 구하시오.

(1) $a+b=6$, $a-b=2$일 때, $a^2+4a+4-b^2$의 값

(2) $x+y=5$, $x-y=2$일 때, x^2-3x-y^2+3y의 값

대표 유형 10 도형에서 인수분해 공식의 활용

- 한 변의 길이가 x인 정사각형에서
  (둘레의 길이)$=4x$, (넓이)$=x^2$
- 반지름의 길이가 r인 원에서
  (둘레의 길이)$=2\pi r$, (넓이)$=\pi r^2$

10-1 오른쪽 그림과 같이 반지름의 길이가 각각 12.5 cm, 7.5 cm이고 중심이 같은 2개의 원이 있다. 이때 색칠한 부분의 넓이를 구하시오.

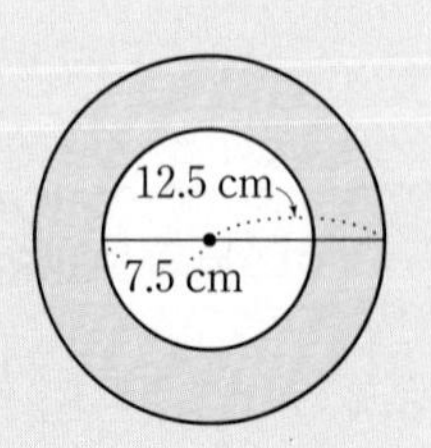

풀이 (색칠한 부분의 넓이)=(큰 원의 넓이)−(작은 원의 넓이)
$=12.5^2\pi-7.5^2\pi$
$=\pi(12.5+7.5)(12.5-7.5)$
$=\pi\times20\times5=100\pi\ (\text{cm}^2)$

답 $100\pi\ \text{cm}^2$

쌍둥이 10-2

오른쪽 그림과 같이 한 변의 길이가 각각 a, b인 정사각형이 있다. 두 정사각형의 둘레의 길이의 합이 $16\sqrt{3}$이고 색칠한 부분의 넓이가 24일 때, $a-b$의 값을 구하시오. (단, $a>b$)

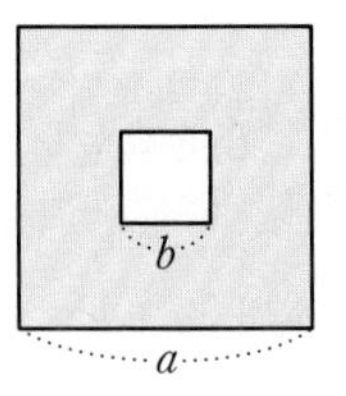

STEP 3 개념 뛰어넘기

복잡한 식의 인수분해

(1) 복잡한 식의 인수분해 (1) – 항이 3개 이하인 경우
① 공통으로 들어 있는 인수가 있는 경우 : 공통으로 들어 있는 인수로 묶는다.
② 한 문자로 치환하는 경우 : 공통부분을 하나의 문자로 치환한다.
③ 두 문자로 치환하는 경우 : 각각의 식을 서로 다른 문자로 치환한다.

(2) 복잡한 식의 인수분해 (2) – 항이 4개인 경우
① 공통으로 들어 있는 인수가 있는 경우 : 공통부분이 생기도록 (2항)+(2항)으로 묶는다.
② 공통으로 들어 있는 인수가 없는 경우 : (1항)+(3항) 또는 (3항)+(1항)으로 묶어 $(\quad)^2-(\quad)^2$의 꼴로 만든다.

(3) 복잡한 식의 인수분해 (3) – 항이 5개 이상인 경우
① 문자가 여러 개이고 차수가 다른 경우 : 차수가 가장 낮은 한 문자에 대하여 내림차순으로 정리한다.
② 문자가 여러 개이고 차수가 같은 경우 : 어느 한 문자에 대하여 내림차순으로 정리한다.

01
$x^2(y-1)+x(y-1)-2(y-1)$을 인수분해하면?

① $(y+1)(x+1)(x+2)$ ② $(y+1)(x+1)(x-2)$
③ $(y-1)(x+1)(x+2)$ ④ $(y-1)(x-1)(x+2)$
⑤ $(y-1)(x-1)(x-2)$

02
$(3x-1)^2+6(3x-1)+8=3(x+a)(bx+1)$일 때, 정수 a, b에 대하여 $a-b$의 값은?

① -2 ② 1 ③ 2
④ 4 ⑤ 5

03
$(x-y)(x-y-3)-10$을 인수분해하면 $(x-y-a)(x-y+b)$일 때, $a-b$의 값을 구하시오. (단, a, b는 자연수)

04
다음 중 인수분해가 바르게 된 것은?

① $(2x+1)^2-(x-3)^2=(3x-2)(x-4)$
② $2ax^2-8ax+8a=2a(x-2)^2$
③ $a^3-9a=a(a-3)^2$
④ $a(x-y)+b(x-y)-c(y-x)=(x-y)(a+b-c)$
⑤ $3x^2-10x-8=(x+4)(3x-2)$

05
$(2x-3)^2-(3y-1)^2=(2x+3y-m)(2x-ny-2)$일 때, $m+n$의 값을 구하시오. (단, m, n은 상수)

06
$2(a+1)^2+(a+1)(a-3)-(a-3)^2$을 인수분해하시오.

07

다음 중 아래 두 다항식에 공통으로 들어 있는 인수는?

$$xy+x+y+1,\ x^2+x-xy-y$$

① $x-1$ ② $x+1$ ③ $y-1$
④ $xy+1$ ⑤ $x+y$

★
08

다음 중 $a^2x-4x+4-a^2$의 인수가 아닌 것은?

① $a+2$ ② $a-2$ ③ a^2-4
④ $x-1$ ⑤ $x+1$

09

다항식 $16x^2-y^2+8x+1$이 x의 계수가 4인 두 일차식의 곱으로 인수분해될 때, 두 일차식의 합을 구하시오.

10

다음 중 $x^2+2xy+2x-2y-3$의 인수를 모두 고르면? (정답 2개)

① $x-1$ ② $x+1$ ③ $x+2y+3$
④ $x-2y+3$ ⑤ $x+2y-3$

인수분해 공식의 활용

(1) 인수분해 공식을 이용한 수의 계산 : 수의 계산을 간단히 할 때 많이 이용되는 인수분해 공식은 다음과 같다.

① $ma+mb=m(a+b)$
② $a^2+2ab+b^2=(a+b)^2$
$a^2-2ab+b^2=($ ❶ $)^2$
③ $a^2-b^2=(a+b)(a-b)$

(2) 인수분해 공식을 이용한 식의 값 : 인수분해 공식을 이용하여 주어진 식을 인수분해한 후 문자의 값을 대입하여 식의 값을 구한다.

답 ❶ $a-b$

★
11

다음 중 99^2-1을 계산하는 데 이용되는 인수분해 공식은?

① $a^2+2ab+b^2=(a+b)^2$
② $a^2-2ab+b^2=(a-b)^2$
③ $a^2-b^2=(a+b)(a-b)$
④ $x^2+(a+b)x+ab=(x+a)(x+b)$
⑤ $acx^2+(ad+bc)x+bd=(ax+b)(cx+d)$

12

인수분해 공식을 이용하여 $0.77^2-0.23^2$을 계산하면?

① 0.23 ② 0.5 ③ 0.54
④ 0.77 ⑤ 1

13

인수분해 공식을 이용하여 다음을 계산하시오.

$$37^2+2\times37\times3+3^2$$

★
14

인수분해 공식을 이용하여 $\dfrac{2020\times2021-2021}{2020^2-1}$을 계산하시오.

15

$x=3+\sqrt{2}$, $y=1-\sqrt{2}$일 때, $x^2-6xy+9y^2$의 값을 구하시오.

★
16

$x=\dfrac{1}{\sqrt{5}-2}$, $y=\dfrac{1}{\sqrt{5}+2}$일 때, x^3y-xy^3의 값은?

① $-8\sqrt{5}$　② $-\dfrac{8\sqrt{5}}{27}$　③ $\dfrac{8\sqrt{5}}{27}$
④ $\dfrac{4\sqrt{5}}{3}$　⑤ $8\sqrt{5}$

17

$x+y=-6+\sqrt{6}$, $x-y=6+\sqrt{6}$일 때, 인수분해 공식을 이용하여 $x^2-y^2+6x-6y$의 값을 구하시오.

18

서술형

오른쪽 그림과 같은 도형의 넓이를 구하고 이때 이용된 인수분해 공식을 다음 보기에서 고르시오.

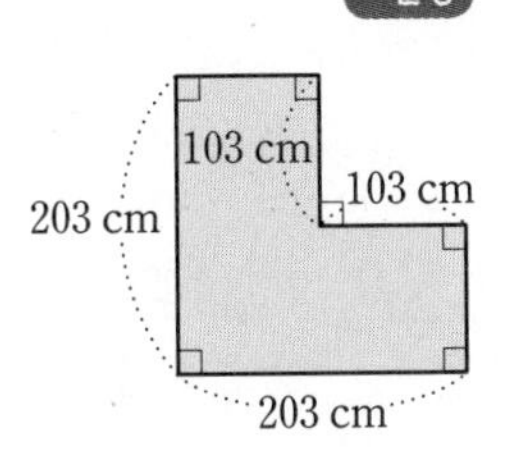

보기
㉠ $a^2+2ab+b^2=(a+b)^2$
㉡ $a^2-2ab+b^2=(a-b)^2$
㉢ $a^2-b^2=(a+b)(a-b)$
㉣ $x^2+(a+b)x+ab=(x+a)(x+b)$
㉤ $acx^2+(ad+bc)x+bd=(ax+b)(cx+d)$

19

$a+b=5+2\sqrt{5}$이고 $x=\sqrt{5}-1$일 때, ax^2-a+bx^2-b의 값은?

① 4　② 5　③ 6
④ 7　⑤ 8

20

인수분해 공식을 이용하여 다음을 계산하시오.

$$1^2-2^2+3^2-4^2+5^2-6^2+7^2-8^2+9^2-10^2$$

7 이차방정식의 풀이

중2	중3	고등학교
• 미지수가 2개인 연립일차방정식 • 연립일차방정식의 풀이	• **이차방정식과 그 해** • **인수분해를 이용한 이차방정식의 풀이** • **제곱근을 이용한 이차방정식의 풀이**	• 복소수와 이차방정식(고1) • 이차방정식과 이차함수(고1) • 여러 가지 방정식(고1)

학습 목표

- 이차방정식과 그 해의 의미를 이해한다.
- 인수분해를 이용하여 이차방정식을 풀 수 있다.
- 제곱근을 이용하여 이차방정식을 풀 수 있다.
- 중근의 뜻을 안다.

자~. 문제입니다.
다음 중에서 이차방정식인 것을
모두 고르세요.
$x^2-x-2=0$, x^2+3x+4,
$x(x+4)=3x+5$, $x^2+4x-5=x^2$
장학퀴즈
TV
TV
x에 대한 이차방정식은
등식에서 우변의 모든 항을
좌변으로 이항하여 정리한 식이
(x에 대한 이차식)$=0$의 꼴로
나타나는 방정식이야.
이차방정식
$x^2-x-2=0$
x^2+3x+4
등식X
$x(x+4)=3x+5 \Rightarrow x^2+4x-3x-5=0$
이차방정식
$x^2+x-5=0$
$x^2+4x-5=x^2 \Rightarrow x^2-x^2+4x-5=0$
일차방정식
$4x-5=0$
정답!
$x^2-x-2=0$과 $x(x+4)=3x+5$가
이차방정식입니다.
네. 정답입니다.
그럼 다음 문제!
방금 구한 두 이차방정식의 해는?
윽……. 아직 거기까지는
공부 안 했는데…….

1 이차방정식과 그 해

개념 1 이차방정식의 뜻

(1) **x에 대한 이차방정식** 등식에서 우변의 모든 항을 좌변으로 이항하여 정리한 식이 (x에 대한 이차식)$=0$의 꼴로 나타나는 방정식

$$ax^2+bx+c=0 \text{ (단, } a, b, c\text{는 상수, } a\neq 0)$$

↳ 중요

참고 이차방정식이 되려면 반드시 (이차항의 계수)$\neq 0$이어야 한다.

예 ① $x^2-x=2$에서 $x^2-x-2=0$ ➡ 이차방정식

② $x(x-1)-x^2=0$에서 $x^2-x-x^2=0$, 즉 $-x=0$ ➡ 이차방정식이 아니다.
↳ 일차방정식

(2) **이차방정식의 해(근)** x에 대한 이차방정식을 참이 되게 하는 x의 값

(3) **이차방정식을 푼다** 이차방정식의 해를 모두 구하는 것

용어
- 방정식
미지수 x의 값에 따라 참이 되기도 하고, 거짓이 되기도 하는 등식

보기 (1) 이차방정식과 이차식

① $x^2-x-1=0$ ⇨ 이차방정식

② $2x^2-x+3$ ⇨ 이차식

이차방정식은 등호가 있고,
이차식은 등호가 없어.

(2) x의 값이 $-1, 0, 1$일 때, 이차방정식 $x^2+x-2=0$의 해를 구해 보자.

x의 값	좌변	우변	참 / 거짓
-1	$(-1)^2+(-1)-2=-2$	0	거짓
0	$0^2+0-2=-2$	0	거짓
1	$1^2+1-2=0$	0	참

위의 표에서 $x^2+x-2=0$을 만족시키는 x의 값은 1이다. 즉 $x^2+x-2=0$을 만족시키는 x의 값이 이차방정식의 해이므로 주어진 x의 값 중에서 이차방정식 $x^2+x-2=0$의 해는 $x=1$이다.

Lecture

- 어떤 식이 x에 대한 이차방정식인지 알아볼 때에는 다음 두 가지를 확인한다.
① 등식인지 확인한다.
② (x에 대한 이차식)$=0$의 꼴인지 확인한다.
주의 반드시 우변의 모든 항을 좌변으로 이항하여 간단히 정리한다.

| 개념 확인 | **1** **다음 보기 중 x에 대한 이차방정식인 것을 모두 고르시오.**

보기

㉠ x^2+2 ㉡ $x^2-2x=0$ ㉢ $2x^2=0$

㉣ $x^2+2=x(x+1)$ ㉤ $x^3+3x=x(x^2-x)$

| 개념 확인 | **2** **x의 값이 $0, 1, 2, 3$일 때, 이차방정식 $x^2+x-6=0$의 해를 구하시오.**

개념 기초

1-1

다음 보기 중 x에 대한 이차방정식인 것을 모두 고르시오.

보기

㉠ $x=x^2-2$ ㉡ x^2-6x-3

㉢ $5-x^2=x^2+3x$ ㉣ $x(x-1)=0$

㉤ $4x-1=2(x+1)$ ㉥ $-2x^2=0$

연구 등식에서 우변의 모든 항을 좌변으로 이항하여 정리한 식이 (x에 대한 ☐)$=0$의 꼴로 나타나는 방정식을 찾는다.

쌍둥이 문제

1-2

다음 중 이차방정식인 것에는 ○표, 이차방정식이 아닌 것에는 ×표를 하시오.

(1) $x^2-2x=-1$ ( )

(2) $x(x-1)=x^2+x$ ( )

(3) $(1-2x)^2=4x^2$ ( )

(4) $x^3+2x=x^2(x-1)$ ( )

2-1

이차방정식 $(x-1)^2+2x=3$을 $x^2+px+q=0$의 꼴로 나타낼 때, 상수 p, q의 값을 각각 구하시오.

연구 $(x-1)^2+2x=3$에서 $x^2-2x+1+2x=3$
즉 $x^2-2=0$이므로
$p=$☐, $q=$☐

2-2

다음 이차방정식을 $ax^2+bx+c=0$의 꼴로 나타낼 때, 상수 a, b, c의 값을 각각 구하시오. (단, $a>0$)

(1) $7x^2=-4x$

(2) $x(x-3)=4$

(3) $(x-1)(4x+3)=0$

(4) $x^2+x-3=x-3$

3-1

다음 보기의 이차방정식 중 $x=2$가 해가 되는 것을 모두 고르시오.

보기

㉠ $x^2-x-2=0$ ㉡ $x^2-6x=0$

㉢ $(x-3)(x+2)=0$ ㉣ $2x^2-x-6=0$

연구 각 이차방정식에 $x=$☐를 대입하여 등식이 성립하는 것을 찾는다.

3-2

다음 [ ] 안의 수가 주어진 이차방정식의 해인 것에는 ○표, 해가 아닌 것에는 ×표를 하시오.

(1) $x^2=2$ [2] ( )

(2) $(x-1)(x+2)=0$ [-2] ( )

(3) $x^2-5x+4=0$ [4] ( )

(4) $(x+1)^2=0$ [1] ( )

STEP 2 대표 유형으로 개념 잡기

대표 유형 1 이차방정식의 뜻

등식에서 우변의 모든 항을 좌변으로 이항하여 정리했을 때, (x에 대한 이차식)$=0$의 꼴이면 x에 대한 이차방정식이다.

1-1 다음 보기 중 x에 대한 이차방정식인 것을 모두 고르시오.

보기
㉠ $1-x^2=0$ ㉡ $2x^2+3x=1-x^2$
㉢ $x^2-3=x(x-2)$ ㉣ $\frac{1}{2}x^2+x=0$

풀이 ㉠ 이차방정식
㉡ $2x^2+3x=1-x^2$에서 $3x^2+3x-1=0$ ➡ 이차방정식
㉢ $x^2-3=x(x-2)$에서 $x^2-3=x^2-2x$
$\therefore 2x-3=0$ ➡ 일차방정식
㉣ 이차방정식
따라서 x에 대한 이차방정식은 ㉠, ㉡, ㉣이다.

$x^2-3=x(x-2)$에서 이차항이 보인다고 이차방정식이라고 생각하면 안 돼.

답 ㉠, ㉡, ㉣

쌍둥이 1-2
다음 중 이차방정식인 것은?
① $\frac{1}{2}x^2-x-2$
② $x^2-1=2x^3$
③ $(x-5)^2=3x$
④ $(x+1)(x-1)=x^2-x$
⑤ $3x+6=0$

대표 유형 2 이차방정식이 될 조건

$ax^2+bx+c=0$ (단, a, b, c는 상수)이 x에 대한 이차방정식이 될 조건 ➡ $a\neq0$
이때 b 또는 c는 0이어도 된다.

2-1 $ax^2-3x+6=3x(x-1)$이 x에 대한 이차방정식일 때, 다음 중 상수 a의 값이 될 수 없는 것은?
① -1 ② 0 ③ 1
④ 2 ⑤ 3

풀이 $ax^2-3x+6=3x(x-1)$에서 $ax^2-3x+6=3x^2-3x$
우변의 모든 항을 좌변으로 이항하여 정리하면
$(a-3)x^2+6=0$
위의 식이 x에 대한 이차방정식이 되려면
$a-3\neq0$ $\therefore a\neq3$

답 ⑤

쌍둥이 2-2
$(a-1)x^2+2x-1=0$이 x에 대한 이차방정식이 되도록 하는 상수 a의 조건을 구하시오.

쌍둥이 2-3
다음 중 $2(x-1)^2=kx^2+x$가 x에 대한 이차방정식이 되도록 하는 상수 k의 값으로 적당하지 않은 것은?
① 0 ② 1 ③ 2
④ 3 ⑤ 4

대표 유형 3 이차방정식의 해

$x=m$이 이차방정식 $ax^2+bx+c=0$의 해이면
➡ $x=m$을 $ax^2+bx+c=0$에 대입하면 등식이 성립한다.

3-1 다음 중 [ ] 안의 수가 주어진 이차방정식의 해인 것은?

① $x^2-3x-4=0$ $[1]$
② $2x^2+8x+6=0$ $[-2]$
③ $2x^2+x-1=0$ $[-1]$
④ $x^2-4x-12=0$ $[2]$
⑤ $x(x-1)=2$ $[1]$

풀이 ① $x=1$을 대입하면 $1^2-3\times1-4\neq0$
② $x=-2$를 대입하면 $2\times(-2)^2+8\times(-2)+6\neq0$
③ $x=-1$을 대입하면 $2\times(-1)^2+(-1)-1=0$
④ $x=2$를 대입하면 $2^2-4\times2-12\neq0$
⑤ $x=1$을 대입하면 $1\times(1-1)\neq2$
따라서 [ ] 안의 수가 주어진 이차방정식의 해인 것은 ③이다.

답 ③

x에 [ ] 안의 수를 대입했을 때
(좌변)=(우변)인 것을 찾으면 돼.

쌍둥이 3-2
다음 중 [ ] 안의 수가 주어진 이차방정식의 해가 아닌 것은?

① $(x-1)^2=0$ $[1]$
② $x^2-4x-1=0$ $[5]$
③ $x^2+2x-15=0$ $[-5]$
④ $2x^2+x-1=0$ $\left[\frac{1}{2}\right]$
⑤ $2x^2+x-3=0$ $\left[-\frac{3}{2}\right]$

쌍둥이 3-3
다음 이차방정식 중 $x=-2$가 해가 되는 것은?

① $x^2-3x-4=0$
② $x^2-x-6=0$
③ $x^2+2x-4=0$
④ $x^2+4x-5=0$
⑤ $2x^2-x+6=0$

대표 유형 4 한 근이 주어질 때, 미지수의 값 구하기

주어진 한 근을 이차방정식에 대입하여 미지수의 값을 구한다.
주의 이차방정식의 근이 음수일 때에는 괄호를 이용하여 대입한다.

4-1 이차방정식 $x^2+ax+6=0$의 한 근이 -3일 때, 상수 a의 값을 구하시오.

풀이 $x=-3$을 $x^2+ax+6=0$에 대입하면
$(-3)^2+a\times(-3)+6=0$
$9-3a+6=0$, $-3a=-15$
$\therefore a=5$

답 5

쌍둥이 4-2
이차방정식 $x^2+ax-a+1=0$의 한 근이 2일 때, 상수 a의 값을 구하시오.

쌍둥이 4-3
이차방정식 $x^2-3x+a=0$의 한 근이 -2일 때, 상수 a의 값을 구하시오.

7 이차방정식의 풀이

대표 유형 5 한 근이 문자로 주어질 때, 식의 값 구하기 (1)

이차방정식 $ax^2+bx+c=0$의 한 근이 α이면

➡ $x=\alpha$를 $ax^2+bx+c=0$에 대입하면 등식이 성립한다. 즉 $a\alpha^2+b\alpha+c=0$

5-1 이차방정식 $x^2-4x+3=0$의 한 근이 α일 때, 다음 식의 값을 구하시오.

(1) $\alpha^2-4\alpha$

(2) $\alpha^2-4\alpha+1$

풀이 (1) $x=\alpha$를 $x^2-4x+3=0$에 대입하면

$\alpha^2-4\alpha+3=0 \quad \therefore \alpha^2-4\alpha=-3$

(2) (1)에서 $\alpha^2-4\alpha=-3$이므로

$\alpha^2-4\alpha+1=(-3)+1=-2$

답 (1) -3 (2) -2

쌍둥이 5-2

이차방정식 $x^2-x-3=0$의 두 근이 α, β일 때, 다음 식의 값을 구하시오.

(1) $\alpha^2-\alpha$

(2) $\alpha^2-\alpha+5$

(3) $(\alpha^2-\alpha+2)(\beta^2-\beta)$

대표 유형 6 한 근이 문자로 주어질 때, 식의 값 구하기 (2)

이차방정식 $x^2+ax+1=0$의 한 근이 k이면

$k^2+ak+1=0 \xrightarrow[\text{로 나눈다.}]{\text{양변을 } k(k\neq 0)} k+a+\frac{1}{k}=0 \longrightarrow k+\frac{1}{k}=-a$

참고 곱셈 공식의 변형

$x^2+\frac{1}{x^2}=\left(x+\frac{1}{x}\right)^2-2=\left(x-\frac{1}{x}\right)^2+2$

6-1 이차방정식 $x^2-5x-1=0$의 한 근이 α일 때, 다음 식의 값을 구하시오.

(1) $\alpha-\frac{1}{\alpha}$ (2) $\alpha^2+\frac{1}{\alpha^2}$

풀이 (1) $x=\alpha$를 $x^2-5x-1=0$에 대입하면

$\alpha^2-5\alpha-1=0$

이때 $\alpha\neq 0$이므로 양변을 α로 나누면

$\alpha-5-\frac{1}{\alpha}=0 \quad \therefore \alpha-\frac{1}{\alpha}=5$

(2) (1)에서 $\alpha-\frac{1}{\alpha}=5$이므로

$\alpha^2+\frac{1}{\alpha^2}=\left(\alpha-\frac{1}{\alpha}\right)^2+2=5^2+2=27$

답 (1) 5 (2) 27

쌍둥이 6-2

이차방정식 $x^2+4x+1=0$의 한 근이 α일 때, 다음 식의 값을 구하시오.

(1) $\alpha+\frac{1}{\alpha}$

(2) $\alpha^2+\frac{1}{\alpha^2}$

이차방정식과 그 해

(1) x에 대한 이차방정식 : 등식에서 우변의 모든 항을 좌변으로 이항하여 정리한 식이 (x에 대한 ❶ 식)$=0$의 꼴로 나타나는 방정식

(2) 이차방정식의 해(근) : x에 대한 이차방정식을 ❷ 이 되게 하는 x의 값

답 ❶이차 ❷참

01

다음 중 x에 대한 이차방정식인 것은?

① x^2-4
② $x^2=2x$
③ $(x+1)(3x-2)=3x^2$
④ $x^2-3x=(x+2)(x-2)$
⑤ $x-1=3(x+1)$

02

서술형

등식 $5x(x+1)=px^2-4$가 x에 대한 이차방정식이 되도록 하는 상수 p의 조건을 구하려고 한다. 다음 물음에 답하시오.

(1) 위 식을 x에 대한 이차방정식 $ax^2+bx+c=0$의 꼴로 나타내시오. (단, $b>0$)

(2) (1)의 식이 x에 대한 이차방정식이 되도록 하는 상수 p의 조건을 구하시오.

03

다음 중 등식 $(a+3)x^2-4x+(a-2)=0$이 x에 대한 이차방정식이 될 수 없는 상수 a의 값은?

① -3　② -2　③ 1
④ 2　⑤ 3

04

x의 값이 -2, -1, 0, 1, 2일 때, 이 중에서 이차방정식 $x^2-3x+2=0$의 해를 모두 찾으면? (정답 2개)

① $x=-2$　② $x=-1$　③ $x=0$
④ $x=1$　⑤ $x=2$

05

다음 중 [ ] 안의 수가 주어진 이차방정식의 해가 되는 것은?

① $x^2-5x=0$ [-5]
② $2x^2-x-2=0$ [2]
③ $x^2-6x+5=0$ [-1]
④ $x^2-4x-12=0$ [6]
⑤ $2x^2-3x-2=0$ [1]

06

다음 이차방정식 중 $x=3$이 해가 되는 것은?

① $x^2+1=0$　② $2x^2-8=0$
③ $(x-3)^2=9$　④ $x^2-2x-3=0$
⑤ $3x^2-4x+4=0$

07

다음 [ ] 안의 수가 주어진 이차방정식의 해일 때, 상수 a의 값을 구하시오.

$$3x^2+ax-2=0\ \left[\frac{1}{3}\right]$$

08

이차방정식 $x^2-2x+a=0$의 한 근이 3일 때, 상수 a의 값을 구하시오.

★ 09

서술형

두 이차방정식 $x^2+ax+12=0$, $2x^2-3x+b=0$의 공통인 해가 $x=2$일 때, $b-a$의 값을 구하시오. (단, a, b는 상수)

10

이차방정식 $x^2+x-12=0$의 한 근이 a일 때, a^2+a의 값은?

① -3　② 0　③ 3
④ 6　⑤ 12

11

이차방정식 $x^2+3x-1=0$의 한 근이 p이고 이차방정식 $2x^2-5x+3=0$의 한 근이 q일 때, $(p^2+3p-2)(2q^2-5q-4)$의 값을 구하시오.

★ 12

이차방정식 $x^2-8x+1=0$의 한 근을 m이라 할 때, $m+\frac{1}{m}$의 값은?

① -8　② -2　③ 2
④ 4　⑤ 8

13

창의력

이차방정식 $x^2-4x+2=0$의 한 근을 α라 할 때, $\alpha^2+\frac{4}{\alpha^2}$의 값은?

① 8　② 10　③ 12
④ 14　⑤ 16

2 인수분해를 이용한 이차방정식의 풀이

개념 1 인수분해를 이용한 이차방정식의 풀이

(1) **$AB=0$의 성질** 두 수 또는 두 식 A, B에 대하여 다음이 성립한다.

> $AB=0$이면 $A=0$ 또는 $B=0$

예 $(x+2)(x-1)=0$이면 $x+2=0$ 또는 $x-1=0$ $\quad \therefore x=-2$ 또는 $x=1$

참고 두 수 또는 두 식 A, B에 대하여 $AB=0$이면 다음 세 가지 중 하나가 성립한다.
① $A=0, B=0$ ② $A=0, B\neq0$ ③ $A\neq0, B=0$

(2) **인수분해를 이용한 이차방정식의 풀이**

$ax^2+bx+c=0$ 의 꼴로 정리 ➡ $a(x-\alpha)(x-\beta)=0$ 의 꼴로 인수분해 ➡ $x-\alpha=0$ 또는 $x-\beta=0$ $\therefore x=\alpha$ 또는 $x=\beta$

예 $x^2-5x+6=0$ ➡ $(x-2)(x-3)=0$ ➡ $x-2=0$ 또는 $x-3=0$ ➡ $x=2$ 또는 $x=3$

'$AB=0$이면 $A=0$ 또는 $B=0$'의 성질을 이용하여 $AB=0$의 꼴의 이차방정식의 해를 구할 수 있다.

$AB=0$	$A=0$ 또는 $B=0$	이차방정식의 해
(1) $(x-1)(x-2)=0$	$x-1=0$ 또는 $x-2=0$	$x=1$ 또는 $x=2$
(2) $x(x+1)=0$	$x=0$ 또는 $x+1=0$	$x=0$ 또는 $x=-1$
(3) $(x+2)(2x-1)=0$	$x+2=0$ 또는 $2x-1=0$	$x=-2$ 또는 $x=\frac{1}{2}$

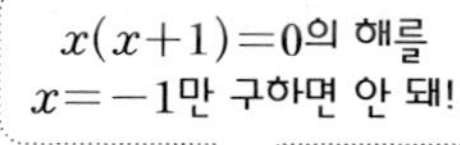

Lecture

- 이차방정식 $ax^2+bx+c=0$의 좌변을 두 일차식의 곱으로 인수분해할 수 있을 때 '$AB=0$이면 $A=0$ 또는 $B=0$'의 성질을 이용하여 이차방정식을 풀 수 있다.

  예 $x^2+2x-5=3$ ➡ $x^2+2x-8=0$ ➡ $(x+4)(x-2)=0$ ➡ $x+4=0$ 또는 $x-2=0$ ➡ $x=-4$ 또는 $x=2$

| 개념 확인 | **1** 다음 이차방정식의 해를 구하시오.

(1) $(x+2)(x-7)=0$

(2) $(x-3)(2x+1)=0$

(3) $2x(x-4)=0$

(4) $(3x-2)(4x-1)=0$

| 개념 확인 | **2** 인수분해를 이용하여 다음 이차방정식을 푸시오.

(1) $x^2+7x+6=0$

(2) $x^2+3x-54=0$

(3) $25x^2-1=0$

(4) $6x^2+x-2=0$

정답과 해설 p.62

개념 2 이차방정식의 중근

(1) **이차방정식의 중근** 이차방정식의 두 근이 중복되어 서로 같은 근일 때, 이 근을 중근이라 한다.

예 $x^2+4x+4=0$에서 $(x+2)^2=0$ $\therefore x=-2$

(2) **이차방정식이 중근을 가질 조건**

중근을 가지는 이차방정식은 인수분해했을 때, (완전제곱식)=0의 꼴이다.

즉 이차방정식 $x^2+ax+b=0$이 중근을 가질 조건 ➡ $b=\left(\frac{a}{2}\right)^2$

용어

- 완전제곱식
  다항식의 제곱으로 된 식 또는 이 식에 상수를 곱한 식
  예 $(x+3)^2$, $2(a-b)^2$

다음 이차방정식이 중근을 갖도록 하는 상수 k의 값을 구해 보자.

(1) $x^2+4x+k=0$이 중근을 가지려면 $k=\left(\frac{4}{2}\right)^2=4$

(2) $x^2+kx+64=0$이 중근을 가지려면 $64=\left(\frac{k}{2}\right)^2$, $k^2=256$ $\therefore k=\pm16$

이차방정식 $x^2+ax+b=0$이 중근을 가지려면 좌변이 완전제곱식이 되어야 하므로

$x^2+ax+b=x^2+2\times x\times\frac{a}{2}+\left(\frac{a}{2}\right)^2$ $\therefore b=\left(\frac{a}{2}\right)^2$ ← (상수항) $=\left\{\frac{(x\text{의 계수})}{2}\right\}^2$

Lecture

- 이차방정식에서 x^2의 계수가 1이 아닐 때에는 반드시 x^2의 계수를 1로 만든 다음, 중근을 가질 조건을 생각한다.

| 개념 확인 | **3** 다음 이차방정식 중 중근을 갖는 것은?

① $(x-1)(x-2)=0$ ② $x^2-4=0$ ③ $(x-1)^2=0$
④ $x^2=1$ ⑤ $(x-1)^2=9$

| 개념 확인 | **4** 다음 이차방정식을 푸시오.

(1) $(x+3)^2=0$ (2) $(2x-5)^2=0$
(3) $x^2-14x+49=0$ (4) $16x^2+8x+1=0$

| 개념 확인 | **5** 다음 이차방정식이 중근을 갖도록 하는 상수 k의 값을 구하시오.

(1) $x^2-12x+k=0$ (2) $x^2+kx+25=0$

STEP 1 기초 개념 드릴

개념 기초

1-1

인수분해를 이용하여 다음 이차방정식을 푸시오.

(1) $3x^2+5x=2$　　(2) $x^2+5=3(x+5)$

연구 (1) $3x^2+5x-2=0$에서 $(x+2)(3x-1)=0$

$\therefore x=\square$ 또는 $x=\square$

(2) $x^2+5=3x+15$에서 $x^2-3x-10=0$

$(x+2)(x-5)=0$

$\therefore x=\square$ 또는 $x=\square$

쌍둥이 문제

1-2

인수분해를 이용하여 다음 이차방정식을 푸시오.

(1) $x^2-8x=0$　　(2) $x^2-\frac{4}{9}=0$

(3) $x^2+12x+27=0$　　(4) $x^2-6x-16=0$

(5) $x^2-10x=-21$　　(6) $2x^2-3x-2=0$

(7) $5x^2-7x-24=0$　　(8) $10x^2=6x^2+4x+3$

2-1

이차방정식 $(x+4)^2=2x+7$을 푸시오.

연구 $(x+4)^2=2x+7$에서

$x^2+8x+\square=2x+7$

$x^2+6x+9=0$, $(x+\square)^2=0$

$\therefore x=\square$

2-2

다음 이차방정식을 푸시오.

(1) $-(x+2)^2=0$　　(2) $(3x+2)^2=0$

(3) $x^2-10x=-25$　　(4) $5x^2-10x+5=0$

3-1

다음은 이차방정식 $2x^2+6x+k=0$이 중근을 가질 때, 상수 k의 값을 구하는 과정이다. $\square$ 안에 알맞은 수를 써넣으시오.

$2x^2+6x+k=0$의 양변을 $\square$로 나누면

$x^2+3x+\frac{k}{2}=0$

위의 식이 중근을 가지려면

$\frac{k}{2}=\left(\frac{\square}{2}\right)^2$, $\frac{k}{2}=\square$

$\therefore k=\square$

3-2

다음 이차방정식이 중근을 갖도록 하는 상수 k의 값을 구하시오.

(1) $x^2-6x+k=0$

(2) $x^2+kx+1=0$

(3) $3x^2+6x+k=0$

대표 유형 1 $AB=0$을 이용한 이차방정식의 풀이

두 수 또는 두 식 A, B에 대하여 $AB=0$이면 $A=0$ 또는 $B=0$임을 이용한다.

1-1 다음 이차방정식 중 해가 $x=1$ 또는 $x=\frac{1}{2}$인 것은?

① $(x+1)(x-2)=0$　② $(x+1)(2x-1)=0$

③ $(x-1)(2x+1)=0$　④ $(x-1)(2x-1)=0$

⑤ $2(x-1)(2x+1)=0$

풀이 각 이차방정식의 해를 구하면 다음과 같다.

① $x=-1$ 또는 $x=2$　② $x=-1$ 또는 $x=\frac{1}{2}$

③ $x=1$ 또는 $x=-\frac{1}{2}$　④ $x=1$ 또는 $x=\frac{1}{2}$

⑤ $x=1$ 또는 $x=-\frac{1}{2}$

답 ④

쌍둥이 1-2

이차방정식 $x(x-5)=0$을 풀면?

① $x=0$　② $x=0$ 또는 $x=5$

③ $x=0$ 또는 $x=-5$　④ $x=5$

⑤ $x=-5$

대표 유형 2 인수분해를 이용한 이차방정식의 풀이

① (x에 대한 이차식)$=0$의 꼴로 정리한다.

② 좌변을 인수분해한다.

③ $AB=0$이면 $A=0$ 또는 $B=0$임을 이용하여 이차방정식의 해를 구한다.

2-1 이차방정식 $2x^2-10=x(x-3)$을 $(x+a)(x+b)=0$의 꼴로 나타낼 때, $a-b$의 값을 구하시오. (단, $a<b$이고 a, b는 상수)

풀이 $2x^2-10=x(x-3)$에서 $2x^2-10=x^2-3x$

$x^2+3x-10=0$, $(x-2)(x+5)=0$

따라서 $a=-2$, $b=5$이므로

$a-b=-2-5=-7$

답 -7

쌍둥이 2-2

인수분해를 이용하여 다음 이차방정식을 푸시오.

(1) $x^2+2x=15$

(2) $(x+2)(x-3)=3(x-2)$

(3) $x(x+5)=6$

(4) $3x^2-x-2=5(1-x)$

대표 유형 3 이차방정식의 한 근이 주어질 때, 다른 한 근 구하기

① 주어진 한 근을 이차방정식에 대입하여 미지수의 값을 구한다.
② ①에서 구한 미지수의 값을 대입하여 이차방정식을 푼다.
③ 문제에서 주어진 한 근이 아닌 다른 한 근을 답으로 택한다.

3-1 이차방정식 $x^2+2x+a=0$의 한 근이 1이고 다른 한 근이 b일 때, $a+b$의 값을 구하시오. (단, a는 상수)

풀이 $x=1$을 $x^2+2x+a=0$에 대입하면
$1+2+a=0$ $\quad\therefore a=-3$
즉 $x^2+2x-3=0$이므로 $(x-1)(x+3)=0$
$\therefore x=1$ 또는 $x=-3$
따라서 다른 한 근은 -3이므로 $b=-3$
$\therefore a+b=-3+(-3)=-6$

답 -6

쌍둥이 3-2
이차방정식 $2x^2+5ax-3a=0$의 한 근이 -3일 때, 다른 한 근을 구하시오. (단, a는 상수)

쌍둥이 3-3
이차방정식 $x^2+x-6=0$의 두 근 중 양수인 근이 이차방정식 $x^2-6x+k-4=0$의 한 근일 때, 다음 물음에 답하시오.
(1) 상수 k의 값을 구하시오.

(2) 이차방정식 $x^2-6x+k-4=0$의 다른 한 근을 구하시오.

대표 유형 4 두 이차방정식의 공통인 해

두 이차방정식의 공통인 해는 두 이차방정식을 동시에 만족하는 해이다.
➡ 각각의 이차방정식을 푼 후 공통인 해를 찾는다.
예 두 이차방정식 $(x-1)(x-2)=0$, $(x-1)(x+3)=0$의 공통인 해는 $x=1$이다.

4-1 두 이차방정식 $x^2-4x+3=0$, $x^2+7x-8=0$의 공통인 해를 구하시오.

풀이 $x^2-4x+3=0$에서 $(x-1)(x-3)=0$
$\therefore x=1$ 또는 $x=3$
$x^2+7x-8=0$에서 $(x-1)(x+8)=0$
$\therefore x=1$ 또는 $x=-8$
따라서 두 이차방정식의 공통인 해는 $x=1$이다.

답 $x=1$

쌍둥이 4-2
다음 두 이차방정식의 공통인 해를 구하시오.

$$x^2+3x-18=0,\quad 2x^2-5x-3=0$$

쌍둥이 4-3
두 이차방정식 $x^2+ax+3=0$, $2x^2-7x+b=0$의 공통인 해가 $x=3$일 때, $a+b$의 값을 구하시오. (단, a, b는 상수)

대표 유형 5 이차방정식의 중근

• 이차방정식의 중근 : 이차방정식의 두 근이 중복되어 서로 같은 것
• 이차방정식을 인수분해했을 때, (완전제곱식)$=0$의 꼴이 되면 중근을 갖는다.

5-1 다음 이차방정식 중 중근을 갖는 것을 모두 고르면? (정답 2개)

① $2x^2=0$
② $x^2-1=0$
③ $x^2+7x+10=0$
④ $6x^2-7x+1=0$
⑤ $9x^2-30x+25=0$

풀이 각 이차방정식의 해를 구하면 다음과 같다.

① $x=0$
② $(x-1)(x+1)=0$ $\quad\therefore x=1$ 또는 $x=-1$
③ $(x+2)(x+5)=0$ $\quad\therefore x=-2$ 또는 $x=-5$
④ $(6x-1)(x-1)=0$ $\quad\therefore x=\frac{1}{6}$ 또는 $x=1$
⑤ $(3x-5)^2=0$ $\quad\therefore x=\frac{5}{3}$

답 ①, ⑤

쌍둥이 5-2

다음 이차방정식 중 중근을 갖는 것은?

① $16x^2=4$
② $2(3-2x)=2-x^2$
③ $(x-2)^2=x$
④ $x^2-3x+1=2x-5$
⑤ $x^2-7x-18=0$

대표 유형 6 이차방정식이 중근을 가질 조건

이차항의 계수가 1인 이차방정식이 중근을 가지려면 $(\text{상수항})=\left\{\frac{(\text{일차항의 계수})}{2}\right\}^2$이어야 한다.

주의 이차방정식에서 이차항의 계수가 1이 아닐 때에는 반드시 이차항의 계수를 1로 만든 다음에 중근을 가질 조건을 생각한다.

6-1 이차방정식 $2x^2-8x+2k-1=0$이 중근을 가질 때, 상수 k의 값을 구하시오.

풀이 $2x^2-8x+2k-1=0$의 양변을 2로 나누면

$x^2-4x+k-\frac{1}{2}=0$

위의 이차방정식이 중근을 가지려면

$k-\frac{1}{2}=\left(\frac{-4}{2}\right)^2$, $k-\frac{1}{2}=4$

$\therefore k=\frac{9}{2}$

답 $\frac{9}{2}$

주어진 이차방정식에서 x^2의 계수를 1로 만들어야 하기 때문에 2로 나누어야 해.

쌍둥이 6-2

다음 이차방정식이 중근을 가질 때, 상수 k의 값을 구하시오.

(1) $x^2-8x+k-3=0$

(2) $x^2-2(k-1)x+16=0$

(3) $4x^2-12x+k-5=0$

인수분해를 이용한 이차방정식의 풀이

(1) $AB=0$이면 $A=0$ 또는 ❶ ____ 의 성질을 이용한다.

(2) 이차방정식의 두 근이 중복되어 서로 같은 근일 때, 이 근을 ❷ ____ 이라 한다.

답 ❶ $B=0$ ❷ 중근

01

다음 중 이차방정식 $(x-3)(3x+4)=0$의 해는?

① $x=-3$ 또는 $x=-\frac{4}{3}$

② $x=-3$ 또는 $x=\frac{4}{3}$

③ $x=\frac{1}{3}$ 또는 $x=-\frac{3}{4}$

④ $x=3$ 또는 $x=-\frac{4}{3}$

⑤ $x=3$ 또는 $x=\frac{4}{3}$

02

이차방정식 $3x^2+8=2x(x-3)$을 $(x+a)(x+b)=0$의 꼴로 나타낼 때, $a+b$의 값은? (단, a, b는 상수)

① -8　② -6　③ -4

④ 6　⑤ 8

03

이차방정식 $x^2-12x+27=0$을 풀면?

① $x=-3$ 또는 $x=-9$

② $x=-3$ 또는 $x=9$

③ $x=3$ 또는 $x=-9$

④ $x=3$ 또는 $x=4$

⑤ $x=3$ 또는 $x=9$

★

04

이차방정식 $(x+6)(x-2)=x-8$을 푸시오.

05

이차방정식 $4x^2+x-3=-10x^2+2x$를 푸시오.

06

이차방정식 $x^2+3ax-2a+4=0$의 한 근이 2일 때, 다른 한 근을 구하시오. (단, a는 상수)

★

07

서술형

이차방정식 $ax^2-(a+3)x+2=0$의 한 근이 2일 때, 다음 물음에 답하시오.

(1) 상수 a의 값을 구하시오.

(2) 다른 한 근을 구하시오.

08

서술형

이차방정식 $x^2+ax-8=0$의 한 근이 2이고, 다른 한 근은 $3x^2+10x+b=0$의 근일 때, $a+b$의 값을 구하시오.

(단, a, b는 상수)

09

이차방정식 $3x^2+2x-1=0$의 두 근 중 작은 근이 이차방정식 $2x^2+5x+k=0$의 한 근일 때, 상수 k의 값을 구하시오.

★ 10

다음 두 이차방정식의 공통인 해를 구하시오.

$$x^2-2x-15=0, \quad 2x^2+5x-3=0$$

11

다음 보기 중 중근을 갖는 것을 모두 고른 것은?

보기

ㄱ. $x^2=9$
ㄴ. $x^2+14x+49=0$
ㄷ. $3x^2-x-4=0$
ㄹ. $4x^2+4x-1=-2$
ㅁ. $2(x-3)^2=0$

① ㄱ, ㄴ, ㄹ
② ㄱ, ㄴ, ㅁ
③ ㄴ, ㄷ, ㄹ
④ ㄴ, ㄹ, ㅁ
⑤ ㄱ, ㄴ, ㄹ, ㅁ

★ 12

이차방정식 $x^2-10x+14+k=0$이 중근을 가질 때, 상수 k의 값을 구하시오.

13

이차방정식 $x^2-4mx-m=0$이 중근을 갖기 위한 상수 m의 값을 모두 고르면? (정답 2개)

① -4
② $-\frac{1}{4}$
③ 0
④ $\frac{1}{4}$
⑤ 4

14

이차방정식 $x^2-(k-2)x+16=0$이 중근을 갖기 위한 상수 k의 값을 모두 고르면? (정답 2개)

① -10
② -6
③ 2
④ 6
⑤ 10

3 제곱근을 이용한 이차방정식의 풀이

❼ 이차방정식의 풀이

개념 1 제곱근을 이용한 이차방정식의 풀이

(1) 이차방정식 $x^2=q\,(q\geq 0)$의 해

이차방정식 $x^2=q\,(q\geq 0)$의 해는 $x=\pm\sqrt{q}$이다.
→ $x=\sqrt{q}$ 또는 $x=-\sqrt{q}$

예 $x^2-7=0$, $x^2=7$ $\quad\therefore x=\pm\sqrt{7}$

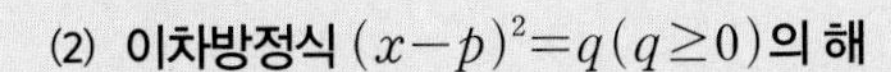

(2) 이차방정식 $(x-p)^2=q\,(q\geq 0)$의 해

이차방정식 $(x-p)^2=q\,(q\geq 0)$의 해는 $x-p=\pm\sqrt{q}$ $\quad\therefore x=p\pm\sqrt{q}$

예 $(x-1)^2=2$, $x-1=\pm\sqrt{2}$ $\quad\therefore x=1\pm\sqrt{2}$

용어

• 제곱근
음이 아닌 수 a에 대하여 $x^2=a$일 때, x를 a의 제곱근이라 한다.
예 3의 제곱근 x
➡ $x^2=3$
➡ $x=\pm\sqrt{3}$

보기 제곱근을 이용하여 다음 이차방정식을 풀어 보자.

(1) $4x^2=9 \Rightarrow x^2=\frac{9}{4}$ $\quad\therefore x=\pm\sqrt{\frac{9}{4}}=\pm\frac{3}{2}$

(2) $3x^2-21=0 \Rightarrow 3x^2=21$, $x^2=7$ $\quad\therefore x=\pm\sqrt{7}$

(3) $(x-2)^2=8 \Rightarrow x-2=\pm2\sqrt{2}$ $\quad\therefore x=2\pm2\sqrt{2}$ → $x=2+2\sqrt{2}$ 또는 $x=2-2\sqrt{2}$

Lecture

● 이차방정식의 해의 개수

이차방정식 $(x-p)^2=q$에서

① $q>0$이면 해는 2개 ➡ $x=p\pm\sqrt{q}$

② $q=0$이면 해는 1개 ➡ $x=p$

③ $q<0$이면 해는 없다.

7 이차방정식의 풀이

| 개념 확인 | **1** 제곱근을 이용하여 다음 이차방정식을 푸시오.

(1) $x^2=10$ (2) $x^2-5=0$ (3) $3x^2-36=0$

(4) $2x^2+3=15$ (5) $4x^2-25=0$ (6) $2x^2-3=0$

| 개념 확인 | **2** 제곱근을 이용하여 다음 이차방정식을 푸시오.

(1) $(x+1)^2=4$ (2) $(x-2)^2-7=0$

(3) $(3x-1)^2=8$ (4) $5(x-3)^2=30$

정답과 해설 p.65

개념 2 완전제곱식을 이용한 이차방정식의 풀이

이차방정식 $ax^2+bx+c=0$의 좌변을 인수분해할 수 없을 때는 다음과 같이 완전제곱식으로 만든 후 제곱근을 이용하여 해를 구할 수 있다.

❶ 양변을 이차항의 계수로 나눈다.	$2x^2+8x-4=0$에서 $x^2+4x-2=0$ (양변을 2로 나눈다.)
❷ 상수항을 우변으로 이항한다.	$x^2+4x=2$
❸ 양변에 $\left\{\dfrac{(x\text{의 계수})}{2}\right\}^2$을 더한다.	$x^2+4x+\left(\dfrac{4}{2}\right)^2=2+\left(\dfrac{4}{2}\right)^2$
❹ (완전제곱식)=(상수)의 꼴로 바꾼다.	$(x+2)^2=6$
❺ 제곱근의 성질을 이용하여 해를 구한다.	$x+2=\pm\sqrt{6}$ $\therefore x=-2\pm\sqrt{6}$

$ax^2+bx+c=0$

↓ 이차항의 계수를 1로 바꾸기

$x^2+\dfrac{b}{a}x+\dfrac{c}{a}=0$

↓ 좌변을 완전제곱식으로 바꾸기

$(x-p)^2=q\,(q\ge0)$

↓ 제곱근을 이용하여 x의 값 구하기

$x=p\pm\sqrt{q}$

보기 완전제곱식을 이용하여 이차방정식 $2x^2-12x+8=0$을 풀어 보면

$2x^2-12x+8=0$
(양변을 2로 나눈다.)
$x^2-6x+4=0$
(상수항 4를 우변으로 이항한다.)
$x^2-6x=-4$
(양변에 $\left(\dfrac{-6}{2}\right)^2=9$를 더한다.)
$x^2-6x+9=-4+9$
(좌변을 완전제곱식으로 고친다.)
$(x-3)^2=5$
(제곱근의 성질을 이용한다.)
$x-3=\pm\sqrt{5}$
(해를 구한다.)
$\therefore x=3\pm\sqrt{5}$

Lecture

- 이차방정식 $ax^2+bx+c=0$에서
  ① 좌변을 인수분해할 수 있으면 ➡ 인수분해를 이용하여 이차방정식을 푼다.
  ② 좌변을 인수분해할 수 없으면 ➡ $(x-p)^2=q\,(q\ge0)$의 꼴로 바꿔서 이차방정식을 푼다.

| 개념 확인 | **3** **다음은 완전제곱식을 이용하여 이차방정식 $x^2+10x-3=0$을 푸는 과정이다. □ 안에 알맞은 수를 써넣으시오.**

상수항을 우변으로 이항하면 $x^2+10x=$□

양변에 $\left\{\dfrac{(x\text{의 계수})}{2}\right\}^2$을 더하면 x^2+10x+□$=3+$□

좌변을 완전제곱식으로 바꾸면 $(x+$□$)^2=$□

$\therefore x=$□

개념 기초

1-1

다음은 제곱근을 이용하여 이차방정식 $8x^2-4=0$의 해를 구하는 과정이다. □ 안에 알맞은 수를 써넣으시오.

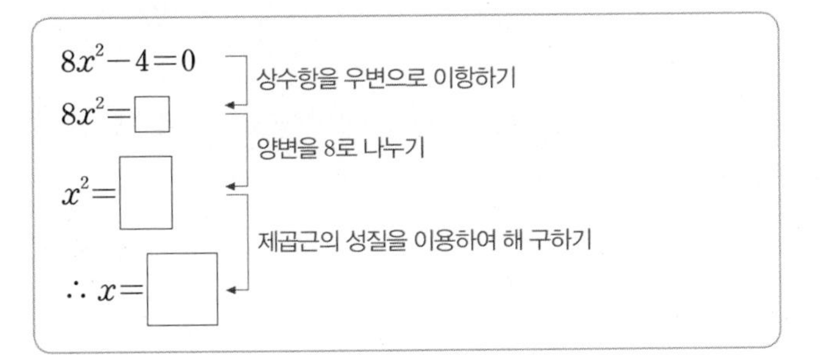

2-1

다음은 제곱근을 이용하여 이차방정식 $4(x+1)^2-9=0$의 해를 구하는 과정이다. □ 안에 알맞은 수를 써넣으시오.

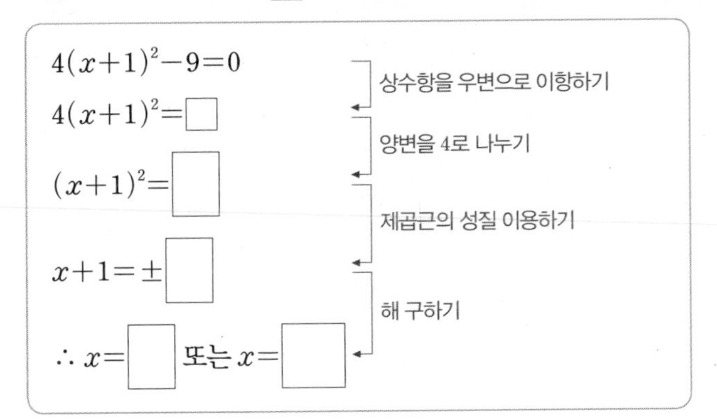

3-1

다음은 완전제곱식을 이용하여 이차방정식 $3x^2-5x-1=0$의 해를 구하는 과정이다. □ 안에 알맞은 수를 써넣으시오.

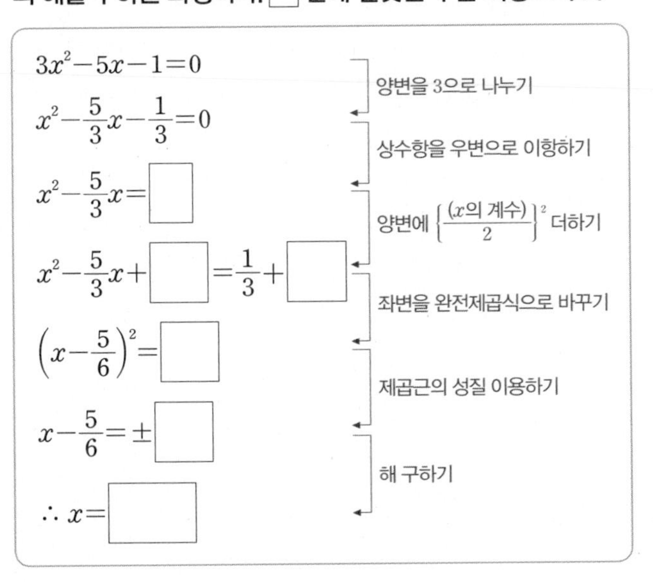

쌍둥이 문제

1-2

제곱근을 이용하여 다음 이차방정식을 푸시오.

(1) $x^2-18=0$

(2) $9x^2-16=0$

(3) $12x^2-9=0$

(4) $18x^2-3=0$

2-2

제곱근을 이용하여 다음 이차방정식을 푸시오.

(1) $(x+2)^2=36$

(2) $2(x-3)^2=10$

(3) $9(x+5)^2=2$

(4) $(4x-1)^2-9=0$

3-2

완전제곱식을 이용하여 다음 이차방정식을 푸시오.

(1) $x^2+4x-1=0$

(2) $x^2-3x+1=0$

(3) $3x^2-6x-18=0$

대표 유형 1 제곱근을 이용한 이차방정식의 풀이

- 이차방정식 $(x-p)^2=q\,(q\ge 0)$의 해 ➡ $x=p\pm\sqrt{q}$
- 이차방정식 $a(x-p)^2=q\,(a\ne 0,\ aq\ge 0)$의 해 ➡ $(x-p)^2=\frac{q}{a}$이므로 $x=p\pm\sqrt{\frac{q}{a}}$

1-1 이차방정식 $2(x+3)^2=a$의 해가 $x=b\pm\sqrt{2}$일 때, $a+b$의 값을 구하시오. (단, a, b는 유리수)

풀이 $2(x+3)^2=a$에서 $(x+3)^2=\frac{a}{2}$

$x+3=\pm\sqrt{\frac{a}{2}}$ $\quad\therefore x=-3\pm\sqrt{\frac{a}{2}}$

즉 $-3\pm\sqrt{\frac{a}{2}}=b\pm\sqrt{2}$이므로

$b=-3$, $\frac{a}{2}=2$에서 $a=4$

$\therefore a+b=4+(-3)=1$

답 1

쌍둥이 1-2

이차방정식 $4(x-2)^2=20$의 해가 $x=a\pm\sqrt{b}$일 때, $a+b$의 값을 구하시오. (단, a, b는 유리수)

쌍둥이 1-3

이차방정식 $2(x-4)^2=12$의 해가 $x=a\pm\sqrt{b}$일 때, $b-a$의 값을 구하시오. (단, a, b는 유리수)

대표 유형 2 이차방정식이 해를 가질 조건

이차방정식 $(x-p)^2=q$에서

① 서로 다른 두 근을 가질 조건은 $q>0$
② 중근을 가질 조건은 $q=0$
➡ 근을 가질 조건은 $q\ge 0$
③ 근을 갖지 않을 조건은 $q<0$ ← 제곱하여 음이 되는 실수는 없다.

2-1 다음 중 x에 대한 이차방정식 $(x+p)^2=q$가 해를 가질 조건은? (단, p, q는 상수)

① $p\ge 0$ ② $p>0$ ③ $q\ge 0$
④ $q>0$ ⑤ $p>0$, $q>0$

풀이 (i) $q>0$일 때

$x+p=\pm\sqrt{q}$ $\quad\therefore x=-p\pm\sqrt{q}$

(ii) $q=0$일 때

$(x+p)^2=0$ $\quad\therefore x=-p$

(iii) $q<0$일 때, 해는 없다.

(i)~(iii)에 의해 주어진 이차방정식이 해를 가질 조건은 $q\ge 0$이다.

답 ③

쌍둥이 2-2

이차방정식 $(x-2)^2=3+k$가 해를 가질 때, 다음 중 상수 k의 값으로 옳지 않은 것은?

① -4 ② -3 ③ 0
④ 1 ⑤ 3

대표 유형 3 완전제곱식의 꼴로 나타내기

이차방정식 $ax^2+bx+c=0$을 완전제곱식의 꼴로 나타내는 방법

① 양변을 x^2의 계수로 나눈다. ➡ ② 상수항을 우변으로 이항한다. ➡ ③ 양변에 $\left\{\frac{(x\text{의 계수})}{2}\right\}^2$을 더한다.

➡ ④ (완전제곱식)=(수)의 꼴로 나타낸다.

3-1 이차방정식 $2x^2+8x-3=0$을 $(x+p)^2=q$의 꼴로 나타낼 때, pq의 값을 구하시오. (단, p, q는 상수)

풀이 $2x^2+8x-3=0$의 양변을 2로 나누면

$x^2+4x-\frac{3}{2}=0$, $x^2+4x=\frac{3}{2}$

양변에 $\left(\frac{4}{2}\right)^2$, 즉 4를 더하면

$x^2+4x+4=\frac{3}{2}+4$, $(x+2)^2=\frac{11}{2}$

따라서 $p=2$, $q=\frac{11}{2}$이므로 $pq=2\times\frac{11}{2}=11$

답 11

쌍둥이 3-2

이차방정식 $x^2+4x-2=0$을 $(x+p)^2=q$의 꼴로 나타낼 때, $p+q$의 값을 구하시오. (단, p, q는 상수)

쌍둥이 3-3

이차방정식 $3x^2-12x-1=0$을 $(x+p)^2=q$의 꼴로 나타낼 때, $3pq$의 값을 구하시오. (단, p, q는 상수)

대표 유형 4 완전제곱식을 이용한 이차방정식의 풀이

이차방정식 $ax^2+bx+c=0$의 꼴을 $(x-p)^2=q\ (q\geq0)$의 꼴로 고친 후, 제곱근의 성질을 이용하여 이차방정식을 푼다.
단, x^2의 계수가 1이 아닐 때에는 양변을 x^2의 계수로 나눈다.

4-1 이차방정식 $2x^2+x-5=0$의 해가 $x=\frac{A\pm\sqrt{B}}{4}$일 때, $A+B$의 값을 구하시오. (단, A, B는 유리수)

풀이 $2x^2+x-5=0$의 양변을 2로 나누면

$x^2+\frac{1}{2}x-\frac{5}{2}=0$, $x^2+\frac{1}{2}x=\frac{5}{2}$

양변에 $\left(\frac{1}{4}\right)^2$, 즉 $\frac{1}{16}$을 더하면

$x^2+\frac{1}{2}x+\frac{1}{16}=\frac{5}{2}+\frac{1}{16}$, $\left(x+\frac{1}{4}\right)^2=\frac{41}{16}$

$x+\frac{1}{4}=\pm\frac{\sqrt{41}}{4}$ $\quad\therefore x=\frac{-1\pm\sqrt{41}}{4}$

따라서 $A=-1$, $B=41$이므로

$A+B=-1+41=40$

답 40

쌍둥이 4-2

완전제곱식을 이용하여 다음 이차방정식을 푸시오.

(1) $x^2-x-3=0$

(2) $2x^2+6x-9=0$

(3) $3x^2-8x+2=0$

계산력 집중 연습 | 이차방정식의 풀이

정답과 해설 p.66

1 다음 이차방정식의 해를 구하시오.

(1) $x(x-7)=0$

(2) $(x-2)(5x+6)=0$

(3) $3(x+1)(2x-1)=0$

(4) $(2x-3)\left(\frac{1}{3}x+2\right)=0$

2 인수분해를 이용하여 다음 이차방정식을 푸시오.

(1) $x^2+4x-21=0$

(2) $x^2+5x+4=0$

(3) $3x^2-2x-5=0$

(4) $x^2+2x=15$

(5) $(x+3)(x-5)=20$

(6) $(x-5)^2=16$

(7) $(x+6)(x-2)=x-8$

3 다음 이차방정식을 푸시오.

(1) $x^2+8x+16=0$

(2) $9x^2-6x+1=0$

(3) $4x^2-12x+9=0$

(4) $(x+4)^2=2x+7$

4 다음 이차방정식이 중근을 갖도록 하는 상수 k의 값을 구하시오.

(1) $x^2-8x+k=0$

(2) $x^2-10x+4k+1=0$

(3) $x^2+4x+k-7=0$

(4) $16x^2-8x-k=0$

5 제곱근을 이용하여 다음 이차방정식을 푸시오.

(1) $4x^2=7$

(2) $(x+5)^2=7$

(3) $6(x-2)^2=18$

(4) $4(x+1)^2-8=0$

(5) $3(x+4)^2-24=0$

(6) $(3x-1)^2-15=0$

6 완전제곱식을 이용하여 다음 이차방정식을 푸시오.

(1) $x^2-4x-3=0$

(2) $x^2+6x+4=0$

(3) $2x^2-5x-2=0$

제곱근을 이용한 이차방정식의 풀이

(1) 이차방정식 $x^2=q\,(q\geq 0)$의 해
➡ $x=\pm\sqrt{q}$

(2) 이차방정식 $(x-p)^2=q\,(q\geq 0)$의 해
➡ $x=$ ❶ $\pm\sqrt{q}$

(3) 이차방정식 $ax^2+bx+c=0$은 $(x-p)^2=q\,(q\geq 0)$의 꼴로 바꿔서 해를 구한다.

답 ❶ p

01

이차방정식 $4x^2-20=0$을 풀면?

① $x=\pm 5$　② $x=\pm\sqrt{5}$　③ $x=\pm\frac{5}{2}$　④ $x=\pm\frac{\sqrt{5}}{2}$　⑤ $x=\pm\sqrt{10}$

02

서술형

이차방정식 $3(x-2)^2-8=7$의 해가 $x=a\pm\sqrt{b}$일 때, $a-b$의 값을 구하시오. (단, a, b는 유리수)

★ 03

이차방정식 $3x^2-6x+1=0$을 $(x+p)^2=q$의 꼴로 나타낼 때, $p+q$의 값을 구하시오. (단 p, q는 상수)

04

창의력

완전제곱식을 이용하여 이차방정식 $x^2-12x+a=0$을 풀었더니 해가 $x=6\pm\sqrt{26}$일 때, 상수 a의 값을 구하시오.

05

다음 중 이차방정식 $(x-3)^2=k-1$의 해가 존재하기 위한 상수 k의 값이 아닌 것을 모두 고르면? (정답 2개)

① -1　② 0　③ 1　④ 2　⑤ 3

06

다음은 완전제곱식을 이용하여 이차방정식 $x^2-8x+4=0$을 푸는 과정이다. ①~⑤에 들어갈 수로 옳지 않은 것은?

$$x^2-8x+4=0$$
$$x^2-8x=\boxed{①}$$
$$x^2-8x+\boxed{②}=\boxed{①}+\boxed{②}$$
$$(x-\boxed{③})^2=\boxed{④}$$
$$\therefore x=\boxed{⑤}$$

① -4　② 16　③ 4　④ 12　⑤ $-4\pm 2\sqrt{3}$

07

완전제곱식을 이용하여 이차방정식 $2x^2-6x-16=0$을 푸시오.

8 근의 공식과 이차방정식의 활용

중2	중3	고등학교
• 미지수가 2개인 연립일차방정식	• **이차방정식의 근의 공식**	• 복소수와 이차방정식(고1)
• 연립일차방정식의 풀이	• **이차방정식의 활용**	• 이차방정식과 이차함수(고1)
• 연립일차방정식의 활용		• 여러 가지 방정식(고1)

학습 목표

- 완전제곱식을 이용하여 근의 공식을 유도할 수 있다.
- 근의 공식을 이용하여 이차방정식을 풀 수 있다.
- 이차방정식을 활용하여 여러 가지 문제를 해결할 수 있다.

$x^2-2x-3=0$
$(x-3)(x+1)=0$
$\therefore x=3$ 또는 $x=-1$
음……. 이 이차방정식의 해는 인수분해를 이용하면 쉽게 풀 수 있겠네.
$x^2+8x+1=0$
어라? 이 이차방정식은 인수분해를 이용할 수 없네. 이 이차방정식은 어떻게 풀어야 하지?
내가 그 문제를 푸는 방법을 알려 줄까?
$x^2+8x+1=0$과 같이 인수분해를 이용할 수 없는 이차방정식의 해는 근의 공식을 이용해서 풀어야 해.
근의 공식?

1 이차방정식의 근의 공식

개념 1 이차방정식의 근의 공식

이차방정식 $ax^2+bx+c=0\,(a\neq0)$의 근은 다음과 같은 근의 공식을 이용하여 구할 수 있다.

$$x=\frac{-b\pm\sqrt{b^2-4ac}}{2a}\ (\text{단, } b^2-4ac\geq0)$$

예 이차방정식 $3x^2+7x+1=0$에서 $a=3, b=7, c=1$이므로

$$x=\frac{-7\pm\sqrt{7^2-4\times3\times1}}{2\times3}=\frac{-7\pm\sqrt{37}}{6}$$

참고 ① 근의 공식에서 $b^2-4ac<0$이면 $\sqrt{\ }$ 안이 음수가 되어 근이 없다.

② 이차방정식 $ax^2+bx+c=0$에서 x의 계수가 짝수, 즉 이차방정식 $ax^2+2b'x+c=0$의 근은

$$x=\frac{-b'\pm\sqrt{b'^2-ac}}{a}\ (\text{단, } b'^2-ac\geq0)$$ ⬅ 짝수 공식

짝수 공식을 알고 있으면 x의 계수가 짝수인 이차방정식의 해를 구할 때 편리해.

이차방정식 $ax^2+bx+c=0\,(a\neq0)$을 완전제곱식의 꼴로 바꾸면 근의 공식을 얻을 수 있다.

	$ax^2+bx+c=0\,(a\neq0)$	$3x^2+7x+1=0$
❶ 양변을 x^2의 계수로 나눈다.	$x^2+\frac{b}{a}x+\frac{c}{a}=0$	$x^2+\frac{7}{3}x+\frac{1}{3}=0$
❷ 상수항을 우변으로 이항한다.	$x^2+\frac{b}{a}x=-\frac{c}{a}$	$x^2+\frac{7}{3}x=-\frac{1}{3}$
❸ 양변에 $\left\{\frac{(x\text{의 계수})}{2}\right\}^2$을 더한다.	$x^2+\frac{b}{a}x+\left(\frac{b}{2a}\right)^2=-\frac{c}{a}+\left(\frac{b}{2a}\right)^2$	$x^2+\frac{7}{3}x+\left(\frac{7}{6}\right)^2=-\frac{1}{3}+\left(\frac{7}{6}\right)^2$
❹ 좌변은 완전제곱식으로 만들고 우변은 통분하여 정리한다.	$\left(x+\frac{b}{2a}\right)^2=\frac{b^2-4ac}{4a^2}$	$\left(x+\frac{7}{6}\right)^2=\frac{37}{36}$
❺ 제곱근의 성질을 이용한다.	$x+\frac{b}{2a}=\pm\sqrt{\frac{b^2-4ac}{4a^2}}=\pm\frac{\sqrt{b^2-4ac}}{2a}$	$x+\frac{7}{6}=\pm\sqrt{\frac{37}{36}}=\pm\frac{\sqrt{37}}{6}$
❻ 해를 구한다.	$\therefore x=\frac{-b\pm\sqrt{b^2-4ac}}{2a}$	$\therefore x=\frac{-7\pm\sqrt{37}}{6}$

Lecture

- 이차방정식 $ax^2+bx+c=0$에서 a, b, c가 음수이면 근의 공식에 대입할 때 괄호를 사용하여 실수하지 말자.

예 $3x^2-x-5=0$에서 $a=3, b=-1, c=-5$ ➡ $x=\frac{-(-1)\pm\sqrt{(-1)^2-4\times3\times(-5)}}{2\times3}$ (→ −를 빠먹지 않도록 주의!)

개념 확인 1 근의 공식을 이용하여 다음 이차방정식을 푸시오.

(1) $x^2+5x+2=0$

(2) $x^2-2x-6=0$

(3) $2x^2-7x+4=0$

(4) $2x^2-6x-1=0$

정답과 해설 p.68

개념 2 복잡한 이차방정식의 풀이

(1) **괄호가 있는 이차방정식의 풀이** 괄호를 풀어 $ax^2+bx+c=0$의 꼴로 정리한다.

(2) **계수가 소수인 이차방정식의 풀이** 양변에 10의 거듭제곱을 곱하여 계수를 정수로 바꾼다.

(3) **계수가 분수인 이차방정식의 풀이** 양변에 분모의 최소공배수를 곱하여 계수를 정수로 바꾼다.

(4) **공통부분이 있는 이차방정식의 풀이** (공통부분)$=A$로 치환한다.

용어
- 치환(둘 置, 바꿀 換)
  무엇을 다른 것으로 바꾸어 놓음.

(1) 괄호가 있는 이차방정식의 풀이

$(x+1)(x-7)=-15$
→ 좌변을 전개한다.
$x^2-6x-7=-15$
→ 우변에 있는 모든 항을 좌변으로 이항하여 정리한다.
$x^2-6x+8=0$
→ 좌변을 인수분해한다.
$(x-2)(x-4)=0$
$\therefore x=2$ 또는 $x=4$

(2) 계수가 소수인 이차방정식의 풀이

$0.1x^2-0.3x-0.2=0$
→ 양변에 10을 곱한다.
$x^2-3x-2=0$

$$\therefore x=\frac{-(-3)\pm\sqrt{(-3)^2-4\times1\times(-2)}}{2\times1}=\frac{3\pm\sqrt{17}}{2}$$

(3) 계수가 분수인 이차방정식의 풀이

$\frac{1}{4}x^2-\frac{1}{2}x-\frac{1}{3}=0$
→ 양변에 분모의 최소공배수 12를 곱한다.
$3x^2-6x-4=0$

$$\therefore x=\frac{-(-6)\pm\sqrt{(-6)^2-4\times3\times(-4)}}{2\times3}=\frac{6\pm2\sqrt{21}}{6}=\frac{3\pm\sqrt{21}}{3}$$

(4) 공통부분이 있는 이차방정식의 풀이

$(x-1)^2-2(x-1)-15=0$
→ $x-1=A$로 치환한다.
$A^2-2A-15=0$
→ 좌변을 인수분해한다.
$(A+3)(A-5)=0$
$\therefore A=-3$ 또는 $A=5$
→ $A=x-1$을 대입한다.
즉 $x-1=-3$ 또는 $x-1=5$
$\therefore x=-2$ 또는 $x=6$

Lecture

- 주어진 식을 $ax^2+bx+c=0$의 꼴로 정리한 후 인수분해가 가능하면 인수분해를 이용하고, 인수분해가 안 되면 근의 공식을 이용하여 해를 구한다.
- 공통부분이 있는 이차방정식에서 공통부분을 A로 치환할 때 A의 값이 주어진 방정식의 해라고 착각하지 않도록 주의한다.

개념 확인 2 다음 이차방정식을 푸시오.

(1) $(x+2)^2=2x+7$

(2) $0.3x^2=x-0.1$

(3) $\frac{1}{5}x^2+\frac{1}{2}x-\frac{3}{10}=0$

(4) $(x+3)^2-2(x+3)-35=0$

개념 기초

1-1

이차방정식 $3x^2-6x-1=0$을 근의 공식을 이용하여 푸시오.

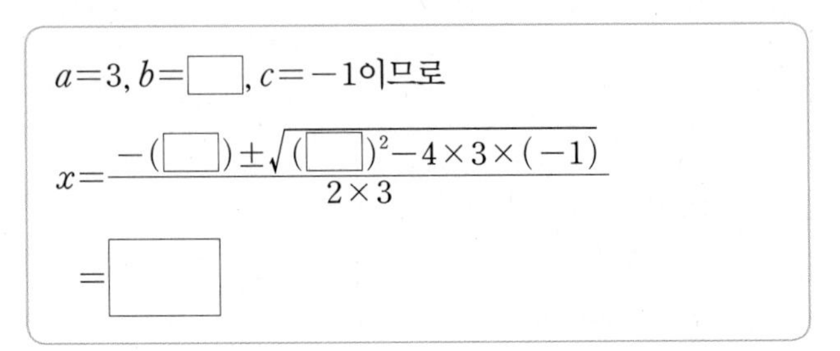

$a=3$, $b=\square$, $c=-1$이므로

$$x=\frac{-(\square)\pm\sqrt{(\square)^2-4\times3\times(-1)}}{2\times3}$$

$=\square$

쌍둥이 문제

1-2

다음 이차방정식을 근의 공식을 이용하여 푸시오.

(1) $x^2-3x-5=0$

(2) $x^2-4x-4=0$

(3) $3x^2+11x-1=0$

2-1

다음 이차방정식을 푸시오.

(1) $0.2x^2-0.5x+0.2=0$ (2) $\frac{3}{2}x^2-\frac{2}{3}x-\frac{1}{6}=0$

연구 (1) 양변에 $\square$을 곱하면

$\square=0$

(2) 양변에 분모의 최소공배수 $\square$을 곱하면

$\square=0$

2-2

다음 이차방정식을 푸시오.

(1) $0.1x^2-0.6x+0.5=0$

(2) $x^2-0.5x-0.3=0$

(3) $\frac{1}{3}x^2-\frac{5}{3}x+2=0$

(4) $\frac{3}{2}x^2+x-\frac{1}{4}=0$

3-1

다음은 이차방정식 $(x+2)^2+3(x+2)-4=0$을 치환을 이용하여 푸는 과정이다. $\square$ 안에 알맞은 것을 써넣으시오.

$(x+2)^2+3(x+2)-4=0$

$\square=A$로 치환한다.

$A^2+3A-4=0$

좌변을 인수분해한다.

$(A-\square)(A+4)=0$

$\therefore A=\square$ 또는 $A=-4$

$A=x+2$를 대입한다.

즉 $x+2=\square$ 또는 $\square=-4$

$\therefore x=\square$ 또는 $x=\square$

3-2

다음 이차방정식을 치환을 이용하여 푸시오.

(1) $(x-1)^2+3(x-1)+2=0$

(2) $(x+3)^2-5(x+3)-14=0$

대표 유형 1 이차방정식의 근의 공식

이차방정식 $ax^2+bx+c=0$의 근은 근의 공식 $x=\frac{-b\pm\sqrt{b^2-4ac}}{2a}$ (단, $b^2-4ac\geq0$)를 이용하여 구할 수 있다.
이때 a, b, c가 음수이면 근의 공식에 대입할 때 괄호를 사용하여 실수하지 않도록 주의한다.

1-1 이차방정식 $3x^2-2x-2=0$의 근이 $x=\frac{A\pm\sqrt{B}}{3}$일 때, 유리수 A, B의 값을 각각 구하시오.

풀이 $3x^2-2x-2=0$에서 $a=3$, $b=-2$, $c=-2$이므로

$$x=\frac{-(-2)\pm\sqrt{(-2)^2-4\times3\times(-2)}}{2\times3}$$

$$=\frac{2\pm2\sqrt{7}}{6}=\frac{1\pm\sqrt{7}}{3}$$

즉 $x=\frac{1\pm\sqrt{7}}{3}=\frac{A\pm\sqrt{B}}{3}$에서

$A=1$, $B=7$

답 $A=1$, $B=7$

x의 계수가 짝수인 경우
근의 짝수 공식을 이용해도 돼.

쌍둥이 1-2

이차방정식 $x^2-5x+1=0$의 근이 $x=\frac{5\pm\sqrt{A}}{2}$일 때, 유리수 A의 값을 구하시오.

쌍둥이 1-3

근의 공식을 이용하여 이차방정식 $2x^2+5x+k=0$을 풀었더니 $x=\frac{-5\pm\sqrt{17}}{4}$일 때, 상수 k의 값을 구하시오.

대표 유형 2 괄호가 있는 이차방정식의 풀이

괄호가 있으면 분배법칙, 곱셈 공식 등을 이용하여 괄호를 풀어 $ax^2+bx+c=0$의 꼴로 정리한다.
이때 좌변을 인수분해할 수 있으면 인수분해를 이용하여 풀고, 인수분해할 수 없으면 근의 공식을 이용하여 푼다.

2-1 이차방정식 $(x+3)(x-1)=-2-2x^2$을 푸시오.

풀이 주어진 식의 좌변을 전개하면

$x^2+2x-3=-2-2x^2$

우변에 있는 모든 항을 좌변으로 이항하여 간단히 정리하면

$3x^2+2x-1=0$

좌변을 인수분해하면

$(x+1)(3x-1)=0$ $\therefore x=-1$ 또는 $x=\frac{1}{3}$

답 $x=-1$ 또는 $x=\frac{1}{3}$

쌍둥이 2-2

다음 이차방정식을 푸시오.

(1) $(x-1)^2=2x+4$

(2) $(x-3)(2x+5)=7$

(3) $(3x-2)(3x+2)=(x-2)^2$

대표 유형 3 계수가 소수 또는 분수인 이차방정식의 풀이

- 계수가 소수이면 양변에 10의 거듭제곱을 곱하여 계수를 정수로 바꾸어 푼다.
- 계수가 분수이면 양변에 분모의 최소공배수를 곱하여 계수를 정수로 바꾸어 푼다.

참고 계수에 분수와 소수가 섞여 있으면 소수를 기약분수로 바꾸어 푼다.

3-1 다음 이차방정식을 푸시오.

(1) $0.2x^2+0.6x=0.5$

(2) $x^2-\frac{1}{2}x-\frac{2}{3}=0$

풀이 (1) 양변에 10을 곱하면

$2x^2+6x=5,\ 2x^2+6x-5=0$

$\therefore x=\frac{-6\pm\sqrt{6^2-4\times2\times(-5)}}{2\times2}$

$=\frac{-6\pm2\sqrt{19}}{4}=\frac{-3\pm\sqrt{19}}{2}$

(2) 양변에 분모의 최소공배수 6을 곱하면

$6x^2-3x-4=0$

$\therefore x=\frac{-(-3)\pm\sqrt{(-3)^2-4\times6\times(-4)}}{2\times6}$

$=\frac{3\pm\sqrt{105}}{12}$

답 (1) $x=\frac{-3\pm\sqrt{19}}{2}$ (2) $x=\frac{3\pm\sqrt{105}}{12}$

쌍둥이 3-2

다음 이차방정식을 푸시오.

(1) $0.2x^2+0.8x+0.6=0.1$

(2) $x^2+\frac{3}{4}x-\frac{1}{2}=0$

(3) $\frac{1}{5}x^2-0.4x-\frac{1}{2}=0$

(4) $\frac{1}{6}x^2-\frac{2}{3}x-0.5=0$

(5) $\frac{x(x-3)}{2}=0.5(x-1)$

대표 유형 4 공통부분이 있는 이차방정식의 풀이

① 공통부분을 하나의 문자 A로 치환한다.
② ①의 방정식을 풀어 A의 값을 구한다.
③ 치환한 식에 A의 값을 대입하여 x의 값을 구한다.

4-1 이차방정식 $(x+1)^2=(x+1)+6$을 푸시오.

풀이 $x+1=A$로 치환하면

$A^2=A+6,\ A^2-A-6=0$

$(A+2)(A-3)=0$

$\therefore A=-2$ 또는 $A=3$

즉 $x+1=-2$ 또는 $x+1=3$

$\therefore x=-3$ 또는 $x=2$

답 $x=-3$ 또는 $x=2$

쌍둥이 4-2

다음 이차방정식을 푸시오.

(1) $(x-1)^2+2(x-1)-8=0$

(2) $(x+3)^2-5(x+3)-24=0$

(3) $3(x-2)^2-16(x-2)+5=0$

계산력 집중 연습 | 복잡한 이차방정식의 풀이

정답과 해설 p.71

1 다음 이차방정식을 푸시오.

(1) $2x^2-10x=0$

(2) $x^2+5x-24=0$

(3) $10x^2-3x-1=0$

(4) $(x-1)(x+2)=40$

(5) $(x+2)(x-3)=-7x+1$

(6) $16x^2=24x-9$

2 다음 이차방정식을 푸시오.

(1) $49x^2-1=80$

(2) $(x+4)^2-18=0$

(3) $x^2-x-4=0$

(4) $2x^2+4x-3=0$

(5) $3x^2+6x-1=0$

(6) $5x^2-10x=2$

3 다음 이차방정식을 푸시오.

(1) $3(x+1)(x-2)=x^2+3x-5$

(2) $x^2-16x=(2x-1)^2$

(3) $0.1x^2+0.1x-0.5=0$

(4) $\frac{1}{2}x^2-\frac{4}{3}x-\frac{7}{6}=0$

(5) $\frac{3}{4}x^2=0.5x+\frac{5}{6}$

(6) $\frac{1}{2}x^2-x+0.4=0$

(7) $\frac{x^2-3}{6}-\frac{2x+1}{2}=\frac{x}{3}$

(8) $(x+5)^2-4(x+5)+4=0$

(9) $(x-2)^2+6(x-2)-40=0$

이차방정식의 근의 공식

이차방정식 $ax^2+bx+c=0(a\neq0)$의 근은 다음 공식을 이용하여 구할 수 있다.

$x=\dfrac{❶\boxed{}\pm\sqrt{b^2-4ac}}{2a}$ (단, $b^2-4ac\geq0$)

답 ❶ $-b$

01

이차방정식 $3x^2-5x+1=0$의 해가 $x=\dfrac{a\pm\sqrt{b}}{6}$일 때, $a+b$의 값은? (단, a, b는 유리수)

① 5 ② 8 ③ 13
④ 18 ⑤ 42

02

이차방정식 $3x^2-4x+a=0$의 해가 $x=\dfrac{b\pm\sqrt{19}}{3}$일 때, $a+b$의 값은? (단, a, b는 유리수)

① -5 ② -3 ③ 0
④ 3 ⑤ 5

03

서술형

이차방정식 $x^2-2x-3=0$을 다음의 세 가지 방법으로 푸시오.

(1) 인수분해 이용

(2) 완전제곱식 이용

(3) 근의 공식 이용

04

이차방정식 $(x-1)(x+3)=8x-6$의 해가 $x=A\pm\sqrt{B}$일 때, $A+B$의 값은? (단, A, B는 유리수)

① 9 ② 12 ③ 15
④ 18 ⑤ 21

★

05

이차방정식 $\dfrac{1}{6}x^2+x-\dfrac{1}{3}=0$의 해가 $x=A\pm\sqrt{B}$일 때, $2A+B$의 값을 구하시오. (단, A, B는 유리수)

06

이차방정식 $\dfrac{1}{3}x^2-x+0.5=0$을 풀면?

① $x=\dfrac{3\pm\sqrt{6}}{4}$ ② $x=\dfrac{3\pm2\sqrt{3}}{3}$
③ $x=\dfrac{3\pm2\sqrt{3}}{2}$ ④ $x=\dfrac{3\pm\sqrt{3}}{3}$
⑤ $x=\dfrac{3\pm\sqrt{3}}{2}$

★

07

이차방정식 $(x-4)^2-8(x-4)+15=0$을 풀면?

① $x=-9$ 또는 $x=-7$
② $x=-9$ 또는 $x=7$
③ $x=-7$ 또는 $x=9$
④ $x=3$ 또는 $x=5$
⑤ $x=7$ 또는 $x=9$

2 이차방정식의 활용

개념 동영상

개념 1 이차방정식의 근의 개수

이차방정식 $ax^2+bx+c=0(a\neq0)$의 근의 개수는 근의 공식

$x=\dfrac{-b\pm\sqrt{b^2-4ac}}{2a}$에서 근호 안에 있는 b^2-4ac의 부호에 따라 결정된다.

① $b^2-4ac>0$이면 서로 다른 두 근을 갖는다. ➡ 근이 2개

② $b^2-4ac=0$이면 한 근(중근)을 갖는다. ➡ 근이 1개

③ $b^2-4ac<0$이면 근이 없다. ➡ 근이 0개

(근이 2개, 근이 1개) 근을 가질 조건 ➡ $b^2-4ac\geq0$

용어

- 판별식(Discriminant)
  b^2-4ac의 부호에 따라 근의 개수를 판별할 수 있으므로 b^2-4ac를 판별식이라 하며 D로 나타내기도 한다.

x의 계수가 짝수일 때, 즉 $ax^2+2b'x+c=0$일 때에는 b'^2-ac를 이용해도 돼.

$ax^2+bx+c=0$	b^2-4ac	근의 개수	직접 근을 구해 확인
① $x^2+2x-1=0$	$a=1, b=2, c=-1$이므로 $2^2-4\times1\times(-1)=8>0$	2개	$x=-1\pm\sqrt{2}$
② $x^2+2x+1=0$	$a=1, b=2, c=1$이므로 $2^2-4\times1\times1=0$	1개	$x=-1$
③ $x^2+2x+2=0$	$a=1, b=2, c=2$이므로 $2^2-4\times1\times2=-4<0$	0개	근이 없다.

Lecture

- 이차방정식 $ax^2+bx+c=0$의 근의 개수

b^2-4ac의 부호	근의 개수
① $b^2-4ac>0$	2개(서로 다른 두 근)
② $b^2-4ac=0$	1개
③ $b^2-4ac<0$	0개(근이 없다.)

➡ $b^2-4ac\geq0$이면 근을 갖는다.

| 개념 확인 | **1** 다음 이차방정식의 근의 개수를 구하시오.

(1) $x^2-4x+3=0$

(2) $x^2+2x+3=0$

(3) $x^2=6x-9$

(4) $3x^2-5x+1=0$

개념 2 이차방정식 구하기

개념 동영상

(1) **두 근이 α, β이고 x^2의 계수가 a인 이차방정식**

➡ $a(x-\alpha)(x-\beta)=0$

(2) **중근이 α이고 x^2의 계수가 a인 이차방정식**

➡ $a(x-\alpha)^2=0$ ← (완전제곱식)$=0$의 꼴

보기 다음 조건을 만족하는 이차방정식을 구해 보자.

① 두 근이 2, -5이고 x^2의 계수가 1인 이차방정식

⇨ $(x-2)(x+5)=0$ $\quad\therefore x^2+3x-10=0$

② 두 근이 1, 2이고 x^2의 계수가 3인 이차방정식

⇨ $3(x-1)(x-2)=0$ $\quad\therefore 3x^2-9x+6=0$

③ 중근이 1이고 x^2의 계수가 2인 이차방정식

⇨ $2(x-1)^2=0$ $\quad\therefore 2x^2-4x+2=0$

Lecture

- 두 근이 α, β이고 x^2의 계수가 1인 이차방정식 ➡ $(x-\alpha)(x-\beta)=0$ ➡ $x^2-(\alpha+\beta)x+\alpha\beta=0$
- 두 근이 α, β이고 x^2의 계수가 a인 이차방정식 ➡ $a(x-\alpha)(x-\beta)=0$ ➡ $a\{x^2-(\alpha+\beta)x+\alpha\beta\}=0$
- 중근이 α이고 x^2의 계수가 1인 이차방정식 ➡ $(x-\alpha)^2=0$
- 중근이 α이고 x^2의 계수가 a인 이차방정식 ➡ $a(x-\alpha)^2=0$

| 개념 확인 | **2** **다음 □ 안에 알맞은 자연수를 써넣고, 조건을 만족하는 이차방정식을 구하여 $ax^2+bx+c=0$의 꼴로 나타내시오.**

(1) 두 근이 1, -4이고 x^2의 계수가 2인 이차방정식

➡ □$(x-$□$)(x+$□$)=0$ ➡ ______________

(2) 중근이 5이고 x^2의 계수가 3인 이차방정식

➡ $3(x-$□$)^2=0$ ➡ ______________

정답과 해설 p.73

개념 3 이차방정식의 활용

개념 동영상

이차방정식의 활용 문제 해결 방법

① 문제의 뜻을 파악하고 구하려는 값을 미지수 x로 놓는다.

② 문제 중에 있는 수량들 사이의 관계를 찾아 이차방정식을 세운다.

③ 이차방정식을 풀어 미지수 x의 값을 구한다.

④ 구한 해가 문제의 뜻에 맞는지 확인한다.

보기 차가 3이고 곱이 180인 두 자연수를 구해 보자.

① 작은 수를 x라 하면 큰 수는 $x+3$이다.

② 두 자연수의 곱이 180이므로 $x(x+3)=180$

③ $x^2+3x-180=0$, $(x+15)(x-12)=0$ $\therefore x=-15$ 또는 $x=12$

④ 구하는 수는 자연수이므로 $x=12$

따라서 구하는 두 자연수는 12, 15이다.

이차방정식의 모든 해가 문제에서 원하는 답이 되는 것은 아니야. 문제의 조건을 확인하는 것이 중요해.

Lecture

- 수에 대한 문제
  - ① 연속하는 두 자연수(정수) : $x-1$, x 또는 x, $x+1$
  - ② 연속하는 세 자연수(정수) : $x-1$, x, $x+1$ 또는 x, $x+1$, $x+2$
  - ③ 연속하는 두 홀수(짝수) : x, $x+2$
- 이차방정식을 활용할 수 있는 식
  - ① n각형의 대각선의 개수 : $\frac{n(n-3)}{2}$
  - ② 1부터 n까지의 합 : $\frac{n(n+1)}{2}$
- 도형의 넓이에 대한 공식
  - ① (삼각형의 넓이)$=\frac{1}{2}\times$(밑변의 길이)$\times$(높이)
  - ② (직사각형의 넓이)$=$(가로의 길이)$\times$(세로의 길이)
  - ③ (원의 넓이)$=\pi\times$(반지름의 길이)^2
  - ④ (사다리꼴의 넓이)$=\frac{1}{2}\times$ {(윗변의 길이)$+$(아랫변의 길이)} $\times$(높이)

| 개념 확인 | **3** **다음은 연속하는 두 자연수의 곱이 두 수의 제곱의 합보다 7만큼 작을 때, 두 자연수를 구하는 과정이다. □ 안에 알맞은 것을 써넣으시오.**

① 작은 자연수를 x라 하면 큰 자연수는 □이다.

② 방정식을 세우면 $x(□)=x^2+(□)^2-7$

③ 이 방정식을 풀면 $x=□$ 또는 $x=-3$

④ 구하는 수는 자연수이므로 $x=□$

따라서 구하는 두 자연수는 □, □이다.

개념 기초

1-1

다음 이차방정식의 근의 개수를 구하시오.

(1) $x^2+1=0$ (2) $x^2-2x-5=0$

(1) $a=1$, $b=$□, $c=1$이므로

$b^2-4ac=$□<0

따라서 근의 개수는 □개이다.

(2) $a=1$, $b=$□, $c=$□이므로

$b^2-4ac=$□>0

따라서 근의 개수는 □개이다.

2-1

이차방정식 $x^2-10x+k=0$의 근이 다음과 같을 때, 상수 k의 값 또는 k의 값의 범위를 구하시오.

(1) 서로 다른 두 근

(2) 중근

(3) 근이 없다.

$x^2-10x+k=0$에서 $a=1$, $b=-10$, $c=$□

(1) 서로 다른 두 근을 가지려면

$b^2-4ac=(-10)^2-4\times1\times k=$□$>0$

(2) 중근을 가지려면

$b^2-4ac=$□$=0$

(3) 근이 없으려면

$b^2-4ac=$□<0

3-1

두 근이 $\frac{1}{2}$, $\frac{1}{3}$이고 x^2의 계수가 6인 이차방정식을 구하시오.

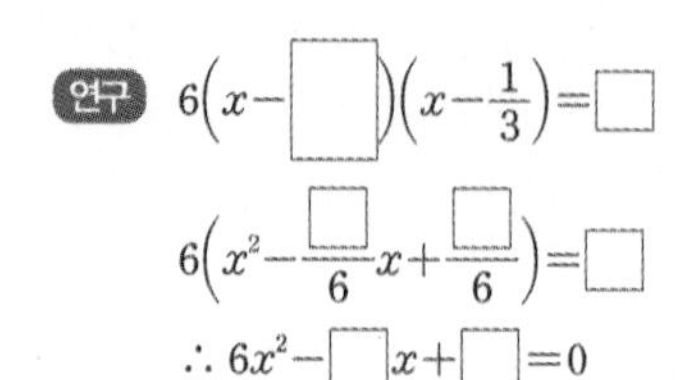

쌍둥이 문제

1-2

다음 이차방정식의 근의 개수를 구하시오.

(1) $x^2-4x+4=0$

(2) $2x^2-x+1=0$

(3) $3x^2+7x+2=0$

2-2

이차방정식 $x^2+6x+k-4=0$의 근이 다음과 같을 때, 상수 k의 값 또는 k의 값의 범위를 구하시오.

(1) 서로 다른 두 근

(2) 중근

(3) 근이 없다.

3-2

다음 조건을 만족하는 이차방정식을 $ax^2+bx+c=0$의 꼴로 나타내시오.

(1) 중근이 -2이고 x^2의 계수가 1인 이차방정식

(2) 두 근이 3, -2이고 x^2의 계수가 2인 이차방정식

(3) 두 근이 $-\frac{2}{3}$, 1이고 x^2의 계수가 3인 이차방정식

개념 기초

4-1

다음은 연속하는 두 홀수의 곱이 143일 때, 두 홀수를 구하는 과정이다. □ 안에 알맞은 것을 써넣으시오.

> 두 홀수 중에서 작은 수를 x라 하면 큰 수는 □이므로
> $x(\square)=143$
> 위의 방정식을 풀면 $x=\square$ 또는 $x=-13$
> 이때 x는 홀수이므로 $x=\square$
> 따라서 구하는 두 홀수는 11, 13이다.

쌍둥이 문제

4-2

연속하는 두 자연수의 제곱의 합이 85일 때, 두 수 중 작은 수를 구하시오.

5-1

가로의 길이가 세로의 길이보다 4 m만큼 더 긴 직사각형 모양의 놀이터를 만들려고 한다. 다음은 놀이터의 넓이가 192 m^2일 때, 가로의 길이와 세로의 길이를 각각 구하는 과정이다. □ 안에 알맞은 것을 써넣으시오.

> 가로의 길이를 x m라 하면 세로의 길이는 (□) m이므로
> $x(\square)=192$
> 위의 방정식을 풀면 $x=-12$ 또는 $x=\square$
> 이때 $x>4$이므로 $x=\square$
> 따라서 가로의 길이는 16 m, 세로의 길이는 12 m이다.

5-2

세로의 길이가 가로의 길이의 $\frac{1}{2}$보다 1 m만큼 더 긴 직사각형 모양의 꽃밭이 있다. 꽃밭의 넓이가 420 m^2일 때, 세로의 길이를 구하시오.

6-1

1부터 n까지의 모든 자연수의 합은 $\frac{n(n+1)}{2}$이다. 다음은 1부터 n까지의 모든 자연수의 합이 120일 때, 자연수 n의 값을 구하는 과정이다. □ 안에 알맞은 것을 써넣으시오.

> $\frac{n(n+1)}{2}=\square$
> 위의 방정식을 풀면 $n=\square$ 또는 $n=-16$
> 이때 n은 자연수이므로 $n=\square$
> 따라서 자연수 n의 값은 □이다.

6-2

n각형의 대각선의 개수는 $\frac{n(n-3)}{2}$일 때, 대각선의 개수가 35인 다각형을 구하시오.

STEP 2 대표 유형으로 개념 잡기

대표 유형 1 이차방정식의 근의 개수

이차방정식 $ax^2+bx+c=0(a\neq0)$에서

① $b^2-4ac>0$이면 서로 다른 두 근을 갖는다. ➡ 근이 2개

② $b^2-4ac=0$이면 중근을 갖는다. ➡ 근이 1개

(①, ②: $b^2-4ac\geq0$이면 근을 갖는다.)

③ $b^2-4ac<0$이면 근이 없다. ➡ 근이 0개

1-1 이차방정식 $x^2-2x+2+k=0$이 근을 가질 때, 상수 k의 값의 범위는?

① $k<-1$　② $k=-1$　③ $k>-1$
④ $k\leq-1$　⑤ $k\geq1$

풀이 주어진 이차방정식이 근을 가지려면

$(-2)^2-4\times1\times(2+k)\geq0$이어야 하므로

$4-8-4k\geq0$, $-4k\geq4$

$\therefore k\leq-1$

답 ④

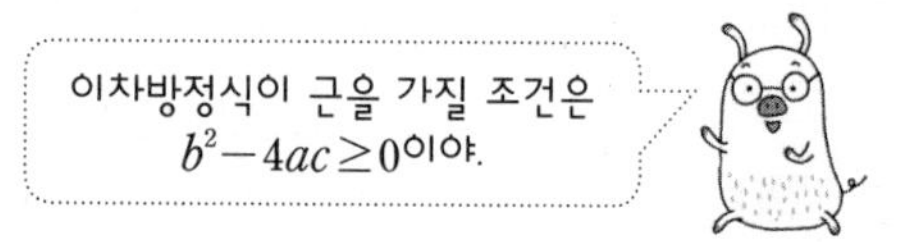

쌍둥이 1-2

다음 이차방정식 중 근의 개수가 나머지 넷과 다른 하나는?

① $2x^2-1=0$　② $2x^2-5x+1=0$
③ $x^2-4x-1=0$　④ $x^2+6x+5=0$
⑤ $9x^2-6x+1=0$

쌍둥이 1-3

이차방정식 $x^2-6x+9=4x+a$가 서로 다른 두 근을 가질 때, 상수 a의 값의 범위를 구하시오.

대표 유형 2 이차방정식 구하기

① 두 근이 α, β이고 x^2의 계수가 a인 이차방정식 ➡ $a(x-\alpha)(x-\beta)=0$

② 중근이 α이고 x^2의 계수가 a인 이차방정식 ➡ $a(x-\alpha)^2=0$

2-1 이차방정식 $2x^2+ax+b=0$의 두 근이 -1, 3일 때, ab의 값을 구하시오. (단, a, b는 상수)

풀이 두 근이 -1, 3이고 x^2의 계수가 2인 이차방정식은

$2\{x-(-1)\}(x-3)=0$, $2(x+1)(x-3)=0$

$2(x^2-2x-3)=0$　$\therefore 2x^2-4x-6=0$

따라서 $a=-4$, $b=-6$이므로

$ab=(-4)\times(-6)=24$

답 24

쌍둥이 2-2

이차방정식 $3x^2+ax+b=0$의 두 근이 1, $\frac{4}{3}$일 때, $b-a$의 값을 구하시오. (단, a, b는 상수)

쌍둥이 2-3

이차방정식 $x^2+ax+b=0$이 중근 4를 가질 때, 이차방정식 $bx^2+ax+1=0$을 푸시오. (단, a, b는 상수)

대표 유형 3 이차방정식의 활용 (1) – 연속하는 수

① 연속하는 세 자연수는 1씩 커지는 수를 말한다. 예 2, 3, 4 ➡ $x-1, x, x+1$ (+1+1)

② 연속하는 홀수(짝수)는 2씩 커지는 수를 말한다. 예 3, 5 ➡ $x, x+2$ (+2)

3-1 연속하는 세 자연수 중에서 가장 큰 수의 제곱이 다른 두 수의 제곱의 합과 같을 때, 이 세 자연수를 구하시오.

풀이 연속하는 세 자연수를 $x-1, x, x+1$(단, $x\geq 2$)이라 하면

가장 큰 수의 제곱이 다른 두 수의 제곱의 합과 같으므로

$$(x+1)^2 = (x-1)^2+x^2$$

$x^2+2x+1=(x^2-2x+1)+x^2$

$x^2-4x=0, x(x-4)=0$ $\therefore x=0$ 또는 $x=4$

이때 x는 $x\geq 2$인 자연수이므로 $x=4$

따라서 구하는 세 자연수는 3, 4, 5이다.

답 3, 4, 5

쌍둥이 3-2

연속하는 세 자연수 중에서 가장 큰 수의 제곱과 가장 작은 수의 제곱의 차가 가운데 수의 제곱에서 5를 뺀 것과 같을 때, 이 세 자연수를 구하시오.

대표 유형 4 이차방정식의 활용 (2) – 분배

(학생 수)×(한 학생이 받는 사탕의 개수)=(전체 사탕의 개수)임을 이용하여 방정식을 세운다.

이때 학생 수나 사탕의 개수는 자연수이므로 방정식을 풀어 조건에 맞는 답을 고른다.

4-1 사탕 45개를 한 모둠의 학생들에게 똑같이 나누어 주려고 한다. 학생 한 명이 받는 사탕의 개수가 모둠의 학생 수보다 4만큼 작다고 할 때, 이 모둠의 학생 수를 구하시오.

풀이 학생 수를 x명이라 하면 한 학생이 받는 사탕의 개수는 $(x-4)$개이므로

$x(x-4)=45$

$x^2-4x-45=0, (x+5)(x-9)=0$

$\therefore x=-5$ 또는 $x=9$

이때 x는 자연수이므로 $x=9$

따라서 구하는 학생 수는 9명이다.

답 9명

쌍둥이 4-2

책 120권을 학생들에게 똑같이 나누어 주려고 한다. 학생 수는 한 학생이 받는 책의 수보다 7만큼 크다고 할 때, 학생 수를 구하시오.

대표 유형 5 이차방정식의 활용 (3) – 도형

① (삼각형의 넓이)$=\frac{1}{2}\times$(밑변의 길이)$\times$(높이)　② (직사각형의 넓이)=(가로의 길이)$\times$(세로의 길이)

이때 도형의 변의 길이는 양수이므로 방정식을 풀어 조건에 맞는 답을 고른다.

5-1 밑변의 길이가 높이보다 3 cm가 더 짧고 넓이가 5 cm^2인 삼각형의 밑변의 길이와 높이를 각각 구하시오.

풀이 삼각형의 높이를 x cm라 하면 밑변의 길이는 $(x-3)$ cm이므로

$\frac{1}{2}x(x-3)=5$

$x(x-3)=10$, $x^2-3x-10=0$

$(x+2)(x-5)=0$　$\therefore x=-2$ 또는 $x=5$

이때 x는 자연수이므로 $x=5$

따라서 삼각형의 밑변의 길이는 2 cm, 높이는 5 cm이다.

답 밑변의 길이 : 2 cm, 높이 : 5 cm

쌍둥이 5-2

어떤 정사각형의 가로의 길이를 2 cm 늘이고, 세로의 길이를 6 cm 늘였더니 넓이가 처음 정사각형의 넓이의 5배인 직사각형이 되었다. 처음 정사각형의 한 변의 길이를 구하시오.

대표 유형 6 이차방정식의 활용 (4) – 도로의 폭

오른쪽 그림과 같이 가로의 길이가 a, 세로의 길이가 b인 직사각형 모양의 화단에 폭이 x로 일정한 길을 내면 길을 제외한 부분의 넓이는 가로의 길이가 $a-x$, 세로의 길이가 $b-x$인 직사각형의 넓이와 같다.

참고 도로의 폭은 화단의 세로의 길이보다 짧아야 한다. (단, $a>b$)

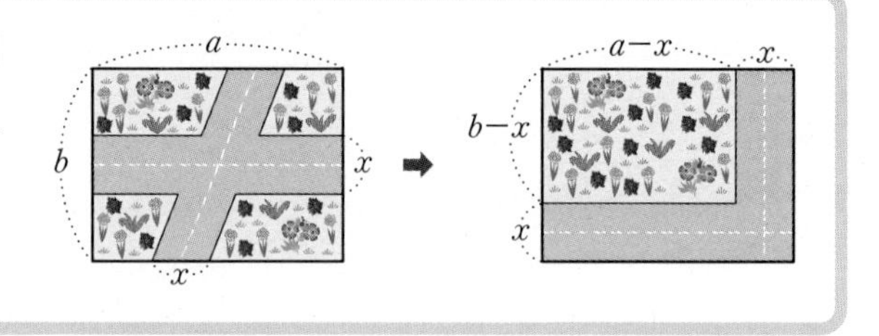

6-1 오른쪽 그림과 같이 가로, 세로의 길이가 각각 20 m, 15 m인 직사각형 모양의 화단에 폭이 x m로 일정한 도로를 만들었다. 도로를 제외한 화단의 넓이가 104 m^2일 때, x의 값을 구하시오.

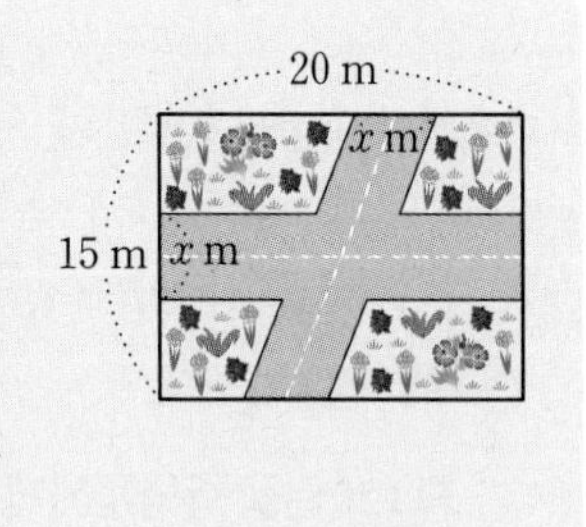

풀이

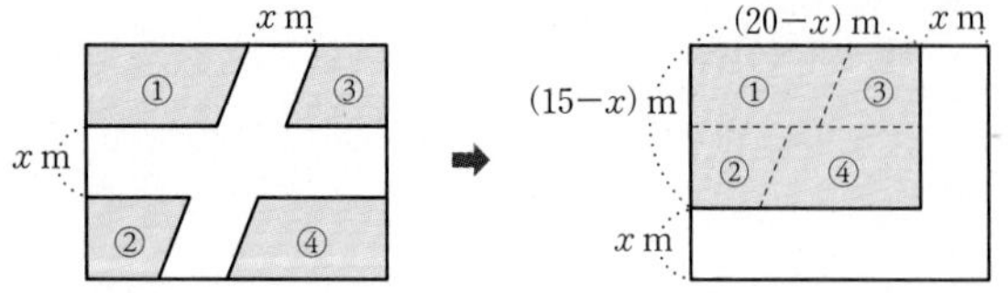

위의 그림에서 도로를 제외한 화단의 넓이는 가로, 세로의 길이가 각각 $(20-x)$ m, $(15-x)$ m인 직사각형의 넓이와 같으므로

$(20-x)(15-x)=104$

$x^2-35x+196=0$, $(x-7)(x-28)=0$

$\therefore x=7$ 또는 $x=28$

이때 $0<x<15$이므로 $x=7$

답 7

쌍둥이 6-2

다음 그림과 같이 가로, 세로의 길이가 각각 16 m, 12 m인 직사각형 모양의 공원에 폭이 x m로 일정한 산책로가 있다. 산책로를 제외한 공원의 넓이가 140 m^2일 때, x의 값을 구하시오.

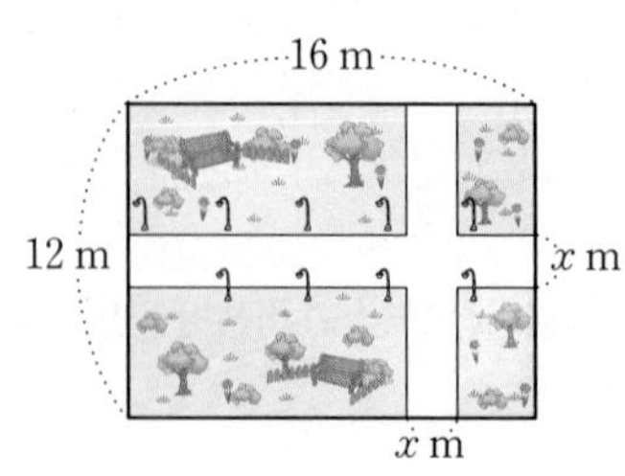

대표 유형 7 이차방정식의 활용 (5) – 상자 만들기

오른쪽 그림과 같이 한 변의 길이가 x인 정사각형 모양의 종이의 네 귀퉁이에서 한 변의 길이가 a인 정사각형을 각각 잘라 내면 윗면이 없는 직육면체 모양의 상자를 만들 수 있다.

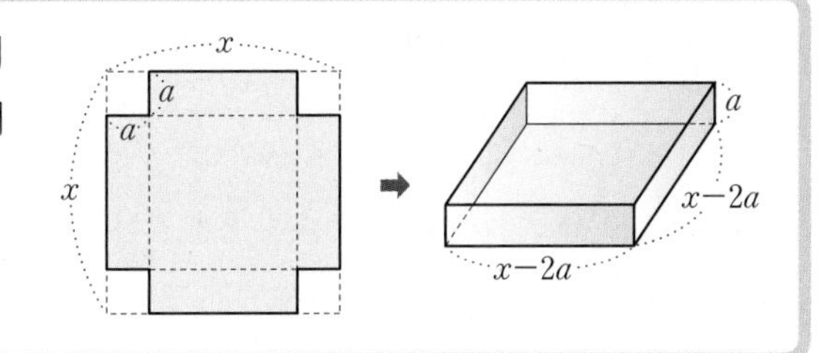

7-1 오른쪽 그림과 같이 정사각형 모양의 종이의 네 귀퉁이에서 한 변의 길이가 5 cm인 정사각형을 각각 잘라 내어 윗면이 없는 직육면체 모양의 상자를 만들었더니 상자의 부피가 125 cm^3가 되었다. 처음 종이의 한 변의 길이를 구하시오.

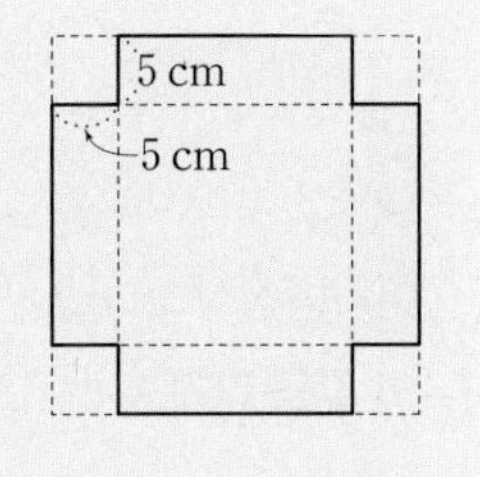

풀이

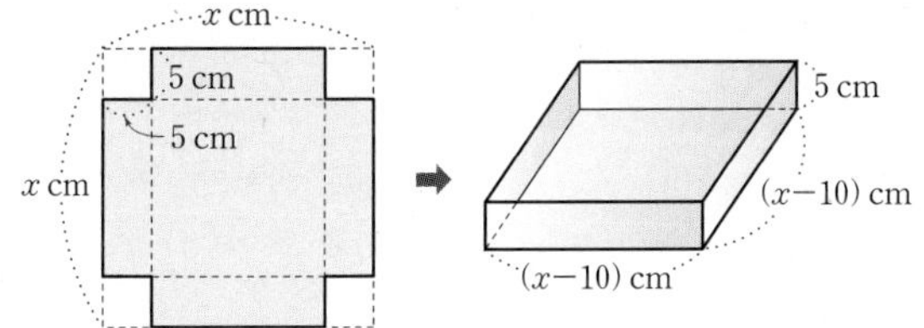

처음 종이의 한 변의 길이를 x cm라 하면

$5(x-10)(x-10)=125$

$5(x-10)^2=125,\ (x-10)^2=25$

$x-10=\pm5 \qquad \therefore x=5$ 또는 $x=15$

이때 $x>10$이므로 처음 종이의 한 변의 길이는 15 cm이다.

답 15 cm

쌍둥이 7-2

오른쪽 그림과 같이 정사각형 모양의 골판지의 네 귀퉁이에서 한 변의 길이가 3 cm인 정사각형을 각각 잘라 내어 윗면이 없는 직육면체 모양의 상자를 만들었더니 부피가 60 cm^3가 되었다. 다음 물음에 답하시오.

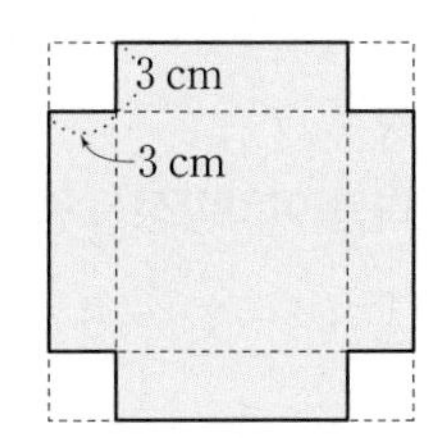

(1) 처음 골판지의 한 변의 길이를 x cm로 놓고, 이차방정식을 세워 $x^2+bx+c=0$의 꼴로 나타내시오.

(2) (1)에서 세운 이차방정식을 푸시오.

(3) 처음 골판지의 한 변의 길이를 구하시오.

대표 유형 8 이차방정식의 활용 (6) – 시간, 거리, 속력

- 지면에서 쏘아 올린 물체가 다시 땅으로 떨어지면 그 높이는 0 m이다.
- 물체가 일정한 높이에 도달하는 시간은 올라갈 때 한 번, 내려올 때 한 번으로 두 번 나올 수 있다. (단, 최고 높이는 제외한다.)

8-1 지면에서 초속 20 m로 쏘아 올린 물체의 t초 후의 높이는 $(20t-5t^2)$ m라 한다. 이때 이 물체가 다시 지면에 떨어지는 것은 쏘아 올린 지 몇 초 후인지 구하시오.

풀이 물체가 지면에 떨어질 때의 높이는 0 m이므로

$20t-5t^2=0$

$t^2-4t=0,\ t(t-4)=0$

$\therefore t=0$ 또는 $t=4$

따라서 물체가 지면에 떨어지는 것은 쏘아 올린 지 4초 후이다.

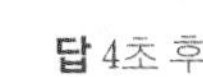

답 4초 후

쌍둥이 8-2

지면에서 초속 40 m로 쏘아 올린 물 로켓의 t초 후의 높이가 $(40t-5t^2)$ m일 때, 다음 물음에 답하시오.

(1) 물 로켓이 지면에서 높이가 35 m인 지점을 지나는 것은 쏘아 올린 지 몇 초 후인지 구하시오.

(2) 물 로켓을 쏘아 올린 후 지면으로 다시 떨어질 때까지 걸린 시간은 몇 초인지 구하시오.

이차방정식의 근의 개수

이차방정식 $ax^2+bx+c=0(a\neq0)$에서
(1) b^2-4ac ❶ 0 ➡ 서로 다른 두 근을 갖는다.
(2) $b^2-4ac=0$ ➡ 중근을 갖는다.
(3) b^2-4ac ❷ 0 ➡ 근이 없다.

답 ❶ $>$ ❷ $<$

01

다음 이차방정식 중 근의 개수가 나머지 넷과 다른 하나는?

① $(x-3)^2=9$　② $x^2-5x-2=0$
③ $3x^2+7x=-3$　④ $x^2-25=0$
⑤ $x^2+8x+16=0$

★
02

이차방정식 $3x^2-4x+2+k=0$이 서로 다른 두 근을 가질 때, 다음 중 상수 k의 값이 될 수 있는 것은?

① -1　② 0　③ 1
④ 3　⑤ 6

03

서술형

이차방정식 $2x^2-9x+4m=-3x+3m$이 중근을 갖도록 하는 상수 k의 값을 구하시오.

이차방정식 구하기

(1) 두 근이 α, β이고 x^2의 계수가 a인 이차방정식
➡ $a(x-\alpha)($ ❶ $)=0$
(2) 중근이 α이고 x^2의 계수가 a인 이차방정식
➡ $a(x-\alpha)^2=0$

답 ❶ $x-\beta$

04

이차방정식 $x^2+ax+b=0$의 두 근이 -3, 4일 때, 상수 a, b의 값을 각각 구하시오.

05

이차방정식 $5x^2+ax+b=0$이 중근 2를 가질 때, $b-a$의 값은? (단, a, b는 상수)

① -40　② -20　③ 0
④ 20　⑤ 40

06

창의력

이차방정식 $x^2+ax+b=0$에서 일차항의 계수와 상수항을 바꾸어 풀었더니 해가 $x=-2$ 또는 $x=4$이었다. 이때 처음 이차방정식의 해는? (단, a, b는 상수)

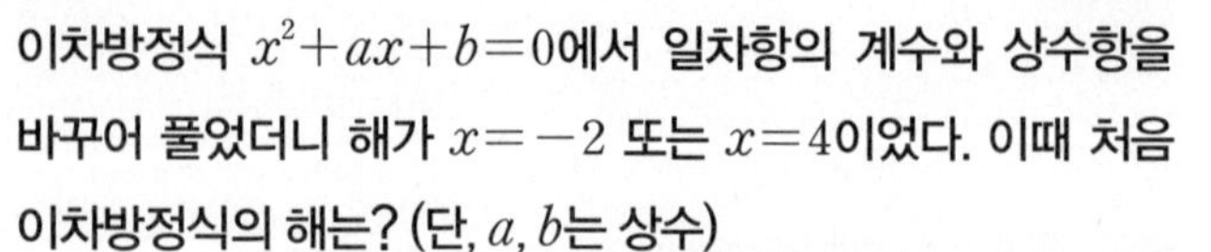

① $x=-4$ 또는 $x=2$　② $x=4$ 또는 $x=-2$
③ $x=-2\pm\sqrt{6}$　④ $x=4\pm\sqrt{14}$
⑤ $x=4\pm3\sqrt{2}$

이차방정식의 활용

07

연속하는 세 자연수가 있다. 가장 큰 수와 가장 작은 수의 곱이 나머지 수의 2배보다 7만큼 클 때, 가장 작은 수를 구하시오.

08

언니와 동생의 나이 차가 2세인 자매가 있다. 언니의 나이의 7배가 동생의 나이의 제곱보다 4만큼 작을 때, 언니의 나이를 구하시오.

09

융합형

윗변의 길이와 높이가 서로 같은 사다리꼴의 아랫변의 길이는 5 cm이고, 넓이는 33 cm^2이다. 이때 사다리꼴의 높이는?

① 6 cm ② 7 cm ③ 8 cm
④ 9 cm ⑤ 10 cm

★ 10

서술형

오른쪽 그림과 같이 가로, 세로의 길이가 각각 30 m, 20 m인 직사각형 모양의 땅에 폭이 x m로 일정한 도로를 만들려고 한다. 도로를 제외한 땅의 넓이가 504 m^2일 때, 도로의 폭을 구하시오.

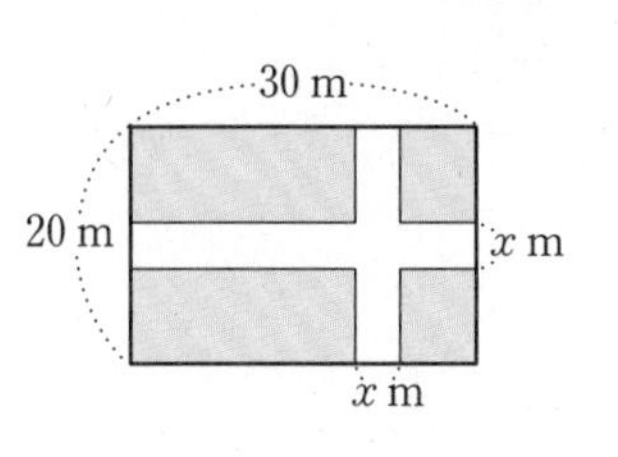

11

창의력

오른쪽 그림과 같이 폭이 48 cm인 철판의 양쪽을 똑같이 x cm만큼 직각으로 접어 올려 색칠한 단면의 넓이가 288 cm^2인 물받이를 만들려고 한다. 이때 x의 값을 구하시오.

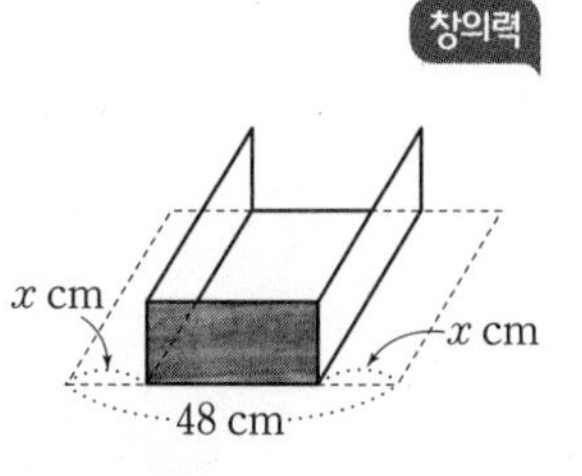

12

오른쪽 그림과 같이 정사각형 모양의 종이가 있다. 이 종이의 네 귀퉁이에서 한 변의 길이가 2 cm인 정사각형을 잘라 내고 나머지를 접어 윗면이 없는 직육면체 모양의 상자를 만들었더니 부피가 50 cm^3이었다. 처음 종이의 한 변의 길이는?

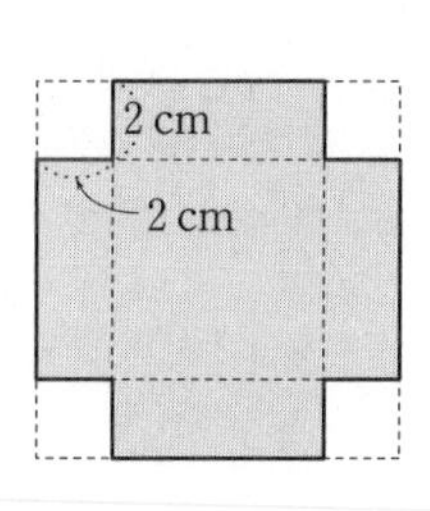

① 8 cm ② 9 cm ③ 10 cm
④ 12 cm ⑤ 13 cm

★ 13

지면에서 초속 30 m로 똑바로 쏘아 올린 물체의 x초 후의 높이는 $(30x-5x^2)$ m이다. 이때 이 물체가 지면으로부터 높이가 45 m가 되는 지점을 지나는 것은 물체를 쏘아 올린 지 몇 초 후인가?

① 2초 후 ② 3초 후 ③ 4초 후
④ 5초 후 ⑤ 6초 후

9 이차함수의 그래프 (1)

중2	중3	고등학교
•일차함수와 그래프 •일차함수와 일차방정식	**이차함수의 뜻** **이차함수 $y=ax^2$의 그래프** **이차함수 $y=a(x-p)^2+q$의 그래프**	•이차방정식과 이차함수 (고 1) •합성함수와 역함수 (고 1) •유리함수와 무리함수 (고 1)

학습 목표

- 이차함수의 의미를 이해한다.
- 이차함수 $y=x^2$, $y=ax^2$의 그래프를 그리고, 그 성질을 이해한다.
- 이차함수 $y=ax^2+q$, $y=a(x-p)^2$의 그래프를 그리고, 그 성질을 이해한다.
- 이차함수 $y=a(x-p)^2+q$의 그래프를 그리고, 그 성질을 이해한다.

오랜만에 아빠와 단둘이 드라이브를 가니까 너무 설레요.
그래? 앞으로는 더 자주 가자.
우와~ 저기 분수 좀 봐요. 이뻐요.
딸이랑 같이 보니 더 예쁘네. 분수대에서 뿜어져 나오는 물이 그리는 모양이 포물선 모양이네.
아빠, 저기 다리도 포물선 모양으로 생겼어요.
우리 주변을 잘 살펴보면 포물선 모양으로 생긴 것들이 많이 있단다. 다른 것도 한번 찾아볼까?
참 식당
저기 새로 개업한 식당 앞에 있는 풍선도 포물선 모양이에요. 그런데 아빠, 저 배고파요.
배고프니? 그럼 저기로 가 볼까?

1 이차함수 $y=ax^2$의 그래프

개념 1 이차함수의 뜻

(1) 이차함수

함수 $y=f(x)$에서 y가 x에 대한 이차식

$y=ax^2+bx+c$ (a, b, c는 상수, $a\neq0$)

로 나타내어질 때, 이 함수를 x에 대한 이차함수라 한다.

예 $y=x^2-2x+3$, $y=-x^2+2$, $y=2x^2$, ⋯

참고 $y=ax^2+bx+c$가 이차함수가 되려면 $a\neq0$이어야 한다.

(2) 함숫값

함수 $y=f(x)$에서 x의 값에 따라 결정되는 y의 값 $f(x)$를 x에 대한 함숫값이라 한다.

➡ $f(a)$는 $x=a$일 때의 함숫값

예 함수 $f(x)=x^2+3x+1$에 대하여 $f(1)$은 $x=1$일 때의 함숫값이므로

$f(1)=1^2+3\times1+1=1+3+1=5$
($x=1$을 대입) ($x=1$일 때의 함숫값)

용어
- 함수
두 변수 x와 y 사이에서 x의 값이 정해짐에 따라 y의 값이 오직 하나씩 정해질 때, y를 x에 대한 함수라 한다.

다음 중 이차함수인 것을 찾아보자.

(1) $y=-3x^2+1$ ⇨ 이차함수

(2) $y=(x+1)(x+2)-x^2$ ⇨ $y=x^2+3x+2-x^2=3x+2$이므로 일차함수이다.

(3) $y=x^3+x-1$ ⇨ 최고차항의 차수가 3이므로 이차함수가 아니다.

(4) $y=\dfrac{1}{x^2}$ ⇨ 분모에 x^2이 있으므로 이차함수가 아니다.

Lecture

- a, b, c는 상수이고 $a\neq0$일 때, 이차식, 이차방정식, 이차함수의 비교
  ① ax^2+bx+c ➡ x에 대한 이차식
  ② $ax^2+bx+c=0$ ➡ x에 대한 이차방정식
  ③ $y=ax^2+bx+c$ ➡ x에 대한 이차함수

| 개념 확인 | **1** **다음 중 이차함수인 것에는 ○표, 아닌 것에는 ×표를 하시오.**

(1) $y=\dfrac{2}{x}$ ( )　　(2) $y=2+x^2$ ( )

(3) $y=(x-2)(x+5)$ ( )　　(4) $y=2x^2-2x(x+1)$ ( )

| 개념 확인 | **2** **이차함수 $f(x)=x^2-2x-3$에 대하여 다음을 구하시오.**

(1) $f(0)$　　(2) $f(-1)$　　(3) $f(2)$

개념 2 이차함수 $y=x^2$, $y=-x^2$의 그래프

(1) 이차함수 $y=x^2$의 그래프의 성질

① 원점을 지나고 아래로 볼록한 곡선이다.

② y축에 대칭이다.

③ $x<0$일 때, x의 값이 증가하면 y의 값은 감소한다.
$x>0$일 때, x의 값이 증가하면 y의 값도 증가한다.

④ 원점을 제외한 부분은 모두 x축보다 위쪽에 있다.

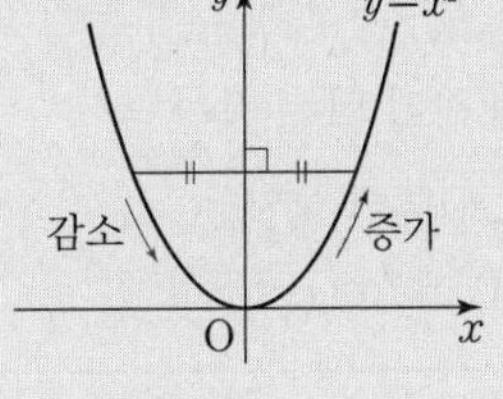
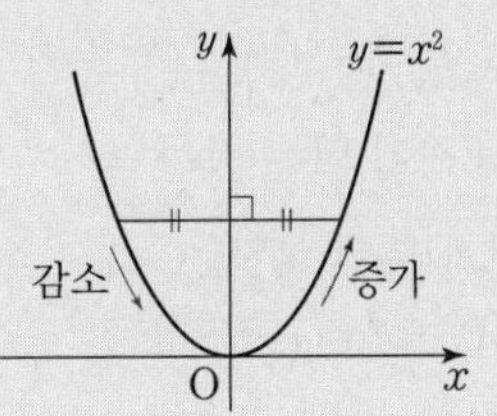

보충

- **y축에 대칭**
  y축을 접는 선으로 하여 접었을 때 그래프가 완전히 포개어진다.
- **x축에 대칭**
  x축을 접는 선으로 하여 접었을 때 그래프가 완전히 포개어진다.

(2) 이차함수 $y=-x^2$의 그래프의 성질

① 원점을 지나고 위로 볼록한 곡선이다.

② y축에 대칭이다.

③ $x<0$일 때, x의 값이 증가하면 y의 값도 증가한다.
$x>0$일 때, x의 값이 증가하면 y의 값은 감소한다.

④ 원점을 제외한 부분은 모두 x축보다 아래쪽에 있다.

⑤ $y=x^2$의 그래프와 x축에 대칭이다.

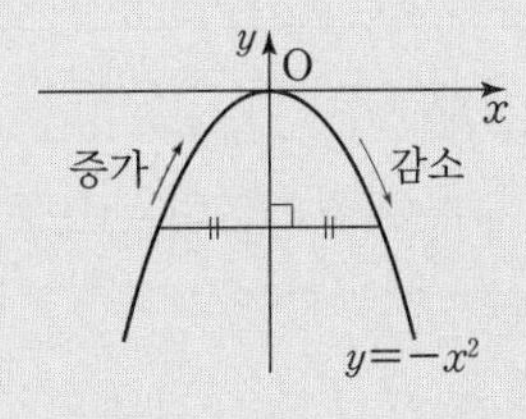

보기 이차함수 $y=x^2$에서 정수 x의 값에 대응하는 y의 값을 구하여 표로 나타내면 다음과 같다.

x	$\cdots$	-3	-2	-1	0	1	2	3	$\cdots$
y	$\cdots$	9	4	1	0	1	4	9	$\cdots$

위의 표에서 x와 y의 값의 순서쌍 (x, y)를 좌표로 하는 점을 좌표평면 위에 나타내면 [그림 1]과 같다.
이때 [그림 2]와 같이 x의 값 사이의 간격을 점점 작게 하여 [그림 3]과 같이 x의 값이 모든 실수가 되도록 하면 이차함수 $y=x^2$의 그래프는 매끄러운 곡선이 되는 것을 확인할 수 있다.

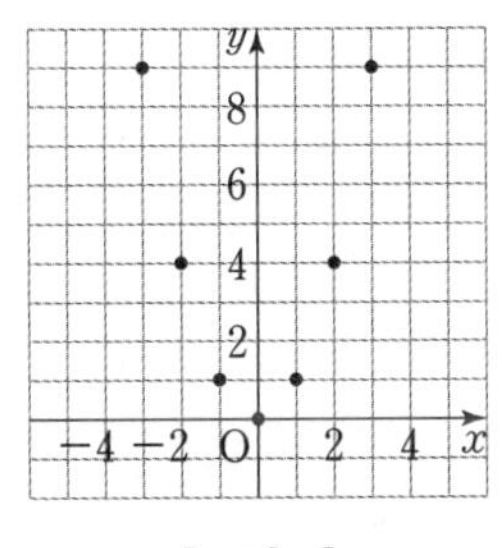

[그림 1]

⇨

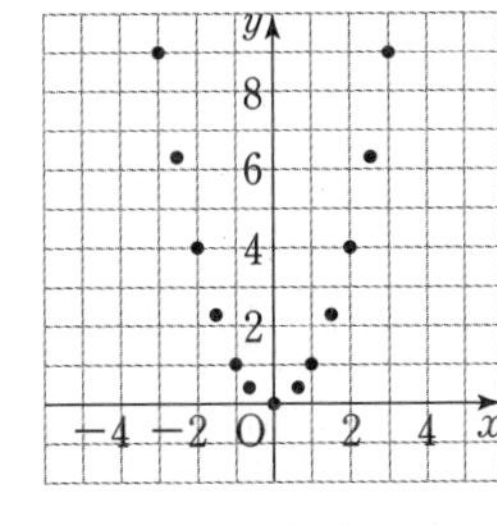

[그림 2]

⇨

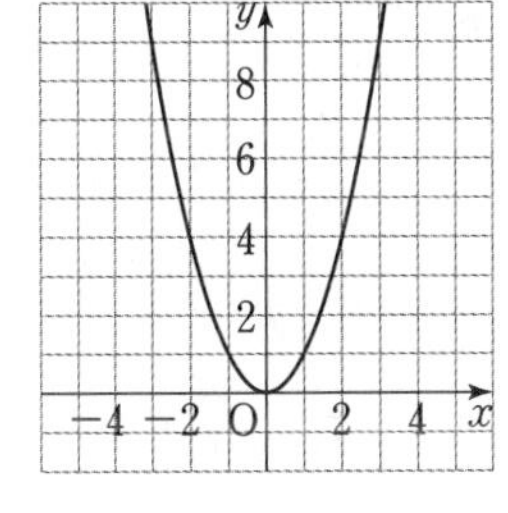

[그림 3]

9 이차함수의 그래프 (1)

개념 3 이차함수 $y=ax^2$의 그래프

(1) 포물선의 축과 꼭짓점

① 포물선 : 이차함수 $y=x^2$, $y=-x^2$의 그래프와 같은 모양의 곡선

② 포물선의 축 : 포물선이 대칭이 되는 직선

③ 포물선의 꼭짓점 : 포물선과 축의 교점

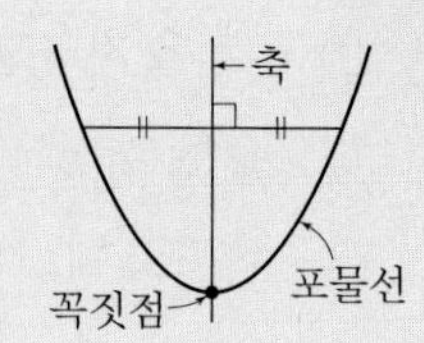

참고 이차함수 $y=x^2$, $y=-x^2$의 그래프의 축과 꼭짓점

	$y=x^2$	$y=-x^2$
축의 방정식	$x=0$(y축)	$x=0$(y축)
꼭짓점의 좌표	$(0, 0)$	$(0, 0)$

(2) 이차함수 $y=ax^2$의 그래프의 성질

① 원점을 꼭짓점으로 하고, y축을 축으로 하는 포물선이다.

➡ 꼭짓점의 좌표 : $(0, 0)$

축의 방정식 : $x=0$ (y축)

② $a>0$이면 아래로 볼록하고, $a<0$이면 위로 볼록하다.

③ a의 절댓값이 클수록 그래프의 폭이 좁아진다.

④ $y=ax^2$의 그래프와 $y=-ax^2$의 그래프는 x축에 서로 대칭이다.

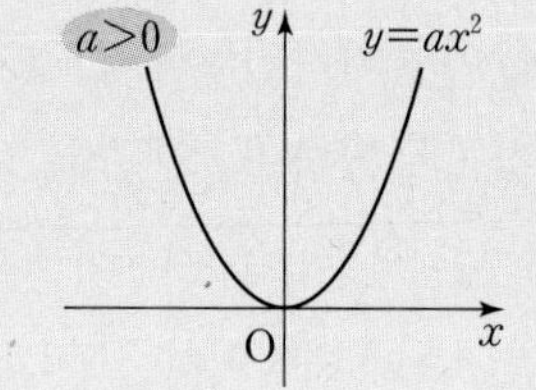

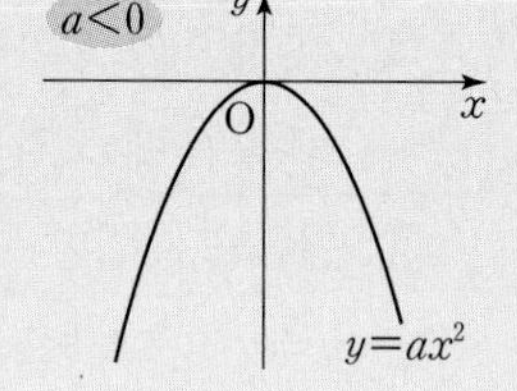

보기 이차함수 $y=\frac{1}{2}x^2$, $y=x^2$, $y=2x^2$에 대하여 x의 값에 대한 y의 값을 표로 나타내면 다음과 같다.

x	$\cdots$	-3	-2	-1	0	1	2	3	$\cdots$
$y=\frac{1}{2}x^2$	$\cdots$	$\frac{9}{2}$	2	$\frac{1}{2}$	0	$\frac{1}{2}$	2	$\frac{9}{2}$	$\cdots$
$y=x^2$	$\cdots$	9	4	1	0	1	4	9	$\cdots$
$y=2x^2$	$\cdots$	18	8	2	0	2	8	18	$\cdots$

($\times\frac{1}{2}$, $\times 2$)

즉 $y=\frac{1}{2}x^2$의 함숫값은 $y=x^2$의 함숫값의 $\frac{1}{2}$배이고 $y=2x^2$의 함숫값은 $y=x^2$의 함숫값의 2배이므로 오른쪽 그림과 같이 각각 $\frac{1}{2}$배, 2배인 점을 찍어 그래프를 그릴 수 있다.

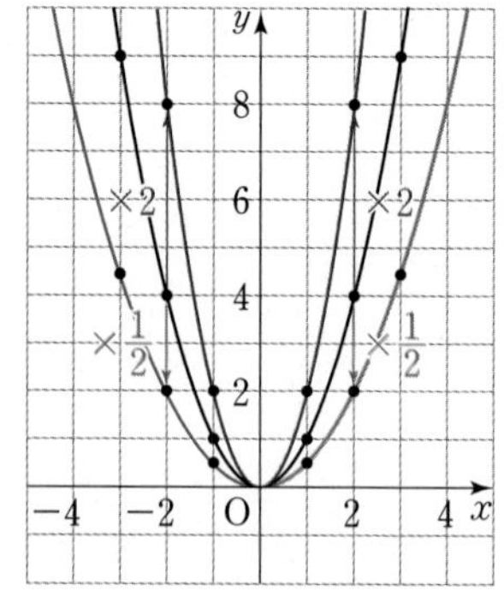

또, 이차함수 $y=-2x^2$, $y=-\frac{1}{2}x^2$의 그래프는 $y=2x^2$, $y=\frac{1}{2}x^2$의 그래프와 x축에 대칭이 되도록 오른쪽 그림과 같이 그릴 수 있다.

이때 x^2의 계수의 절댓값이 클수록 그래프의 폭이 좁아짐을 확인할 수 있다.

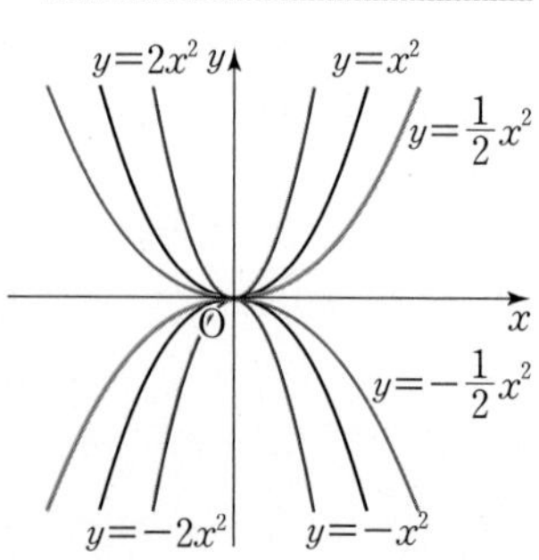

Lecture

- 이차함수 $y=ax^2$의 그래프에서
  (1) a의 부호는 그래프의 모양을 결정한다.
  ① $a>0$이면 아래로 볼록 ➡ ∪　　② $a<0$이면 위로 볼록 ➡ ∩
  (2) a의 절댓값은 그래프의 폭을 결정한다.
  ➡ a의 절댓값이 클수록 폭이 좁다.

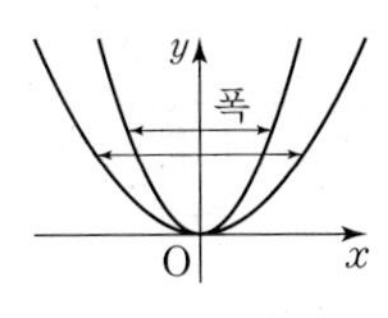

| 개념 확인 | **3** 다음 이차함수의 그래프를 아래 좌표평면 위에 그리고, 꼭짓점의 좌표와 축의 방정식을 각각 구하시오.

(1) $y=\frac{3}{2}x^2$　　(2) $y=\frac{1}{4}x^2$　　(3) $y=-\frac{1}{3}x^2$

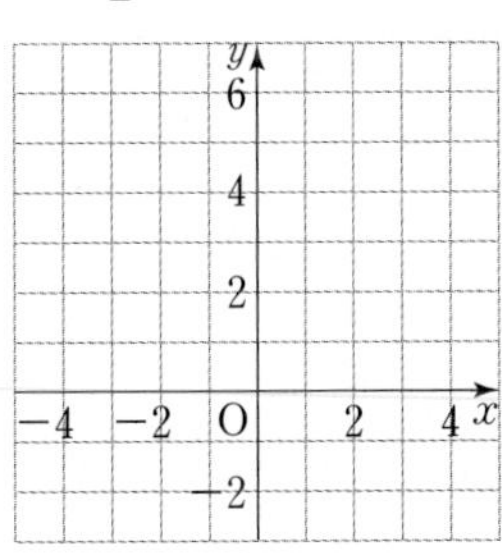

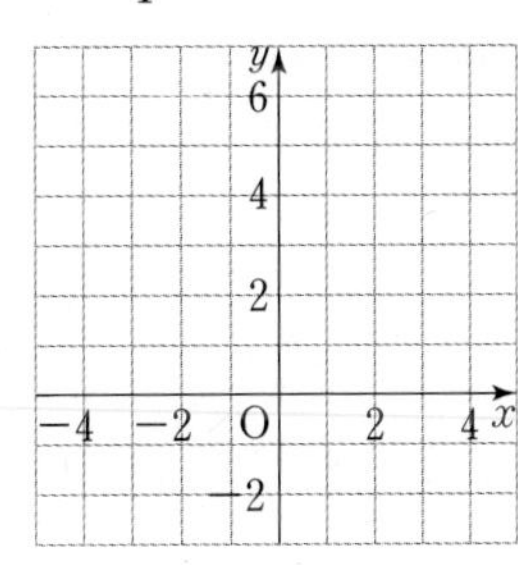

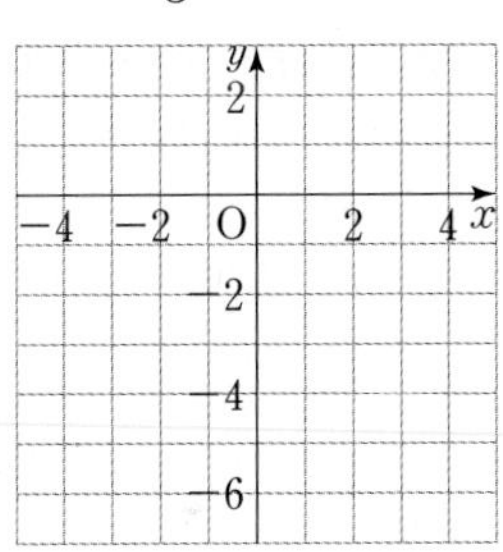

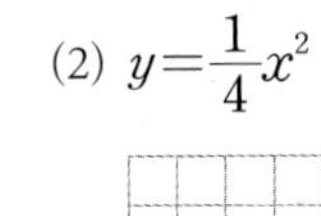

| 개념 확인 | **4** 다음 보기의 이차함수에 대하여 물음에 답하시오.

보기

㉠ $y=-3x^2$	㉡ $y=-2x^2$	㉢ $y=-\frac{3}{4}x^2$
㉣ $y=-\frac{1}{4}x^2$	㉤ $y=\frac{3}{4}x^2$	㉥ $y=\frac{3}{2}x^2$

(1) 위로 볼록한 그래프를 모두 찾으시오.

(2) x축에 서로 대칭인 그래프를 짝 지으시오.

(3) 제1사분면과 제2사분면을 지나는 그래프를 찾으시오.

(4) 폭이 서로 같은 그래프를 짝 지으시오.

9 이차함수의 그래프 (1)

개념 기초

1-1

다음 중 y가 x에 대한 이차함수인 것에는 ○표, 아닌 것에는 ×표를 하시오.

(1) $y=x^2+6x-8$ ( )

(2) $2x^2-x-x(2x+7)$ ( )

(3) $y=\frac{1}{3x}$ ( )

(4) $y=x(x^2-2x)-x^3$ ( )

연구 y가 x에 대한 이차함수이면 $y=$(x에 대한 이차식)의 꼴이다.

쌍둥이 문제

1-2

다음 보기 중 y가 x에 대한 이차함수인 것을 모두 고르시오.

보기

㉠ $y=\frac{2}{3}x^2-5$　　㉡ $3x^2+2x+1$

㉢ $y=\frac{1}{x^2-2}$　　㉣ $y=x(x-5)-5x^2$

㉤ $y=2(3x+1)^2$　　㉥ $y=-\frac{1}{2}x^3+4$

2-1

이차함수 $f(x)=2x^2-3x+2$에 대하여 다음을 구하시오.

(1) $f(0)$　　(2) $f(1)$

(3) $f(-2)$　　(4) $f(3)$

연구 이차함수 $f(x)=ax^2+bx+c$에서 $f(k)$의 값은 $x=k$일 때의 함숫값이다.

2-2

다음을 구하시오.

(1) 이차함수 $f(x)=-x^2-x+1$에 대하여 $f(-1)$의 값

(2) 이차함수 $f(x)=\frac{1}{2}x^2-\frac{1}{4}x+3$에 대하여 $f(4)$의 값

3-1

다음은 이차함수 $y=x^2$의 그래프에 대한 설명이다. □ 안에 알맞은 것을 써넣으시오.

(1) □로 볼록한 곡선이다.

(2) □축에 대칭이다.

(3) $x<0$일 때, x의 값이 증가하면 y의 값은 □한다.

(4) $x>0$일 때, x의 값이 증가하면 y의 값은 □한다.

연구

이차함수 $y=x^2$의 그래프	이차함수 $y=-x^2$의 그래프
y, $y=x^2$, 감소, 증가, O, x	y, O, x, 증가, 감소, $y=-x^2$

3-2

다음은 이차함수 $y=-x^2$의 그래프에 대한 설명이다. □ 안에 알맞은 것을 써넣으시오.

(1) □로 볼록한 곡선이다.

(2) □축에 대칭이다.

(3) $x<0$일 때, x의 값이 증가하면 y의 값은 □한다.

(4) $x>0$일 때, x의 값이 증가하면 y의 값은 □한다.

(5) $y=x^2$의 그래프와 □축에 대칭이다.

개념 기초

4-1

다음 보기의 이차함수의 그래프를 좌표평면 위에 각각 그리시오. 또, □ 안에 알맞은 것을 써넣고, 옳은 것에 ○표를 하시오.

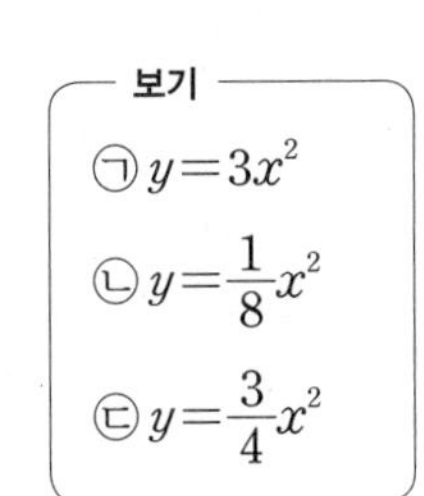

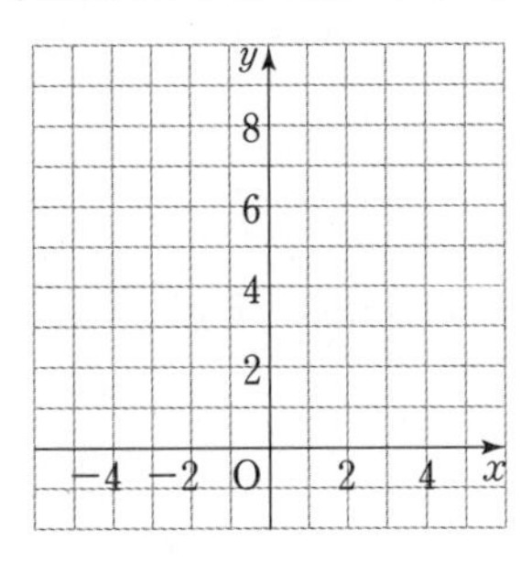

(1) 그래프의 모양은 (위로 , 아래로) 볼록하다.
(2) 꼭짓점의 좌표는 (□, □)이다.
(3) 축의 방정식은 □이다.
(4) 그래프의 폭이 가장 넓은 그래프는 □이다.
(5) $x<0$일 때, x의 값이 증가하면 y의 값은 (증가 , 감소) 한다.
(6) $x>0$일 때, x의 값이 증가하면 y의 값은 (증가 , 감소) 한다.

연구 이차함수 $y=ax^2$의 그래프에서
(1) $a>0$ ➡ □로 볼록, $a<0$ ➡ 위로 볼록
(2) a의 절댓값이 작을수록 그래프의 폭이 넓어진다.

쌍둥이 문제

4-2

다음 보기의 이차함수의 그래프를 좌표평면 위에 각각 그리시오. 또, □ 안에 알맞은 것을 써넣고, 옳은 것에 ○표를 하시오.

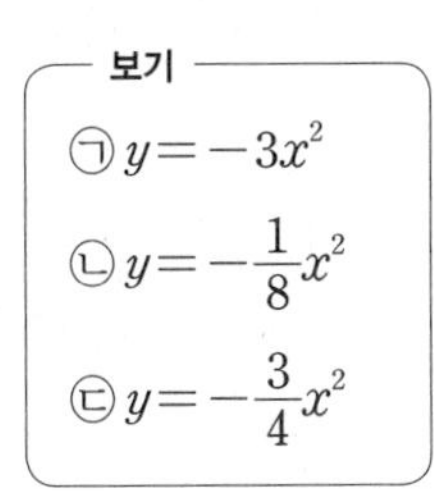

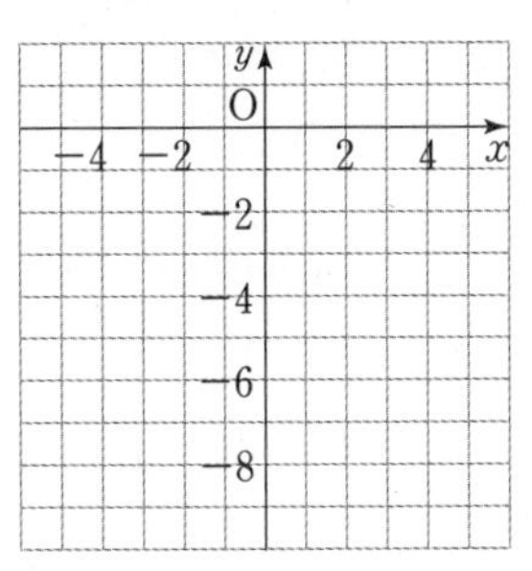

(1) 그래프의 모양은 (위로 , 아래로) 볼록하다.
(2) 꼭짓점의 좌표는 (□, □)이다.
(3) 축의 방정식은 □이다.
(4) 그래프의 폭이 가장 좁은 그래프는 □이다.
(5) $x<0$일 때, x의 값이 증가하면 y의 값은 (증가 , 감소) 한다.
(6) $x>0$일 때, x의 값이 증가하면 y의 값은 (증가 , 감소) 한다.

5-1

다음 이차함수의 그래프를 그리시오. (단, 꼭짓점의 좌표와 지나는 다른 한 점의 좌표를 반드시 표시한다.)

(1) $y=\frac{2}{3}x^2$

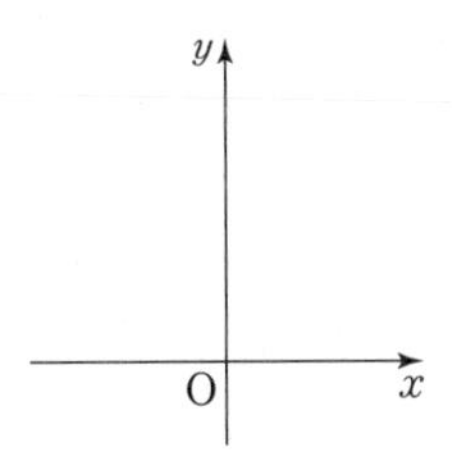

(2) $y=\frac{1}{3}x^2$

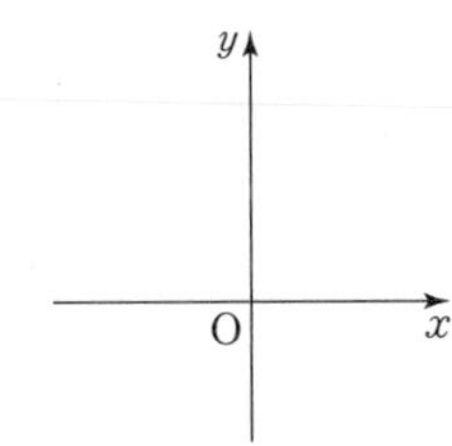

(3) $y=-4x^2$

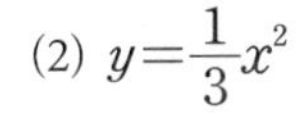

(4) $y=-\frac{1}{3}x^2$

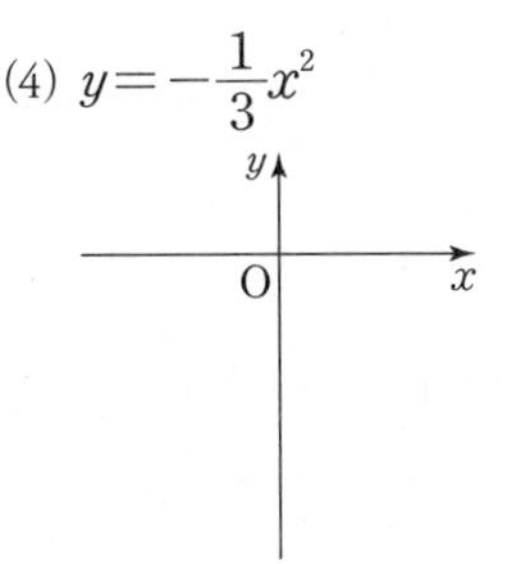

5-2

다음 이차함수의 그래프를 그리시오. (단, 꼭짓점의 좌표와 지나는 다른 한 점의 좌표를 반드시 표시한다.)

(1) $y=\frac{5}{2}x^2$

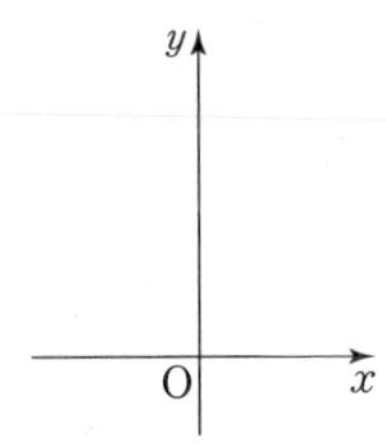

(2) $y=\frac{1}{4}x^2$

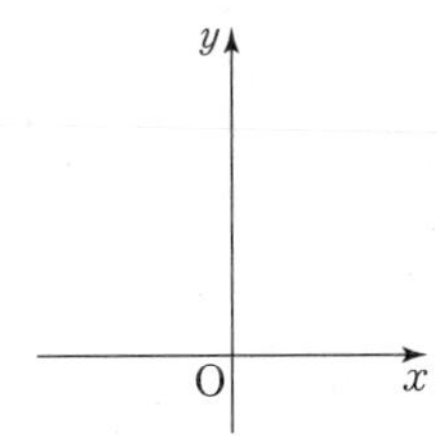

(3) $y=-2x^2$

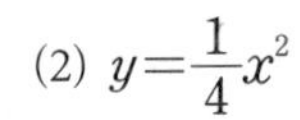

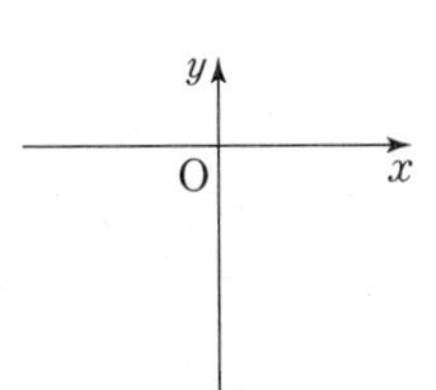

(4) $y=-\frac{2}{3}x^2$

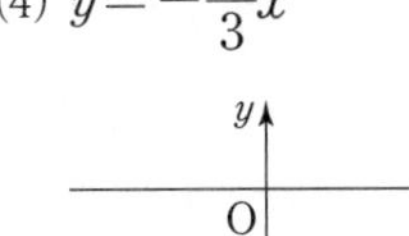

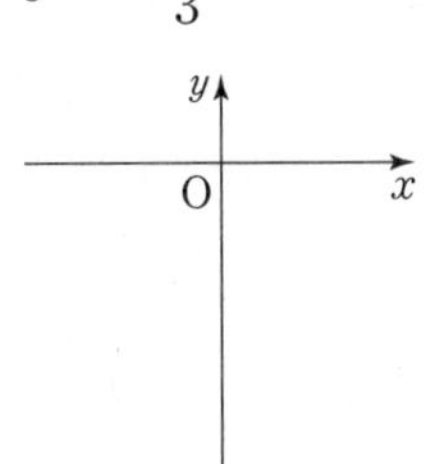

대표 유형 1 이차함수의 뜻

- 이차함수는 $y=$(이차식)의 꼴로 나타내어진다.
- 주어진 함수의 식이 복잡한 경우 우변을 x에 대한 식으로 정리한 후 이차함수인지 판단해야 한다.

예 $y=x^2-x(x-1)=x$이므로 일차함수이다.

1-1 다음 중 y가 x에 대한 이차함수인 것을 모두 고르면? (정답 2개)

① 한 변의 길이가 $(x+1)$ cm인 정사각형의 둘레의 길이 y cm
② 반지름의 길이가 x cm인 원의 넓이 y cm^2
③ 한 모서리의 길이가 $2x$인 정육면체의 부피 y
④ 가로의 길이가 $(x+5)$ m, 세로의 길이가 2 m인 직사각형의 넓이 y m^2
⑤ 한 변의 길이가 x cm인 정사각형의 넓이 y cm^2

풀이 ① $y=4(x+1)=4x+4$이므로 일차함수이다.
② $y=\pi x^2$이므로 이차함수이다.
③ $y=(2x)^3=8x^3$이므로 이차함수가 아니다.
④ $y=(x+5)\times 2=2x+10$이므로 일차함수이다.
⑤ $y=x^2$이므로 이차함수이다.
따라서 y가 x에 대한 이차함수인 것은 ②, ⑤이다.

답 ②, ⑤

쌍둥이 **1-2**

다음 보기 중 y가 x에 대한 이차함수인 것을 모두 고르시오.

보기
ㄱ 연속한 두 자연수 x, $x+1$의 곱 y
ㄴ 한 개에 100원인 사탕 x개의 값 y원
ㄷ 반지름의 길이가 x cm인 원의 둘레의 길이 y cm
ㄹ 시속 x km로 700 km를 이동하는 데 걸린 시간 y시간
ㅁ 가로의 길이가 x cm, 세로의 길이가 $(x+6)$ cm인 직사각형의 둘레의 길이 y cm
ㅂ 밑변의 길이가 $2x$, 높이가 x인 삼각형의 넓이 y

대표 유형 2 이차함수의 함숫값

- 함수 $y=f(x)$에서 $x=a$일 때의 함숫값 ➡ x 대신 a를 대입하여 구한다.
- $f(a)=b$ ➡ $y=f(x)$에 $x=a$, $y=b$를 대입하면 등식이 성립한다.

2-1 이차함수 $f(x)=-2x^2+x-k$에 대하여 $f(2)=-3$일 때, 상수 k의 값을 구하시오.

풀이 $f(2)=-2\times 2^2+2-k=-6-k$
$f(2)=-3$에서
$-6-k=-3$ $\quad\therefore k=-3$

답 -3

쌍둥이 **2-2**

이차함수 $f(x)=x^2+x-2$에 대하여 $f(1)+f(2)$의 값을 구하시오.

쌍둥이 **2-3**

이차함수 $f(x)=3x^2+ax+2$에 대하여 $f(-1)=3$일 때, 상수 a의 값을 구하시오.

대표 유형 3 이차함수의 그래프가 지나는 점

이차함수의 그래프가 점 (●, ▲)를 지난다. ➡ 이차함수의 식에 $x=$●, $y=$▲를 대입하면 등식이 성립한다.

예 $y=ax^2$의 그래프가 점 $(1, 1)$을 지난다. ➡ $y=ax^2$에 $x=1$, $y=1$을 대입하면 $1=a\times1^2$ $\therefore a=1$

3-1 이차함수 $y=ax^2$의 그래프가 두 점 $(1, 2)$, $(2, b)$를 지날 때, $b-a$의 값을 구하시오. (단, a는 상수)

풀이 $y=ax^2$에 $x=1$, $y=2$를 대입하면

$2=a\times1^2$ $\therefore a=2$, 즉 $y=2x^2$

$y=2x^2$에 $x=2$, $y=b$를 대입하면

$b=2\times2^2=8$

$\therefore b-a=8-2=6$

답 6

쌍둥이 3-2

다음 중 이차함수 $y=2x^2$의 그래프가 지나는 점은?

① $(-3, -18)$ ② $(-2, -8)$ ③ $(-1, 2)$
④ $(1, -2)$ ⑤ $(2, 4)$

쌍둥이 3-3

이차함수 $y=ax^2$의 그래프가 두 점 $(4, -20)$, $(k, -5)$를 지날 때, k의 값을 모두 구하시오. (단, a는 상수)

대표 유형 4 이차함수 $y=ax^2$의 그래프의 성질

- 꼭짓점의 좌표는 $(0, 0)$이고 y축을 축으로 하는 포물선이다.
- $a>0$이면 아래로 볼록하고, $a<0$이면 위로 볼록하다.
- $y=-ax^2$의 그래프와 x축에 대칭이다.

4-1 다음 중 이차함수 $y=3x^2$의 그래프에 대한 설명으로 옳은 것은?

① 꼭짓점의 좌표는 $(1, 3)$이다.
② 위로 볼록한 포물선이다.
③ x축에 대칭이다.
④ 제3사분면, 제4사분면을 지난다.
⑤ $x<0$일 때, x의 값이 증가하면 y의 값은 감소한다.

풀이 ① 꼭짓점의 좌표는 $(0, 0)$이다.
② 아래로 볼록한 포물선이다.
③ y축에 대칭이다.
④ 제1사분면, 제2사분면을 지난다.
따라서 옳은 것은 ⑤이다.

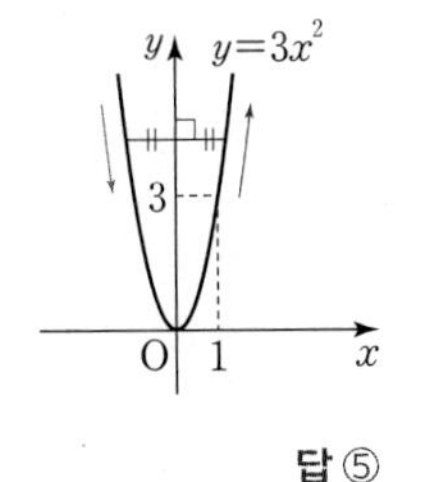

답 ⑤

쌍둥이 4-2

다음 보기의 이차함수 중 그 그래프가 x축에 서로 대칭인 것끼리 짝 지으시오.

보기

ㄱ $y=\frac{2}{3}x^2$ ㄴ $y=\frac{3}{2}x^2$ ㄷ $y=-\frac{3}{2}x^2$
ㄹ $y=3x^2$ ㅁ $y=2x^2$ ㅂ $y=\frac{1}{2}x^2$

쌍둥이 4-3

다음 중 이차함수 $y=-6x^2$의 그래프에 대한 설명으로 옳지 않은 것은?

① 위로 볼록한 포물선이다.
② 점 $(-1, -6)$을 지난다.
③ 꼭짓점의 좌표는 $(0, 0)$이다.
④ 축의 방정식은 $x=0$이다.
⑤ $y=\frac{1}{6}x^2$의 그래프와 x축에 대칭이다.

대표 유형 5 이차함수 $y=ax^2$의 그래프의 폭

- a의 절댓값이 클수록 폭이 좁아지고 절댓값이 작을수록 폭이 넓어진다.
- 포물선이 아래로 볼록하면 $a>0$, 위로 볼록하면 $a<0$이다.

5-1 다음 이차함수의 그래프 중 아래로 볼록하면서 폭이 가장 좁은 것은?

① $y=-5x^2$ ② $y=\frac{1}{4}x^2$ ③ $y=-3x^2$
④ $y=x^2$ ⑤ $y=2x^2$

풀이 아래로 볼록한 그래프는 ②, ④, ⑤이다.
이때 $\left|\frac{1}{4}\right|<|1|<|2|$이므로 폭이 가장 좁은 것은 ⑤이다.

답 ⑤

쌍둥이 5-2

다음 이차함수의 그래프 중 위로 볼록하면서 폭이 가장 넓은 것은?

① $y=-\frac{2}{5}x^2$ ② $y=-\frac{1}{3}x^2$ ③ $y=\frac{1}{4}x^2$
④ $y=-2x^2$ ⑤ $y=\frac{3}{2}x^2$

쌍둥이 5-3

이차함수 $y=ax^2$의 그래프가 오른쪽 그림과 같을 때, 다음 중 상수 a의 값이 될 수 없는 것은?

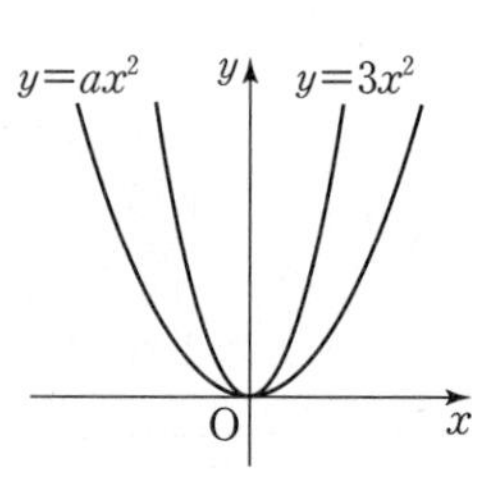

① $\frac{10}{3}$ ② $\frac{9}{4}$
③ 2 ④ 1
⑤ $\frac{1}{2}$

대표 유형 6 이차함수 $y=ax^2$의 식 구하기

원점을 꼭짓점으로 하는 포물선을 그래프로 하는 이차함수의 식은 $y=ax^2$으로 놓는다.

6-1 오른쪽 그림과 같이 원점을 꼭짓점으로 하고 점 $(2,\ -3)$을 지나는 포물선을 그래프로 하는 이차함수의 식을 구하시오.

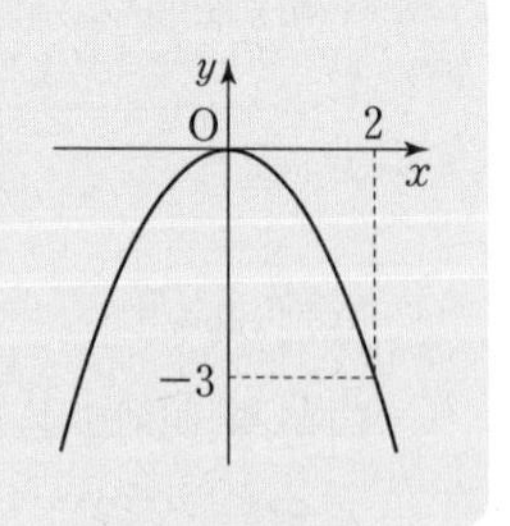

풀이 원점을 꼭짓점으로 하는 포물선이므로 구하는 이차함수의 식을 $y=ax^2$이라 하자.
점 $(2,\ -3)$을 지나므로 $y=ax^2$에 $x=2$, $y=-3$을 대입하면
$-3=a\times 2^2$ $\therefore a=-\frac{3}{4}$
따라서 구하는 이차함수의 식은 $y=-\frac{3}{4}x^2$이다.

답 $y=-\frac{3}{4}x^2$

쌍둥이 6-2

오른쪽 그림과 같이 원점을 꼭짓점으로 하고 점 $(6,4)$를 지나는 포물선을 그래프로 하는 이차함수의 식을 구하시오.

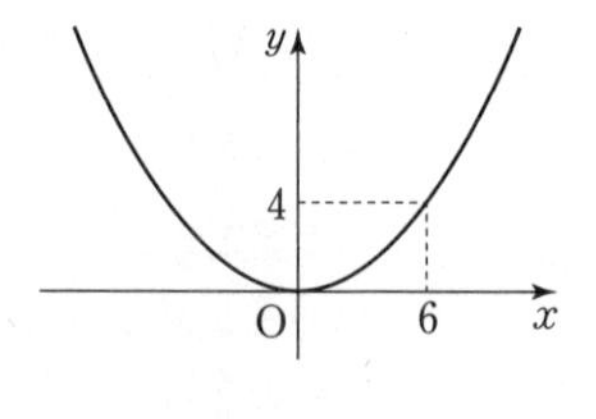

STEP 3 개념 뛰어넘기

이차함수 $y=ax^2$의 그래프

(1) 이차함수 : 함수 $y=f(x)$에서 y가 x에 대한 이차식 $y=ax^2+bx+c$(a ❶ 0, a, b, c는 상수)의 꼴로 나타내어질 때, 이 함수를 x에 대한 이차함수라 한다.

(2) 이차함수 $y=ax^2$의 그래프의 성질

① 점 $(0,$ ❷ $)$을 꼭짓점으로 하고, y축을 축으로 하는 포물선이다.

② $a>0$이면 아래로 볼록한 포물선이고, $a<0$이면 ❸ 로 볼록한 포물선이다.

③ a의 절댓값이 클수록 그래프의 폭이 좁아진다.

④ $y=-ax^2$의 그래프와 x축에 대칭이다.

답 ❶ $\neq$ ❷ 0 ❸ 위

01

다음 중 이차함수가 아닌 것은?

① $y=(x+5)^2$ ② $y=(x-2)(x+3)$
③ $y=\dfrac{3}{x}$ ④ $y=\dfrac{x^2}{4}+3x$
⑤ $y=2x^2-3x+5$

02

다음 중 y가 x에 대한 이차함수인 것은?

① 반지름의 길이가 x cm인 구의 부피 y cm^3
② 꼭짓점의 개수가 x인 다각형의 대각선의 개수 y
③ 한 줄에 2000원인 김밥을 x줄 샀을 때의 가격 y원
④ 밑변의 길이가 12, 높이가 x인 삼각형의 넓이 y
⑤ 시속 20 km로 x시간 동안 달린 거리 y km

03

함수 $y=f(x)$에서 $y=ax^2+bx+c$로 나타내어질 때, 다음 중 이차함수가 되기 위한 조건은? (단, a, b, c는 상수)

① $a=0$ ② $b=0$ ③ $a\neq0$
④ $b\neq0$ ⑤ $c\neq0$

04

이차함수 $f(x)=x^2-x+3$에 대하여 $f(-1)$의 값을 구하시오.

05

서술형

이차함수 $f(x)=2x^2+ax+1$에 대하여 $f(2)=7$일 때, $f(-3)$의 값을 구하시오.

06

이차함수 $y=ax^2$의 그래프가 점 $(2, 5)$를 지날 때, 상수 a의 값을 구하시오.

07

다음 중 이차함수 $y=\frac{1}{2}x^2$의 그래프 위에 있지 않은 점은?

① $(-4, 8)$ ② $\left(-1, -\frac{1}{2}\right)$ ③ $(0, 0)$
④ $(2, 2)$ ⑤ $(4, 8)$

★
08

다음 중 이차함수 $y=-\frac{1}{3}x^2$의 그래프에 대한 설명으로 옳지 않은 것은?

① 꼭짓점의 좌표는 $(0, 0)$이다.
② 점 $(3, -3)$을 지난다.
③ y축을 축으로 한다.
④ 아래로 볼록한 포물선이다.
⑤ $y=\frac{1}{3}x^2$의 그래프와 x축에 대칭이다.

09

다음 중 아래 보기의 이차함수의 그래프에 대한 설명으로 옳지 않은 것은?

보기
㉠ $y=\frac{1}{2}x^2$ ㉡ $y=-2x^2$
㉢ $y=2x^2$ ㉣ $y=-\frac{1}{4}x^2$

① 아래로 볼록한 포물선은 ㉠, ㉢이다.
② ㉡과 ㉢은 그래프의 폭이 같다.
③ 폭이 가장 넓은 그래프는 ㉣이다.
④ ㉡과 ㉢은 x축에 서로 대칭이다.
⑤ 제1사분면과 제2사분면을 지나는 그래프는 ㉡, ㉣이다.

10

다음 이차함수 중 그래프의 폭이 가장 넓은 것은?

① $y=2x^2$ ② $y=\frac{4}{3}x^2$ ③ $y=-\frac{1}{2}x^2$
④ $y=-x^2$ ⑤ $y=-3x^2$

11

창의력

이차함수 $y=x^2$, $y=-x^2$의 그래프가 오른쪽 그림과 같을 때, 이차함수 $y=-3x^2$의 그래프로 적당한 것은?

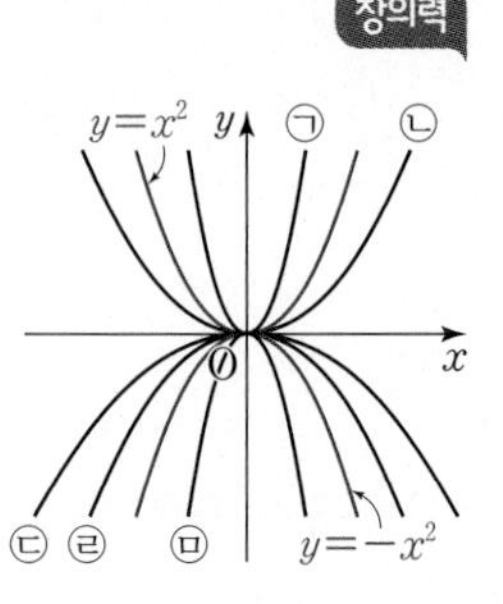

① ㉠ ② ㉡

③ ㉢ ④ ㉣
⑤ ㉤

★
12

오른쪽 그림과 같이 원점을 꼭짓점으로 하고 점 $(3, -6)$을 지나는 포물선을 그래프로 하는 이차함수의 식은?

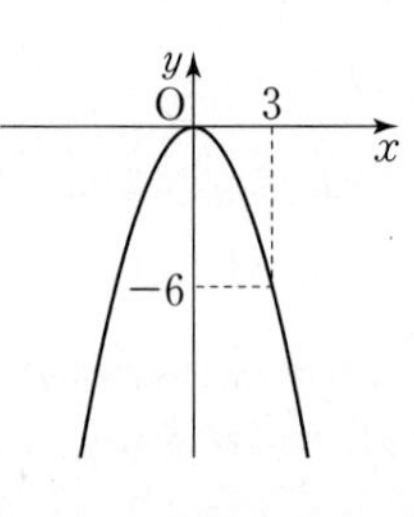

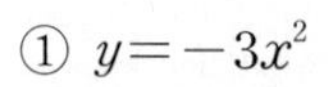
① $y=-3x^2$ ② $y=-2x^2$
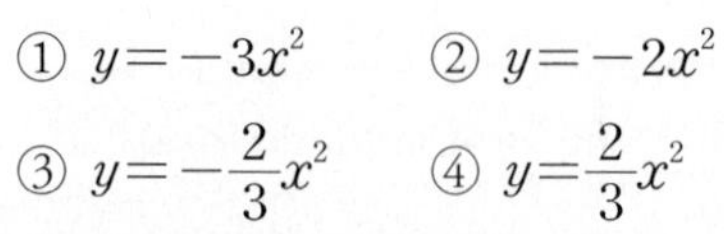
③ $y=-\frac{2}{3}x^2$ ④ $y=\frac{2}{3}x^2$
⑤ $y=2x^2$

2 이차함수 $y=ax^2+q$, $y=a(x-p)^2$의 그래프

개념 1 이차함수 $y=ax^2+q$의 그래프

(1) 이차함수 $y=ax^2$의 그래프를 y축의 방향으로 q만큼 평행이동한 것이다.

① $q>0$이면 y축의 양의 방향으로 평행이동

② $q<0$이면 y축의 음의 방향으로 평행이동

(2) **꼭짓점의 좌표** $(0, q)$

(3) **축의 방정식** $x=0$ (y축)

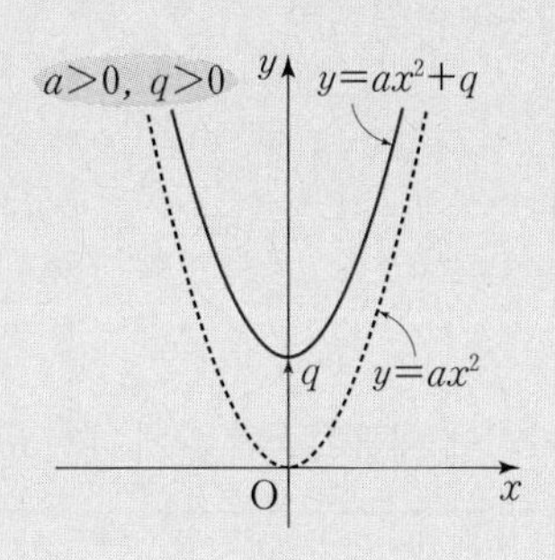

용어

평행이동

한 도형을 일정한 방향으로 일정한 거리만큼 이동하는 것

보기 두 이차함수 $y=x^2$, $y=x^2-3$에 대하여 x의 값에 대한 y의 값을 표로 나타내면 다음과 같다.

x	$\cdots$	-3	-2	-1	0	1	2	3	$\cdots$
$y=x^2$	$\cdots$	9	4	1	0	1	4	9	$\cdots$
$y=x^2-3$	$\cdots$	6	1	-2	-3	-2	1	6	$\cdots$

(-3)

위의 표를 통해 두 이차함수 $y=x^2$, $y=x^2-3$에서 같은 x의 값에 대하여 $y=x^2-3$의 함숫값이 $y=x^2$의 함숫값보다 항상 3만큼 작다는 것을 알 수 있다.
즉 이차함수 $y=x^2-3$의 그래프는 오른쪽 그림과 같이 $y=x^2$의 그래프를 y축의 방향으로 -3만큼 평행이동하여 그릴 수 있다.

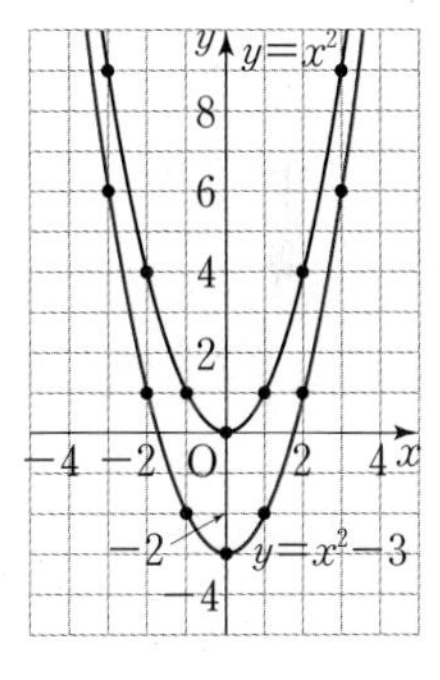

Lecture

- 그래프의 식 : $y=ax^2$ —(y축의 방향으로 q만큼 평행이동)→ $y=ax^2+q$
- 꼭짓점의 좌표 : $(0, 0)$ → $(0, q)$
- 축의 방정식 : $x=0$ → $x=0$

개념 확인 1 이차함수 $y=4x^2$의 그래프를 y축의 방향으로 -5만큼 평행이동한 그래프를 나타내는 이차함수의 식을 구하시오.

개념 확인 2 다음 이차함수의 그래프를 이차함수 $y=\frac{1}{2}x^2$의 그래프를 이용하여 오른쪽 좌표평면 위에 그리고, 꼭짓점의 좌표와 축의 방정식을 각각 구하시오.

(1) $y=\frac{1}{2}x^2+1$

(2) $y=\frac{1}{2}x^2-2$

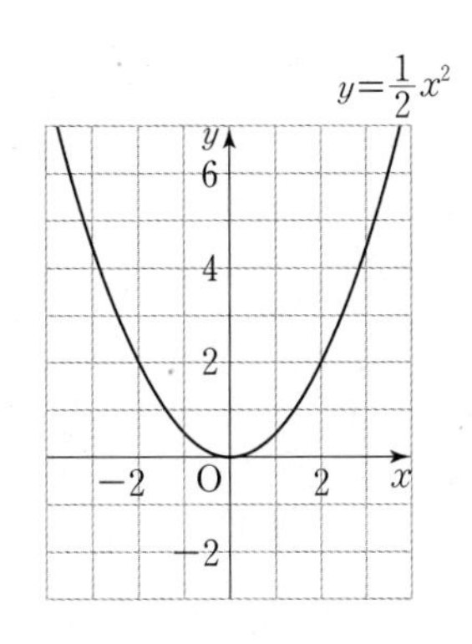

정답과 해설 p.80

개념 동영상

개념 2 이차함수 $y=a(x-p)^2$의 그래프

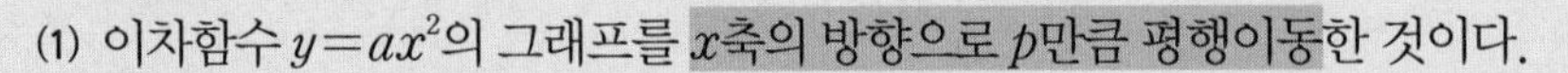

(1) 이차함수 $y=ax^2$의 그래프를 x축의 방향으로 p만큼 평행이동한 것이다.

① $p>0$이면 x축의 양의 방향으로 평행이동

② $p<0$이면 x축의 음의 방향으로 평행이동

(2) **꼭짓점의 좌표** $(p, 0)$

(3) **축의 방정식** $x=p$

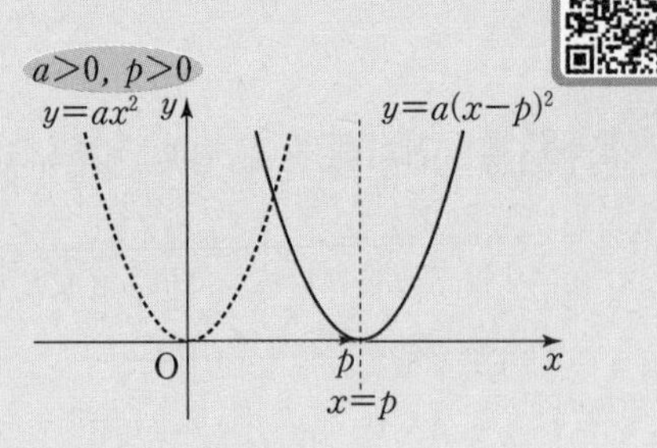

보기 두 이차함수 $y=x^2$, $y=(x+2)^2$에 대하여 x의 값에 대한 y의 값을 표로 나타내면 다음과 같다.

x	$\cdots$	-2	-1	0	1	2	$\cdots$
$y=x^2$	$\cdots$	4	1	0	1	4	$\cdots$
$y=(x+2)^2$	$\cdots$	0	1	4	9	16	$\cdots$

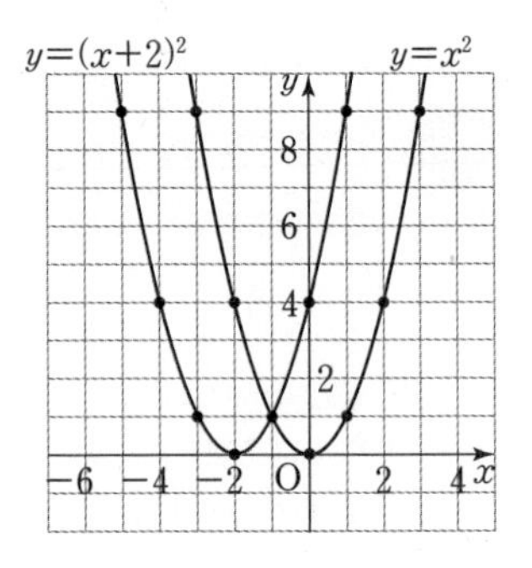

위의 표를 통해 두 이차함수 $y=x^2$, $y=(x+2)^2$에서 x의 값이 $\cdots$, -2, -1, 0, 1, 2, $\cdots$일 때 $y=x^2$의 함숫값과 x의 값이 $\cdots$, -4, -3, -2, -1, 0, $\cdots$일 때 $y=(x+2)^2$의 함숫값이 같다는 것을 알 수 있다.

즉 이차함수 $y=(x+2)^2$의 그래프는 오른쪽 그림과 같이 $y=x^2$의 그래프를 x축의 방향으로 -2만큼 평행이동하여 그릴 수 있다.

Lecture

- 그래프의 식 : $y=ax^2$ —(x축의 방향으로 p만큼 평행이동)→ $y=a(x-p)^2$
- 꼭짓점의 좌표 : $(0, 0)$ ⟶ $(p, 0)$
- 축의 방정식 : $x=0$ ⟶ $x=p$

| 개념 확인 | **3** **이차함수 $y=3x^2$의 그래프를 x축의 방향으로 -1만큼 평행이동한 그래프를 나타내는 이차함수의 식을 구하시오.**

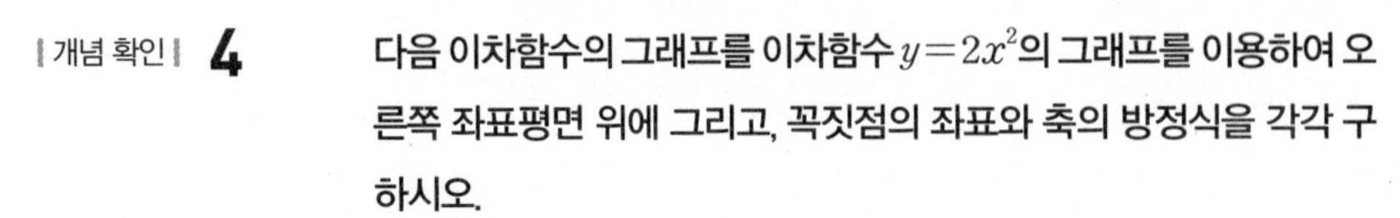

| 개념 확인 | **4** **다음 이차함수의 그래프를 이차함수 $y=2x^2$의 그래프를 이용하여 오른쪽 좌표평면 위에 그리고, 꼭짓점의 좌표와 축의 방정식을 각각 구하시오.**

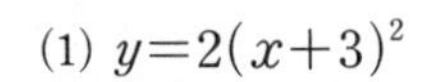

(1) $y=2(x+3)^2$

(2) $y=2(x-1)^2$

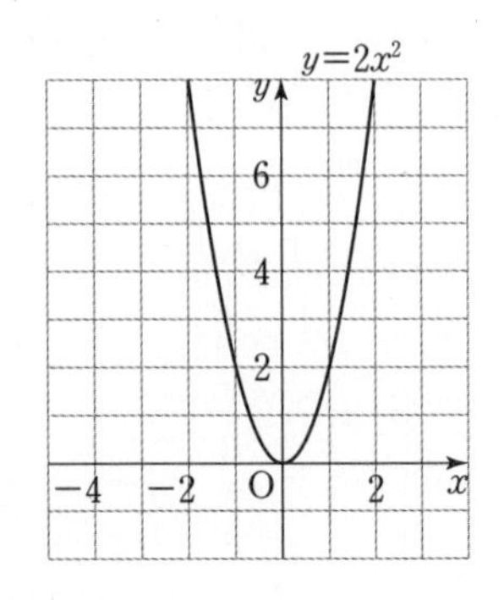

STEP 1 기초 개념 드릴

개념 기초

1-1

이차함수 $y=x^2+2$의 그래프를 오른쪽 좌표평면 위에 그리고, □ 안에 알맞은 것을 써넣으시오.

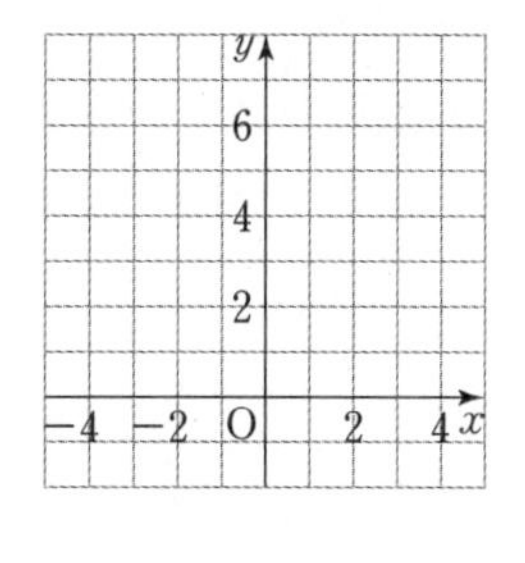

(1) $y=x^2$의 그래프를 □축의 방향으로 □만큼 평행이동한 것이다.

(2) 꼭짓점의 좌표는 (□, □)이다.

(3) 축의 방정식은 □이다.

(4) □로 볼록한 그래프이다.

(5) x의 값이 증가할 때 y의 값도 증가하는 x의 값의 범위는 □이다.

연구 이차함수 $y=ax^2+q$의 그래프의 꼭짓점의 좌표는 $(0, q)$, 축의 방정식은 $x=0$이다.

쌍둥이 문제

1-2

이차함수 $y=-\frac{1}{4}x^2-3$의 그래프를 오른쪽 좌표평면 위에 그리고, □ 안에 알맞은 것을 써넣으시오.

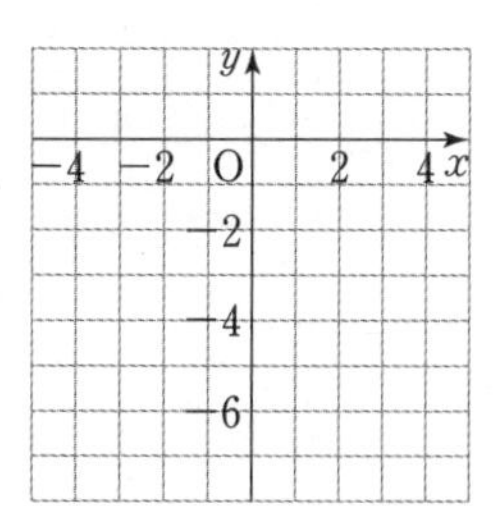

(1) $y=$□의 그래프를 □축의 방향으로 □만큼 평행이동한 것이다.

(2) 꼭짓점의 좌표는 (□, □)이다.

(3) 축의 방정식은 □이다.

(4) □로 볼록한 그래프이다.

(5) x의 값이 증가할 때 y의 값은 감소하는 x의 값의 범위는 □이다.

2-1

다음 이차함수의 그래프를 그리시오. (단, 꼭짓점의 좌표와 지나는 다른 한 점의 좌표를 반드시 표시한다.)

(1) $y=2x^2+2$

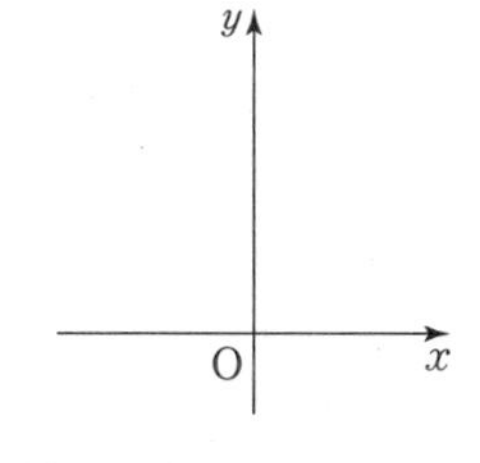

(2) $y=-3x^2+5$

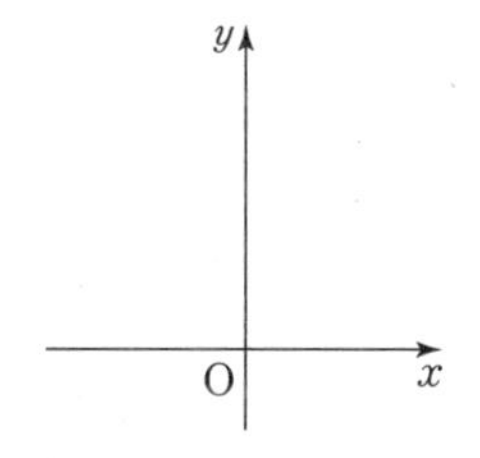

연구 이차함수 $y=ax^2+q$의 그래프 그리기
① a의 부호로 그래프의 모양을 확인한다.
② 꼭짓점 $(0, q)$와 그래프를 지나는 다른 한 점을 좌표평면 위에 나타내고 포물선을 그린다.

2-2

다음 이차함수의 그래프를 그리시오. (단, 꼭짓점의 좌표와 지나는 다른 한 점의 좌표를 반드시 표시한다.)

(1) $y=\frac{1}{3}x^2-5$

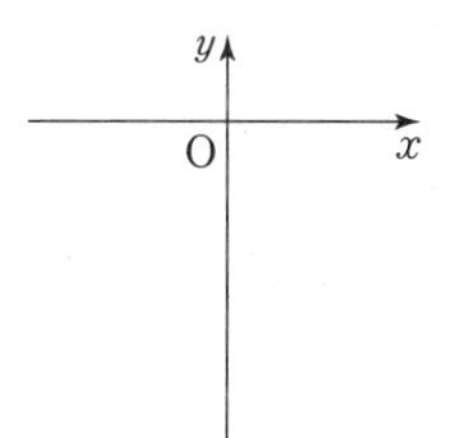

(2) $y=-\frac{1}{2}x^2-1$

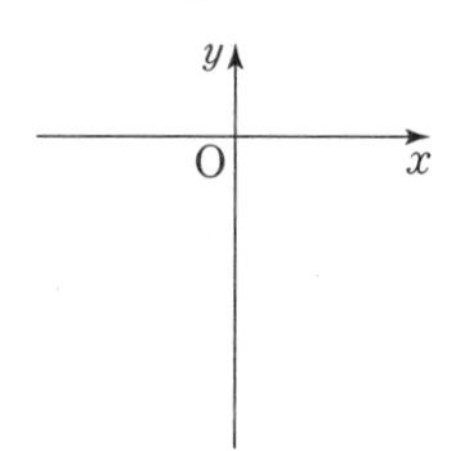

3-1

다음 이차함수의 그래프를 y축의 방향으로 [ ] 안의 수만큼 평행이동한 그래프를 나타내는 이차함수의 식을 구하고, 꼭짓점의 좌표와 축의 방정식을 각각 구하시오.

(1) $y=\frac{5}{2}x^2$ [3]

(2) $y=-4x^2$ [−1]

연구 이차함수 $y=ax^2+q$의 그래프는 $y=ax^2$의 그래프를 y축의 방향으로 q만큼 평행이동한 것이다.

3-2

다음 이차함수의 그래프를 y축의 방향으로 [ ] 안의 수만큼 평행이동한 그래프를 나타내는 이차함수의 식을 구하고, 꼭짓점의 좌표와 축의 방정식을 각각 구하시오.

(1) $y=3x^2$ [−5]

(2) $y=-\frac{3}{4}x^2$ [2]

개념 기초

4-1

이차함수 $y=\frac{1}{2}(x+2)^2$의 그래프를 오른쪽 좌표평면 위에 그리고, □ 안에 알맞은 것을 써넣으시오.

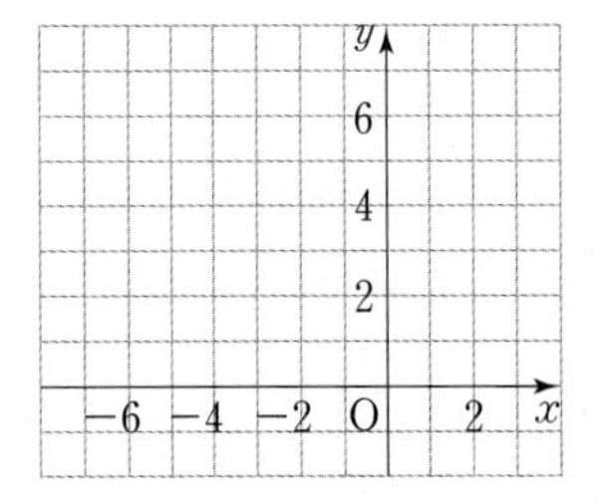

(1) $y=$□x^2의 그래프를 □축의 방향으로 □만큼 평행이동한 것이다.

(2) 꼭짓점의 좌표는 (□, □)이다.

(3) 축의 방정식은 □이다.

(4) □로 볼록한 그래프이다.

(5) x의 값이 증가할 때 y의 값도 증가하는 x의 값의 범위는 □이다.

연구 이차함수 $y=a(x-p)^2$의 그래프의 꼭짓점의 좌표는 $(p, 0)$, 축의 방정식은 $x=p$이다.

쌍둥이 문제

4-2

이차함수 $y=-2(x-3)^2$의 그래프를 오른쪽 좌표평면 위에 그리고, □ 안에 알맞은 것을 써넣으시오.

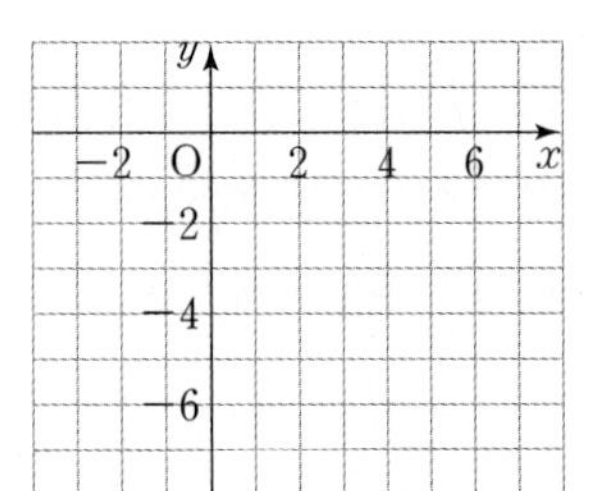

(1) $y=$□의 그래프를 □축의 방향으로 □만큼 평행이동한 것이다.

(2) 꼭짓점의 좌표는 (□, □)이다.

(3) 축의 방정식은 □이다.

(4) □로 볼록한 그래프이다.

(5) x의 값이 증가할 때 y의 값도 증가하는 x의 값의 범위는 □이다.

5-1

다음 이차함수의 그래프를 그리시오. (단, 꼭짓점의 좌표와 지나는 다른 한 점의 좌표를 반드시 표시한다.)

(1) $y=(x-1)^2$

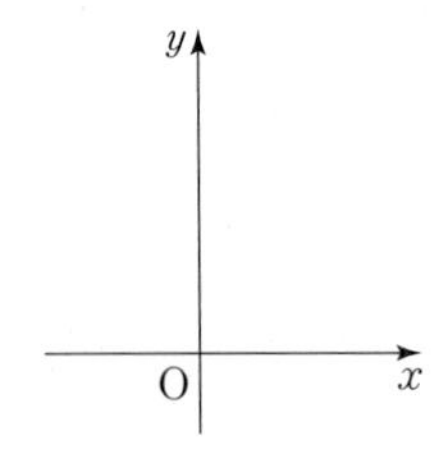

(2) $y=-\frac{1}{2}(x-2)^2$

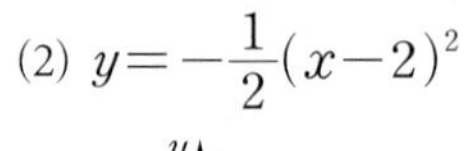

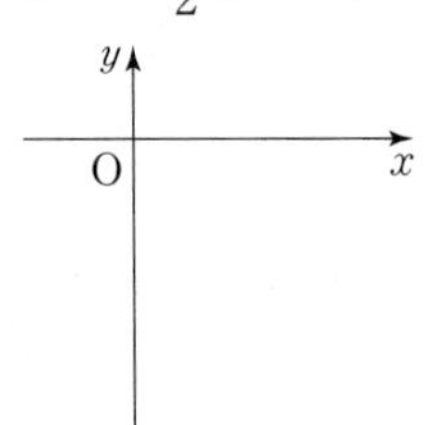

연구 이차함수 $y=a(x-p)^2$의 그래프 그리기
① a의 부호로 그래프의 모양을 확인한다.
② 꼭짓점 $(p, 0)$과 y축과의 교점을 좌표평면 위에 나타내고 포물선을 그린다.

5-2

다음 이차함수의 그래프를 그리시오. (단, 꼭짓점의 좌표와 지나는 다른 한 점의 좌표를 반드시 표시한다.)

(1) $y=2(x+2)^2$

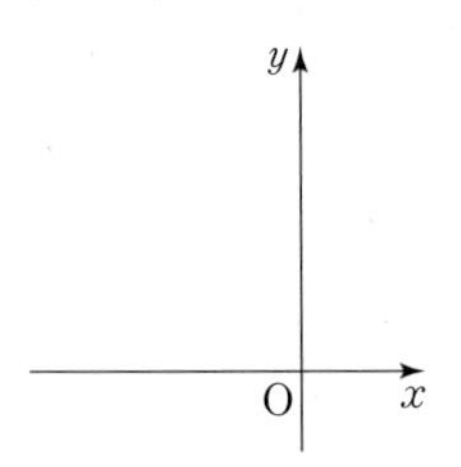

(2) $y=-\frac{3}{4}(x+1)^2$

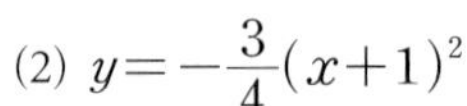

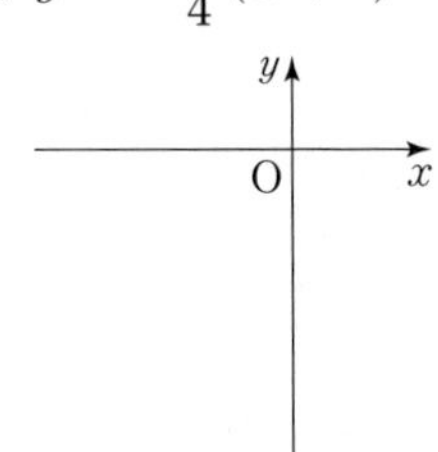

6-1

다음 이차함수의 그래프를 x축의 방향으로 [ ] 안의 수만큼 평행이동한 그래프를 나타내는 이차함수의 식을 구하고, 꼭짓점의 좌표와 축의 방정식을 각각 구하시오.

(1) $y=\frac{5}{2}x^2$ [2]

(2) $y=-3x^2$ [-5]

연구 이차함수 $y=a(x-p)^2$의 그래프는 $y=ax^2$의 그래프를 x축의 방향으로 p만큼 평행이동한 것이다.

6-2

다음 이차함수의 그래프를 x축의 방향으로 [ ] 안의 수만큼 평행이동한 그래프를 나타내는 이차함수의 식을 구하고, 꼭짓점의 좌표와 축의 방정식을 각각 구하시오.

(1) $y=4x^2$ [-1]

(2) $y=-\frac{2}{3}x^2$ [3]

STEP 2 대표 유형으로 개념 잡기

대표 유형 1 이차함수 $y=ax^2+q$의 그래프

이차함수 $y=ax^2$의 그래프를 y축의 방향으로 q만큼 평행이동한 그래프가 점 (m, n)을 지난다.
➡ $y=ax^2+q$에 $x=m$, $y=n$을 대입하면 등식이 성립한다.

1-1 이차함수 $y=-\frac{1}{3}x^2$의 그래프를 y축의 방향으로 2만큼 평행이동하면 점 $(3, m)$을 지날 때, m의 값을 구하시오.

풀이 $y=-\frac{1}{3}x^2$의 그래프를 y축의 방향으로 2만큼 평행이동한 그래프의 식은 $y=-\frac{1}{3}x^2+2$

이 그래프가 점 $(3, m)$을 지나므로

$y=-\frac{1}{3}x^2+2$에 $x=3$, $y=m$을 대입하면

$m=-\frac{1}{3}\times 3^2+2=-1$

답 -1

쌍둥이 1-2

이차함수 $y=\frac{1}{3}x^2$의 그래프를 y축의 방향으로 -4만큼 평행이동하면 점 $(-1, k)$를 지날 때, k의 값을 구하시오.

쌍둥이 1-3

이차함수 $y=-2x^2$의 그래프를 y축의 방향으로 q만큼 평행이동하면 점 $(-1, 3)$을 지날 때, q의 값을 구하시오.

대표 유형 2 이차함수 $y=ax^2+q$의 그래프의 성질

- 이차함수 $y=ax^2$의 그래프를 y축의 방향으로 q만큼 평행이동한 것이다.
- 꼭짓점의 좌표는 $(0, q)$이고 축의 방정식은 $x=0$이다.

2-1 다음 중 이차함수 $y=-3x^2+4$의 그래프에 대한 설명으로 옳지 않은 것은?

① 축의 방정식은 $x=0$이다.
② 꼭짓점의 좌표는 $(0, 4)$이다.
③ 위로 볼록한 포물선이다.
④ $y=3x^2$의 그래프보다 폭이 좁다.
⑤ $y=-3x^2$의 그래프를 y축의 방향으로 4만큼 평행이동한 것이다.

풀이 이차함수 $y=-3x^2+4$의 그래프는 오른쪽 그림과 같다.

④ $|-3|=|3|$이므로 $y=3x^2$의 그래프와 폭이 같다.

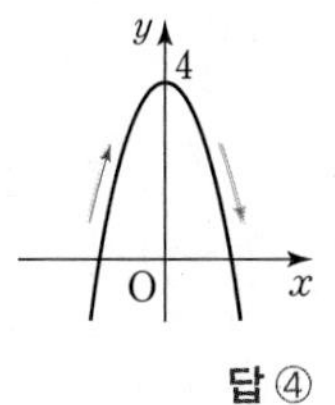

답 ④

쌍둥이 2-2

다음 중 이차함수 $y=2x^2+2$의 그래프에 대한 설명으로 옳은 것은?

① 위로 볼록한 포물선이다.
② x축에 대칭이다.
③ 꼭짓점의 좌표는 $(2, 0)$이다.
④ $x>0$일 때, x의 값이 증가하면 y의 값은 감소한다.
⑤ $y=2x^2$의 그래프를 y축의 방향으로 2만큼 평행이동한 것이다.

대표 유형 3 이차함수 $y=a(x-p)^2$의 그래프

이차함수 $y=ax^2$의 그래프를 x축의 방향으로 p만큼 평행이동한 그래프가 점 (m, n)을 지난다.
➡ $y=a(x-p)^2$에 $x=m$, $y=n$을 대입하면 등식이 성립한다.

3-1 이차함수 $y=x^2$의 그래프를 x축의 방향으로 -3만큼 평행이동하면 점 $(1, m)$을 지날 때, m의 값을 구하시오.

풀이 $y=x^2$의 그래프를 x축의 방향으로 -3만큼 평행이동한 그래프의 식은 $y=(x+3)^2$
이 그래프가 점 $(1, m)$을 지나므로
$y=(x+3)^2$에 $x=1$, $y=m$을 대입하면
$m=(1+3)^2=16$

답 16

쌍둥이 3-2
이차함수 $y=-3x^2$의 그래프를 x축의 방향으로 2만큼 평행이동하면 점 $(4, a)$를 지날 때, a의 값을 구하시오.

쌍둥이 3-3
이차함수 $y=a(x-p)^2$의 그래프는 꼭짓점의 좌표가 $(5, 0)$이고 점 $(3, 1)$을 지난다. 이때 상수 a, p의 값을 각각 구하시오.

대표 유형 4 이차함수 $y=a(x-p)^2$의 그래프의 성질

- 이차함수 $y=ax^2$의 그래프를 x축의 방향으로 p만큼 평행이동한 것이다.
- 꼭짓점의 좌표는 $(p, 0)$이고 축의 방정식은 $x=p$이다.

4-1 다음 중 이차함수 $y=2(x-3)^2$의 그래프에 대한 설명으로 옳지 않은 것은?

① 아래로 볼록한 포물선이다.
② 꼭짓점의 좌표는 $(3, 0)$이다.
③ $y=2x^2$의 그래프를 x축의 방향으로 3만큼 평행이동한 것이다.
④ y축과 만나는 점의 좌표는 $(0, 0)$이다.
⑤ $x<3$일 때, x의 값이 증가하면 y의 값은 감소한다.

풀이 이차함수 $y=2(x-3)^2$의 그래프는 오른쪽 그림과 같다.
④ $y=2(x-3)^2$에 $x=0$을 대입하면
$y=2\times(0-3)^2=18$
따라서 y축과 만나는 점의 좌표는 $(0, 18)$이다.

답 ④

쌍둥이 4-2
다음 중 이차함수 $y=-(x+5)^2$의 그래프에 대한 설명으로 옳은 것을 모두 고르면? (정답 2개)

① $y=-x^2$의 그래프를 x축의 방향으로 5만큼 평행이동한 것이다.
② 축의 방정식은 $x=-5$이다.
③ 꼭짓점의 좌표는 $(0, 0)$이다.
④ 점 $(-3, -4)$를 지난다.
⑤ 아래로 볼록한 포물선이다.

이차함수 $y=ax^2+q$, $y=a(x-p)^2$의 그래프

(1) 이차함수 $y=ax^2+q$의 그래프 : $y=ax^2$의 그래프를 y축의 방향으로 ❶ 만큼 평행이동한 것이다.
(2) 이차함수 $y=a(x-p)^2$의 그래프 : $y=ax^2$의 그래프를 ❷ 축의 방향으로 p만큼 평행이동한 것이다.

답 ❶ q ❷ x

01

다음 중 이차함수 $y=-\frac{1}{5}x^2+2$의 그래프로 적당한 것은?

①
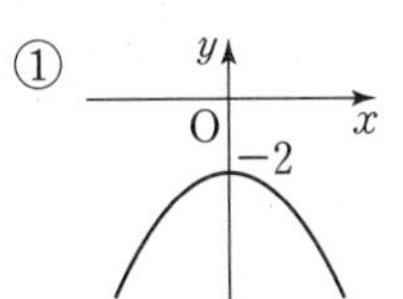

②
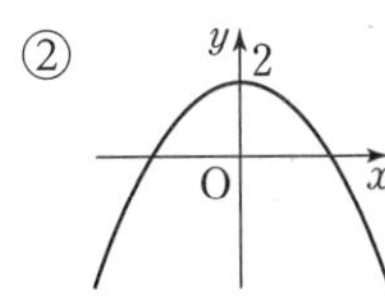

③
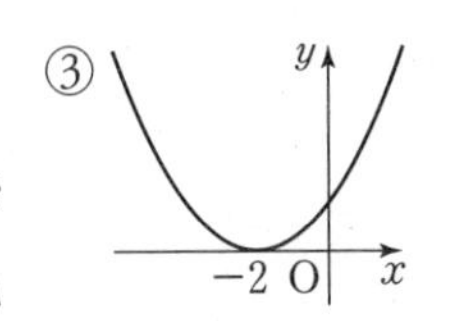

④
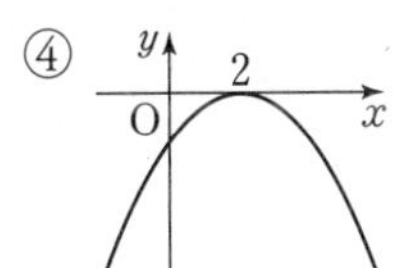

⑤
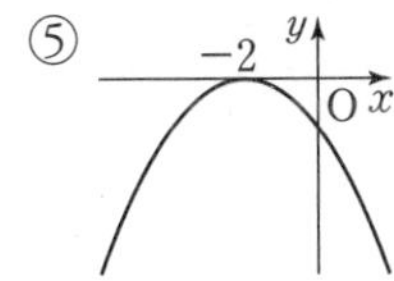

02

이차함수 $y=3x^2$의 그래프를 y축의 방향으로 q만큼 평행이동한 그래프가 점 $(1, 5)$를 지날 때, $2q$의 값을 구하시오.

★ 03

다음 중 이차함수 $y=4x^2-3$의 그래프에 대한 설명으로 옳은 것은?

① 꼭짓점의 좌표는 $(0, 4)$이다.
② x축에 대칭이다.
③ 위로 볼록한 포물선이다.
④ $y=4x^2$의 그래프를 x축의 방향으로 -3만큼 평행이동한 것이다.
⑤ $x>0$일 때, x의 값이 증가하면 y의 값도 증가한다.

04

이차함수 $y=\frac{1}{2}x^2$의 그래프를 x축의 방향으로 -8만큼 평행이동한 그래프를 나타내는 이차함수의 식은?

① $y=\frac{1}{2}x^2-8$
② $y=\frac{1}{2}x^2+8$
③ $y=\frac{1}{2}(x-8)^2$
④ $y=\frac{1}{2}(x+8)^2$
⑤ $y=\frac{1}{2}(x-8)^2-8$

05

이차함수 $y=a(x-p)^2$의 그래프의 꼭짓점의 좌표가 $(-3, 0)$이고 점 $(-1, -12)$를 지날 때, a의 값을 구하시오. (단, a, p는 상수)

06 서술형

이차함수 $y=2x^2$의 그래프를 x축의 방향으로 -2만큼 평행이동한 그래프가 점 $(-3, k)$를 지날 때, k의 값을 구하시오.

★ 07

다음 중 이차함수 $y=(x+1)^2$의 그래프에 대한 설명으로 옳지 않은 것은?

① 점 $(-2, 1)$을 지난다.
② $y=x^2$의 그래프를 x축의 방향으로 1만큼 평행이동한 것이다.
③ 아래로 볼록한 포물선이다.
④ 꼭짓점의 좌표는 $(-1, 0)$이다.
⑤ 축의 방정식은 $x=-1$이다.

3 이차함수 $y=a(x-p)^2+q$의 그래프

개념 1 이차함수 $y=a(x-p)^2+q$의 그래프

(1) 이차함수 $y=ax^2$의 그래프를 x축의 방향으로 p만큼, y축의 방향으로 q만큼 평행이동한 것이다.

(2) **꼭짓점의 좌표** (p, q)

(3) **축의 방정식** $x=p$

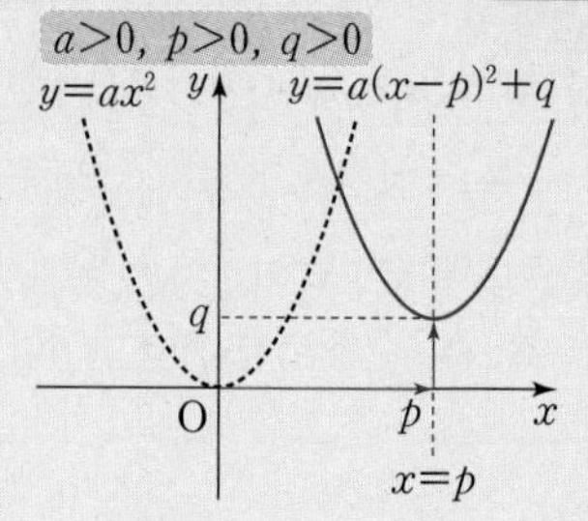

보기 이차함수 $y=(x+2)^2-3$의 그래프는 아래 그림처럼 $y=x^2$의 그래프를 x축의 방향으로 -2만큼, y축의 방향으로 -3만큼 평행이동한 것임을 알 수 있다.

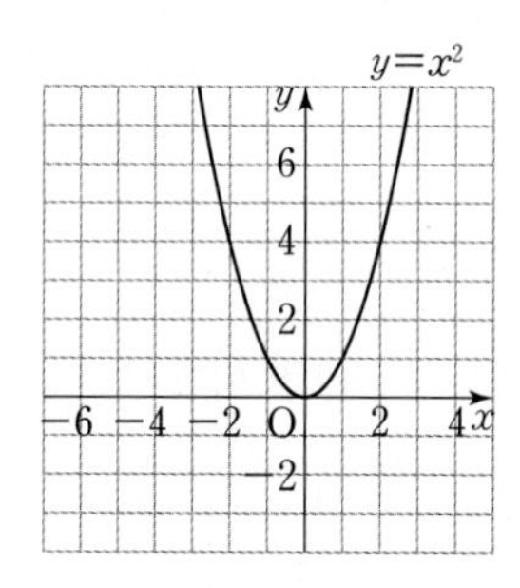

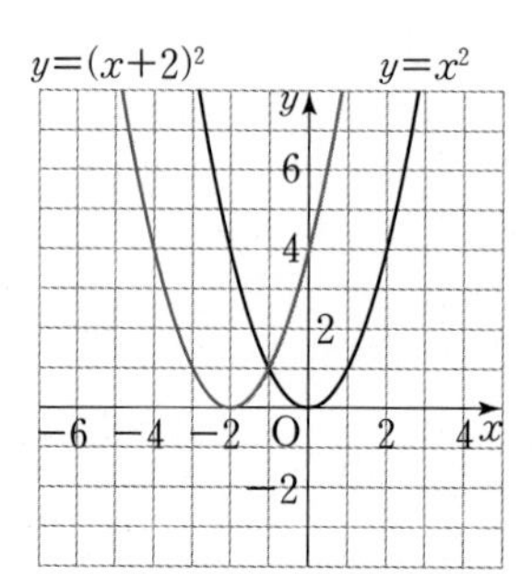

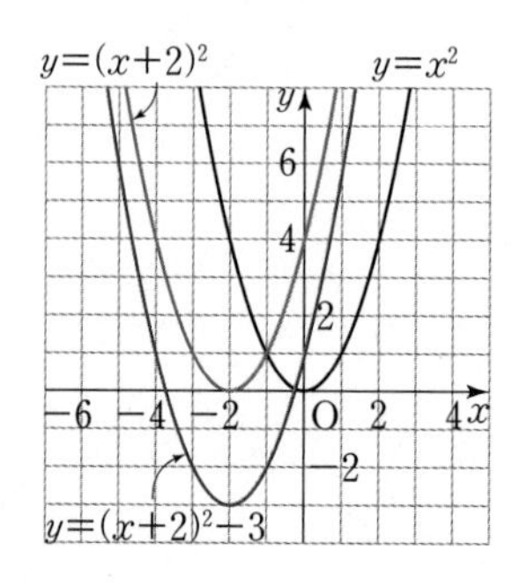

$y=x^2$ $\xrightarrow[-2\text{만큼 평행이동}]{x\text{축의 방향으로}}$ $y=(x+2)^2$ $\xrightarrow[-3\text{만큼 평행이동}]{y\text{축의 방향으로}}$ $y=(x+2)^2-3$

$y=x^2$	$y=(x+2)^2$	$y=(x+2)^2-3$
① 꼭짓점의 좌표 : $(0, 0)$	① 꼭짓점의 좌표 : $(-2, 0)$	① 꼭짓점의 좌표 : $(-2, -3)$
② 축의 방정식 : $x=0$	② 축의 방정식 : $x=-2$	② 축의 방정식 : $x=-2$

Lecture

- 그래프의 식 : $y=ax^2$ $\xrightarrow[y\text{축의 방향으로 }q\text{만큼 평행이동}]{x\text{축의 방향으로 }p\text{만큼,}}$ $y=a(x-p)^2+q$
- 꼭짓점의 좌표 : $(0, 0)$ ⟶ (p, q)
- 축의 방정식 : $x=0$ ⟶ $x=p$

| 개념 확인 | **1** **이차함수 $y=3x^2$의 그래프를 x축의 방향으로 -1만큼, y축의 방향으로 4만큼 평행이동한 그래프를 나타내는 이차함수의 식을 구하시오.**

| 개념 확인 | **2** **다음 이차함수의 그래프를 이차함수 $y=2x^2$의 그래프를 이용하여 오른쪽 좌표평면 위에 그리고, 꼭짓점의 좌표와 축의 방정식을 각각 구하시오.**

(1) $y=2(x-2)^2+3$

(2) $y=2(x+1)^2+1$

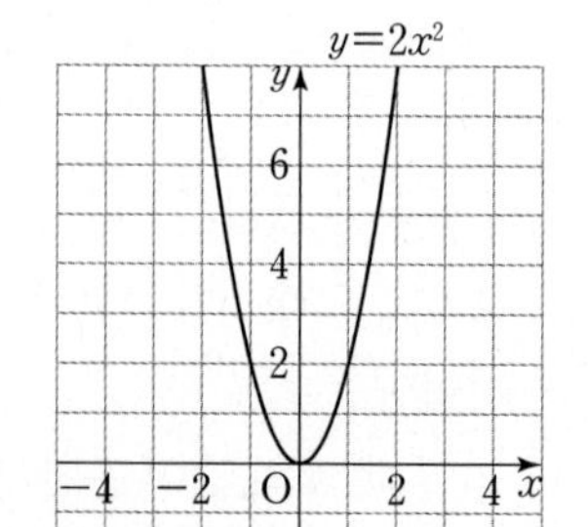

그래프 한눈에 정리하기 이차함수의 그래프

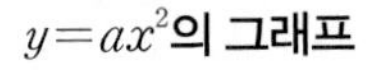

$y=ax^2$의 그래프

① 꼭짓점의 좌표 : $(0, 0)$

② 축의 방정식 : $x=0$(y축)

③ $a>0$이면 아래로 볼록한 포물선이고,
$a<0$이면 위로 볼록한 포물선이다.

④ a의 절댓값이 클수록 그래프의 폭이 좁아진다.

⑤ $y=-ax^2$의 그래프와 x축에 대칭이다.

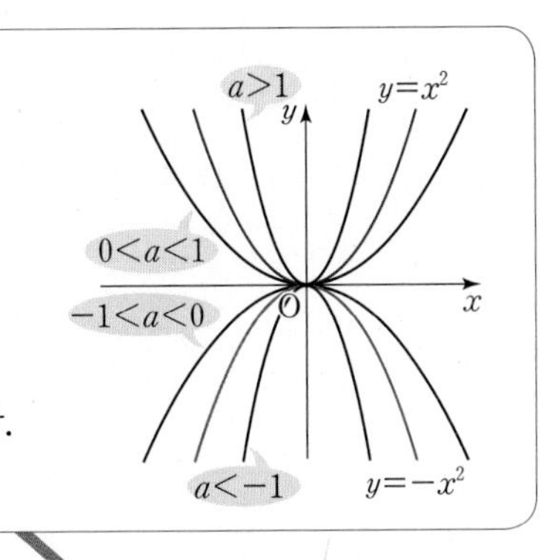

y축의 방향으로 q만큼 평행이동

x축의 방향으로 p만큼 평행이동 / y축의 방향으로 q만큼 평행이동

x축의 방향으로 p만큼 평행이동

$y=ax^2+q$의 그래프

① 꼭짓점의 좌표 : $(0, q)$

② 축의 방정식 : $x=0$(y축)

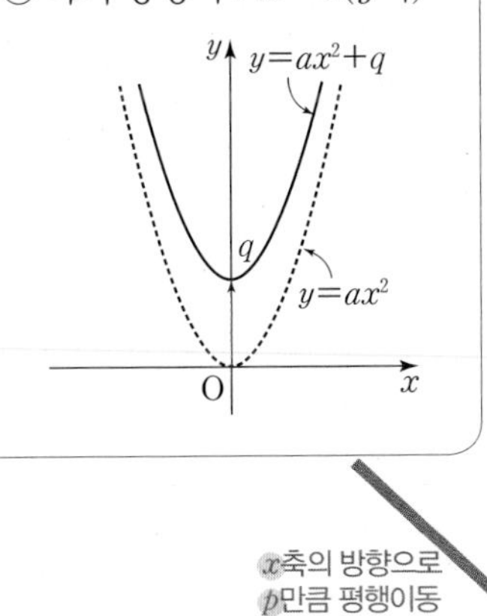

$y=a(x-p)^2$의 그래프

① 꼭짓점의 좌표 : $(p, 0)$

② 축의 방정식 : $x=p$

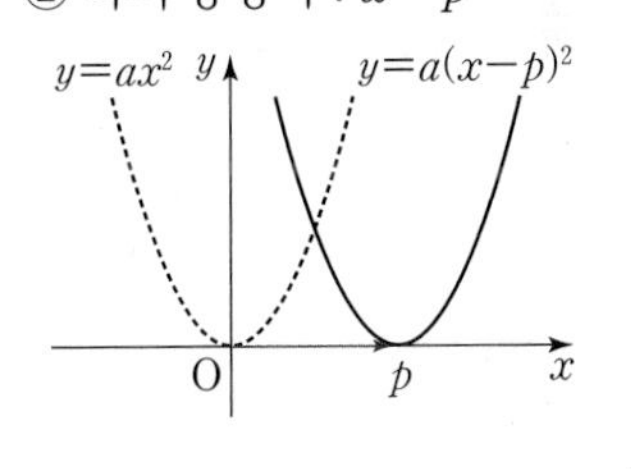

x축의 방향으로 p만큼 평행이동

y축의 방향으로 q만큼 평행이동

$y=a(x-p)^2+q$의 그래프

① 꼭짓점의 좌표 : (p, q)

② 축의 방정식 : $x=p$

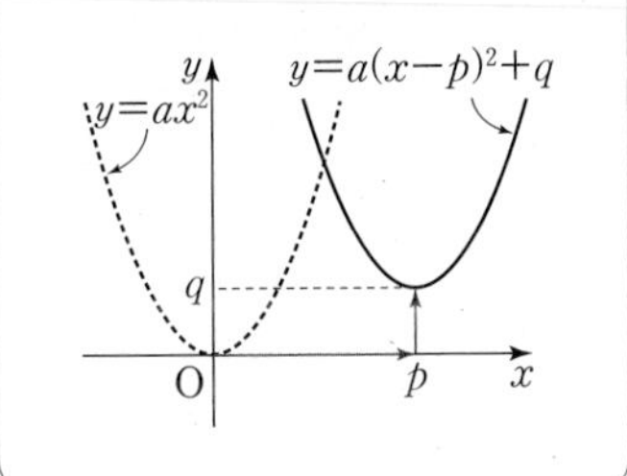

개념 확인 3 다음 이차함수의 그래프의 꼭짓점의 좌표와 축의 방정식을 각각 구하시오.

(1) $y=\frac{1}{4}x^2$ (2) $y=-\frac{1}{3}x^2$ (3) $y=\frac{1}{4}x^2+2$

(4) $y=-x^2+5$ (5) $y=-2(x-1)^2$ (6) $y=\frac{1}{3}(x+2)^2$

(7) $y=\left(x+\frac{2}{3}\right)^2+1$ (8) $y=-\frac{1}{2}(x-3)^2-\frac{1}{2}$ (9) $y=2\left(x-\frac{3}{2}\right)^2+\frac{3}{4}$

개념 2 이차함수 $y=a(x-p)^2+q$의 그래프의 평행이동

이차함수 $y=a(x-p)^2+q$의 그래프를 **x축의 방향으로 m만큼, y축의 방향으로 n만큼** 평행이동하였을 때

(1) 꼭짓점의 좌표

$$(p,\ q)\xrightarrow[y\text{축의 방향으로 } n\text{만큼 평행이동}]{x\text{축의 방향으로 } m\text{만큼,}}(p+m,\ q+n)$$

(2) 그래프의 식

$$y=a(x-p)^2+q\xrightarrow[y\text{축의 방향으로 } n\text{만큼 평행이동}]{x\text{축의 방향으로 } m\text{만큼,}}y=a(x-p-m)^2+q+n$$

$\hookrightarrow y=a\{x-(p+m)\}^2+q+n$

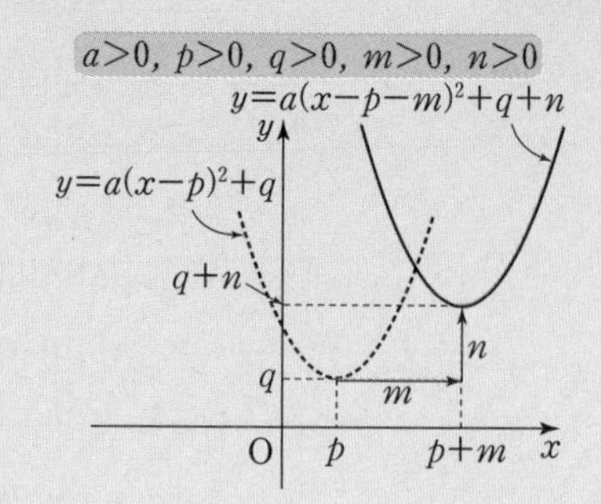

보기 이차함수 $y=2(x-1)^2+3$의 그래프를 x축의 방향으로 3만큼, y축의 방향으로 -2만큼 평행이동하였을 때 꼭짓점의 좌표는

$$(1,\ 3)\xrightarrow[y\text{축의 방향으로 } -2\text{만큼 평행이동}]{x\text{축의 방향으로 } 3\text{만큼,}}(1+3,\ 3-2),\ \text{즉 } (4,\ 1)$$

따라서 평행이동한 그래프의 꼭짓점의 좌표가 $(4,\ 1)$이므로 이차함수의 식은
$y=2(x-4)^2+1$

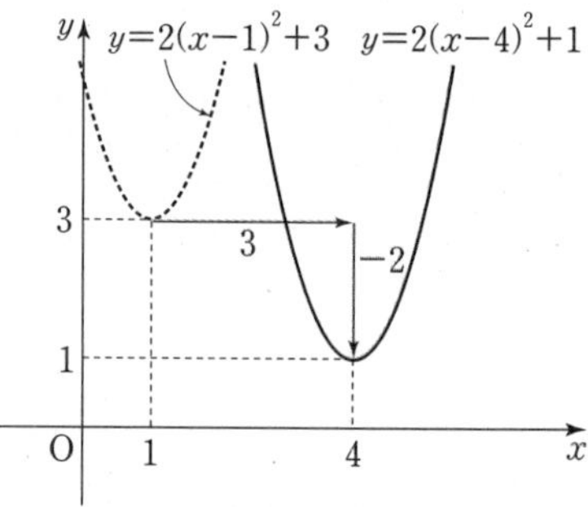

Lecture

- 그래프를 평행이동하면 그래프의 모양과 폭은 변하지 않고 꼭짓점의 위치만 바뀐다. 즉 이차항의 계수는 변하지 않는다.
- 그래프의 평행이동에서는 꼭짓점의 변화에 주목하여 문제를 해결하면 편리하다.

개념 확인 **4** **이차함수 $y=-2(x-4)^2-1$의 그래프를 x축의 방향으로 -3만큼, y축의 방향으로 -2만큼 평행이동한 그래프를 오른쪽 좌표평면 위에 그리고, 다음 물음에 답하시오.**

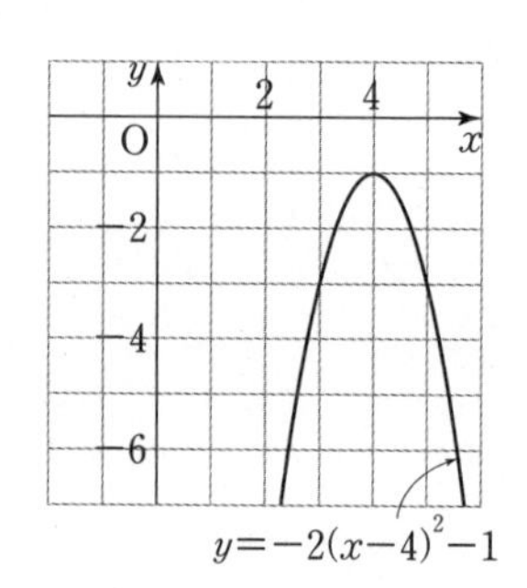

(1) 평행이동한 그래프의 꼭짓점의 좌표를 구하시오.

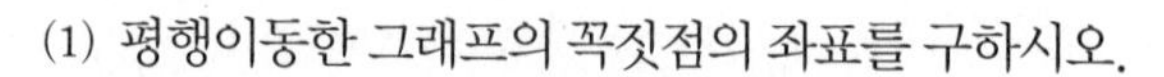

(2) 평행이동한 그래프를 나타내는 이차함수의 식을 구하시오.

정답과 해설 p.83

개념 동영상

개념 3 이차함수 $y=a(x-p)^2+q$의 그래프에서 a, p, q의 부호

(1) **a의 부호** 그래프의 모양으로 정한다.

① 아래로 볼록하다. ➡ $a>0$

② 위로 볼록하다. ➡ $a<0$

(2) **p, q의 부호** 꼭짓점이 제몇 사분면 위에 있는지 확인하여 정한다.

제1사분면	제2사분면	제3사분면	제4사분면
$p>0, q>0$	$p<0, q>0$	$p<0, q<0$	$p>0, q<0$

보충

• 각 사분면 위의 점의 좌표의 부호

제2사분면 (−, +)	제1사분면 (+, +)
제3사분면 (−, −)	제4사분면 (+, −)

이차함수 $y=a(x-p)^2+q$의 그래프가 다음 그림과 같을 때, a, p, q의 부호를 정하면

(1)

① 그래프의 모양이 아래로 볼록하므로 $a>0$

② 꼭짓점이 제2사분면 위에 있으므로 $p<0, q>0$

(2)

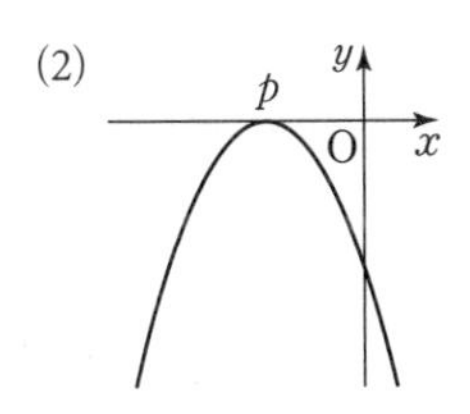

① 그래프의 모양이 위로 볼록하므로 $a<0$

② 꼭짓점이 x축 위에 있으므로 $q=0$

③ 꼭짓점이 y축보다 왼쪽에 있으므로 $p<0$

Lecture

• 이차함수 $y=a(x-p)^2+q$의 그래프에서 a의 부호는 그래프의 모양을 결정하고, p, q의 부호는 꼭짓점이 있는 사분면의 위치를 결정한다.

9 이차함수의 그래프 (1)

개념 확인 5 이차함수 $y=a(x-p)^2+q$의 그래프가 다음 그림과 같을 때, □ 안에 $>$, $=$, $<$ 중 알맞은 것을 써넣으시오.

(1)

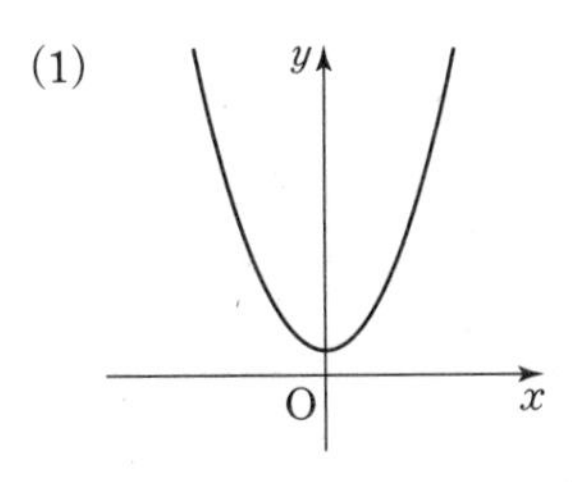

a □ 0, p □ 0, q □ 0

(2)

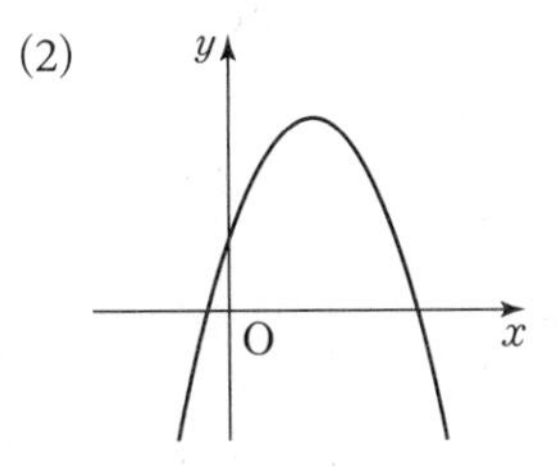

a □ 0, p □ 0, q □ 0

(3)

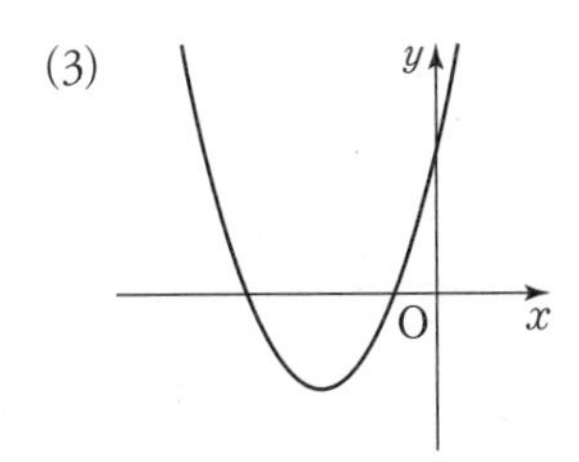

a □ 0, p □ 0, q □ 0

개념 기초

1-1

이차함수 $y=-\frac{1}{2}(x+1)^2+5$ 의 그래프를 오른쪽 좌표평면 위에 그리고, □ 안에 알맞은 것을 써넣으시오.

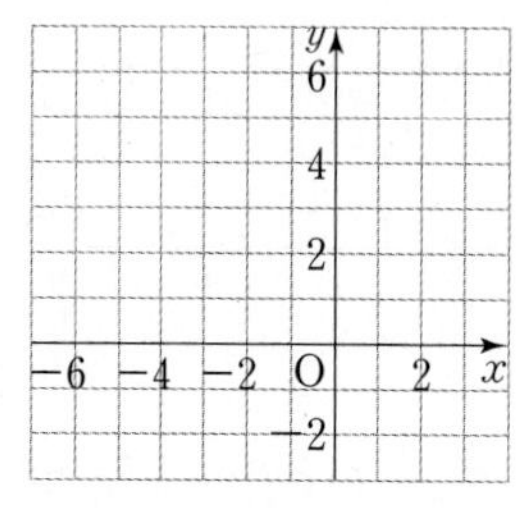

(1) $y=$□x^2의 그래프를 x축의 방향으로 □만큼, y축의 방향으로 □만큼 평행이동한 것이다.

(2) 꼭짓점의 좌표는 (□, □)이다.

(3) 축의 방정식은 □이다.

(4) □로 볼록한 그래프이다.

(5) x의 값이 증가할 때 y의 값도 증가하는 x의 값의 범위는 □이다.

연구 이차함수 $y=a(x-p)^2+q$의 그래프의 꼭짓점의 좌표는 (p, q), 축의 방정식은 $x=p$이다.

쌍둥이 문제

1-2

이차함수 $y=\frac{1}{4}(x+3)^2-2$의 그래프를 오른쪽 좌표평면 위에 그리고, □ 안에 알맞은 것을 써넣으시오.

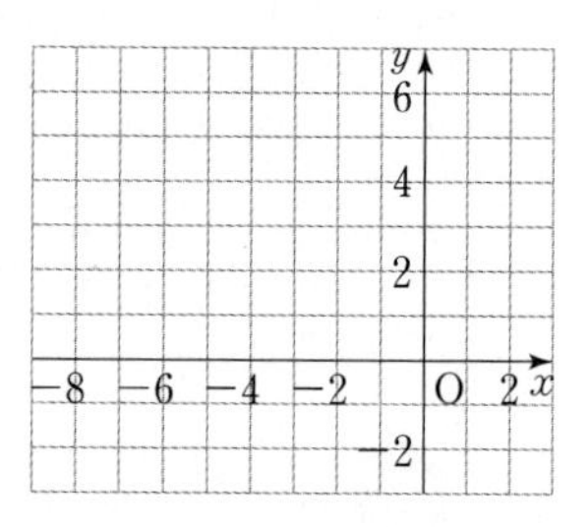

(1) $y=$□x^2의 그래프를 x축의 방향으로 □만큼, y축의 방향으로 □만큼 평행이동한 것이다.

(2) 꼭짓점의 좌표는 (□, □)이다.

(3) 축의 방정식은 □이다.

(4) □로 볼록한 그래프이다.

(5) x의 값이 증가할 때 y의 값은 감소하는 x의 값의 범위는 □이다.

2-1

다음 이차함수의 그래프를 그리시오. (단, 꼭짓점의 좌표와 y축과의 교점의 좌표를 반드시 표시한다.)

(1) $y=4(x+1)^2-2$ (2) $y=-\frac{1}{2}(x-4)^2+4$

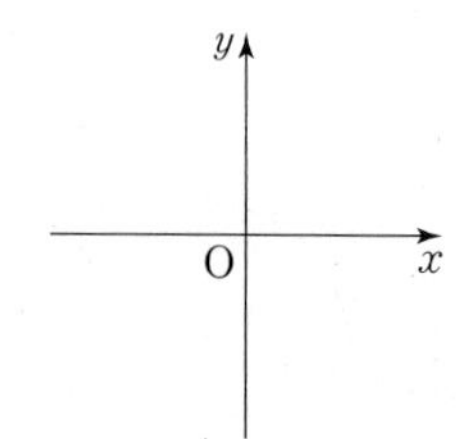

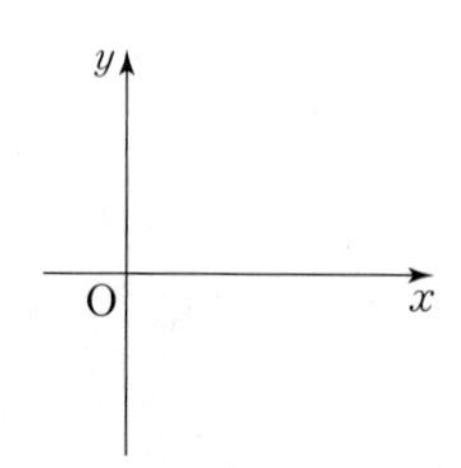

연구 이차함수 $y=a(x-p)^2+q$의 그래프 그리기
① a의 부호로 그래프의 모양을 확인한다.
② 꼭짓점 (p, q)와 y축과의 교점을 좌표평면 위에 나타내고 포물선을 그린다.

2-2

다음 이차함수의 그래프를 그리시오. (단, 꼭짓점의 좌표와 y축과의 교점의 좌표를 반드시 표시한다.)

(1) $y=\frac{1}{3}(x+3)^2+2$ (2) $y=-3(x-1)^2-1$

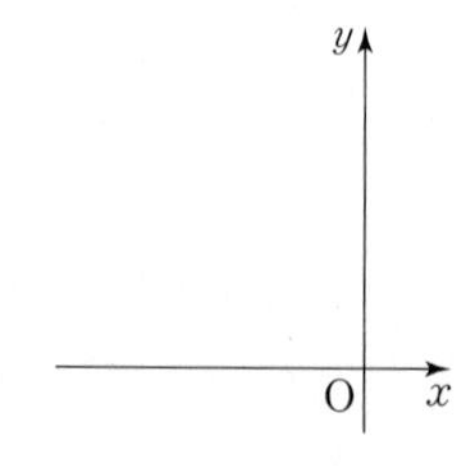

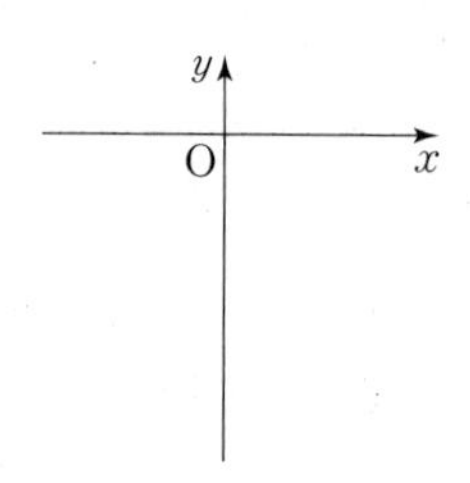

개념 기초

3-1

다음 이차함수의 그래프를 x축의 방향으로 p만큼, y축의 방향으로 q만큼 평행이동한 그래프를 나타내는 이차함수의 식을 구하고, 꼭짓점의 좌표와 축의 방정식을 각각 구하시오.

(1) $y=x^2$ $[p=-3, q=4]$

(2) $y=-4x^2$ $\left[p=\frac{1}{2}, q=\frac{3}{2}\right]$

연구 이차함수 $y=a(x-p)^2+q$의 그래프는 $y=ax^2$의 그래프를 x축의 방향으로 p만큼, y축의 방향으로 q만큼 평행이동한 것이다.

쌍둥이 문제

3-2

다음 이차함수의 그래프를 x축의 방향으로 p만큼, y축의 방향으로 q만큼 평행이동한 그래프를 나타내는 이차함수의 식을 구하고, 꼭짓점의 좌표와 축의 방정식을 각각 구하시오.

(1) $y=3x^2$ $[p=1, q=-6]$

(2) $y=-\frac{1}{2}x^2$ $[p=-5, q=-3]$

4-1

이차함수 $y=3(x+5)^2+3$의 그래프에서 x의 값이 증가할 때, y의 값은 감소하는 x의 값의 범위를 구하시오.

연구 이차함수 $y=a(x-p)^2+q$의 그래프에서 증가, 감소는 축 $x=p$를 기준으로 바뀐다.

4-2

이차함수 $y=-(x-2)^2+1$의 그래프에서 x의 값이 증가할 때, y의 값은 감소하는 x의 값의 범위를 구하시오.

5-1

이차함수 $y=2(x-1)^2+1$의 그래프를 x축의 방향으로 3만큼, y축의 방향으로 -4만큼 평행이동한 그래프를 나타내는 이차함수의 식을 구하시오.

연구 이차함수 $y=a(x-p)^2+q$의 그래프를 x축의 방향으로 m만큼, y축의 방향으로 n만큼 평행이동한 그래프의 꼭짓점의 좌표는 $(p+m,$ ☐ $)$이다.
이때 그래프의 꼭짓점의 좌표가 $(p+m, q+n)$인 이차함수의 식은 $y=a\{x-(p+m)\}^2+q+n$이다.

5-2

이차함수 $y=-\frac{1}{4}(x+3)^2-5$의 그래프를 x축의 방향으로 -2만큼, y축의 방향으로 3만큼 평행이동한 그래프를 나타내는 이차함수의 식을 구하시오.

대표 유형 1 이차함수 $y=a(x-p)^2+q$의 그래프 그리기

① a의 부호로 그래프의 모양을 확인한다. ➡ $a>0$이면 아래로 볼록, $a<0$이면 위로 볼록
② 꼭짓점 (p, q)와 y축과의 교점을 좌표평면 위에 나타내고 포물선을 그린다.

1-1 이차함수 $y=2(x-1)^2+4$의 그래프가 지나지 않는 사분면을 모두 구하시오.

풀이 $y=2(x-1)^2+4$의 그래프는 꼭짓점의 좌표가 $(1, 4)$이고 아래로 볼록하므로 오른쪽 그림과 같다.
따라서 그래프가 지나지 않는 사분면은 제 3, 4사분면이다.

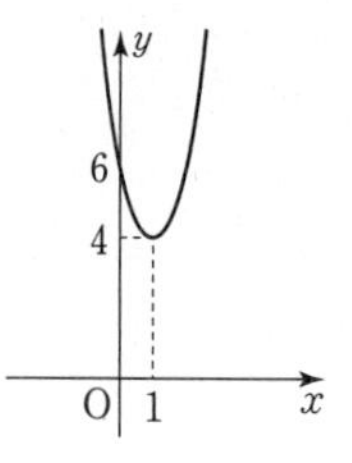

답 제 3, 4사분면

쌍둥이 1-2

다음 이차함수의 그래프 중 제1, 2, 3, 4사분면을 모두 지나는 그래프가 아닌 것은?

① $y=-x^2+4$
② $y=\frac{2}{3}(x+3)^2$
③ $y=-\frac{3}{4}(x+2)^2+5$
④ $y=(x-1)^2-4$
⑤ $y=3(x+1)^2-6$

대표 유형 2 이차함수 $y=a(x-p)^2+q$의 그래프

- 이차함수 $y=ax^2$의 그래프를 x축의 방향으로 p만큼, y축의 방향으로 q만큼 평행이동한 것이다.
- 꼭짓점의 좌표는 (p, q)이고 축의 방정식은 $x=p$이다.

2-1 이차함수 $y=3x^2$의 그래프를 x축의 방향으로 2만큼, y축의 방향으로 5만큼 평행이동하면 점 $(3, k)$를 지난다. 이때 k의 값을 구하시오.

풀이 이차함수 $y=3x^2$의 그래프를 x축의 방향으로 2만큼, y축의 방향으로 5만큼 평행이동한 그래프의 식은 $y=3(x-2)^2+5$
이 그래프가 점 $(3, k)$를 지나므로
$y=3(x-2)^2+5$에 $x=3$, $y=k$를 대입하면
$k=3\times(3-2)^2+5=3+5=8$

답 8

쌍둥이 2-2

이차함수 $y=ax^2$의 그래프를 x축의 방향으로 3만큼, y축의 방향으로 q만큼 평행이동하였더니 이차함수 $y=\frac{3}{2}(x-p)^2+2$의 그래프와 일치하였다. 이때 apq의 값을 구하시오. (단, a, p는 상수)

쌍둥이 2-3

이차함수 $y=-\frac{3}{4}x^2$의 그래프를 x축의 방향으로 -3만큼, y축의 방향으로 5만큼 평행이동하면 점 $(-5, k)$를 지난다. 이때 k의 값을 구하시오.

대표 유형 3 이차함수의 그래프에서 미지수의 값 구하기

① 주어진 그래프에서 꼭짓점의 좌표를 찾아 p, q의 값을 각각 구한다.
② 이차함수의 식에 주어진 다른 한 점의 좌표를 대입하여 a의 값을 구한다.

3-1 이차함수 $y=a(x-p)^2+q$의 그래프가 오른쪽 그림과 같을 때, apq의 값을 구하시오. (단, a, p, q는 상수)

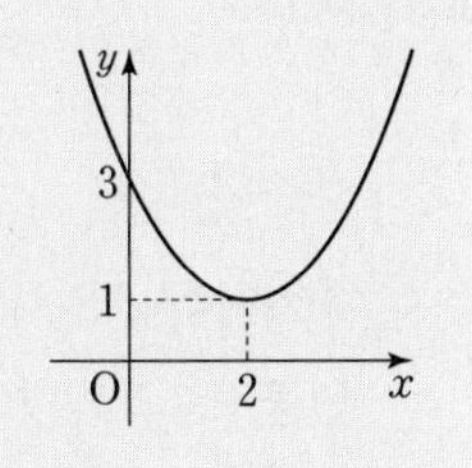

풀이 $y=a(x-p)^2+q$의 그래프의 꼭짓점의 좌표가 $(2, 1)$이므로
$p=2$, $q=1$
$y=a(x-2)^2+1$의 그래프가 점 $(0, 3)$을 지나므로
$y=a(x-2)^2+1$에 $x=0$, $y=3$을 대입하면
$3=a\times(0-2)^2+1$, $4a=2$ $\quad\therefore a=\frac{1}{2}$
$\therefore apq=\frac{1}{2}\times2\times1=1$

답 1

쌍둥이 3-2

이차함수 $y=a(x-p)^2+q$의 그래프가 오른쪽 그림과 같을 때, $a+p+q$의 값을 구하시오. (단, a, p, q는 상수)

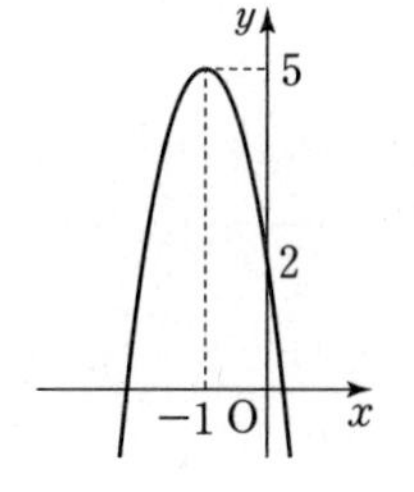

대표 유형 4 이차함수 $y=a(x-p)^2+q$의 그래프의 성질

- 이차함수 $y=a(x-p)^2+q$의 그래프의 꼭짓점의 좌표는 (p, q)이고 축의 방정식은 $x=p$이다.
- 축 $x=p$를 기준으로 y의 값의 증가, 감소가 바뀐다.

4-1 이차함수 $y=-2(x+1)^2+3$의 그래프에 대한 다음 설명 중 옳지 않은 것은?

① 위로 볼록한 포물선이다.
② 꼭짓점의 좌표는 $(-1, 3)$이다.
③ 축의 방정식은 $x=3$이다.
④ $y=-2x^2$의 그래프와 폭이 같다.
⑤ $x>-1$일 때, x의 값이 증가하면 y의 값은 감소한다.

풀이 이차함수 $y=-2(x+1)^2+3$의 그래프는 오른쪽 그림과 같다.
③ 축의 방정식은 $x=-1$이다.

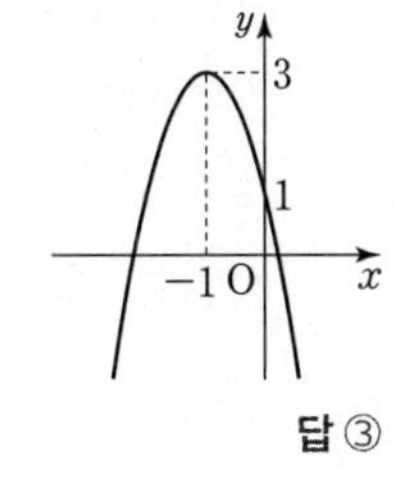

답 ③

쌍둥이 4-2

이차함수 $y=3(x-5)^2+4$의 그래프에 대한 다음 설명 중 옳지 않은 것은?

① 아래로 볼록한 포물선이다.
② 제 1, 2사분면을 지난다.
③ 꼭짓점의 좌표는 $(5, 4)$이다.
④ $x>5$일 때, x의 값이 증가하면 y의 값도 증가한다.
⑤ $y=3x^2$의 그래프를 x축의 방향으로 -5만큼, y축의 방향으로 4만큼 평행이동한 것이다.

대표 유형 5 이차함수 $y=a(x-p)^2+q$의 그래프의 평행이동

$y=a(x-p)^2+q$의 그래프를 x축의 방향으로 m만큼, y축의 방향으로 n만큼 평행이동한 그래프의 식이 $y=a(x-p')^2+q'$일 때

꼭짓점의 좌표 : $(p, q) \xrightarrow[y\text{축의 방향으로 } n\text{만큼 평행이동}]{x\text{축의 방향으로 } m\text{만큼,}} (p', q')$

➡ $p+m=p'$, $q+n=q'$

참고 평행이동할 때 그래프의 모양과 폭은 변하지 않으므로 a의 값은 변하지 않는다.

5-1 이차함수 $y=5(x-2)^2-1$의 그래프를 x축의 방향으로 p만큼, y축의 방향으로 q만큼 평행이동하였더니 $y=5x^2$의 그래프와 일치하였다. 이때 p, q의 값을 각각 구하시오.

풀이 $y=5(x-2)^2-1$의 그래프의 꼭짓점의 좌표는 $(2, -1)$

$y=5x^2$의 그래프의 꼭짓점의 좌표는 $(0, 0)$

$(2, -1) \xrightarrow[y\text{축의 방향으로 } q\text{만큼 평행이동}]{x\text{축의 방향으로 } p\text{만큼,}} (0, 0)$

즉 $2+p=0$, $-1+q=0$이므로

$p=-2$, $q=1$

답 $p=-2$, $q=1$

쌍둥이 5-2

이차함수 $y=-(x+1)^2-3$의 그래프를 x축의 방향으로 4만큼, y축의 방향으로 -2만큼 평행이동하면 $y=-(x-p)^2+q$의 그래프와 일치할 때, $2p+q$의 값을 구하시오. (단, p, q는 상수)

대표 유형 6 이차함수 $y=a(x-p)^2+q$의 그래프에서 a, p, q의 부호

- 그래프의 모양이
  아래로 볼록 ➡ $a>0$, 위로 볼록 ➡ $a<0$
- 꼭짓점 (p, q)의 위치가
  제1사분면 ➡ $p>0$, $q>0$, 제2사분면 ➡ $p<0$, $q>0$, 제3사분면 ➡ $p<0$, $q<0$, 제4사분면 ➡ $p>0$, $q<0$

6-1 이차함수 $y=a(x+p)^2+q$의 그래프가 오른쪽 그림과 같을 때, a, p, q의 부호를 정하시오.

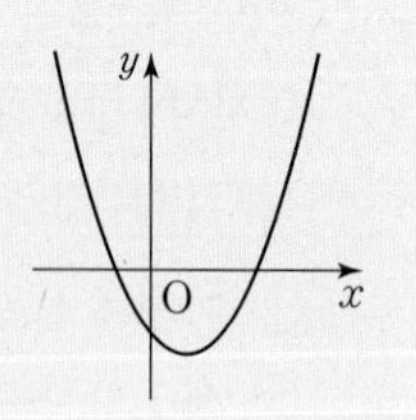

풀이 그래프의 모양이 아래로 볼록하므로 $a>0$

$y=a(x+p)^2+q$의 그래프에서

꼭짓점의 좌표가 $(-p, q)$이고 ← x좌표를 $-p$로 나타내는 것에 주의!

제4사분면 위에 있으므로 $-p>0$, $q<0$

$\therefore a>0$, $p<0$, $q<0$

답 $a>0$, $p<0$, $q<0$

쌍둥이 6-2

이차함수 $y=a(x-p)^2+q$의 그래프가 오른쪽 그림과 같을 때, a, p, q의 부호를 정하시오.

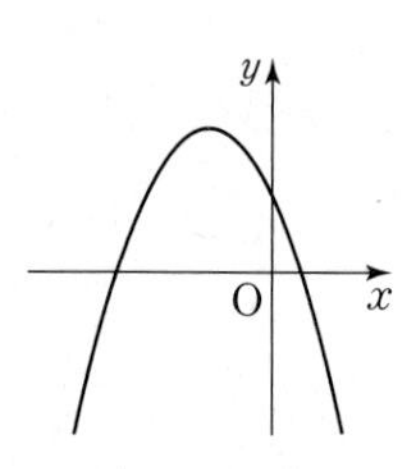

쌍둥이 6-3

이차함수 $y=a(x-p)^2-q$의 그래프가 오른쪽 그림과 같을 때, a, p, q의 부호를 정하시오.

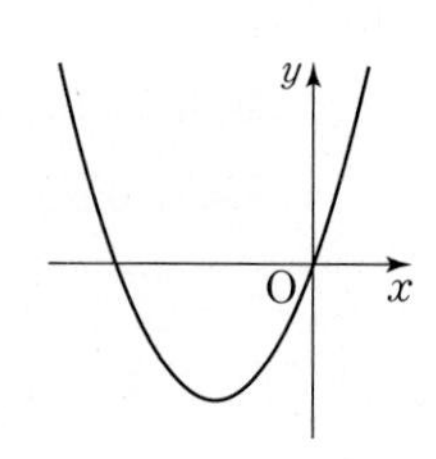

계산력 집중 연습 | 이차함수의 그래프 그리기

정답과 해설 p.85

1 다음 이차함수의 그래프의 꼭짓점의 좌표와 축의 방정식을 각각 구하고 이차함수의 그래프를 그리시오. (단, 꼭짓점의 좌표와 지나는 다른 한 점의 좌표를 반드시 표시한다.)

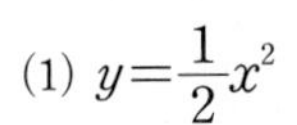

(1) $y=\frac{1}{2}x^2$

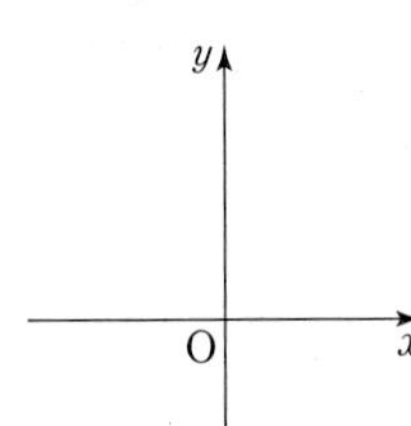

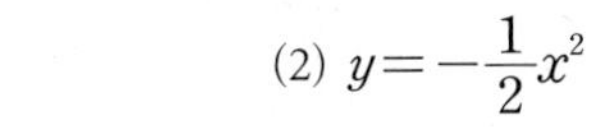

(2) $y=-\frac{1}{2}x^2$

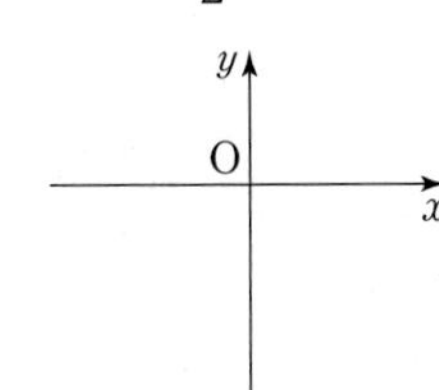

(3) $y=-2x^2+4$

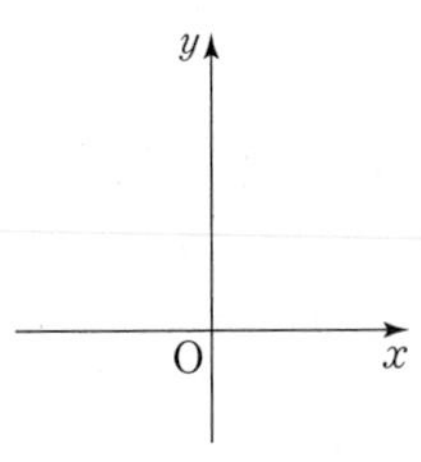

(4) $y=2x^2-1$

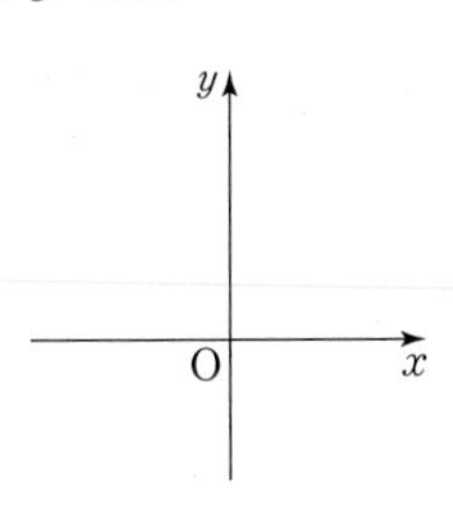

(5) $y=-(x-1)^2$

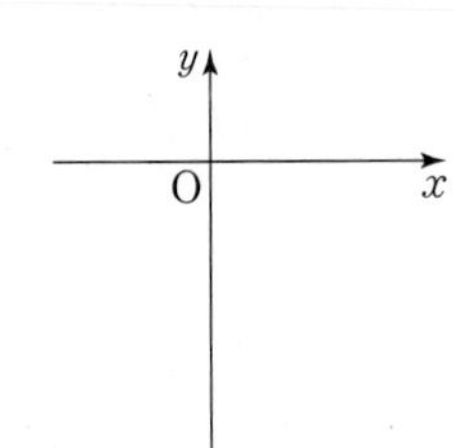

(6) $y=\frac{1}{2}(x+1)^2$

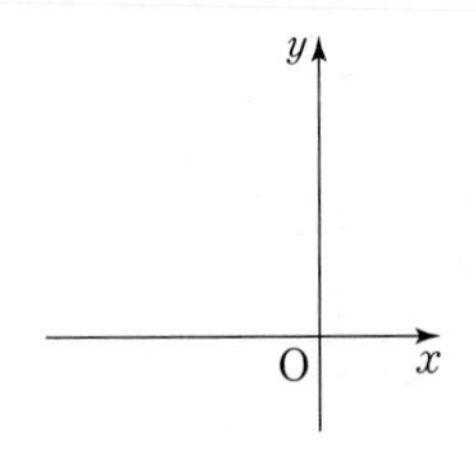

2 다음 이차함수의 그래프의 꼭짓점의 좌표와 축의 방정식을 각각 구하고 이차함수의 그래프를 그리시오. (단, 꼭짓점의 좌표와 지나는 다른 한 점의 좌표를 반드시 표시한다.)

(1) $y=(x+3)^2-1$

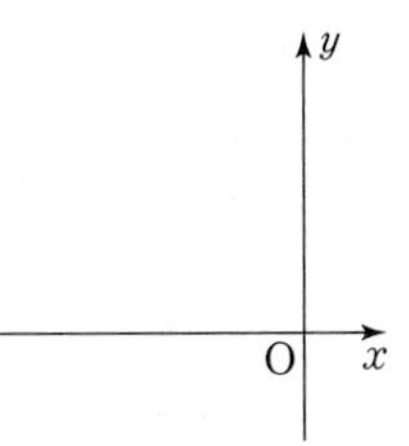

(2) $y=-(x+1)^2+3$

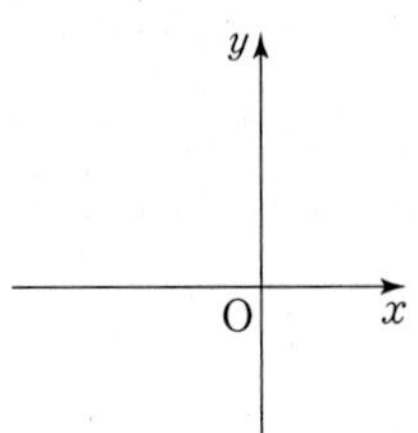

(3) $y=-2(x+1)^2+4$

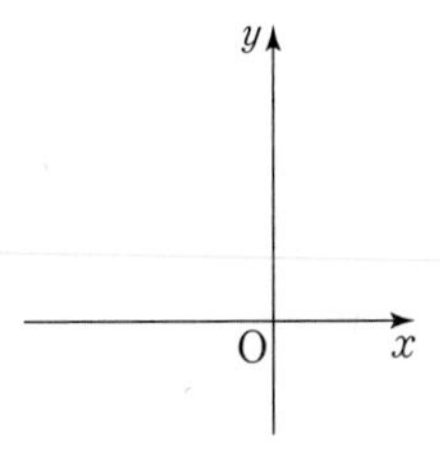

(4) $y=(x-2)^2-3$

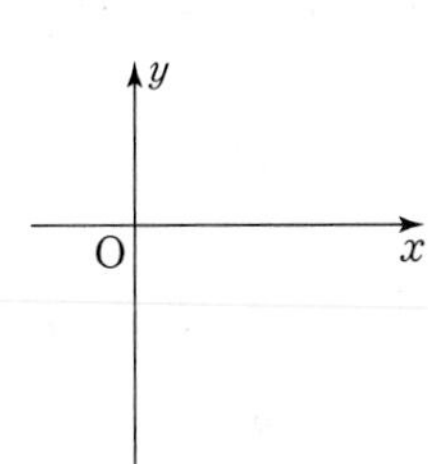

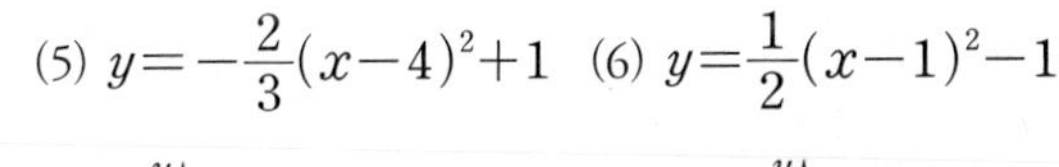

(5) $y=-\frac{2}{3}(x-4)^2+1$

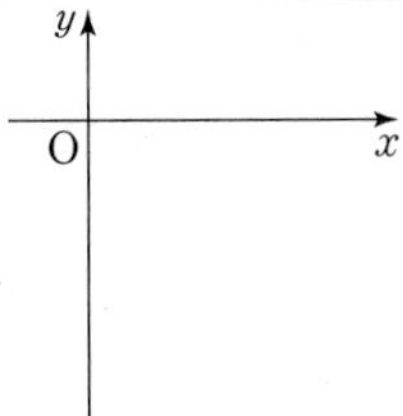

(6) $y=\frac{1}{2}(x-1)^2-1$

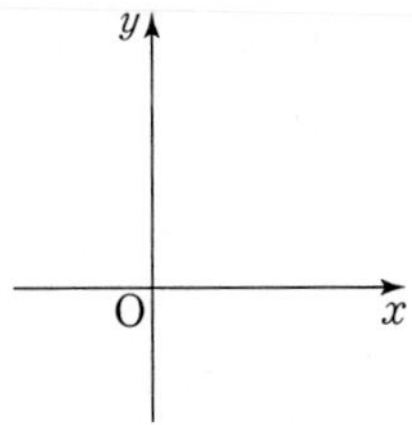

이차함수 $y=a(x-p)^2+q$의 그래프

(1) $y=a(x-p)^2+q$의 그래프 : $y=ax^2$의 그래프를 x축의 방향으로 p만큼, y축의 방향으로 q만큼 평행이동한 것이다.

(2) 꼭짓점의 좌표는 (❶ ☐, ❷ ☐)이다.

(3) 축의 방정식은 $x=$❸ ☐이다.

답 ❶ p ❷ q ❸ p

01

이차함수 $y=\frac{5}{2}x^2$의 그래프를 x축의 방향으로 -1만큼, y축의 방향으로 -2만큼 평행이동한 그래프를 나타내는 이차함수의 식은?

① $y=\frac{5}{2}(x+1)^2+2$ ② $y=\frac{5}{2}(x-1)^2+2$
③ $y=\frac{5}{2}(x+1)^2-2$ ④ $y=\frac{5}{2}(x-1)^2-2$
⑤ $y=-\frac{5}{2}(x-1)^2-2$

02

이차함수 $y=-\frac{1}{3}(x+1)^2-5$의 그래프의 꼭짓점의 좌표와 축의 방정식을 차례로 구하면?

① $(-1, -5), x=-2$ ② $(-1, -5), x=-1$
③ $(-1, 5), x=-1$ ④ $(1, -5), x=-5$
⑤ $(1, -5), x=1$

03

다음 이차함수의 그래프 중 모든 사분면을 지나는 것은?

① $y=-x^2-3$ ② $y=(x-4)^2$
③ $y=-(x+1)^2-2$ ④ $y=-(x-1)^2+4$
⑤ $y=2(x+4)^2-1$

04

이차함수 $y=-2(x-3)^2+5$의 그래프는 $y=-2x^2$의 그래프를 x축의 방향으로 m만큼, y축의 방향으로 n만큼 평행이동한 것이다. 이때 $m+n$의 값은?

① -8 ② -2 ③ 0
④ 2 ⑤ 8

05

서술형

이차함수 $y=2(x-p)^2+q$의 그래프가 점 $(3, 0)$을 지나고 직선 $x=1$을 축으로 할 때, $p+q$의 값을 구하시오.

(단, p, q는 상수)

06

이차함수 $y=\frac{5}{4}x^2$의 그래프를 x축의 방향으로 2만큼, y축의 방향으로 -1만큼 평행이동한 그래프가 점 $(k, 4)$를 지난다고 할 때, k의 값을 모두 구하시오.

07

이차함수 $y=a(x-p)^2+q$의 그래프가 오른쪽 그림과 같을 때, $a+p+q$의 값을 구하시오. (단, a, p, q는 상수)

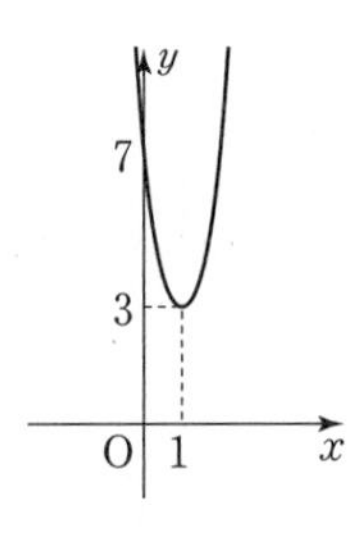

08

이차함수 $y=-\frac{4}{3}(x-1)^2+2$의 그래프에서 x의 값이 증가할 때, y의 값은 감소하는 x의 값의 범위는?

① $x<-1$　② $x>-1$　③ $x<1$
④ $x>1$　⑤ $-1<x<1$

09

창의력

다음 이차함수의 그래프 중 $y=-9x^2$의 그래프를 평행이동하여 포갤 수 있는 것은?

① $y=-9x^2+2$　② $y=9(x-9)^2$
③ $y=x^2-9$　④ $y=9x^2-4x$
⑤ $y=-\frac{1}{9}(x-2)^2+2$

★ 10

다음 보기 중 이차함수 $y=\frac{1}{2}(x-2)^2+3$의 그래프에 대한 설명으로 옳은 것을 모두 고르시오.

보기
㉠ 직선 $x=2$를 축으로 한다.
㉡ y축과 점 $(0, 5)$에서 만난다.
㉢ 꼭짓점의 좌표는 $(-2, 3)$이다.
㉣ 제1사분면과 제2사분면을 지난다.
㉤ $y=\frac{1}{2}x^2$의 그래프를 x축의 방향으로 -2만큼, y축의 방향으로 3만큼 평행이동한 것이다.
㉥ x의 값이 증가할 때, y의 값도 증가하는 x의 값의 범위는 $x<2$이다.

11

다음 중 이차함수 $y=-(x+1)^2-2$의 그래프를 x축의 방향으로 -1만큼, y축의 방향으로 4만큼 평행이동한 그래프가 지나는 점을 모두 고르면? (정답 2개)

① $(-2, 0)$　② $(-2, 2)$　③ $(0, -2)$
④ $(0, 2)$　⑤ $(2, 0)$

★ 12

서술형

이차함수 $y=-\frac{1}{3}(x-4)^2-5$의 그래프를 x축의 방향으로 a만큼, y축의 방향으로 b만큼 평행이동하였더니 이차함수 $y=-\frac{1}{3}(x+4)^2+1$의 그래프와 일치하였다. 이때 $a-b$의 값을 구하시오.

10 이차함수의 그래프 (2)

중2	중3	고등학교
• 일차함수와 그래프 • 일차함수와 일차방정식	• **이차함수 $y=ax^2+bx+c$의 그래프**	• 이차방정식과 이차함수 (고 1) • 합성함수와 역함수 (고 1) • 유리함수와 무리함수 (고 1)

학습 목표

• 이차함수 $y=ax^2+bx+c$를 $y=a(x-p)^2+q$의 꼴로 고쳐서 그래프를 그리고, 그 성질을 이해한다.

이차함수 $y=(x-2)^2-1$의
그래프를 어떻게 그렸는지 기억나니?
응! 오른쪽 그림과 같이
꼭짓점의 좌표가 $(2,\ -1)$이고
아래로 볼록한 그래프야.
y
x
O
2
-1
그럼, $y=(x-2)^2-1$의 그래프와
$y=x^2-4x+3$의 그래프는
같겠구나.
$y=(x-2)^2-1$에서
우변을 전개하면
$y=x^2-4x+4-1=x^2-4x+3$이야.
그렇지. 그럼 $y=x^2-4x+3$의
그래프를 그리라고 하면 그릴 수 있어?
음… 완전제곱식을 이용해서 이차함수의
식을 변형하면 되잖아. 아까 전개한 식을 거꾸로 하면
$y=x^2-4x+3=x^2-4x+4-4+3=(x-2)^2-1$이잖아.
응, 일단 완전제곱식을 이용해
$y=a(x-p)^2+q$의 꼴로만 바꾸면
쉽게 그릴 수 있어.
그러면 이제 이차함수의 식이
$y=ax^2+bx+c$의 꼴로 나타내어져
있어도 그래프를 그릴 수 있겠네?

1 이차함수 $y=ax^2+bx+c$의 그래프

개념 1 이차함수 $y=ax^2+bx+c$의 그래프

(1) **이차함수 $y=ax^2+bx+c$의 그래프** $y=a(x-p)^2+q$의 꼴로 고쳐서 그린다.

$$y=ax^2+bx+c \Rightarrow y=a\left(x+\frac{b}{2a}\right)^2-\frac{b^2-4ac}{4a}$$

① 꼭짓점의 좌표 : $\left(-\frac{b}{2a}, -\frac{b^2-4ac}{4a}\right)$

② 축의 방정식 : $x=-\frac{b}{2a}$

③ y축과의 교점의 좌표 : $(0, c)$

참고 $y=ax^2+bx+c$의 꼴을 이차함수의 일반형, $y=a(x-p)^2+q$의 꼴을 이차함수의 표준형이라 한다.

(2) **이차함수 $y=ax^2+bx+c$의 그래프와 x축, y축과의 교점**

① x축과의 교점의 좌표 : ($y=0$일 때의 x의 값, 0)

② y축과의 교점의 좌표 : (0, $x=0$일 때의 y의 값) → c

보충

- 이차함수의 그래프에서 x축과의 교점과 이차방정식

이차함수 $y=ax^2+bx+c$의 그래프가 x축과 만나는 점의 x좌표는 $y=0$일 때의 x의 값이므로 이차방정식 $ax^2+bx+c=0$의 해와 같다.

설명 이차함수 $y=ax^2+bx+c$를 $y=a(x-p)^2+q$의 꼴로 고치면 다음과 같다.

$$y=ax^2+bx+c$$
$$=a\left(x^2+\frac{b}{a}x\right)+c$$ ← 상수항을 제외하고 x^2의 계수로 묶는다.
$$=a\left\{x^2+\frac{b}{a}x+\left(\frac{b}{2a}\right)^2-\left(\frac{b}{2a}\right)^2\right\}+c$$ ← $\left\{\frac{(x\text{의 계수})}{2}\right\}^2$을 더해주고 다시 뺀다.
$$=a\left(x+\frac{b}{2a}\right)^2-\frac{b^2-4ac}{4a}$$ ← y=(완전제곱식)+(상수항)의 꼴로 정리한다.

보기 (1) $y=2x^2-4x+3$의 그래프를 그려 보자.

① $y=a(x-p)^2+q$의 꼴로 고친다.

$y=2x^2-4x+3$
$=2(x^2-2x)+3$
$=2(x^2-2x+1-1)+3$
$=2(x^2-2x+1)-2+3$
$=2(x-1)^2+1$

② 꼭짓점의 좌표, 축의 방정식과 y축과의 교점의 좌표를 구한다.

꼭짓점의 좌표 : (1, 1)
축의 방정식 : $x=1$
y축과의 교점의 좌표 : (0, 3)

③ 이차함수의 그래프를 그린다.

아래로 볼록한 모양이므로 $y=2x^2-4x+3$의 그래프는 다음 그림과 같다.

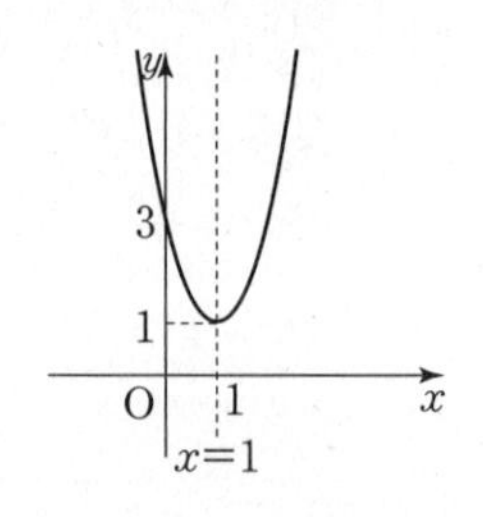

(2) 이차함수 $y=x^2-4x+3$의 그래프에서

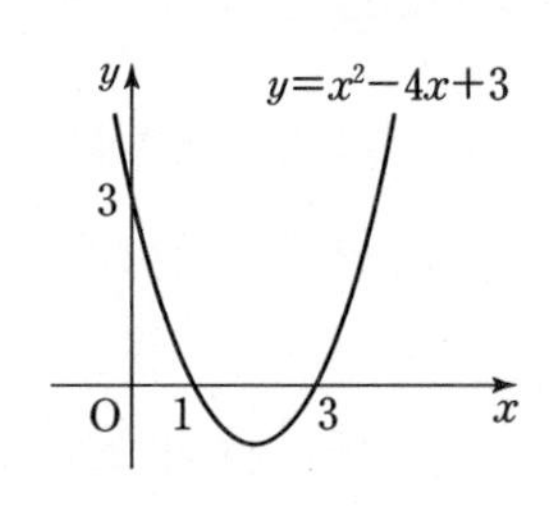

① x축과의 교점

$y=x^2-4x+3$에 $y=0$을 대입하면

$x^2-4x+3=0$, $(x-1)(x-3)=0$

$\therefore x=1$ 또는 $x=3$

따라서 x축과의 교점의 좌표는 $(1, 0)$, $(3, 0)$

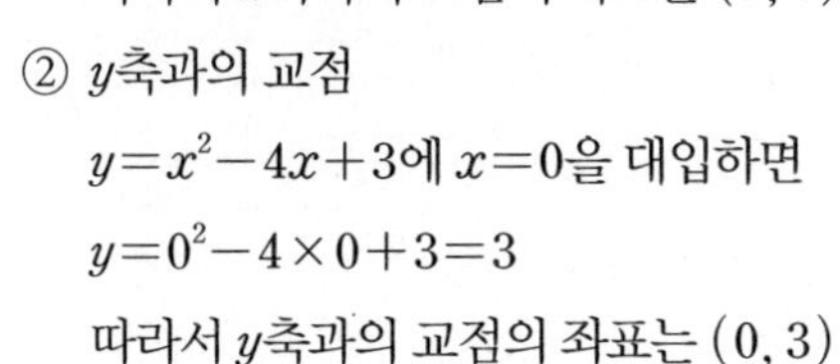

② y축과의 교점

$y=x^2-4x+3$에 $x=0$을 대입하면

$y=0^2-4\times0+3=3$

따라서 y축과의 교점의 좌표는 $(0, 3)$

Lecture

- 이차함수 $y=ax^2+bx+c$의 그래프의 성질
  - ① $a>0$이면 아래로 볼록한 포물선이고, $a<0$이면 위로 볼록한 포물선이다.
  - ② a의 절댓값이 클수록 그래프의 폭이 좁아진다. → a의 절댓값이 작을수록 그래프의 폭이 넓어진다.
  - ③ 이차함수 $y=ax^2+bx+c$의 그래프는 $y=a(x-p)^2+q$의 꼴로 바꿔서 그린다.
  - ④ y축 위의 점 $(0, c)$를 지난다.

| 개념 확인 | **1** **다음은 이차함수 $y=-x^2-2x+5$를 $y=a(x-p)^2+q$의 꼴로 고쳐서 그래프를 그리는 과정이다. 물음에 답하시오.**

(1) □ 안에 알맞은 수를 써넣으시오.

$$\begin{aligned} y&=-x^2-2x+5\\ &=-(x^2+2x)+5\\ &=-(x^2+2x+\square-\square)+5\\ &=-(x^2+2x+\square)+\square+5\\ &=-(x+\square)^2+\square \end{aligned}$$

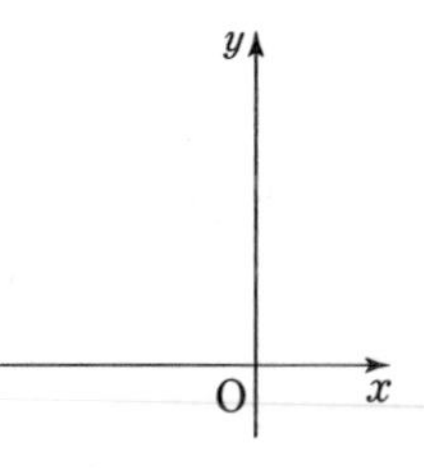

(2) 꼭짓점의 좌표를 구하시오.

(3) y축과의 교점의 좌표를 구하시오.

(4) 오른쪽 좌표평면 위에 그래프를 그리시오.

| 개념 확인 | **2** **이차함수 $y=x^2+5x-6$의 그래프가 오른쪽 그림과 같을 때, 다음을 구하시오.**

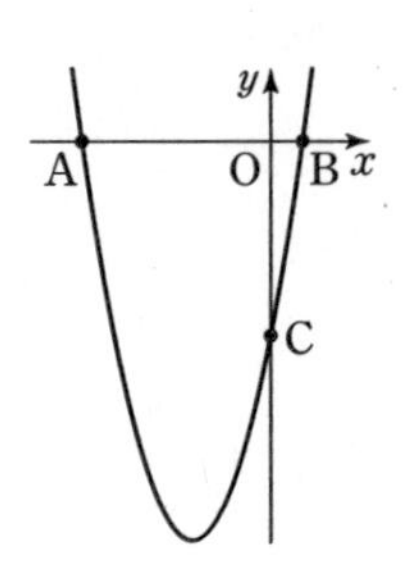

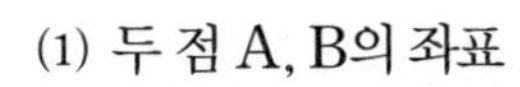

(1) 두 점 A, B의 좌표

(2) 점 C의 좌표

정답과 해설 p.87

개념 2 이차함수 $y=ax^2+bx+c$의 그래프에서 a, b, c의 부호

(1) a의 부호 그래프의 모양에 따라 결정된다.

① 아래로 볼록 ➡ $a>0$ ② 위로 볼록 ➡ $a<0$

(2) b의 부호 축의 위치에 따라 결정된다.

① 축이 y축의 왼쪽 ➡ a, b는 같은 부호($ab>0$)

② 축이 y축 ➡ $b=0$

③ 축이 y축의 오른쪽 ➡ a, b는 다른 부호($ab<0$)

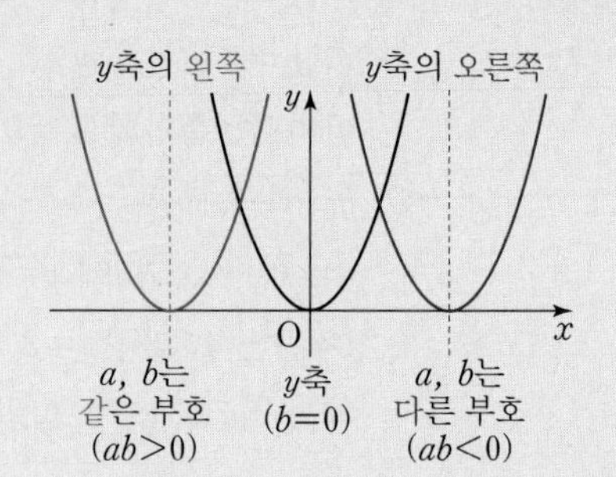

(3) c의 부호 y축과의 교점의 위치에 따라 결정된다.

① y축과의 교점이 x축보다 위쪽 ➡ $c>0$

② y축과의 교점이 원점 ➡ $c=0$

③ y축과의 교점이 x축보다 아래쪽 ➡ $c<0$

이차함수 $y=ax^2+bx+c$의 그래프가 오른쪽 그림과 같을 때

(1) 그래프의 모양이 아래로 볼록하므로 $a>0$

(2) 축이 y축의 오른쪽에 있으므로 a와 b의 부호는 다르다. 즉 $b<0$

(3) y축과의 교점이 x축보다 위쪽에 있으므로 $c>0$

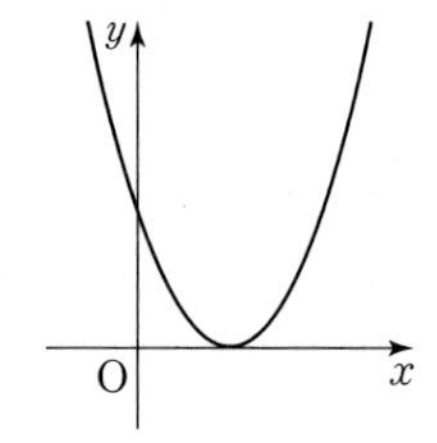

설명 (2) 이차함수 $y=ax^2+bx+c$에서 $y=ax^2+bx+c=a\left(x+\frac{b}{2a}\right)^2-\frac{b^2-4ac}{4a}$, 즉 축의 방정식은 $x=-\frac{b}{2a}$이므로

① 축이 y축의 왼쪽에 있으면 $-\frac{b}{2a}<0$, 즉 $\frac{b}{2a}>0$ ⇨ a, b는 같은 부호

② 축이 y축이면 $-\frac{b}{2a}=0$ ⇨ $b=0$

③ 축이 y축의 오른쪽에 있으면 $-\frac{b}{2a}>0$, 즉 $\frac{b}{2a}<0$ ⇨ a, b는 다른 부호

Lecture

- 이차함수 $y=ax^2+bx+c$에서 a, b, c의 부호로 그래프의 모양을 그릴 수 있다.

(1) a의 부호 ➡ 그래프의 모양 결정 (2) a, b의 부호 ➡ 축의 위치 결정 (3) c의 부호 ➡ y축과의 교점의 위치 결정

개념 확인 **3** **이차함수 $y=ax^2+bx+c$의 그래프가 오른쪽 그림과 같을 때, □ 안에 $<$, $=$, $>$ 중 알맞은 것을 써넣으시오.**

(1) 그래프의 모양이 위로 볼록하므로 a □ 0

(2) 축이 y축의 왼쪽에 있으므로 a와 b의 부호는 같다. 즉 b □ 0

(3) y축과의 교점이 x축보다 아래쪽에 있으므로 c □ 0

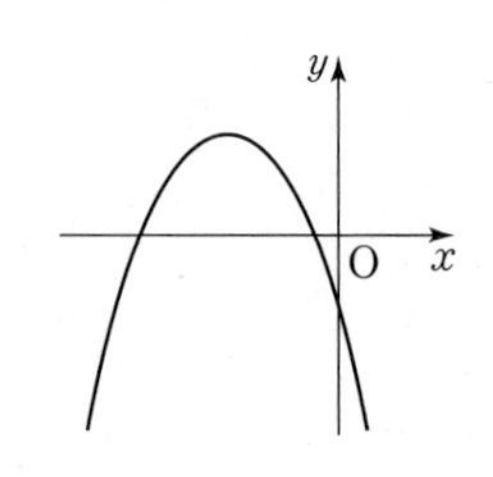

STEP 1 기초 개념 드릴

개념 기초

1-1

다음 이차함수를 $y=a(x-p)^2+q$의 꼴로 나타내고 꼭짓점의 좌표와 축의 방정식을 각각 구하시오.

(1) $y=2x^2+8x+9$

(2) $y=-x^2+6x-5$

2-1

다음 이차함수의 그래프의 꼭짓점의 좌표, 축의 방정식을 구하고 그 그래프를 그리시오. (단, 꼭짓점의 좌표와 y축과의 교점의 좌표를 반드시 표시한다.)

(1) $y=x^2-2x-1$

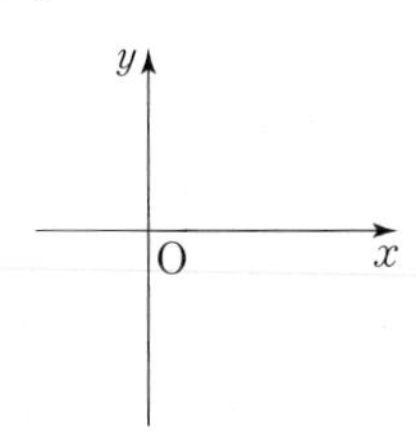

(2) $y=-2x^2-4x+1$

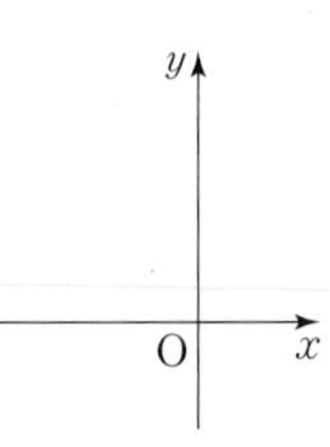

연구 $y=ax^2+bx+c$의 그래프는 $y=a(x-p)^2+q$의 꼴로 고쳐서 그린다.

- 꼭짓점의 좌표 : (p, q), 축의 방정식 : $x=p$
- y축과의 교점의 좌표 : $(0, c)$

3-1

이차함수 $y=ax^2+bx+c$의 그래프가 다음 그림과 같을 때, a, b, c의 부호를 정하시오.

(1)

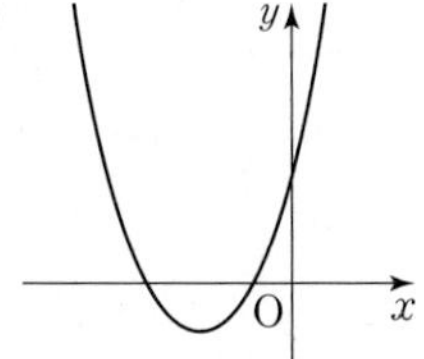

(2)

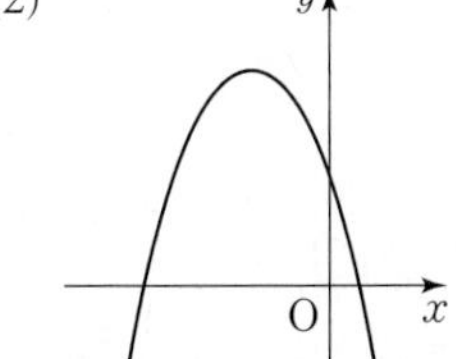

연구

- 아래로 볼록하면 $a>0$, 위로 볼록하면 $a<0$
- 축이 y축의 왼쪽에 있으면 $ab>0$, y축의 오른쪽에 있으면 $ab<0$
- y축과의 교점이 x축보다 위쪽에 있으면 $c>0$, 아래쪽에 있으면 $c<0$

쌍둥이 문제

1-2

다음 이차함수를 $y=a(x-p)^2+q$의 꼴로 나타내고 꼭짓점의 좌표와 축의 방정식을 각각 구하시오.

(1) $y=x^2-2x+3$

(2) $y=-3x^2-9x-5$

2-2

다음 이차함수의 그래프의 꼭짓점의 좌표, 축의 방정식을 구하고 그 그래프를 그리시오. (단, 꼭짓점의 좌표와 y축과의 교점의 좌표를 반드시 표시한다.)

(1) $y=\frac{1}{2}x^2-4x+10$

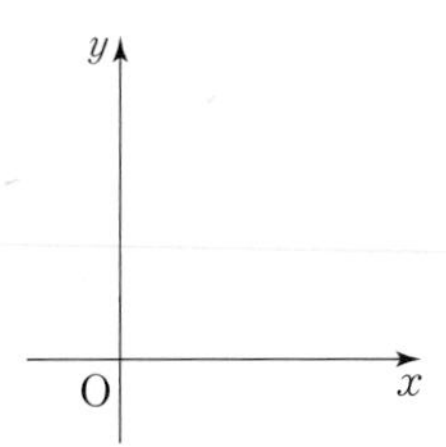

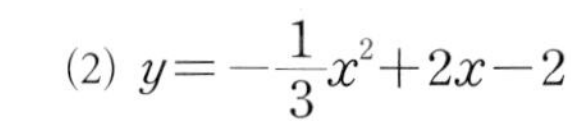
(2) $y=-\frac{1}{3}x^2+2x-2$

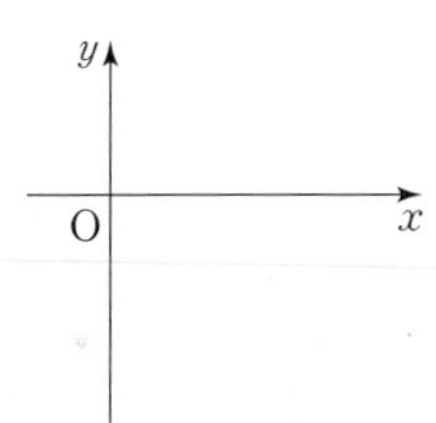

3-2

이차함수 $y=ax^2+bx+c$의 그래프가 다음 그림과 같을 때, a, b, c의 부호를 정하시오.

(1)

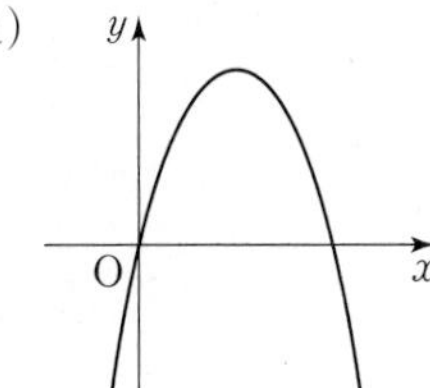

(2)

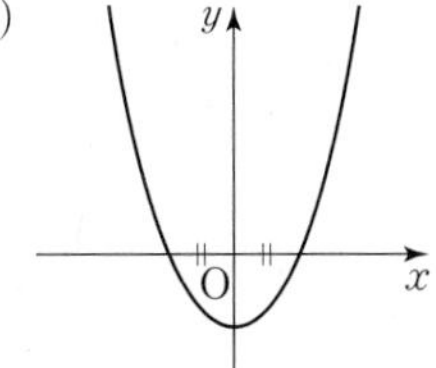

대표 유형 1 이차함수 $y=ax^2+bx+c$의 식 변형하기

$y=ax^2+bx+c$를 $y=a(x-p)^2+q$의 꼴로 변형한다.

참고 이차함수 $y=a(x-p)^2+q$의 그래프의 꼭짓점의 좌표는 (p, q), 축의 방정식은 $x=p$이다.

1-1 이차함수 $y=2x^2-4x+7$을 $y=a(x-p)^2+q$의 꼴로 나타낼 때, 상수 a, p, q의 값을 각각 구하시오.

풀이 $y=2x^2-4x+7$

$=2(x^2-2x+1-1)+7$

$=2(x^2-2x+1)-2+7$

$=2(x-1)^2+5$

$\therefore a=2, p=1, q=5$

답 $a=2, p=1, q=5$

쌍둥이 1-2

두 이차함수 $y=-\frac{1}{2}x^2+6x-11$과 $y=-\frac{1}{2}(x-p)^2+q$의 그래프가 일치할 때, $p+q$의 값을 구하시오.

(단, p, q는 상수)

쌍둥이 1-3

이차함수 $y=-3x^2-12x-9$의 그래프의 꼭짓점의 좌표와 축의 방정식을 각각 구하시오.

대표 유형 2 이차함수 $y=ax^2$의 그래프의 평행이동

- $y=ax^2+bx+c$를 $y=a(x-p)^2+q$의 꼴로 고쳐서 미지수를 구한다.
- $y=a(x-p)^2+q$를 전개하여 $y=ax^2+bx+c$의 꼴로 나타내어 계수를 비교한다.

참고 $y=a(x-p)^2+q$의 그래프는 $y=ax^2$의 그래프를 x축의 방향으로 p만큼, y축의 방향으로 q만큼 평행이동한 것이다.

2-1 이차함수 $y=-2x^2$의 그래프를 x축의 방향으로 a만큼, y축의 방향으로 b만큼 평행이동하면 $y=-2x^2+8x-12$의 그래프와 일치한다. 이때 a, b의 값을 각각 구하시오.

풀이 $y=-2x^2+8x-12$

$=-2(x^2-4x+4-4)-12$

$=-2(x^2-4x+4)+8-12$

$=-2(x-2)^2-4$

즉 $y=-2x^2$의 그래프를 x축의 방향으로 2만큼, y축의 방향으로 -4만큼 평행이동한 것이므로

$a=2, b=-4$

답 $a=2, b=-4$

쌍둥이 2-2

이차함수 $y=x^2$의 그래프를 x축의 방향으로 2만큼, y축의 방향으로 -3만큼 평행이동하였더니 $y=ax^2+bx+c$의 그래프와 일치하였다. 이때 abc의 값을 구하시오.

(단, a, b, c는 상수)

쌍둥이 2-3

이차함수 $y=3x^2$의 그래프를 x축의 방향으로 p만큼, y축의 방향으로 q만큼 평행이동하면 $y=3x^2+6x-2$의 그래프와 일치한다. 이때 p, q의 값을 각각 구하시오.

대표 유형 3 이차함수 $y=ax^2+bx+c$의 그래프 그리기

① $y=a(x-p)^2+q$의 꼴로 고쳐서 꼭짓점의 좌표를 구한다. ➡ (p, q)
② y축과의 교점의 좌표를 구한다. ➡ $(0, c)$
③ 그래프의 모양을 확인한다. ➡ $a>0$이면 아래로 볼록(∪), $a<0$이면 위로 볼록(∩)

3-1 다음 중 이차함수 $y=-x^2+6x-8$의 그래프는?

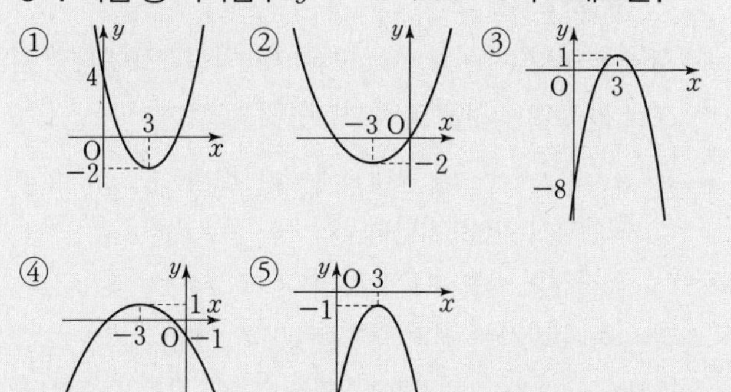

풀이 $y=-x^2+6x-8=-(x-3)^2+1$
즉 꼭짓점 $(3, 1)$, y축과의 교점 $(0, -8)$을 지나는 위로 볼록한 포물선을 그리면 ③과 같다. **답** ③

쌍둥이 3-2

이차함수 $y=x^2-4x$의 그래프가 지나지 않는 사분면은?

① 제1사분면
② 제2사분면
③ 제3사분면
④ 제4사분면
⑤ 없다.

대표 유형 4 이차함수 $y=ax^2+bx+c$의 그래프에서 증가·감소

$y=a(x-p)^2+q$의 꼴로 고쳐서 축 $x=p$를 기준으로 y의 값이 증가하거나 감소하는 x의 값의 범위를 찾는다.

- $a>0$이면 $x<p$일 때, x의 값이 증가하면 y의 값은 감소한다.
  $x>p$일 때, x의 값이 증가하면 y의 값도 증가한다.
- $a<0$이면 $x<p$일 때, x의 값이 증가하면 y의 값도 증가한다.
  $x>p$일 때, x의 값이 증가하면 y의 값은 감소한다.

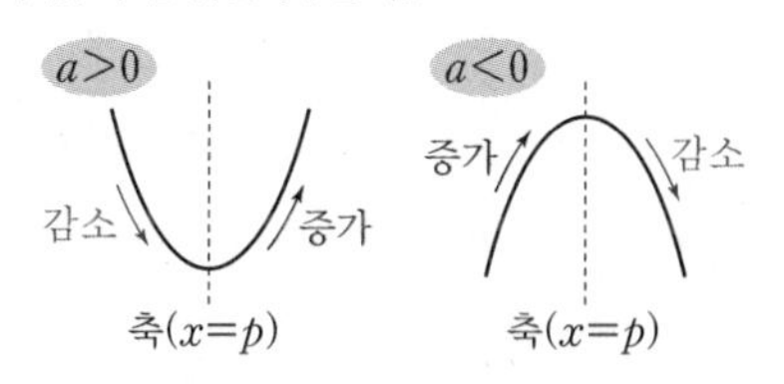

4-1 이차함수 $y=-\frac{1}{3}x^2-2x+1$의 그래프에서 x의 값이 증가할 때, y의 값은 감소하는 x의 값의 범위를 구하시오.

풀이 $y=-\frac{1}{3}x^2-2x+1=-\frac{1}{3}(x+3)^2+4$
이 이차함수의 그래프는 오른쪽 그림과 같으므로 $x>-3$일 때, x의 값이 증가하면 y의 값은 감소한다.

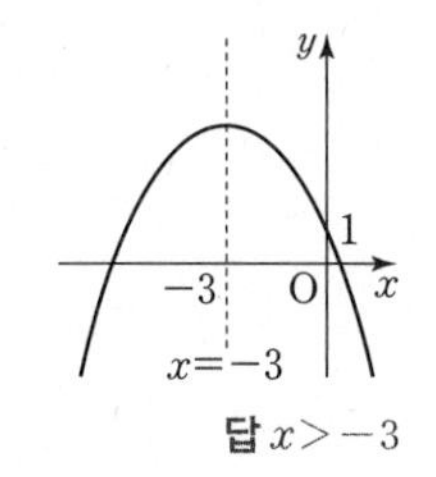

답 $x>-3$

쌍둥이 4-2

이차함수 $y=2x^2-16x-1$의 그래프에서 x의 값이 증가할 때, y의 값도 증가하는 x의 값의 범위는?

① $x<-8$ ② $x<-4$ ③ $x>-4$
④ $x<4$ ⑤ $x>4$

대표 유형 5 이차함수 $y=ax^2+bx+c$의 그래프의 성질

- $y=a(x-p)^2+q$의 꼴로 고치면 ➡ 꼭짓점의 좌표 : (p, q), 축의 방정식 : $x=p$
- $a>0$이면 아래로 볼록, $a<0$이면 위로 볼록
- y축과의 교점의 좌표 : $(0, c)$
- 그래프가 지나는 사분면, y의 값이 증가·감소하는 x의 값의 범위 ➡ 축 $x=p$를 기준으로 그래프를 그려 확인한다.

5-1 다음 중 이차함수 $y=3x^2-6x+1$의 그래프에 대한 설명으로 옳은 것은?

① 축의 방정식은 $x=2$이다.
② 제 1, 2, 4사분면을 지난다.
③ 꼭짓점의 좌표는 $(2, -1)$이다.
④ y축과 만나는 점의 좌표는 $(1, 0)$이다.
⑤ $x<1$일 때, x의 값이 증가하면 y의 값도 증가한다.

풀이 $y=3x^2-6x+1=3(x-1)^2-2$
① 축의 방정식은 $x=1$이다.
③ 꼭짓점의 좌표는 $(1, -2)$이다.
④ y축과 만나는 점의 좌표는 $(0, 1)$이다.
⑤ $x<1$일 때, x의 값이 증가하면 y의 값은 감소한다.

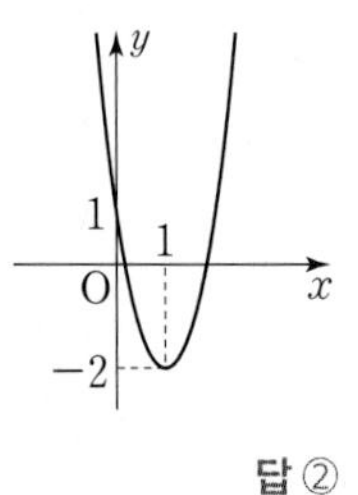

답 ②

쌍둥이 5-2

다음 중 이차함수 $y=-2x^2+8x-1$의 그래프에 대한 설명으로 옳지 않은 것을 모두 고르면? (정답 2개)

① $y=2(x+1)^2$의 그래프와 폭이 같다.
② 모든 사분면을 지난다.
③ 꼭짓점의 좌표는 $(2, 7)$이다.
④ y축과 만나는 점의 좌표는 $(0, 7)$이다.
⑤ $x>2$일 때, x의 값이 증가하면 y의 값은 감소한다.

대표 유형 6 이차함수 $y=ax^2+bx+c$의 그래프의 평행이동

이차함수의 식을 $y=a(x-p)^2+q$의 꼴로 고쳐서 꼭짓점의 변화를 살펴본다.

$$(p, q) \xrightarrow[y\text{축의 방향으로 } n\text{만큼 평행이동}]{x\text{축의 방향으로 } m\text{만큼,}} (p+m, q+n)$$

6-1 이차함수 $y=3x^2-6x+4$의 그래프를 x축의 방향으로 -1만큼, y축의 방향으로 3만큼 평행이동한 그래프의 식을 $y=ax^2+bx+c$의 꼴로 나타내시오.

풀이 $y=3x^2-6x+4=3(x-1)^2+1$이므로 이 그래프의 꼭짓점의 좌표는 $(1, 1)$

$$(1, 1) \xrightarrow[y\text{축의 방향으로 3만큼 평행이동}]{x\text{축의 방향으로 } -1\text{만큼,}} (1-1, 1+3), \text{ 즉 } (0, 4)$$

따라서 평행이동한 그래프의 꼭짓점의 좌표가 $(0, 4)$이므로 구하는 이차함수의 식은 $y=3x^2+4$이다.

답 $y=3x^2+4$

쌍둥이 6-2

이차함수 $y=-x^2+8x-7$의 그래프를 x축의 방향으로 m만큼, y축의 방향으로 n만큼 평행이동하였더니 $y=-x^2+10x-18$의 그래프와 일치하였다. 이때 $m+n$의 값을 구하시오.

대표 유형 7 이차함수 $y=ax^2+bx+c$의 그래프와 축과의 교점

- x축과의 교점의 x좌표 ➡ $y=0$을 대입하여 구한다.
- y축과의 교점의 y좌표 ➡ $x=0$을 대입하여 구한다.

참고 포물선은 대칭축에 대칭인 선대칭도형이다.

7-1 이차함수 $y=x^2+2x-3$의 그래프와 x축과의 교점의 좌표를 각각 $(a, 0)$, $(b, 0)$이라 하고 y축과의 교점의 좌표를 $(0, c)$라 할 때, abc의 값을 구하시오.

풀이 $y=x^2+2x-3$에 $y=0$을 대입하면

$x^2+2x-3=0$, $(x+3)(x-1)=0$

$\therefore x=-3$ 또는 $x=1$

$\therefore a=-3, b=1$ 또는 $a=1, b=-3$

$y=x^2+2x-3$에 $x=0$을 대입하면 $y=-3$ $\quad\therefore c=-3$

$\therefore abc=-3\times1\times(-3)=9$

답 9

쌍둥이 7-2

이차함수 $y=x^2+6x+5$의 그래프가 오른쪽 그림과 같을 때, 다음 중 각 점의 좌표를 구한 것으로 옳지 않은 것은? (단, 점 B는 꼭짓점이고, $\overline{\text{ED}}$는 x축에 평행하다.)

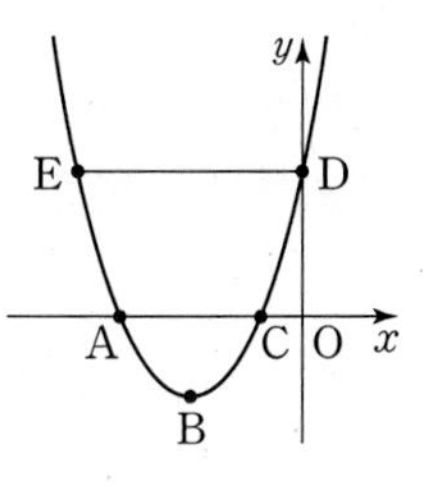

① A$(-5, 0)$ ② B$(-3, -4)$
③ C$(-2, 0)$ ④ D$(0, 5)$
⑤ E$(-6, 5)$

대표 유형 8 이차함수 $y=ax^2+bx+c$의 그래프가 x축과 만나는 점의 개수

이차함수의 식을 $y=a(x-p)^2+q$의 꼴로 고치면 꼭짓점의 좌표는 (p, q)이다.

- x축과 서로 다른 두 점에서 만난다.

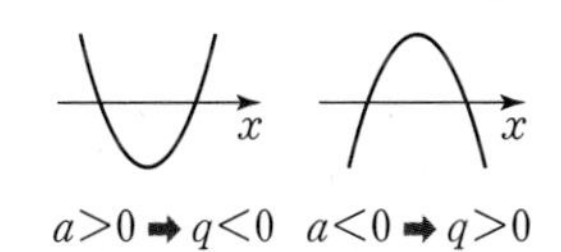

- x축과 한 점에서 만난다.

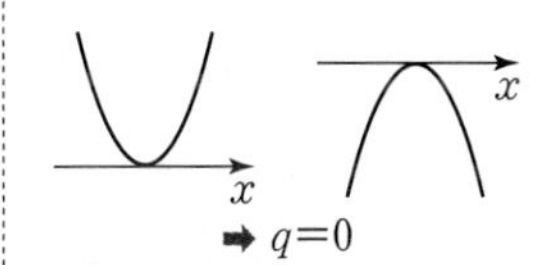

- x축과 만나지 않는다.

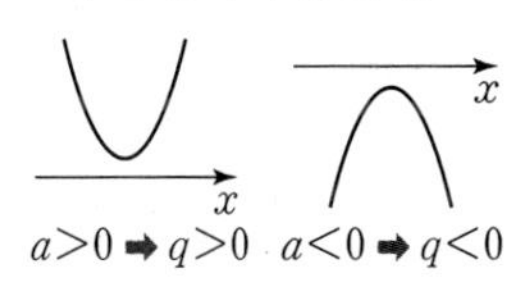

8-1 이차함수 $y=-2x^2+8x+k-3$의 그래프가 x축과 두 점에서 만날 때, 상수 k의 값의 범위를 구하시오.

풀이 $y=-2x^2+8x+k-3=-2(x-2)^2+k+5$

이차항의 계수가 음수이므로 그래프가 x축과 두 점에서 만나려면 꼭짓점의 y좌표가 양수이어야 한다.

즉 $k+5>0$이므로 $k>-5$

답 $k>-5$

쌍둥이 8-2

이차함수 $y=x^2-10x-3a-2$의 그래프가 x축과 한 점에서 만날 때, 상수 a의 값을 구하시오.

쌍둥이 8-3

이차함수 $y=-3x^2-12x+k+1$의 그래프가 x축과 만나지 않을 때, 상수 k의 값의 범위를 구하시오.

대표 유형 9 이차함수 $y=ax^2+bx+c$의 그래프와 a, b, c의 부호

- a의 부호 : 그래프의 모양으로 판단 ➡ 아래로 볼록하면 $a>0$, 위로 볼록하면 $a<0$
- b의 부호 : 축의 위치로 판단 ➡ 축이 y축의 왼쪽에 있으면 $ab>0$, 오른쪽에 있으면 $ab<0$
- c의 부호 : y축과의 교점의 위치로 판단 ➡ y축과의 교점이 x축보다 위쪽이면 $c>0$, 원점이면 $c=0$, x축보다 아래쪽이면 $c<0$

9-1 이차함수 $y=ax^2-bx+c$의 그래프가 오른쪽 그림과 같을 때, a, b, c의 부호를 정하시오.

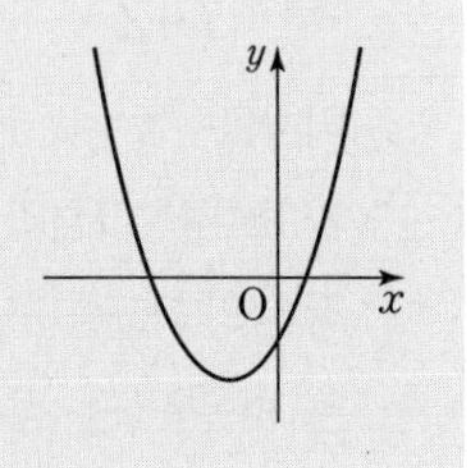

풀이 그래프의 모양이 아래로 볼록하므로 $a>0$

축이 y축의 왼쪽에 있으므로 a와 $-b$의 부호는 같다.

즉 $-b>0$이므로 $b<0$

y축과의 교점이 x축보다 아래쪽에 있으므로 $c<0$

답 $a>0$, $b<0$, $c<0$

쌍둥이 9-2

이차함수 $y=ax^2+bx+c$의 그래프가 오른쪽 그림과 같을 때, a, b, c의 부호는?

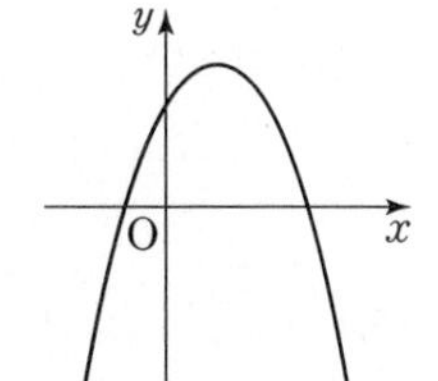

① $a<0$, $b<0$, $c>0$
② $a<0$, $b>0$, $c>0$
③ $a>0$, $b<0$, $c>0$
④ $a>0$, $b<0$, $c<0$
⑤ $a>0$, $b>0$, $c>0$

대표 유형 10 이차함수의 그래프와 삼각형의 넓이

꼭짓점의 좌표와 x축, y축과의 교점의 좌표를 구하여 삼각형의 넓이를 구한다.

10-1 오른쪽 그림과 같이 이차함수 $y=x^2-2x-3$의 그래프가 x축과 만나는 점을 각각 A, C라 하고 꼭짓점을 B라 할 때, △ABC의 넓이를 구하시오.

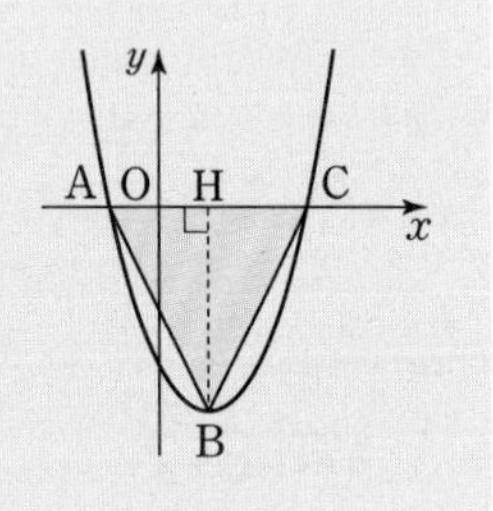

풀이 $y=x^2-2x-3$에 $y=0$을 대입하면

$x^2-2x-3=0$, $(x+1)(x-3)=0$

$\therefore x=-1$ 또는 $x=3$

즉 $\mathrm{A}(-1, 0)$, $\mathrm{C}(3, 0)$이므로

$\overline{\mathrm{AC}}=3-(-1)=4$

한편 $y=x^2-2x-3=(x-1)^2-4$이므로

$\mathrm{B}(1, -4)$ $\therefore \overline{\mathrm{BH}}=4$

$\therefore \triangle\mathrm{ABC}=\frac{1}{2}\times\overline{\mathrm{AC}}\times\overline{\mathrm{BH}}$

$=\frac{1}{2}\times4\times4=8$

답 8

쌍둥이 10-2

오른쪽 그림과 같이 이차함수 $y=-x^2-4x+5$의 그래프와 y축과의 교점을 A, x축과의 교점을 각각 B, C라 할 때, △ABC의 넓이를 구하시오.

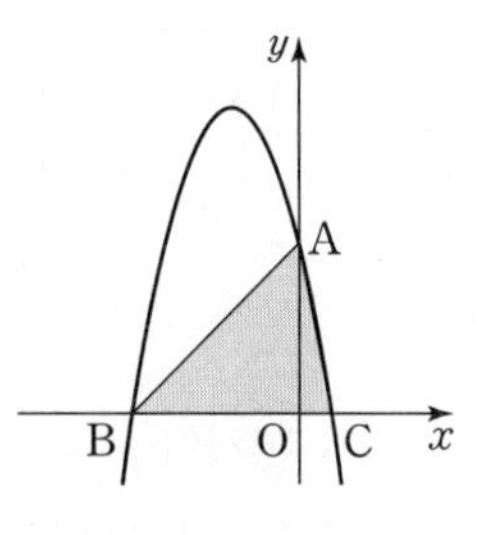

쌍둥이 10-3

이차함수 $y=\frac{1}{4}x^2+x-3$의 그래프의 꼭짓점을 A, x축과 만나는 두 점을 각각 B, C라 할 때, △ABC의 넓이를 구하시오.

STEP 3 개념 뛰어넘기

이차함수 $y=ax^2+bx+c$의 그래프

(1) a ❶ 0이면 아래로 볼록한 포물선이고,
$a<0$이면 위로 볼록한 포물선이다.
(2) 이차함수 $y=ax^2+bx+c$의 그래프는
$y=a(x-p)^2+q$의 꼴로 바꿔서 그린다.
(3) y축 위의 점 $(0,$ ❷ $)$를 지난다.

답 ❶ $>$ ❷ c

★

01

이차함수 $y=\frac{1}{3}x^2+2x+4$를 $y=a(x-p)^2+q$의 꼴로 나타내시오.

02

다음 이차함수의 그래프 중 꼭짓점이 제4사분면 위에 있는 것은?

① $y=x^2+4x+4$
② $y=x^2-3x+2$
③ $y=-2x^2+2x+1$
④ $y=-3x^2-6x-4$
⑤ $y=-\frac{1}{2}x^2-6x-9$

03

이차함수 $y=x^2+ax+6$의 그래프의 꼭짓점의 좌표가 $(2, b)$일 때, $a+b$의 값을 구하시오. (단, a는 상수)

04

다음 이차함수의 그래프 중 이차함수 $y=\frac{1}{2}x^2$의 그래프를 평행이동하여 완전히 포갤 수 있는 것은?

① $y=-2x^2-1$
② $y=2\left(x+\frac{1}{2}\right)^2$
③ $y=-\frac{1}{2}(x-1)^2$
④ $y=-\frac{1}{2}x^2+3x-7$
⑤ $y=\frac{1}{2}x^2+2x+1$

05

이차함수 $y=-x^2+4x+3$의 그래프에서 x의 값이 증가할 때, y의 값이 감소하는 x의 값의 범위는?

① $x<-1$
② $x<1$
③ $x<2$
④ $x>1$
⑤ $x>2$

06

이차함수 $y=-2x^2+4x-5$의 그래프에 대한 다음 설명 중 옳지 않은 것은?

① 꼭짓점의 좌표는 $(1, -3)$이다.
② y축과 점 $(0, -5)$에서 만난다.
③ 제3사분면을 지나지 않는다.
④ 위로 볼록한 포물선이다.
⑤ $y=-2x^2$의 그래프를 x축의 방향으로 1만큼, y축의 방향으로 -3만큼 평행이동한 것이다.

07

서술형

이차함수 $y=2x^2+12x+17$의 그래프를 x축의 방향으로 a만큼, y축의 방향으로 b만큼 평행이동하였더니 이차함수 $y=2x^2-4x+4$의 그래프와 일치하였다. 이때 $a+b$의 값을 구하시오.

08

창의력

이차함수 $y=2x^2-4x-30$의 그래프가 x축과 만나는 두 점을 각각 A, B라 할 때, $\overline{\mathrm{AB}}$의 길이를 구하시오.

09

이차함수 $y=-2x^2-4x+a+3$의 그래프가 x축과 한 점에서 만날 때, 상수 a의 값을 구하시오.

10

서술형

이차함수 $y=x^2-8x+7$의 그래프의 꼭짓점을 A라 하고 x축과 만나는 두 점을 각각 B, C라 할 때, $\triangle$ABC의 넓이를 구하시오.

이차함수 $y=ax^2+bx+c$의 그래프에서 a, b, c의 부호

(1) 그래프의 모양이 아래로 볼록 ➡ a ❶ 0
위로 볼록 ➡ $a<0$
(2) 축이 y축의 왼쪽 ➡ a, b는 같은 부호
오른쪽 ➡ a, b는 ❷ 부호
(3) y축과의 교점이 x축보다 위쪽 ➡ c ❸ 0
아래쪽 ➡ $c<0$

답 ❶ $>$ ❷ 다른 ❸ $>$

11

이차함수 $y=ax^2+bx+c$의 그래프가 오른쪽 그림과 같을 때, a, b, c의 부호는?

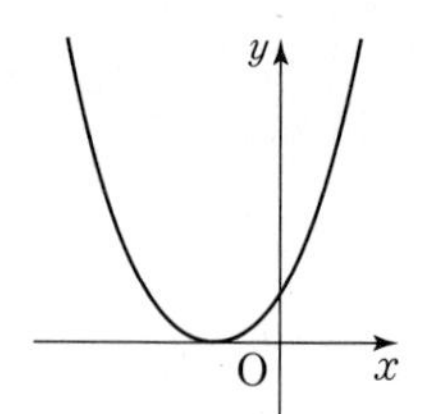

① $a>0$, $b>0$, $c>0$
② $a>0$, $b>0$, $c=0$
③ $a<0$, $b>0$, $c>0$
④ $a<0$, $b<0$, $c>0$
⑤ $a<0$, $b<0$, $c<0$

12

융합형

이차함수 $y=ax^2+bx+c$의 그래프가 오른쪽 그림과 같을 때, 다음 중 이차함수 $y=bx^2+cx+a$의 그래프의 모양으로 가장 적당한 것은?

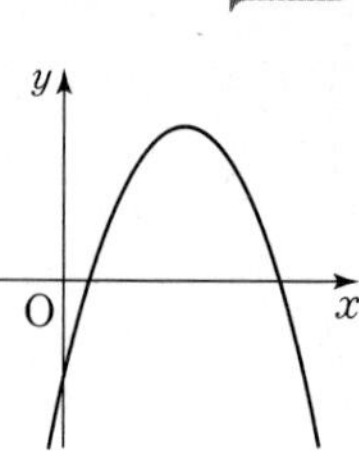

①
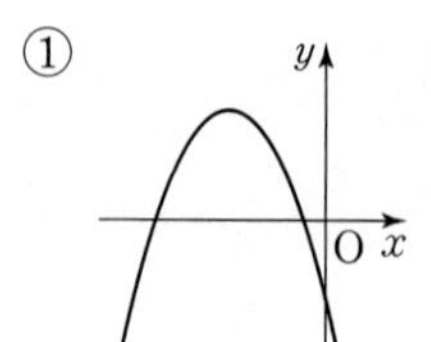

②
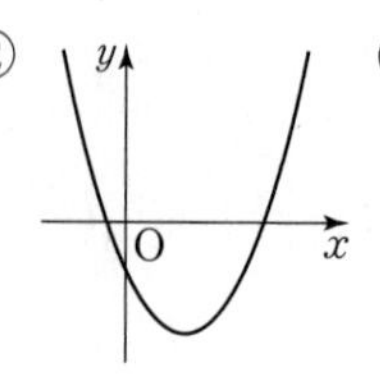

③
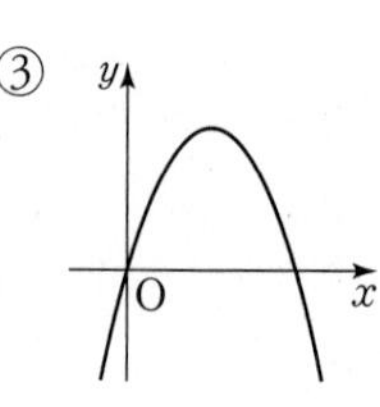

④
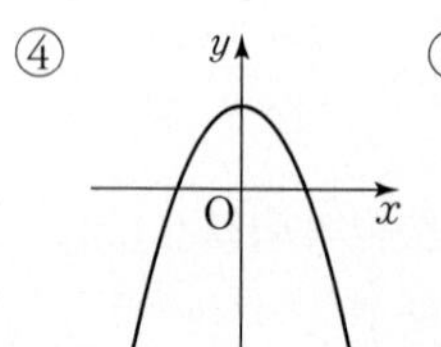

⑤
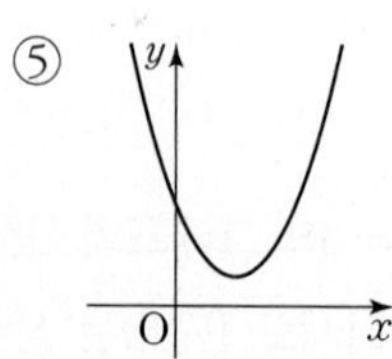

2 이차함수의 식 구하기

개념 동영상

개념 1 이차함수의 식 구하기 (1)

(1) **꼭짓점의 좌표 (p, q)와 다른 한 점의 좌표를 알 때**

① 이차함수의 식을 $y=a(x-p)^2+q$로 놓는다.

② ①의 식에 다른 한 점의 좌표를 대입하여 a의 값을 구한다.

(2) **축의 방정식 $x=p$와 서로 다른 두 점의 좌표를 알 때**

① 이차함수의 식을 $y=a(x-p)^2+q$로 놓는다.

② ①의 식에 두 점의 좌표를 각각 대입하여 a, q의 값을 구한다.

보충

- 꼭짓점의 좌표에 따른 이차함수의 식
  ① 꼭짓점의 좌표가 $(0, 0)$ ➡ $y=ax^2$
  ② 꼭짓점의 좌표가 $(0, q)$ ➡ $y=ax^2+q$
  ③ 꼭짓점의 좌표가 $(p, 0)$ ➡ $y=a(x-p)^2$
  ④ 꼭짓점의 좌표가 (p, q) ➡ $y=a(x-p)^2+q$

보기 (1) 꼭짓점의 좌표가 $(2, 5)$이고 점 $(1, 1)$을 지나는 포물선을 그래프로 하는 이차함수의 식을 구해 보자.

① 이차함수의 식을 $y=a(x-2)^2+5$로 놓는다.

② $y=a(x-2)^2+5$에 $x=1, y=1$을 대입하면

$1=a+5 \qquad \therefore a=-4$

$\therefore y=-4(x-2)^2+5=-4x^2+16x-11$

(2) 축의 방정식이 $x=-1$이고 두 점 $(1, 2), (-2, -1)$을 지나는 포물선을 그래프로 하는 이차함수의 식을 구해 보자.

① 이차함수의 식을 $y=a(x+1)^2+q$로 놓는다.

② $y=a(x+1)^2+q$에 두 점의 좌표를 각각 대입하면

$2=4a+q$ ⋯⋯ ㉠

$-1=a+q$ ⋯⋯ ㉡

㉠, ㉡을 연립하여 풀면 $a=1, q=-2$

$\therefore y=(x+1)^2-2=x^2+2x-1$

축의 방정식 $x=p$에서 p의 값은 꼭짓점의 x좌표와 같아.

Lecture

- 꼭짓점의 좌표가 (p, q)일 때 ➡ $y=a(x-p)^2+q$
- 축의 방정식이 $x=p$일 때 ➡ $y=a(x-p)^2+q$

| 개념 확인 | **1** **꼭짓점의 좌표가 $(1, -4)$이고 점 $(3, 4)$를 지나는 포물선을 그래프로 하는 이차함수의 식을 $y=ax^2+bx+c$의 꼴로 나타내시오.**

| 개념 확인 | **2** **축의 방정식이 $x=-2$이고 두 점 $(-1, 6), (1, -2)$를 지나는 포물선을 그래프로 하는 이차함수의 식을 $y=ax^2+bx+c$의 꼴로 나타내시오.**

개념 2 이차함수의 식 구하기 (2)

(1) 서로 다른 세 점의 좌표를 알 때

① 이차함수의 식을 $y=ax^2+bx+c$로 놓는다.

② ①의 식에 세 점의 좌표를 각각 대입하여 a, b, c의 값을 각각 구한다.

(2) x축과의 교점의 좌표 $(m, 0)$, $(n, 0)$과 다른 한 점의 좌표를 알 때

① 이차함수의 식을 $y=a(x-m)(x-n)$으로 놓는다.

② ①의 식에 다른 한 점의 좌표를 대입하여 a의 값을 구한다.

(1) 세 점 $(-2, 5)$, $(-1, 4)$, $(0, 1)$을 지나는 포물선을 그래프로 하는 이차함수의 식을 구해 보자.

① 이차함수의 식을 $y=ax^2+bx+c$로 놓는다.

② $y=ax^2+bx+c$에 세 점의 좌표를 각각 대입하면

$5=4a-2b+c$ …… ㉠

$4=a-b+c$ …… ㉡

$1=c$ …… ㉢

㉠, ㉡, ㉢을 연립하여 풀면 $a=-1$, $b=-4$, $c=1$

$\therefore y=-x^2-4x+1$

(2) x축과의 교점이 $(1, 0)$, $(4, 0)$이고 점 $(0, -4)$를 지나는 포물선을 그래프로 하는 이차함수의 식을 구해 보자.

① 이차함수의 식을 $y=a(x-1)(x-4)$로 놓는다.

② $y=a(x-1)(x-4)$에 $x=0$, $y=-4$를 대입하면

$-4=4a \quad \therefore a=-1$

$\therefore y=-(x-1)(x-4)=-x^2+5x-4$

Lecture

- 세 점의 좌표가 주어질 때 ➡ $y=ax^2+bx+c$
- x축 위의 두 점 $(m, 0)$, $(n, 0)$을 지날 때 ➡ $y=a(x-m)(x-n)$

| 개념 확인 | **3** **세 점 $(1, 0)$, $(0, 4)$, $(2, -6)$을 지나는 포물선을 그래프로 하는 이차함수의 식을 $y=ax^2+bx+c$의 꼴로 나타내시오.**

| 개념 확인 | **4** **x축과 두 점 $(2, 0)$, $(-4, 0)$에서 만나고 점 $(1, -10)$을 지나는 포물선을 그래프로 하는 이차함수의 식을 $y=ax^2+bx+c$의 꼴로 나타내시오.**

STEP 1 기초 개념 드릴

개념 기초

1-1

다음은 꼭짓점의 좌표가 $(1, 2)$이고 점 $(2, 5)$를 지나는 포물선을 그래프로 하는 이차함수의 식을 $y=ax^2+bx+c$의 꼴로 나타내는 과정이다. □ 안에 알맞은 것을 써넣으시오.

> 이차함수의 식을 $y=a(x-1)^2+\square$로 놓는다.
> $y=a(x-1)^2+\square$에 $x=2, y=5$를 대입하면
> $5=\square \qquad \therefore a=\square$
> 따라서 구하는 이차함수의 식은
> $y=\square(x-1)^2+\square=\square$

연구 꼭짓점의 좌표가 (p, q) 또는 축의 방정식이 $x=p$인 포물선은 모두 $y=a(x-p)^2+q$로 놓고 주어진 점의 좌표를 대입하여 구한다.

쌍둥이 문제

1-2

꼭짓점의 좌표가 $(3, -5)$이고 점 $(1, 3)$을 지나는 포물선을 그래프로 하는 이차함수의 식을 $y=ax^2+bx+c$의 꼴로 나타내시오.

1-3

축의 방정식이 $x=3$이고 두 점 $(1, 0)$, $(0, -10)$을 지나는 포물선을 그래프로 하는 이차함수의 식을 $y=ax^2+bx+c$의 꼴로 나타내시오.

2-1

다음은 세 점 $(0, 13)$, $(2, 2)$, $(4, -3)$을 지나는 포물선을 그래프로 하는 이차함수의 식을 $y=ax^2+bx+c$의 꼴로 나타내는 과정이다. □ 안에 알맞은 것을 써넣으시오.

> 이차함수의 식을 $y=ax^2+bx+c$로 놓는다.
> $y=ax^2+bx+c$에 세 점의 좌표를 각각 대입하면
> $13=c$ …… ㉠
> $\square=4a+2b+c$ …… ㉡
> $\square=16a+4b+c$ …… ㉢
> ㉠, ㉡, ㉢을 연립하여 풀면
> $a=\square$, $b=\square$, $c=13$
> 따라서 구하는 이차함수의 식은 $y=\square$

연구 세 점을 지나는 포물선은 $y=ax^2+bx+c$로 놓고 주어진 점의 좌표를 대입하여 구한다.

2-2

세 점 $(-1, 0)$, $(1, 8)$, $(0, -5)$를 지나는 포물선을 그래프로 하는 이차함수의 식을 $y=ax^2+bx+c$의 꼴로 나타내시오.

2-3

x축과 두 점 $(3, 0)$, $(-2, 0)$에서 만나고 $(0, -6)$을 지나는 포물선을 그래프로 하는 이차함수의 식을 $y=ax^2+bx+c$의 꼴로 나타내시오.

STEP 2 대표 유형으로 개념 잡기

대표 유형 1 꼭짓점의 좌표와 다른 한 점의 좌표를 알 때, 이차함수의 식 구하기

꼭짓점의 좌표가 (p, q)인 이차함수의 식 ➡ $y=a(x-p)^2+q$로 놓은 후 a의 값을 구한다.

1-1 이차함수 $y=ax^2+bx+c$의 그래프가 오른쪽 그림과 같을 때, $a-b+c$의 값을 구하시오. (단, a, b, c는 상수)

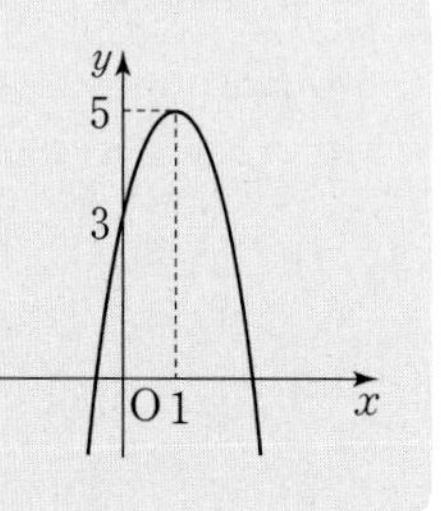

풀이 꼭짓점의 좌표가 $(1, 5)$이므로 이차함수의 식을 $y=a(x-1)^2+5$로 놓는다. $y=a(x-1)^2+5$에 $x=0, y=3$을 대입하면

$3=a+5 \quad \therefore a=-2$

따라서 구하는 이차함수의 식은

$y=-2(x-1)^2+5=-2x^2+4x+3$

즉 $a=-2, b=4, c=3$이므로

$a-b+c=-2-4+3=-3$

답 -3

쌍둥이 1-2

꼭짓점의 좌표가 $(2, -9)$이고 점 $(4, 7)$을 지나는 이차함수의 그래프가 y축과 만나는 점의 좌표를 구하시오.

대표 유형 2 축의 방정식과 서로 다른 두 점의 좌표를 알 때, 이차함수의 식 구하기

축의 방정식이 $x=p$인 이차함수의 식 ➡ $y=a(x-p)^2+q$로 놓은 후 a, q의 값을 구한다.

2-1 오른쪽 그림은 축의 방정식이 $x=-4$인 이차함수의 그래프이다. 이 그래프의 꼭짓점의 좌표를 구하시오.

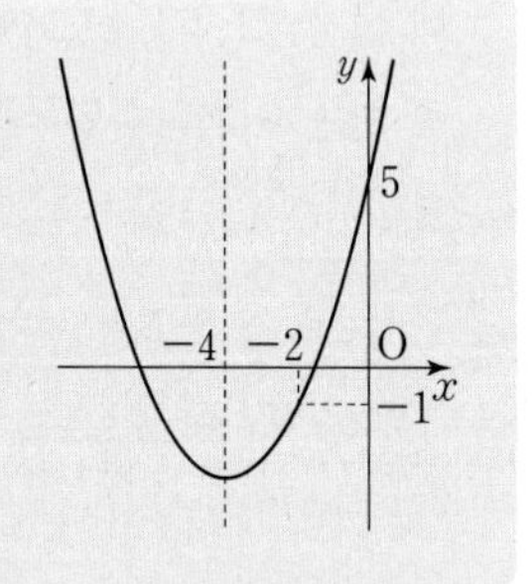

풀이 축의 방정식이 $x=-4$이므로 이차함수의 식을 $y=a(x+4)^2+q$로 놓는다.

$y=a(x+4)^2+q$에 두 점 $(-2, -1), (0, 5)$의 좌표를 각각 대입하면

$-1=4a+q \quad \cdots\cdots ㉠$

$5=16a+q \quad \cdots\cdots ㉡$

㉠, ㉡을 연립하여 풀면 $a=\frac{1}{2}, q=-3$

따라서 구하는 이차함수의 식은 $y=\frac{1}{2}(x+4)^2-3$이므로 꼭짓점의 좌표는 $(-4, -3)$이다.

답 $(-4, -3)$

쌍둥이 2-2

축의 방정식이 $x=-1$이고 두 점 $(-2, 2), (1, -4)$를 지나는 포물선을 그래프로 하는 이차함수의 식을 $y=ax^2+bx+c$로 나타낼 때, $a-b+c$의 값을 구하시오.

(단, a, b, c는 상수)

대표 유형 3 서로 다른 세 점의 좌표를 알 때, 이차함수의 식 구하기

세 점을 지나는 이차함수의 식 ➡ $y=ax^2+bx+c$로 놓은 후 a, b, c의 값을 구한다.

3-1 세 점 $(0, -5), (-1, -9), (2, -3)$을 지나는 포물선을 그래프로 하는 이차함수의 식을 $y=ax^2+bx+c$로 나타낼 때, $a+b+c$의 값을 구하시오. (단, a, b, c는 상수)

풀이 세 점 $(0, -5), (-1, -9), (2, -3)$을 지나므로 이차함수의 식을 $y=ax^2+bx+c$로 놓는다.

$y=ax^2+bx+c$에 세 점의 좌표를 각각 대입하면

$-5=c$ …… ㉠

$-9=a-b+c$ …… ㉡

$-3=4a+2b+c$ …… ㉢

㉠, ㉡, ㉢을 연립하여 풀면 $a=-1, b=3, c=-5$

$\therefore a+b+c=-1+3+(-5)=-3$

답 -3

쌍둥이 3-2

오른쪽 그림과 같은 포물선을 그래프로 하는 이차함수의 식을 $y=ax^2+bx+c$의 꼴로 나타내시오.

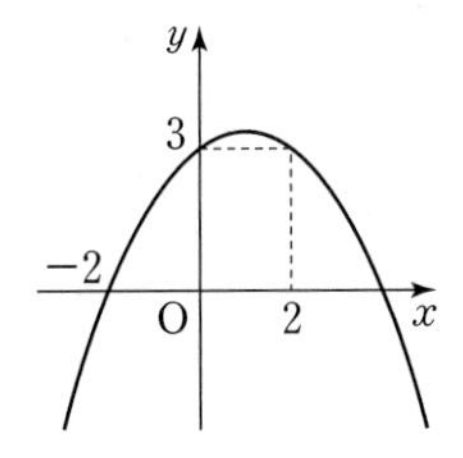

대표 유형 4 x축과의 교점의 좌표와 다른 한 점의 좌표를 알 때, 이차함수의 식 구하기

x축과 두 점 $(m, 0), (n, 0)$에서 만나는 이차함수의 식 ➡ $y=a(x-m)(x-n)$으로 놓은 후 a의 값을 구한다.

4-1 이차함수 $y=ax^2+bx+c$의 그래프가 오른쪽 그림과 같을 때, 상수 a, b, c의 값을 각각 구하시오.

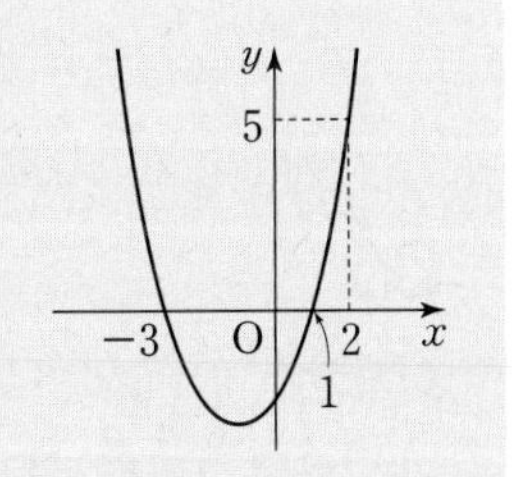

풀이 x축과의 교점의 좌표가 $(-3, 0), (1, 0)$이므로 이차함수의 식을 $y=a(x+3)(x-1)$로 놓는다.

$y=a(x+3)(x-1)$에 $x=2, y=5$를 대입하면

$5=5a \quad \therefore a=1$

따라서 구하는 이차함수의 식은

$y=(x+3)(x-1)=x^2+2x-3$

$\therefore a=1, b=2, c=-3$

답 $a=1, b=2, c=-3$

쌍둥이 4-2

오른쪽 그림과 같은 이차함수의 그래프의 꼭짓점의 좌표를 구하시오.

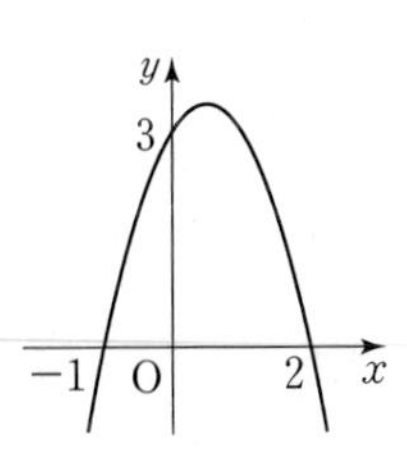

STEP 3 개념 뛰어넘기

이차함수의 식 구하기

(1) 꼭짓점의 좌표가 (p, q)일 때 ➡ $y=a(x-p)^2+q$
(2) 축의 방정식이 $x=p$일 때 ➡ $y=a(x-p)^2+q$
(3) 세 점의 좌표가 주어질 때 ➡ $y=ax^2+bx+c$
(4) x축과의 교점 $(m, 0)$, $(n, 0)$이 주어질 때
➡ $y=a(x-$ ❶ $)(x-$ ❷ $)$

답 ❶ m ❷ n

★
01

이차함수 $y=ax^2+bx+c$의 그래프가 오른쪽 그림과 같을 때, $a+b+c$의 값을 구하시오. (단, a, b, c는 상수)

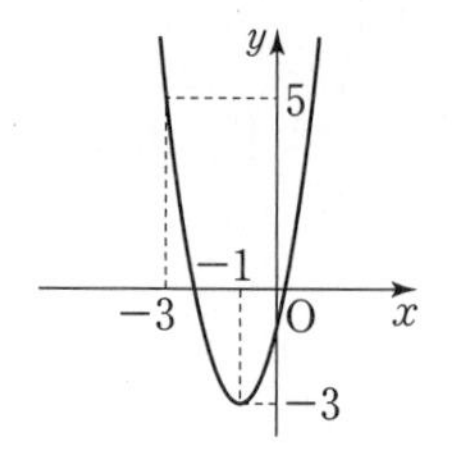

02

이차함수 $y=-2x^2+ax+b$의 그래프가 직선 $x=3$을 축으로 하고 점 $(1, -2)$를 지날 때, y축과의 교점의 좌표를 구하시오. (단, a, b는 상수)

03

축의 방정식이 $x=-2$이고 두 점 $(0, 1)$, $(2, -5)$를 지나는 포물선을 그래프로 하는 이차함수의 식은?

① $y=-\frac{1}{2}(x+2)^2-3$　② $y=-\frac{1}{2}(x+2)^2+3$
③ $y=\frac{1}{2}(x+2)^2-3$　④ $y=\frac{1}{2}(x+2)^2+3$
⑤ $y=\frac{1}{2}(x-2)^2+1$

04

이차함수 $y=-3x^2+ax+b$의 그래프가 세 점 $(0, 2)$, $(-3, -7)$, $(1, k)$를 지날 때, k의 값을 구하시오.
(단, a, b는 상수)

★
05

서술형

세 점 $(-2, 0)$, $(0, -3)$, $(2, -4)$를 지나는 포물선을 그래프로 하는 이차함수의 꼭짓점의 좌표를 구하시오.

06

이차함수 $y=ax^2+bx+c$의 그래프가 오른쪽 그림과 같을 때, $3a+6b-c$의 값을 구하시오. (단, a, b, c는 상수)

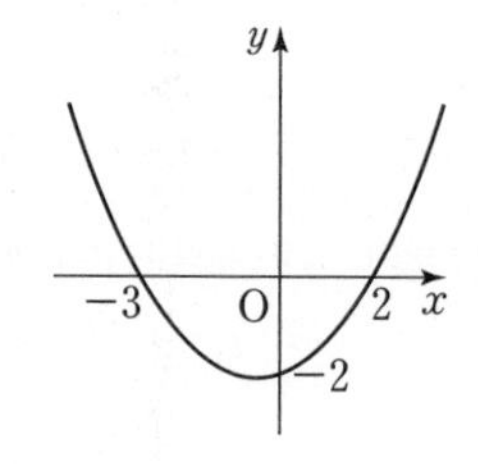

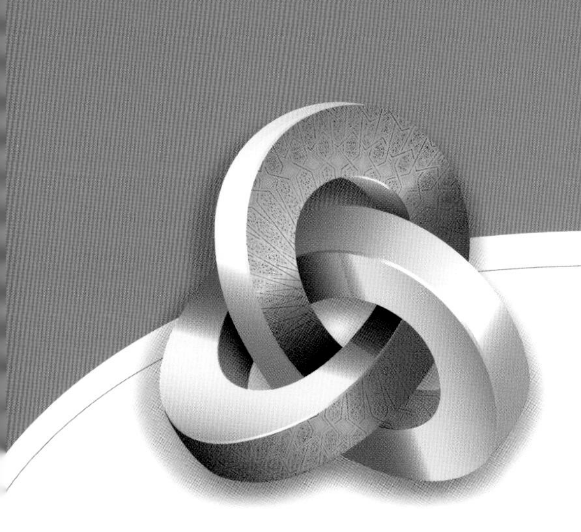

단원 종합 문제

3-1

개념 해결의 법칙

단원 종합 문제

❶ 제곱근의 뜻과 성질 ~ ❸ 근호를 포함한 식의 계산

01

다음 중 'x는 49의 제곱근이다.'를 바르게 나타낸 것은?

① $x=\sqrt{7}$　② $x=7$　③ $x^2=7$
④ $x=-\sqrt{49}$　⑤ $x^2=49$

02

다음 중 옳은 것은?

① 0의 제곱근은 없다.
② -9의 제곱근은 -3이다.
③ $\sqrt{9}$의 제곱근은 ±3이다.
④ $\sqrt{16}$의 음의 제곱근은 -4이다.
⑤ $\sqrt{25}$의 양의 제곱근은 $\sqrt{5}$이다.

03

$(-5)^2$의 음의 제곱근을 A, $\sqrt{81}$의 양의 제곱근을 B라 할 때, $A+B$의 값은?

① -2　② -1　③ 0
④ 1　⑤ 2

04

$\sqrt{(-6)^2}\div(-\sqrt{2})^2+\sqrt{5^2}\times\left(-\sqrt{\frac{1}{5}}\right)^2$을 계산하면?

① 1　② 2　③ 3
④ 4　⑤ 5

05

$-2<x<-1$일 때, $-\sqrt{(x+1)^2}+\sqrt{(2-x)^2}$을 간단히 하면?

① -3　② 3　③ $-2x-3$
④ $-2x+1$　⑤ $2x-1$

06

$\sqrt{120x}$가 자연수가 되게 하는 자연수 x의 값 중에서 가장 작은 값을 구하시오.

07

서술형

$\sqrt{50-x}$, $\sqrt{x+8}$이 모두 정수가 되게 하는 자연수 x의 값을 모두 더한 값을 구하시오.

08

다음 중 대소 관계가 옳은 것은?

① $\sqrt{26}>6$ ② $\sqrt{5}<2$
③ $-\sqrt{21}>-4$ ④ $-\sqrt{12}<-3$
⑤ $-\sqrt{28}>-5$

09

$5<\sqrt{4x}<7$을 만족하는 자연수 x는 모두 몇 개인가?

① 3개 ② 4개 ③ 5개
④ 6개 ⑤ 7개

10

다음 보기 중 무리수는 모두 몇 개인가?

보기

$\sqrt{\frac{4}{9}}$, 0.21, $\sqrt{2}+\sqrt{4}$, $\sqrt{0.36}$,
π, $\sqrt{81}$, $\sqrt{3}$, $\sqrt{0.4}$

① 1개 ② 2개 ③ 4개
④ 6개 ⑤ 8개

11

다음 그림은 한 눈금의 길이가 1인 모눈종이 위에 직각삼각형 ABC와 수직선을 그린 것이다. 점 A를 중심으로 하고 $\overline{AC}$를 반지름으로 하는 원을 그려 수직선과 만나는 점을 각각 P, Q라 할 때, $\overline{PQ}$의 길이는?

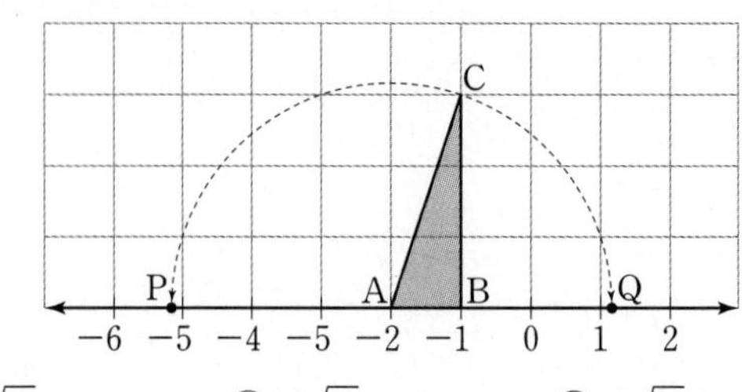

① $2\sqrt{5}$ ② $2\sqrt{6}$ ③ $2\sqrt{7}$
④ $2\sqrt{10}$ ⑤ $2\sqrt{11}$

12

서술형

다음 그림에서 모눈 한 칸은 한 변의 길이가 1인 정사각형이다. $\overline{OA}=\overline{OP}$, $\overline{OC}=\overline{OQ}$일 때, 두 점 P, Q에 대응하는 수를 각각 구하시오.

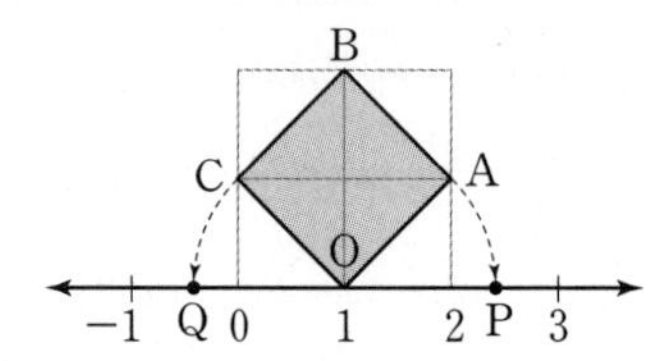

13

다음 중 옳은 것은?

① -1과 $\sqrt{2}$ 사이에는 2개의 자연수가 있다.
② $\sqrt{5}$와 $\sqrt{6}$ 사이에는 무리수가 없다.
③ 모든 실수는 각각 수직선 위의 한 점에 대응한다.
④ 서로 다른 두 유리수 사이에는 유리수만 있다.
⑤ 무한소수는 무리수이다.

14

다음 중 대소 관계가 옳은 것은?

① $3<\sqrt{3}+1$
② $2+\sqrt{3}<2+\sqrt{7}$
③ $6-\sqrt{5}>4$
④ $-1+\sqrt{2}>-1+\sqrt{3}$
⑤ $\sqrt{5}-\sqrt{7}>-\sqrt{7}+4$

15

다음 중 옳지 않은 것은?

① $2\sqrt{2}\times\sqrt{3}=2\sqrt{6}$
② $2\sqrt{6}\times\frac{\sqrt{5}}{\sqrt{3}}=2\sqrt{10}$
③ $3\sqrt{15}\div\sqrt{5}=3\sqrt{3}$
④ $\frac{5\sqrt{7}}{2}\div\frac{\sqrt{14}}{\sqrt{2}}=\frac{5}{2}$
⑤ $\sqrt{27}\div\frac{1}{\sqrt{3}}=3$

16

$3\sqrt{2}=\sqrt{a}$, $\sqrt{20}=2\sqrt{b}$일 때, 자연수 a, b에 대하여 $a-b$의 값은?

① 5 ② 10 ③ 13
④ 18 ⑤ 23

17

$\sqrt{3}=a$, $\sqrt{5}=b$일 때, $\sqrt{180}$을 a, b를 사용하여 나타내면?

① $a\sqrt{b}$ ② $2a\sqrt{b}$ ③ a^2b
④ $2ab^2$ ⑤ $2a^2b$

18

다음 중 분모를 유리화한 것으로 옳지 않은 것은?

① $\frac{3}{\sqrt{3}}=\sqrt{3}$
② $\frac{\sqrt{5}}{\sqrt{2}}=\frac{\sqrt{10}}{2}$
③ $\frac{\sqrt{7}}{2\sqrt{3}}=\frac{\sqrt{21}}{6}$
④ $\frac{\sqrt{5}}{\sqrt{2}\sqrt{3}}=\frac{\sqrt{30}}{6}$
⑤ $\frac{\sqrt{12}}{\sqrt{18}}=\frac{\sqrt{6}}{6}$

19

$\frac{\sqrt{5}}{2\sqrt{3}}=a\sqrt{15}$, $\sqrt{27}=b\sqrt{3}$일 때, ab의 값은? (단, a, b는 유리수)

① $\frac{1}{2}$ ② 1 ③ $\frac{4}{3}$
④ 2 ⑤ 12

20

$\frac{4\sqrt{2}}{5}\div\frac{\sqrt{15}}{\sqrt{3}}\times\frac{2\sqrt{6}}{\sqrt{12}}=a\sqrt{5}$를 만족하는 유리수 a의 값을 구하시오.

21

오른쪽 그림과 같이 직사각형 ABCD의 가로와 세로의 길이를 각각 한 변으로 하는 정사각형을 그렸더니 그 넓이가 각각 2와 5가 되었다. 이때 직사각형 ABCD의 넓이는?

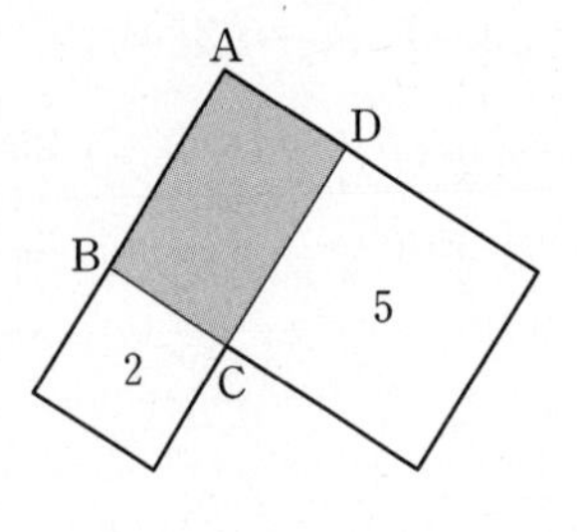

① $\sqrt{7}$ ② $\sqrt{10}$ ③ $\frac{9}{2}$
④ 7 ⑤ 29

22

$\sqrt{3}=1.732$, $\sqrt{30}=5.477$일 때, 다음 중 옳은 것은?

① $\sqrt{300}=173.2$
② $\sqrt{3000}=54.77$
③ $\sqrt{30000}=547.7$
④ $\sqrt{0.03}=0.01732$
⑤ $\sqrt{\frac{3}{1000}}=0.5477$

23

지진이나 해저 화산 폭발로 인해 발생하는 거대한 해일을 지진 해일 또는 쓰나미(Tsunami)라고 하는데 바다의 수심을 h m라 할 때, 지진 해일의 속력은 $\sqrt{9.8h}$ m/초로 나타내어진다. 이때 수심이 4000 m인 곳에서 지진 해일의 속력을 구하면?
(단, $\sqrt{3.92}=1.98$, $\sqrt{9.8}=3.13$, $\sqrt{39.2}=6.26$으로 계산한다.)

① 19.8 m/초 ② 31.3 m/초 ③ 198 m/초
④ 313 m/초 ⑤ 626 m/초

24

$2\sqrt{12}+3\sqrt{48}-2\sqrt{75}-3\sqrt{27}+\sqrt{108}$을 간단히 하면?

① $-3\sqrt{3}$ ② $-\sqrt{3}$ ③ $2\sqrt{3}$
④ $3\sqrt{3}$ ⑤ $5\sqrt{3}$

25

$\sqrt{20}(3+\sqrt{5})-\sqrt{5}(4\sqrt{5}-a)$가 유리수가 되도록 하는 유리수 a의 값은?

① -6 ② -3 ③ 0
④ 3 ⑤ 6

26

다음 식을 간단히 하시오.

(1) $\sqrt{6}\times\sqrt{18}+\sqrt{(-4)^2}\div\sqrt{8}$

(2) $\sqrt{\frac{3}{2}}(\sqrt{8}-\sqrt{32})+\frac{6\sqrt{27}+9}{\sqrt{3}}$

27

서술형

$6-\sqrt{5}$의 정수 부분을 a, 소수 부분을 b라 할 때, $a-b$의 값을 구하시오.

단원 종합 문제

01

$(-3x+ay-1)(x-2y-3)$의 전개식에서 xy의 계수가 -8일 때, 상수 a의 값은?

① -14　② -2　③ 3　④ 8　⑤ 10

02

다음 보기 중에서 옳은 것을 모두 고른 것은?

보기
- ㉠ $(4y-3)^2=16y^2-24y+9$
- ㉡ $(x+3)(x-4)=x^2-x-12$
- ㉢ $(-2x+3y)(2x+3y)=4x^2-9y^2$
- ㉣ $(5x-1)(2x-3)=10x^2+17x+3$
- ㉤ $(x-1)(2y+5)=2xy+5x+2y-5$

① ㉠, ㉡　② ㉠, ㉢, ㉤　③ ㉠, ㉡, ㉣　④ ㉠, ㉡, ㉤　⑤ ㉢, ㉣, ㉤

03

$(4x-a)(bx-3)=8x^2+cx-15$일 때, $a+b+c$의 값은? (단, a, b, c는 상수)

① -1　② -2　③ -5　④ -9　⑤ -15

04

한 변의 길이가 x인 정사각형에서 가로의 길이를 $3a$만큼 늘이고 세로의 길이를 $2a$만큼 줄여서 만든 직사각형의 넓이가 x^2+4x+b일 때, $a-b$의 값은?

① -92　② 56　③ 92　④ 100　⑤ 124

05

다음 중 곱셈 공식 $(a+b)(a-b)=a^2-b^2$을 이용하여 계산하면 가장 편리한 것은?

① 98^2　② 101^2　③ 104×96　④ 52×53　⑤ 82×81

06

서술형

$\dfrac{2-\sqrt{3}}{2+\sqrt{3}}$의 분모를 유리화하면 $a+b\sqrt{3}$일 때, $a+b$의 값을 구하시오. (단, a, b는 유리수)

07

$(a\sqrt{2}-4)(3\sqrt{2}+3)$이 유리수가 되도록 하는 유리수 a의 값을 구하시오.

08

$3(x-1)^2-(2x+1)(x-3)=Ax^2+Bx+C$일 때, $A+B+C$의 값은?

① -2　② $\frac{4}{3}$　③ 6
④ 7　⑤ 9

09

$(x-1)(x+1)(x^2+1)=x^a+b$일 때, $a-b$의 값은?
(단, a, b는 상수)

① 4　② 5　③ 6
④ 7　⑤ 8

10

$a^2=18$, $b^2=48$일 때, $\left(\frac{2}{3}a+\frac{1}{4}b\right)\left(\frac{2}{3}a-\frac{1}{4}b\right)$의 값은?

① 5　② 6　③ 7
④ 8　⑤ 9

11

$a+b=3$, $ab=-4$일 때, $(a-b)^2$의 값을 구하시오.

12

다음 중 $-10x^2y+5xy$의 인수가 아닌 것은?

① $-5x$　② $-5y$　③ xy
④ $x+2$　⑤ $2x-1$

13

다음 중 완전제곱식으로 인수분해할 수 없는 것은?

① $x^2-10x+25$
② $2a^2-12a+18$
③ $16x^2+8x+1$
④ $x^2-x+\frac{1}{4}$
⑤ $4x^2-10xy+25y^2$

14

다음 식이 완전제곱식이 될 때, $\square$ 안에 들어갈 양수 중 가장 큰 것은?

① $x^2-\square x+100$　② $x^2-10x+\square$
③ $a^2+\square a+64$　④ $a^2+6a+\square$
⑤ $x^2-\square x+9$

15

$-5<a<2$일 때, $\sqrt{a^2-4a+4}-\sqrt{a^2+10a+25}$를 간단히 하면?

① $-2a-3$　② $2a+3$　③ -7
④ 3　⑤ 7

16

$9x^2-121y^2$이 x와 y의 계수가 모두 정수인 두 일차식의 곱으로 인수분해될 때, 두 일차식의 합은?

① $6x$　② $22y$　③ $66xy$
④ $6x-22y$　⑤ $6x+22y$

17

$(x+1)(x-7)+15$를 인수분해하면?

① $(x-1)(x+8)$　② $(x+2)(x+4)$
③ $(x-1)(x-8)$　④ $(x+1)(x-8)$
⑤ $(x-2)(x-4)$

18

$12x^2+10x-12$를 인수분해하면 $2(ax-2)(2x+b)$일 때, $a+b$의 값은? (단, a, b는 상수)

① -3　② 3　③ 6
④ 9　⑤ 12

19

다음 중 인수분해한 것이 옳은 것은?

① $4ab^2-8a^2b^2=4ab(b-2ab)$
② $x^2+16x+64=(x+4)^2$
③ $x^2+7x-18=(x+9)(x+2)$
④ $3x^2+16x+5=(3x-1)(x-5)$
⑤ $4x^2-9=(2x+3)(2x-3)$

20

$2x^2+Axy-6y^2=(2x+y)(x-By)$일 때, $A+B$의 값을 구하시오. (단, A, B는 상수)

21

다음 중 x^2-4x+3과 $2x^2-5x-3$에 공통으로 들어 있는 인수는?

① $x-1$　② $x+1$　③ $x-3$
④ $2x-1$　⑤ $2x+5$

22

서술형

두 다항식 x^2-Ax-8과 $2x^2+7x-B$에 공통으로 들어 있는 인수가 $x+2$일 때, $A-B$의 값을 구하시오.

(단, A, B는 상수)

23

서술형

x^2의 계수가 1인 어떤 이차식을 인수분해하는데 A는 x의 계수를 잘못 보고 $(x+2)(x-9)$로 인수분해하였고, B는 상수항을 잘못 보고 $(x+1)(x+2)$로 인수분해하였다. 다음 물음에 답하시오.

(1) 처음 이차식을 구하시오.

(2) 처음 이차식을 바르게 인수분해하시오.

24

다음 그림과 같이 넓이가 각각 x^2, x, 1인 세 종류의 직사각형 모형 6개를 모두 사용하여 하나의 큰 직사각형을 만들었다. 만들어진 직사각형의 둘레의 길이는?

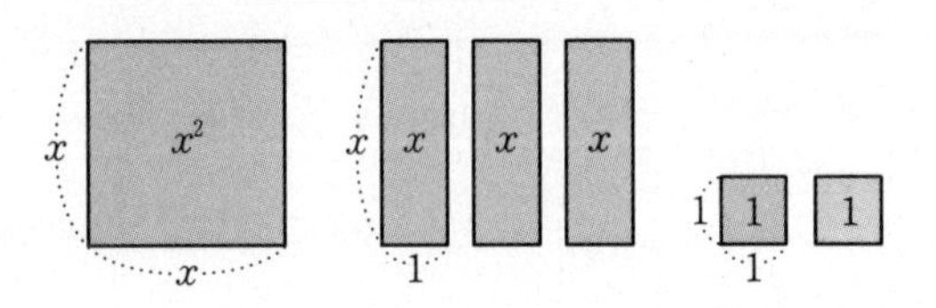

① x^2-3 ② $x+6$ ③ $2x+3$
④ $4x+6$ ⑤ x^2+3x+2

25

$3(x-3)^2-5(x-3)+2$를 x의 계수와 상수항이 모두 정수인 두 일차식의 곱으로 인수분해하였을 때, 두 일차식의 합은?

① $3x-2$ ② $3x-5$ ③ $3x-15$
④ $4x-5$ ⑤ $4x-15$

26

$(x+y)(x+y-1)-6$을 인수분해하시오.

27

$(3x-1)^2-(2x+3)^2=(5x+a)(x+b)$일 때, ab의 값을 구하시오. (단, a, b는 상수)

28

다음 중 다항식 $ax^2-ay^2+bx^2-by^2$의 인수가 아닌 것은?

① $x-y$ ② $a(x+y)$ ③ x^2-y^2
④ $a+b$ ⑤ $ax+ay+bx+by$

29

다음 중 101^2-99^2을 계산할 때 이용하면 가장 편리한 인수분해 공식은?

① $x^2+2xy+y^2=(x+y)^2$
② $x^2-2xy+y^2=(x-y)^2$
③ $x^2-y^2=(x+y)(x-y)$
④ $x^2+(a+b)x+ab=(x+a)(x+b)$
⑤ $acx^2+(ad+bc)x+bd=(ax+b)(cx+d)$

30

인수분해 공식을 이용하여 다음을 계산하면?

$$6.25^2+2\times6.25\times3.75+3.75^2$$

① 10 ② 10.25 ③ 25
④ 25.75 ⑤ 100

31

인수분해 공식을 이용하여 $\frac{95\times96+95}{96^2-1}$를 계산하시오.

32

$x=2+\sqrt{2}$, $y=2-\sqrt{2}$일 때, 다음 식의 값은?

$$2x^2-4xy+2y^2$$

① 8 ② $8\sqrt{2}$ ③ 16
④ $4+4\sqrt{2}$ ⑤ 32

33

$x=\frac{1}{\sqrt{6}-\sqrt{5}}$, $y=\frac{1}{\sqrt{6}+\sqrt{5}}$일 때, x^2-y^2의 값은?

① $4\sqrt{30}$ ② $6\sqrt{30}$ ③ $8\sqrt{15}$
④ $2\sqrt{6}+\sqrt{5}$ ⑤ $4\sqrt{6}+2\sqrt{5}$

34

$x+y=\sqrt{2}$, $x^2-y^2-2y-1=4$일 때, $x-y$의 값은?

① $4\sqrt{2}-5$ ② $4\sqrt{2}-3$ ③ $4\sqrt{2}$
④ $2\sqrt{2}+3$ ⑤ $2\sqrt{2}+5$

35

서술형

다음 그림과 같이 한 변의 길이가 각각 x, y $(x>y)$인 두 정사각형이 있다. 두 정사각형의 한 변의 길이의 합이 30이고 넓이의 차가 120일 때, x, y의 값을 각각 구하시오.

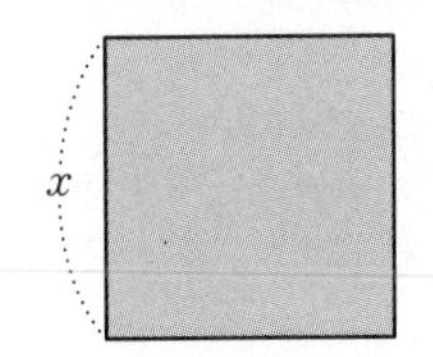

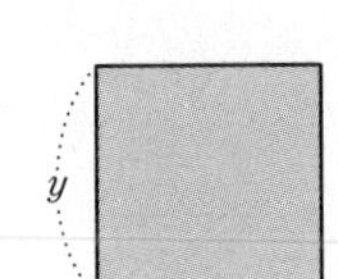

36

인수분해 공식을 이용하여 다음 식을 계산하면?

$$1^2-3^2+5^2-7^2+9^2-11^2+13^2-15^2+17^2-19^2$$

① -360 ② -200 ③ -192
④ -160 ⑤ -64

단원 종합 문제

❼ 이차방정식의 풀이 ~ ❽ 근의 공식과 이차방정식의 활용

01

다음 중 이차방정식인 것을 모두 고르면? (정답 2개)

① $-2x+3=5x^2$　② $(2x-1)(x+3)$
③ $(x-1)(x+2)=x^2$　④ $x(x+1)=x^2+1$
⑤ $x^3-5x=x^3-2x^2+3$

02

다음 중 등식 $(k-1)x^2-x+2=3x^2+x-2$가 x에 대한 이차방정식이 되도록 하는 상수 k의 값으로 적당하지 않은 것은?

① 0　② 1　③ 2
④ 3　⑤ 4

03

다음 보기 중에서 [　] 안의 수가 주어진 이차방정식의 해가 되는 것은 모두 몇 개인가?

보기
㉠ $x^2-2x-8=0$ [4]
㉡ $x^2-5=0$ [5]
㉢ $2x^2-x+1=0$ [1]
㉣ $x(x-3)=0$ [3]
㉤ $x^2+9=6x$ [3]

① 1개　② 2개　③ 3개
④ 4개　⑤ 5개

04

이차방정식 $x^2+ax-6=0$의 한 근이 -2일 때, 상수 a의 값을 구하시오.

05

이차방정식 $x^2-3x+9=0$의 한 근이 m이고, 이차방정식 $x^2-6x-5=0$의 한 근이 n일 때, $m^2-3m+2n^2-12n$의 값은?

① -3　② -2　③ -1
④ 0　⑤ 1

06

이차방정식 $x^2-4x-1=0$의 한 근을 a라 할 때, $a-\frac{1}{a}$의 값은?

① 1　② 2　③ 3
④ 4　⑤ 5

07

다음 중 이차방정식의 해를 바르게 구한 것은?

① $(x-2)(x+3)=0$ ➡ $x=-2$ 또는 $x=3$
② $2(x+1)(x+5)=0$ ➡ $x=2$ 또는 $x=10$
③ $x^2-5x+6=0$ ➡ $x=-1$ 또는 $x=6$
④ $x^2-4x+3=0$ ➡ $x=1$ 또는 $x=3$
⑤ $2x^2-5x+2=0$ ➡ $x=-1$ 또는 $x=2$

08

인수분해를 이용하여 이차방정식 $(x+6)(x-2)=4x-8$을 풀면?

① $x=-2$ 또는 $x=2$ ② $x=2$ 또는 $x=-6$
③ $x=-3$ 또는 $x=4$ ④ $x=3$ 또는 $x=-4$
⑤ $x=-3$ 또는 $x=1$

09

서술형

이차방정식 $ax^2+(a-2)x+1=0$의 한 근이 1일 때, 상수 a의 값과 다른 한 근을 구하려고 한다. 다음 물음에 답하시오.

(1) 상수 a의 값을 구하시오.

(2) 다른 한 근을 구하시오.

10

이차방정식 $x^2+ax-6=0$의 한 근이 3이고, 다른 한 근이 이차방정식 $3x^2-7x+b=0$의 근일 때, $a-b$의 값은?
(단, a, b는 상수)

① -25 ② -1 ③ 0
④ 1 ⑤ 25

11

두 이차방정식 $x^2+x-12=0$과 $2x^2-11x+15=0$의 공통인 해는?

① $x=-4$ ② $x=-2$ ③ $x=2$
④ $x=3$ ⑤ $x=4$

12

다음 이차방정식 중에서 중근을 갖지 않는 것은?

① $9x^2-30x+25=0$
② $(x+1)^2=0$
③ $4x^2+4x-8=0$
④ $x^2-10x+25=0$
⑤ $-x^2+6x-9=0$

13

이차방정식 $x^2-10x+4m+9=0$이 중근을 가질 때, 상수 m의 값을 구하시오.

14

이차방정식 $2(x-3)^2=20$의 해가 $x=a\pm\sqrt{b}$일 때, $a+b$의 값은? (단, a, b는 유리수)

① 21 ② 13 ③ 10
④ 7 ⑤ 3

15

이차방정식 $x^2-6x=1+2x^2$을 $(x-p)^2=q$의 꼴로 나타낼 때, $p+q$의 값은? (단 p, q는 상수)

① -8 ② -3 ③ 5
④ 11 ⑤ 14

16

다음은 완전제곱식을 이용하여 이차방정식 $x^2-8x+2=0$의 해를 구하는 과정이다. □ 안에 알맞은 수나 식을 써넣으시오.

> $x^2-8x+2=0$에서
> 상수항을 우변으로 이항하면
> $x^2-8x=-2$
> 양변에 $\left(\frac{x\text{의 계수}}{2}\right)^2$을 더하면
> $x^2-8x+\square=-2+\square$
> 좌변을 완전제곱식으로 고치면
> $\square=\square$
> $\therefore x=\square$

17

서술형

이차방정식 $2x^2+4x-3=0$의 해를 완전제곱식을 이용하여 구하시오.

18

이차방정식 $2x^2-5x+1=0$의 해가 $x=\frac{A\pm\sqrt{B}}{4}$일 때, $A+B$의 값은? (단, A, B는 유리수)

① 12 ② 17 ③ 22
④ 28 ⑤ 38

19

이차방정식 $x^2-5x+a=0$의 해가 $x=\frac{5\pm\sqrt{13}}{2}$일 때, 상수 a의 값을 구하시오.

20

이차방정식 $ax^2-2x-5=0$의 해가 $x=\frac{1\pm\sqrt{b}}{4}$일 때, $a+b$의 값은? (단, a, b는 유리수)

① 15 ② 17 ③ 18
④ 20 ⑤ 25

21

이차방정식 $(x+1)(x-5)=-2(3x+1)$의 해가 $x=a$ 또는 $x=b$일 때, $a+b$의 값은?

① -2 ② -1 ③ 0
④ 1 ⑤ 2

22

이차방정식 $\frac{1}{5}x^2-0.4x-\frac{1}{2}=0$의 해는?

① $x=\frac{2\pm\sqrt{14}}{2}$　② $x=\frac{1\pm\sqrt{2}}{2}$

③ $x=\frac{2\pm\sqrt{3}}{2}$　④ $x=\frac{-1\pm\sqrt{2}}{2}$

⑤ $x=\frac{-2\pm\sqrt{3}}{2}$

23

이차방정식 $(x+2)^2-5(x+2)-24=0$의 두 근을 a, b라 할 때, $a-b$의 값은? (단, $a>b$)

① 10　② 11　③ 12

④ 13　⑤ 14

24

이차방정식 $2x^2-5x+3+k=0$이 서로 다른 두 근을 가질 때, 다음 중 상수 k의 값이 될 수 있는 것을 모두 고르면?

(정답 2개)

① -5　② 0　③ 1

④ 4　⑤ 6

25

서술형

이차방정식 $x^2+ax+b=0$의 두 근이 -2, 5일 때, ab의 값을 구하시오. (단, a, b는 상수)

26

연속하는 세 자연수가 있다. 가장 큰 수의 제곱은 나머지 두 수의 제곱의 합보다 21만큼 작을 때, 이 세 자연수의 합은?

① 12　② 15　③ 18

④ 21　⑤ 24

27

다음 그림과 같이 반지름의 길이가 50 m인 원 모양의 호수의 둘레에 폭이 일정한 산책로를 만들었더니, 산책로의 넓이가 $204\pi\ \text{m}^2$가 되었다. 이때 산책로의 폭은?

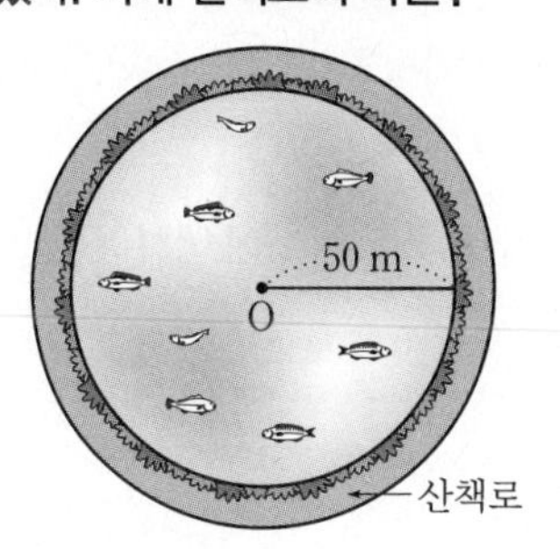

① 1 m　② 2 m　③ 3 m

④ 4 m　⑤ 5 m

28

골프 경기에서 한 선수가 공을 쳤는데 x초 후의 공의 높이가 $(-4x^2+16x)$ m이었다. 이 공이 땅에 떨어질 때까지 걸린 시간은 몇 초인지 구하시오.

01

다음 중 y가 x에 대한 이차함수인 것을 모두 고르면? (정답 2개)

① 연속한 두 자연수 x, $x+1$의 곱은 y이다.
② 시속 60 km로 $3x$시간 동안 간 거리는 y km이다.
③ 지름의 길이가 $\frac{x}{4}$ cm인 원의 둘레의 길이는 y cm이다.
④ 한 모서리의 길이가 $2x$ cm인 정육면체의 부피는 y cm^3이다.
⑤ 가로의 길이가 $(3x-2)$ cm, 세로의 길이가 x cm인 직사각형의 넓이는 y cm^2이다.

02

이차함수 $f(x)=3x^2-2x+a$에 대하여 $f(2)=9$일 때, 상수 a의 값은?

① 1 ② 2 ③ 3
④ 4 ⑤ 5

03

이차함수 $y=ax^2$의 그래프가 점 $(-4, 12)$를 지날 때, 상수 a의 값은?

① $\frac{3}{2}$ ② $\frac{3}{4}$ ③ $-\frac{3}{4}$
④ $-\frac{3}{2}$ ⑤ -2

04

다음 중 이차함수 $y=-\frac{1}{4}x^2$의 그래프에 대한 설명으로 옳지 않은 것은?

① 점 $(-2, -1)$을 지난다.
② 위로 볼록한 포물선이다.
③ 축의 방정식은 $x=0$이다.
④ 꼭짓점의 좌표는 $(0, 0)$이다.
⑤ $y=4x^2$의 그래프와 x축에 대칭이다.

05

이차함수 $y=x^2$, $y=-x^2$의 그래프가 오른쪽 그림과 같을 때, $y=-\frac{1}{3}x^2$의 그래프로 적당한 것은?

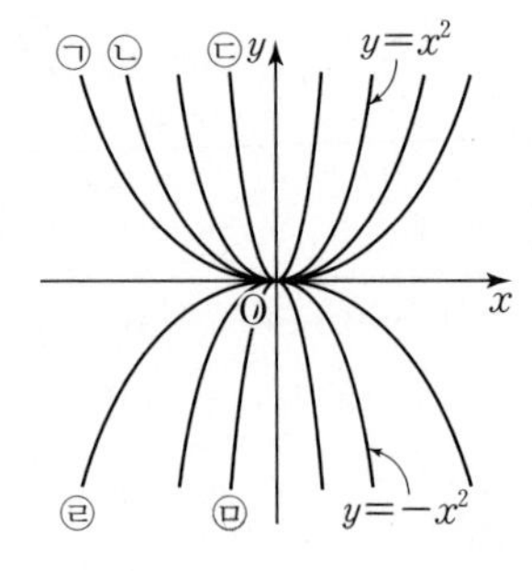

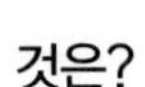

① ㉠ ② ㉡
③ ㉢ ④ ㉣
⑤ ㉤

06

이차함수 $y=\frac{1}{3}x^2$의 그래프를 y축의 방향으로 a만큼 평행이동하면 점 $(3, 1)$을 지날 때, a의 값은?

① -4 ② -3 ③ -2
④ -1 ⑤ 2

07

다음 중 이차함수 $y=-2x^2+2$의 그래프에 대한 설명으로 옳지 않은 것은?

① 위로 볼록한 포물선이다.
② y축에 대칭이다.
③ 꼭짓점의 좌표는 $(2, 0)$이다.
④ $x<0$일 때, x의 값이 증가하면 y의 값도 증가한다.
⑤ $y=-2x^2$의 그래프를 y축의 방향으로 2만큼 평행이동한 것이다.

08

이차함수 $y=-3x^2$의 그래프를 x축의 방향으로 2만큼 평행이동하면 점 $(4, a)$를 지날 때, a의 값을 구하시오.

09

다음 중 이차함수 $y=-5(x+4)^2$의 그래프에 대한 설명으로 옳은 것을 모두 고르면? (정답 2개)

① 아래로 볼록한 포물선이다.
② 점 $(-3, -5)$를 지난다.
③ 꼭짓점의 좌표는 $(-4, 0)$이다.
④ $x>-4$일 때, x의 값이 증가하면 y의 값도 증가한다.
⑤ $y=-5x^2$의 그래프를 x축의 방향으로 4만큼 평행이동한 것이다.

10

이차함수 $y=-\frac{1}{2}(x-3)^2+1$의 그래프가 지나지 않는 사분면은?

① 제1사분면 ② 제2사분면
③ 제3사분면 ④ 제4사분면
⑤ 모든 사분면을 지난다.

11

서술형

이차함수 $y=2x^2$의 그래프를 x축의 방향으로 4만큼, y축의 방향으로 -1만큼 평행이동하면 점 $(3, k)$를 지난다. 이때 k의 값을 구하시오.

12

이차함수 $y=a(x-p)^2+q$의 그래프가 오른쪽 그림과 같을 때, $a+p+q$의 값을 구하시오. (단, a, p, q는 상수)

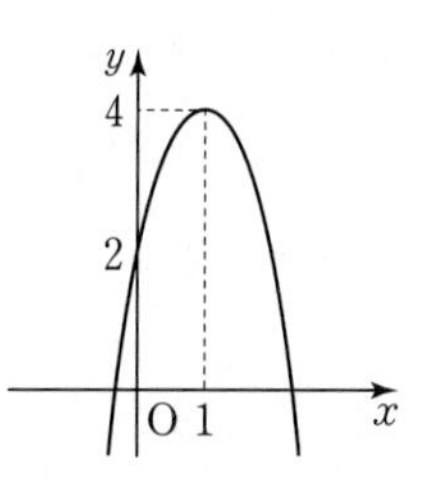

13

이차함수 $y=x^2+6x+1$을 $y=a(x+p)^2+q$의 꼴로 나타낼 때, $a+p+q$의 값은? (단, a, p, q는 상수)

① -8 ② -6 ③ -4
④ 2 ⑤ 4

14

이차함수 $y=-x^2+2ax+3$의 그래프의 축의 방정식이 $x=-1$일 때, 이 그래프의 꼭짓점의 좌표는?

① $(-1, 3)$ ② $(-1, 4)$ ③ $(1, 4)$
④ $(4, -1)$ ⑤ $(4, 1)$

15

이차함수 $y=-2x^2+8x-5$의 그래프에서 x의 값이 증가할 때, y의 값은 감소하는 x의 값의 범위는?

① $x<2$　　② $x>2$　　③ $x<4$

④ $x<-2$　　⑤ $x>-2$

16

다음 중 이차함수 $y=2x^2-4x-1$의 그래프에 대한 설명으로 옳은 것을 모두 고르면? (정답 2개)

① 축의 방정식은 $x=1$이다.

② 꼭짓점의 좌표는 $(1, 2)$이다.

③ y축과의 교점의 좌표는 $(0, 1)$이다.

④ $y=2x^2$의 그래프를 x축의 방향으로 1만큼, y축의 방향으로 2만큼 평행이동한 것이다.

⑤ 모든 사분면을 지난다.

17

이차함수 $y=2x^2-12x+3$의 그래프를 x축의 방향으로 m만큼, y축의 방향으로 n만큼 평행이동하였더니 이차함수 $y=2x^2-1$의 그래프와 일치하였다. 이때 $m+n$의 값은?

① 17　　② 11　　③ 1

④ -11　　⑤ -17

18

서술형

이차함수 $y=x^2-3x-4$의 그래프가 x축과 만나는 두 점을 각각 A, B라 하고 꼭짓점을 C라 할 때, $\triangle$ABC의 넓이를 구하시오.

19

이차함수 $y=ax^2+bx+c$의 그래프가 오른쪽 그림과 같을 때, 이차함수 $y=cx^2+bx+a$의 그래프의 꼭짓점은 제몇 사분면 위에 있는가?

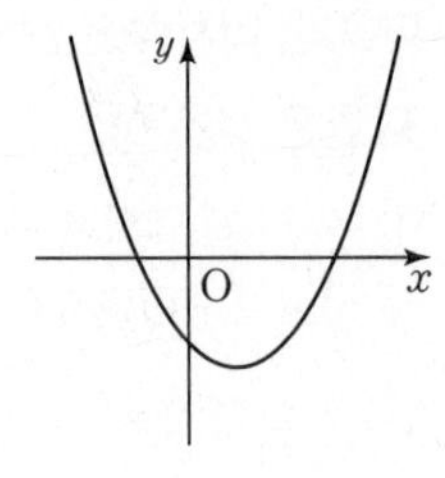

① 제1사분면

② 제2사분면

③ 제3사분면

④ 제4사분면

⑤ 제1사분면과 제2사분면 모두 가능

20

이차함수 $y=ax^2+bx+c$의 그래프가 오른쪽 그림과 같을 때, $a-b+c$의 값은? (단, a, b, c는 상수)

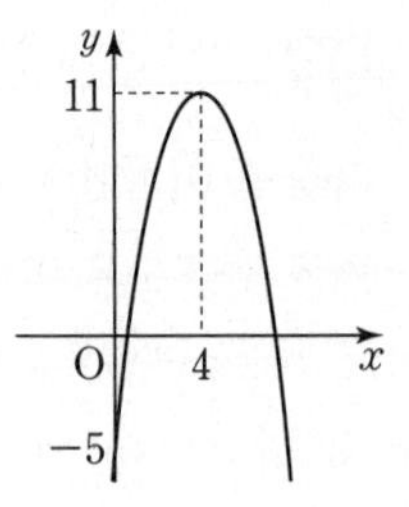

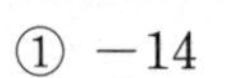

① -14　　② -7

③ 0　　④ 7

⑤ 14

21

세 점 $(0, -1)$, $(-1, -4)$, $(1, -2)$를 지나는 포물선을 그래프로 하는 이차함수의 식을 $y=ax^2+bx+c$라 할 때, $a+2b+c$의 값은? (단, a, b, c는 상수)

① -2　　② -1　　③ 0

④ 1　　⑤ 2

제곱근표 (1)

수	0	1	2	3	4	5	6	7	8	9
1.0	1.000	1.005	1.010	1.015	1.020	1.025	1.030	1.034	1.039	1.044
1.1	1.049	1.054	1.058	1.063	1.068	1.072	1.077	1.082	1.086	1.091
1.2	1.095	1.100	1.105	1.109	1.114	1.118	1.122	1.127	1.131	1.136
1.3	1.140	1.145	1.149	1.153	1.158	1.162	1.166	1.170	1.175	1.179
1.4	1.183	1.187	1.192	1.196	1.200	1.204	1.208	1.212	1.217	1.221
1.5	1.225	1.229	1.233	1.237	1.241	1.245	1.249	1.253	1.257	1.261
1.6	1.265	1.269	1.273	1.277	1.281	1.285	1.288	1.292	1.296	1.300
1.7	1.304	1.308	1.311	1.315	1.319	1.323	1.327	1.330	1.334	1.338
1.8	1.342	1.345	1.349	1.353	1.356	1.360	1.364	1.367	1.371	1.375
1.9	1.378	1.382	1.386	1.389	1.393	1.396	1.400	1.404	1.407	1.411
2.0	1.414	1.418	1.421	1.425	1.428	1.432	1.435	1.439	1.442	1.446
2.1	1.449	1.453	1.456	1.459	1.463	1.466	1.470	1.473	1.476	1.480
2.2	1.483	1.487	1.490	1.493	1.497	1.500	1.503	1.507	1.510	1.513
2.3	1.517	1.520	1.523	1.526	1.530	1.533	1.536	1.539	1.543	1.546
2.4	1.549	1.552	1.556	1.559	1.562	1.565	1.568	1.572	1.575	1.578
2.5	1.581	1.584	1.587	1.591	1.594	1.597	1.600	1.603	1.606	1.609
2.6	1.612	1.616	1.619	1.622	1.625	1.628	1.631	1.634	1.637	1.640
2.7	1.643	1.646	1.649	1.652	1.655	1.658	1.661	1.664	1.667	1.670
2.8	1.673	1.676	1.679	1.682	1.685	1.688	1.691	1.694	1.697	1.700
2.9	1.703	1.706	1.709	1.712	1.715	1.718	1.720	1.723	1.726	1.729
3.0	1.732	1.735	1.738	1.741	1.744	1.746	1.749	1.752	1.755	1.758
3.1	1.761	1.764	1.766	1.769	1.772	1.775	1.778	1.780	1.783	1.786
3.2	1.789	1.792	1.794	1.797	1.800	1.803	1.806	1.808	1.811	1.814
3.3	1.817	1.819	1.822	1.825	1.828	1.830	1.833	1.836	1.838	1.841
3.4	1.844	1.847	1.849	1.852	1.855	1.857	1.860	1.863	1.865	1.868
3.5	1.871	1.873	1.876	1.879	1.881	1.884	1.887	1.889	1.892	1.895
3.6	1.897	1.900	1.903	1.905	1.908	1.910	1.913	1.916	1.918	1.921
3.7	1.924	1.926	1.929	1.931	1.934	1.936	1.939	1.942	1.944	1.947
3.8	1.949	1.952	1.954	1.957	1.960	1.962	1.965	1.967	1.970	1.972
3.9	1.975	1.977	1.980	1.982	1.985	1.987	1.990	1.992	1.995	1.997
4.0	2.000	2.002	2.005	2.007	2.010	2.012	2.015	2.017	2.020	2.022
4.1	2.025	2.027	2.030	2.032	2.035	2.037	2.040	2.042	2.045	2.047
4.2	2.049	2.052	2.054	2.057	2.059	2.062	2.064	2.066	2.069	2.071
4.3	2.074	2.076	2.078	2.081	2.083	2.086	2.088	2.090	2.093	2.095
4.4	2.098	2.100	2.102	2.105	2.107	2.110	2.112	2.114	2.117	2.119
4.5	2.121	2.124	2.126	2.128	2.131	2.133	2.135	2.138	2.140	2.142
4.6	2.145	2.147	2.149	2.152	2.154	2.156	2.159	2.161	2.163	2.166
4.7	2.168	2.170	2.173	2.175	2.177	2.179	2.182	2.184	2.186	2.189
4.8	2.191	2.193	2.195	2.198	2.200	2.202	2.205	2.207	2.209	2.211
4.9	2.214	2.216	2.218	2.220	2.223	2.225	2.227	2.229	2.232	2.234
5.0	2.236	2.238	2.241	2.243	2.245	2.247	2.249	2.252	2.254	2.256
5.1	2.258	2.261	2.263	2.265	2.267	2.269	2.272	2.274	2.276	2.278
5.2	2.280	2.283	2.285	2.287	2.289	2.291	2.293	2.296	2.298	2.300
5.3	2.302	2.304	2.307	2.309	2.311	2.313	2.315	2.317	2.319	2.322
5.4	2.324	2.326	2.328	2.330	2.332	2.335	2.337	2.339	2.341	2.343

제곱근표 (2)

수	0	1	2	3	4	5	6	7	8	9
5.5	2.345	2.347	2.349	2.352	2.354	2.356	2.358	2.360	2.362	2.364
5.6	2.366	2.369	2.371	2.373	2.375	2.377	2.379	2.381	2.383	2.385
5.7	2.387	2.390	2.392	2.394	2.396	2.398	2.400	2.402	2.404	2.406
5.8	2.408	2.410	2.412	2.415	2.417	2.419	2.421	2.423	2.425	2.427
5.9	2.429	2.431	2.433	2.435	2.437	2.439	2.441	2.443	2.445	2.447
6.0	2.449	2.452	2.454	2.456	2.458	2.460	2.462	2.464	2.466	2.468
6.1	2.470	2.472	2.474	2.476	2.478	2.480	2.482	2.484	2.486	2.488
6.2	2.490	2.492	2.494	2.496	2.498	2.500	2.502	2.504	2.506	2.508
6.3	2.510	2.512	2.514	2.516	2.518	2.520	2.522	2.524	2.526	2.528
6.4	2.530	2.532	2.534	2.536	2.538	2.540	2.542	2.544	2.546	2.548
6.5	2.550	2.551	2.553	2.555	2.557	2.559	2.561	2.563	2.565	2.567
6.6	2.569	2.571	2.573	2.575	2.577	2.579	2.581	2.583	2.585	2.587
6.7	2.588	2.590	2.592	2.594	2.596	2.598	2.600	2.602	2.604	2.606
6.8	2.608	2.610	2.612	2.613	2.615	2.617	2.619	2.621	2.623	2.625
6.9	2.627	2.629	2.631	2.632	2.634	2.636	2.638	2.640	2.642	2.644
7.0	2.646	2.648	2.650	2.651	2.653	2.655	2.657	2.659	2.661	2.663
7.1	2.665	2.666	2.668	2.670	2.672	2.674	2.676	2.678	2.680	2.681
7.2	2.683	2.685	2.687	2.689	2.691	2.693	2.694	2.696	2.698	2.700
7.3	2.702	2.704	2.706	2.707	2.709	2.711	2.713	2.715	2.717	2.718
7.4	2.720	2.722	2.724	2.726	2.728	2.729	2.731	2.733	2.735	2.737
7.5	2.739	2.740	2.742	2.744	2.746	2.748	2.750	2.751	2.753	2.755
7.6	2.757	2.759	2.760	2.762	2.764	2.766	2.768	2.769	2.771	2.773
7.7	2.775	2.777	2.778	2.780	2.782	2.784	2.786	2.787	2.789	2.791
7.8	2.793	2.795	2.796	2.798	2.800	2.802	2.804	2.805	2.807	2.809
7.9	2.811	2.812	2.814	2.816	2.818	2.820	2.821	2.823	2.825	2.827
8.0	2.828	2.830	2.832	2.834	2.835	2.837	2.839	2.841	2.843	2.844
8.1	2.846	2.848	2.850	2.851	2.853	2.855	2.857	2.858	2.860	2.862
8.2	2.864	2.865	2.867	2.869	2.871	2.872	2.874	2.876	2.877	2.879
8.3	2.881	2.883	2.884	2.886	2.888	2.890	2.891	2.893	2.895	2.897
8.4	2.898	2.900	2.902	2.903	2.905	2.907	2.909	2.910	2.912	2.914
8.5	2.915	2.917	2.919	2.921	2.922	2.924	2.926	2.927	2.929	2.931
8.6	2.933	2.934	2.936	2.938	2.939	2.941	2.943	2.944	2.946	2.948
8.7	2.950	2.951	2.953	2.955	2.956	2.958	2.960	2.961	2.963	2.965
8.8	2.966	2.968	2.970	2.972	2.973	2.975	2.977	2.978	2.980	2.982
8.9	2.983	2.985	2.987	2.988	2.990	2.992	2.993	2.995	2.997	2.998
9.0	3.000	3.002	3.003	3.005	3.007	3.008	3.010	3.012	3.013	3.015
9.1	3.017	3.018	3.020	3.022	3.023	3.025	3.027	3.028	3.030	3.032
9.2	3.033	3.035	3.036	3.038	3.040	3.041	3.043	3.045	3.046	3.048
9.3	3.050	3.051	3.053	3.055	3.056	3.058	3.059	3.061	3.063	3.064
9.4	3.066	3.068	3.069	3.071	3.072	3.074	3.076	3.077	3.079	3.081
9.5	3.082	3.084	3.085	3.087	3.089	3.090	3.092	3.094	3.095	3.097
9.6	3.098	3.100	3.102	3.103	3.105	3.106	3.108	3.110	3.111	3.113
9.7	3.114	3.116	3.118	3.119	3.121	3.122	3.124	3.126	3.127	3.129
9.8	3.130	3.132	3.134	3.135	3.137	3.138	3.140	3.142	3.143	3.145
9.9	3.146	3.148	3.150	3.151	3.153	3.154	3.156	3.158	3.159	3.161

개념 해결의 법칙

빠른 정답 Answer&Explanation

1 제곱근의 뜻과 성질

1 제곱근의 뜻과 표현

개념 확인 8쪽~9쪽

1 (1) $6, -6$ (2) $\frac{1}{3}, -\frac{1}{3}$ (3) $0.7, -0.7$ (4) 0 (5) $3, -3$ (6) 없다.

2 (1) $1, -1$ (2) $10, -10$ (3) $0.9, -0.9$ (4) $\frac{5}{4}, -\frac{5}{4}$ (5) 0 (6) 없다.

3 (1) $\pm\sqrt{3}$ (2) $\pm\sqrt{\frac{1}{5}}$ (3) $\pm\sqrt{0.1}$ (4) $\pm\sqrt{13}$

4 (1) 5 (2) -7 (3) 10 (4) $-\frac{1}{2}$

5 (1) 3 (2) -3 (3) ± 3 (4) 3

STEP 1 기초 개념 드릴 10쪽

1-1 (1) $49, 49, -7$ (2) $8, 8, \sqrt{8}, -\sqrt{8}$

1-2 (1) ± 5 (2) ± 6 (3) $\pm\frac{5}{6}$ (4) $\pm\sqrt{\frac{1}{3}}$ (5) ± 0.8 (6) $\pm\sqrt{0.2}$

2-1 (1) 4 (2) -3 (3) $0.04, 0.2$ (4) 음, $-\frac{1}{10}$

2-2 (1) 6 (2) -2 (3) -0.7 (4) $\frac{11}{6}$

3-1 (1) $\pm\sqrt{2}$ (2) $\pm\sqrt{\frac{3}{5}}$ (3) $\pm\sqrt{0.8}$ (4) ± 2 연구 (1) $2, 2$

3-2 (1) $\pm\sqrt{10}$ (2) $\pm\sqrt{\frac{1}{7}}$ (3) $\pm\sqrt{1.1}$ (4) ± 3

STEP 2 대표 유형으로 개념 잡기 11쪽~12쪽

1-2 ②	2-2 ③	2-3 ⑤	3-2 ㉢, ㉣
3-3 ④	4-2 -2	4-3 12	

STEP 3 개념 뛰어넘기 13쪽~14쪽

01 ⑤	02 ①, ⑤	03 ①	04 ④
05 ⑤	06 ④	07 2개	08 ①
09 ㉠, ㉣	10 -1	11 10	12 $\sqrt{35}$ m
13 $\sqrt{65}$			

14 (1) 은주, 희선

(2) 은주 : 제곱근 7은 $\sqrt{7}$이다.

희선 : $\sqrt{(-2)^2}=\sqrt{4}=2$

2 제곱근의 성질

개념 확인 15쪽~17쪽

1 (1) 5 (2) 6 (3) 2 (4) 10 (5) 3 (6) -7 (7) $-\frac{1}{3}$ (8) $-\frac{1}{2}$

2 (1) 7 (2) 2 (3) 2 (4) -2

3 (1) $2a$ (2) $-4a, 4a$ (3) $a, -2a, 3a$

4 (1) $-2a$ (2) $-4a$ (3) $-3a$

5 (1) $<$ (2) $>$ (3) $<$ (4) $<$ (5) $<$ (6) $>$

STEP 1 기초 개념 드릴 18쪽

1-1 (1) 3 (2) 7 (3) -8 (4) -11 (5) $\frac{2}{7}$ (6) -1.2

연구 (5) $\frac{2}{7}$ (6) $1.2, -1.2$

1-2 (1) 30 (2) 3 (3) 2 (4) 0.05 (5) $\frac{3}{2}$

2-1 (1) $a-2$ (2) $-a+2$

연구 (1) $>, a-2$ (2) $<, a-2, -a+2$

2-2 (1) $x-1$ (2) $-x+1$ (3) 1 (4) $2a+1$

3-1 (1) $<$ (2) $<$ 연구 (1) $<, <$ (2) $<, <$

3-2 (1) $>$ (2) $>$ (3) $<$ (4) $<$ (5) $>$ (6) $>$

STEP 2 대표 유형으로 개념 잡기 19쪽~23쪽

1-2 ① **2-2** (1) 13 (2) 14 (3) 1 (4) -9
3-2 ③, ④ **3-3** (1) 0 (2) $-3a$
4-2 (1) 10 (2) 1 (3) a **5-2** 24 **5-3** 15
6-2 10 **6-3** 3 **7-2** 19 **7-3** 11
8-2 1, 14, 25, 34, 41, 46, 49 **8-3** 3, 8, 11, 12
9-2 ③ **9-3** $-2, -\sqrt{3}, -\sqrt{\frac{4}{3}}, \sqrt{\frac{7}{2}}, \sqrt{5}$
10-2 (1) 3개 (2) 5개 (3) 8개

STEP 3 개념 뛰어넘기 24쪽~25쪽

01 ④ **02** ② **03** (1) 0 (2) -1
04 ③ **05** (1) -5 (2) $2x-1$ (3) 5
06 (1) $48=2^4\times3$ (2) 3 (3) 12 **07** 3
08 35 **09** ④ **10** $\sqrt{8}$
11 (1) 3 (2) 4 (3) 9 (4) 16 (5) 10, 11, 12, 13, 14, 15
12 8 **13** 5 **14** 6

2 무리수와 실수

1 무리수와 실수

개념 확인 28쪽~32쪽

1 (1) 유 (2) 무 (3) 유 (4) 무 (5) 무 (6) 무
2 점 P : $-3-\sqrt{5}$, 점 Q : $-3+\sqrt{5}$, 점 R : $4-\sqrt{8}$, 점 S : $4+\sqrt{8}$
3 $>$, $>$
4 (1) $<$ (2) $>$ (3) $>$ (4) $<$
5 (1) ㉠ 2.345 ㉡ 2.373 ㉢ 2.412 ㉣ 2.431
(2) ㉠ 3.873 ㉡ 4.159 ㉢ 4.254 ㉣ 4.405

STEP 1 기초 개념 드릴 33쪽

1-1 (1) 유 (2) 유 (3) 무 (4) 유 연구 (1) 2 (2) 7 (4) $-\frac{3}{4}$
1-2 (1) 무리수 (2) ○ (3) 유리수 (4) ○
2-1 $\sqrt{2}, \sqrt{2}, 3-\sqrt{2}, 3+\sqrt{2}$ 연구 $-$, $+$
2-2 (1) $\sqrt{2}$ (2) $1-\sqrt{2}$
3-1 (1) × (2) ○ (3) × 연구 실수
3-2 (1) × (2) × (3) ○

STEP 2 대표 유형으로 개념 잡기 34쪽~36쪽

1-2 ③ **1-3** 3개 **2-2** ④
3-2 (1) $\overline{AB}=\sqrt{10}$, $\overline{BC}=\sqrt{10}$ (2) $1-\sqrt{10}$ (3) $1+\sqrt{10}$
4-2 ①, ② **5-2** ② **5-3** ⑤ **6-2** ④

STEP 3 개념 뛰어넘기 37쪽~39쪽

01 ㉢, ㉣, ㉤ **02** ③ **03** ④ **04** ⑤
05 ① **06** 점 P : $-3-\sqrt{13}$, 점 Q : $-3+\sqrt{13}$
07 -1 **08** ③, ⑤ **09** ① **10** ㉡, ㉣
11 ④ **12** (1) $a>b$ (2) $b<c$ (3) $a>c$ (4) $b<c<a$
13 점 A : $1-\sqrt{5}$, 점 B : $2-\sqrt{2}$, 점 C : $\sqrt{2}+1$, 점 D : $\sqrt{5}+1$
14 (1) 점 P : $2-\sqrt{10}$, 점 Q : $2+\sqrt{10}$ (2) 예 $2-\sqrt{8}, \sqrt{5}, 2+\sqrt{3}$
15 ② **16** 8.445

3 근호를 포함한 식의 계산

1 제곱근의 곱셈과 나눗셈

개념 확인

42쪽~45쪽

1 (1) $\sqrt{14}$ (2) $\sqrt{3}$ (3) $\sqrt{30}$ (4) $-14\sqrt{21}$ (5) 2 (6) $\sqrt{2}$
(7) $-\sqrt{\frac{2}{3}}$ (8) $\sqrt{\frac{11}{5}}$ (9) $2\sqrt{7}$

2 (1) $\sqrt{18}$ (2) $\sqrt{32}$ (3) $-\sqrt{27}$ (4) $-\sqrt{60}$ (5) $\sqrt{\frac{6}{49}}$
(6) $\sqrt{\frac{12}{25}}$ (7) $-\sqrt{\frac{7}{9}}$ (8) $-\sqrt{\frac{44}{25}}$

3 (1) $3\sqrt{5}$ (2) $4\sqrt{5}$ (3) $-4\sqrt{3}$ (4) $-6\sqrt{3}$ (5) $\frac{\sqrt{6}}{5}$
(6) $-\frac{\sqrt{15}}{7}$ (7) $\frac{\sqrt{11}}{10}$ (8) $-\frac{\sqrt{13}}{10}$

4 (1) $\sqrt{2}$, $\frac{3\sqrt{2}}{2}$ (2) $\sqrt{3}$, $\sqrt{3}$, $\frac{\sqrt{15}}{9}$ (3) 2, $\sqrt{3}$, $\frac{\sqrt{3}}{3}$
(4) 6, 6, 6, 6, $\frac{\sqrt{30}}{12}$

5 (1) $\frac{2\sqrt{7}}{7}$ (2) $\frac{\sqrt{2}}{3}$ (3) $-\frac{\sqrt{15}}{10}$ (4) $\sqrt{2}$

6 (1) 100, 10, 10, 17.32 (2) 30, 30, 5.477, 54.77
(3) 3, 3, 1.732, 173.2

7 (1) 100, 10, 10, 0.1414 (2) 20, 20, 4.472, 0.4472
(3) 2, 2, 1.414, 0.01414

STEP 1 기초 개념 드릴

46쪽

1-1 (1) 3, 3 (2) 7, 7 (3) 4, 4

1-2 (1) $5\sqrt{3}$ (2) $-3\sqrt{10}$ (3) $-10\sqrt{2}$ (4) $\frac{\sqrt{21}}{2}$ (5) $-\frac{\sqrt{13}}{8}$
(6) $3\sqrt{3}$

2-1 5, 75, $10\sqrt{3}$

2-2 (1) $6\sqrt{15}$ (2) $6\sqrt{6}$ (3) $4\sqrt{5}$ (4) 42

3-1 $\sqrt{6}$, $\sqrt{12}$, $\sqrt{3}$, $\frac{\sqrt{3}}{3}$

3-2 (1) $\sqrt{2}$ (2) $-\frac{\sqrt{6}}{24}$ (3) $\frac{\sqrt{3}}{3}$ (4) $\frac{\sqrt{6}}{3}$

STEP 2 대표 유형으로 개념 잡기

47쪽~50쪽

1-2 ② 1-3 $12\sqrt{6}$ 2-2 ④

3-2 (1) 23 (2) $2\sqrt{6}$ 3-3 $\frac{1}{50}$ 4-2 ②

4-3 ① 5-2 ⑤ 5-3 3

6-2 (1) $2\sqrt{15}$ (2) $-2\sqrt{5}$ (3) $\frac{8\sqrt{10}}{5}$

7-2 (1) 18 cm^2 (2) $2\sqrt{3}$ cm 7-3 $2\sqrt{6}$ cm

8-2 ④ 8-3 ㉡, ㉣

계산력 집중 연습

51쪽

1 (1) -4 (2) $6\sqrt{10}$ (3) 3 (4) $-4\sqrt{2}$ (5) $\sqrt{15}$

2 (1) $\frac{\sqrt{65}}{13}$ (2) $-\frac{\sqrt{15}}{5}$ (3) $-\frac{\sqrt{22}}{11}$ (4) $\frac{\sqrt{30}}{24}$ (5) $\frac{2\sqrt{10}}{3}$
(6) $-\frac{3\sqrt{3}}{2}$ (7) $\frac{3\sqrt{2}}{4}$ (8) $\frac{2\sqrt{3}}{9}$ (9) $\frac{\sqrt{6}}{8}$ (10) $\frac{\sqrt{30}}{10}$

3 (1) $\sqrt{6}$ (2) 3 (3) $\frac{\sqrt{7}}{9}$ (4) $\frac{5\sqrt{6}}{2}$ (5) $2\sqrt{3}$ (6) $\sqrt{3}$ (7) $\frac{4\sqrt{15}}{5}$
(8) $4\sqrt{3}$

STEP 3 개념 뛰어넘기

52쪽~53쪽

01 ③ 02 ② 03 ② 04 ④

05 $\frac{\sqrt{5}}{2}$ 06 $5\sqrt{2}$ 07 3 08 $\sqrt{6}$

09 $6\sqrt{15}$ cm^2 10 $4\sqrt{2}$ cm 11 ④ 12 ②

13 ⑤

2 제곱근의 덧셈과 뺄셈

개념 확인 54쪽~57쪽

1 (1) $5\sqrt{3}$ (2) 0 (3) $6\sqrt{3}-2\sqrt{7}$

2 (1) $7\sqrt{2}$ (2) $\sqrt{6}$ (3) $\frac{8\sqrt{7}}{7}$ (4) $\frac{2\sqrt{5}}{5}$ (5) $-4\sqrt{3}$
(6) $2\sqrt{3}-\sqrt{2}$

3 (1) $3\sqrt{2}-2\sqrt{10}$ (2) $5\sqrt{2}+10$ (3) $2\sqrt{3}-2$

4 (1) $\frac{\sqrt{10}-3\sqrt{6}}{2}$ (2) $\frac{3\sqrt{10}+\sqrt{30}}{10}$ (3) $\sqrt{5}-1$

5 (1) $-\sqrt{3}$ (2) $5\sqrt{3}$ (3) $3-\sqrt{5}$ (4) $\sqrt{5}$

6 (1) $>$ (2) $<$

7 (1) 정수 부분 : 2, 소수 부분 : $\sqrt{7}-2$
(2) 정수 부분 : 3, 소수 부분 : $\sqrt{13}-3$
(3) 정수 부분 : 4, 소수 부분 : $\sqrt{5}-2$
(4) 정수 부분 : 1, 소수 부분 : $2-\sqrt{2}$

STEP 1 기초 개념 드릴 58쪽

1-1 ㄹ 연구 $\neq$, $m-n$

1-2 (1) $4\sqrt{5}$ (2) $\sqrt{7}$ (3) $-3\sqrt{2}-2\sqrt{3}$ (4) $7\sqrt{2}$ (5) $5\sqrt{3}$

2-1 $\sqrt{5}$, $\sqrt{5}$, 100, 10, $-\sqrt{3}$

2-2 (1) $7\sqrt{3}$ (2) $-6\sqrt{2}$ (3) $22\sqrt{2}$ (4) $5\sqrt{2}-3\sqrt{7}$

3-1 $5\sqrt{3}$, 64, $>$, $>$

3-2 (1) $<$ (2) $>$ (3) $<$

STEP 2 대표 유형으로 개념 잡기 59쪽~62쪽

1-2 ⑤ 1-3 $\frac{2}{3}$

2-2 (1) $2\sqrt{3}-\sqrt{5}$ (2) $2\sqrt{2}-3\sqrt{3}$ (3) $4\sqrt{2}-\sqrt{3}$

3-2 (1) $2\sqrt{6}+3\sqrt{5}$ (2) $\sqrt{5}-\sqrt{3}$ (3) $8\sqrt{3}-\sqrt{6}$ (4) $\frac{\sqrt{6}}{6}$

4-2 $\frac{7}{2}$ 4-3 6

5-2 (1) $5\sqrt{2}-9\sqrt{3}$ (2) $-\frac{7\sqrt{3}}{3}-\frac{2\sqrt{6}}{3}$ (3) $\sqrt{3}+4\sqrt{6}$

6-2 ② 6-3 ⑤ 7-2 $(2\sqrt{5}+10)\text{ cm}^2$

8-2 $10-\sqrt{3}$ 8-3 $\sqrt{6}-5$

계산력 집중 연습 63쪽

1 (1) $-\sqrt{7}$ (2) $3\sqrt{5}$ (3) $5\sqrt{2}$ (4) $9\sqrt{7}$ (5) $-2\sqrt{3}$
(6) $\frac{5\sqrt{6}}{3}$ (7) $\sqrt{3}$ (8) $-2\sqrt{2}+2\sqrt{5}$ (9) $5\sqrt{10}-8\sqrt{7}$
(10) $10\sqrt{2}-8\sqrt{3}$ (11) $3\sqrt{2}-2\sqrt{3}$ (12) $2\sqrt{3}-\sqrt{5}$

2 (1) $4\sqrt{6}$ (2) $-7\sqrt{6}$ (3) $2\sqrt{5}$ (4) $\frac{9\sqrt{7}}{2}$ (5) $6-4\sqrt{2}$
(6) 1 (7) $10\sqrt{2}-25$ (8) $8\sqrt{3}-10$

STEP 3 개념 뛰어넘기 64쪽~65쪽

01 ③	02 3	03 ④	04 $\sqrt{6}+4$
05 ②	06 6	07 ③	08 5
09 ⑤	10 $28\sqrt{3}$ m	11 ④	12 $\sqrt{3}-1$

4 다항식의 곱셈

1 곱셈 공식

개념 확인 68쪽~71쪽

1 (1) $3ab-4a+3b^2-4b$ (2) $2xy+10x-y-5$
(3) $12xy-3x+8y-2$ (4) $2x^2+5xy+2y^2$

2 (1) $2x^2-xy-3y^2+x+y$
(2) $3x^2+5xy-2y^2+3x-y$

3 (1) x^2+6x+9 (2) $9x^2+24xy+16y^2$
(3) $x^2-8x+16$ (4) $4x^2-4xy+y^2$

4 (1) x^2-4x+4 (2) $4x^2-4xy+y^2$
(3) $4x^2+12x+9$ (4) $9x^2+12xy+4y^2$

5 (1) x^2-16 (2) $4x^2-1$ (3) $9x^2-25y^2$ (4) $49a^2-4b^2$

6 (1) a^2-4 (2) $9x^2-4y^2$ (3) $9-y^2$ (4) $9-4x^2$

7 (1) $a^2+8a+15$ (2) $a^2-4a-21$
(3) $x^2-13x+30$ (4) $x^2+xy-12y^2$

8 (1) $6x^2+11x+3$ (2) $10x^2-x-3$
(3) $2a^2-9a+4$ (4) $4x^2+5xy-21y^2$

STEP 2 대표 유형으로 개념 잡기 72쪽

1-2 (1) -4, $3b$, $3ab-4a+6b-8$

(2) xy, $3y$, $x^2-y^2-3x+3y$

1-2 (1) $ax+ay+bx+by$ (2) $4xy+28x-y-7$

(3) $5a^2-2ab+19a-6b+12$

(4) $6x^2+9xy-23x-12y+20$

2-1 (1) $2x$, 1, $4x^2-4x+1$ (2) $-x$, x^2, 16

2-2 (1) $9a^2+12a+4$ (2) $16x^2+24xy+9y^2$

(3) $25x^2-49$ (4) $9a^2-4$

3-1 (1) $5y$, $5y$, 2, $15y^2$ (2) 2, $-3y$, $4y$, 6, $12y^2$

3-2 (1) x^2-3x+2 (2) $x^2+2xy-8y^2$

(3) $20x^2-2x-6$ (4) $-12x^2-5xy+2y^2$

STEP 2 대표 유형으로 개념 잡기 73쪽~75쪽

1-2 -2 **1-3** 4 **2-2** ④ **3-2** ④

4-2 ②, ⑤ **5-2** $a=-3$, $b=9$ **5-3** 11

6-2 ②

계산력 집중 연습 76쪽

1 (1) $9x^2-12xy+4y^2$ (2) $4a^2+\frac{4}{3}ab+\frac{1}{9}b^2$

(3) $25x^2-20x+4$ (4) $4x^2+28xy+49y^2$

(5) $16a^2-4ab+\frac{1}{4}b^2$

2 (1) x^2-1 (2) $25-4x^2$ (3) $9x^2-16$ (4) $4b^2-9a^2$

(5) $\frac{9}{16}x^2-y^2$

3 (1) x^2+5x+6 (2) a^2-9a+8 (3) x^2-x-20 (4) a^2+a-12

(5) $x^2-4xy+3y^2$

4 (1) $3x^2+10x+8$ (2) $18a^2+37a-20$ (3) $8m^2-42m+27$

(4) $-15m^2+8m+16$ (5) $4x^2+\frac{8}{3}x+\frac{1}{3}$

STEP 3 개념 뛰어넘기 77쪽

01 8 **02** ⑤ **03** -4 **04** ⑤

05 ② **06** $15x^2-8x+1$

2 곱셈 공식의 활용

개념 확인 78쪽~81쪽

1 (1) 10609 (2) 9604

2 (1) 9996 (2) 10403

3 (1) $10+2\sqrt{21}$ (2) $5-2\sqrt{6}$ (3) 11 (4) $-3-2\sqrt{5}$

4 (1) $2-\sqrt{3}$ (2) $\frac{3+\sqrt{3}}{2}$ (3) $\sqrt{6}-2$

5 (1) $-x^2+34$ (2) $5x^2-11x-15$

6 (1) $x^2-2xy+y^2-9$ (2) $a^2+2ab+b^2-2a-2b-3$

7 (1) 30 (2) 24

8 (1) 8 (2) 12

STEP 1 기초 개념 드릴 82쪽

1-1 (1) 400, 10404 (2) 2, 2, 2, 4, 2496

1-2 (1) 9409 (2) 9991 (3) 10712

2-1 (1) $5+2\sqrt{6}$ (2) 2 연구 (1) $\sqrt{3}$, $\sqrt{3}$ (2) 1

2-2 (1) $9-2\sqrt{14}$ (2) -2

3-1 (1) $\sqrt{2}+1$, $\sqrt{2}+1$, $\sqrt{2}+1$ (2) $3-2\sqrt{2}$, $3-2\sqrt{2}$, $3\sqrt{2}-4$

3-2 (1) $3+\sqrt{5}$ (2) $-3-2\sqrt{3}$ (3) $3\sqrt{2}-2\sqrt{3}$ (4) $19+6\sqrt{10}$

STEP 2 대표 유형으로 개념 잡기 83쪽~86쪽

1-2 ② **1-3** 3596 **2-2** ②

3-2 (1) $2-\sqrt{3}$ (2) $5\sqrt{6}-12$ (3) $5+2\sqrt{6}$ (4) $9-4\sqrt{5}$

3-3 $2\sqrt{2}$ **4-2** $-7x^2+26x+31$ **4-3** 9

5-2 $a^2-2ab+b^2-5a+5b-6$

5-3 $a^2-4ab+4b^2+4a-8b+4$

6-2 (1) $2-2\sqrt{15}$ (2) $-8\sqrt{3}$ **6-3** $-2\sqrt{3}$

7-2 10 **7-3** 4 **8-2** (1) 29 (2) 33

8-3 8

계산력 집중 연습 87쪽

1 (1) 2916 (2) 9801 (3) 60.84 (4) 39999 (5) 11130

2 (1) $3+2\sqrt{2}$ (2) $8-2\sqrt{15}$ (3) 3 (4) $12+5\sqrt{6}$ (5) $13-7\sqrt{3}$

3 (1) $14+6\sqrt{5}$ (2) $7-4\sqrt{3}$ (3) $4+\sqrt{15}$ (4) $\frac{3-\sqrt{5}}{2}$

4 (1) $2x^2-5x-5$ (2) $3x^2-3x-11$ (3) $x^2+2xy+y^2-16$ (4) $4x^2+12xy+9y^2-4x-6y+1$ (5) x^4-81

STEP 3 개념 뛰어넘기 88쪽~89쪽

01 ④ 02 (1) $(a+b)(a-b)=a^2-b^2$ (2) 63.99

03 ④ 04 ③ 05 ④ 06 2

07 ② 08 $4a^2+12ab+9b^2-1$ 09 ②

10 ⑤ 11 -2 12 (1) -6 (2) -1 (3) 38

13 $\frac{5}{2}$

5 인수분해 공식

1 인수분해 뜻과 공식

개념 확인 92쪽~96쪽

1 $1, x, y, x+y, xy, x(x+y), y(x+y), xy(x+y)$

2 (1) $x(a-b)$ (2) $a(x-2y)$ (3) $3a(b+2c)$ (4) $x(x+2)$ (5) $(x+1)(a-b)$ (6) $(a-1)(2-b)$

3 (1) $(x+1)^2$ (2) $(x-3)^2$ (3) $(5x-1)^2$ (4) $(6x+1)^2$ (5) $(x-2y)^2$ (6) $(x+8y)^2$ (7) $(3x-2y)^2$ (8) $(7x+3y)^2$ (9) $\left(x-\frac{1}{2}\right)^2$ (10) $\left(\frac{1}{5}x+1\right)^2$

4 (1) 4 (2) 16 (3) 81 (4) 49

5 (1) ±10 (2) ±16 (3) ±4 (4) ±24

6 (1) $(x+5)(x-5)$ (2) $(7x+1)(7x-1)$ (3) $\left(x+\frac{1}{3}\right)\left(x-\frac{1}{3}\right)$ (4) $(3x+4y)(3x-4y)$

7 (1) $-3, 3, 0, (x+1)(x-4)$ (2) $-7, -5, 7, 5, (x-2)(x-3)$

8 (1) $x, 6x, 3x, -4, -4x, (x+2)(3x-4)$ (2) $6xy, 2x, 5y, 10xy, 16xy, (2x+3y)(2x+5y)$

STEP 1 기초 개념 드릴 97쪽

1-1 (1) $a(a-2)$ (2) $y(x+2)$ (3) $mn(m-n+1)$ (4) $(x+y)(1+x-3y)$

1-2 (1) $2x(y+3z)$ (2) $xy(4x+7)$ (3) $2a(ab^2-b+1)$ (4) $(x-y)(m+1)$ (5) $(a+2)(xy-3)$

2-1 (1) $(x-1)^2$ (2) $(2x+y)^2$ (3) $(3x+5y)^2$ (4) $(a+9)(a-9)$ (5) $(b+2a)(b-2a)$ (6) $9(x+2y)(x-2y)$

연구 (1) $a-b$ (2) $a+b$

2-2 (1) $(x+2)^2$ (2) $(3x-1)^2$ (3) $3(x+1)^2$ (4) $2(x-5)^2$ (5) $\left(x-\frac{1}{3}\right)^2$ (6) $(4x+1)(4x-1)$ (7) $\left(1+\frac{1}{2}a\right)\left(1-\frac{1}{2}a\right)$ (8) $5(a+3b)(a-3b)$

3-1 (1) $(x-2)(x-7)$ (2) $(x-2)(x+4)$ (3) $(x-4y)(x+8y)$ (4) $(x+3)(2x+1)$ (5) $(2x-1)(3x-2)$ (6) $(2x-3y)(3x+5y)$

연구 (1) $x+b$ (2) b, d

3-2 (1) $(x-1)(x-2)$ (2) $(x-3)(x+8)$ (3) $(x+10)(x-4)$ (4) $(x+y)(x-8y)$ (5) $(2x+1)(3x-7)$ (6) $(x+2)(5x-3)$ (7) $(2x-y)(4x+3y)$ (8) $(2x-y)(5x+3y)$

STEP 2 대표 유형으로 개념 잡기 98쪽~103쪽

1-2 ④ 1-3 ⑤ 2-2 ⑤

3-2 (1) 9 (2) 25 (3) 16 (4) 9 3-3 $a=\frac{1}{16}, b=\frac{1}{4}$

4-2 (1) ±8 (2) ±12 (3) ±30 (4) $\pm\frac{1}{2}$ 5-2 $2a-2$

5-3 $-2a-3$ 6-2 ④ 7-2 $2x-11$ 7-3 -16

8-2 ② 8-3 1 9-2 ① 9-3 $x-3$

10-2 -22 10-3 1 11-2 $3x+3$

12-2 $4x+7$ 12-3 $36a+16b$

계산력 집중 연습 104쪽

1 (1) $m(m-4)$ (2) $xy(x-2)$ (3) $5a^2b(2-b)$
(4) $(a+b)(a+b+7)$ (5) $3a(b+1)(a-4)$

2 (1) $(x+6)^2$ (2) $(x-11)^2$ (3) $(7x-1)^2$ (4) $(3x+4)^2$
(5) $\left(x+\frac{1}{4}\right)^2$ (6) $\left(\frac{1}{6}x-1\right)^2$ (7) $3(x-5y)^2$ (8) $4(2x-y)^2$

3 (1) $(2a+3)(2a-3)$ (2) $(7a+4b)(7a-4b)$
(3) $(2y+3x)(2y-3x)$ (4) $5(3x+5y)(3x-5y)$

4 (1) $(x+5)(x+6)$ (2) $(x-4)(x+3)$ (3) $(x-7y)(x+8y)$
(4) $(x-3y)(x-6y)$ (5) $3(x+2)(x-5)$
(6) $2(x-4y)(x-8y)$ (7) $-(x+2)(x-9)$
(8) $-(x-2y)(x+6y)$

5 (1) $(x+4)(3x-2)$ (2) $(x-1)(7x+4)$
(3) $(x-1)(9x-4)$ (4) $(x-y)(3x+2y)$
(5) $(3x-4y)(5x+3y)$ (6) $2(x-1)(3x+10)$
(7) $4(x-3y)(2x+y)$ (8) $-(3x+5y)(4x-y)$

STEP 3 개념 뛰어넘기 105쪽~107쪽

01 ③	02 ②, ⑤	03 ④	04 ③
05 72	06 ②	07 25	08 ⑤
09 ⑤	10 ④	11 ④	12 4개
13 ①	14 -13	15 ⑤	16 ②
17 ⑤	18 1	19 ①	20 16

21 (1) $A=2$, $B=-24$ (2) $(x-4)(x+6)$

6 인수분해 공식의 활용

1 인수분해 공식의 활용

개념 확인 110쪽~112쪽

1 (1) $b(a+2b)(a-2b)$ (2) $x(x+3)(x+4)$
(3) $3xy(x+5)(x-1)$ (4) $(x+y)(x+4)(x-4)$
(5) $(x-2)(x+7)$ (6) $(a+b+1)(a-b-9)$

2 (1) $(x-1)(2y-1)$ (2) $(x-5)(y+1)$
(3) $(x+y-1)(x-y-1)$ (4) $(x-2y+3)(x-2y-3)$

3 $x-2$, $x-2$, $(x-2)(x+y-4)$

4 (1) 1500 (2) 10000 (3) 4900 (4) 2800

5 (1) 8 (2) $8\sqrt{5}$ (3) 4

STEP 1 기초 개념 드릴 113쪽

1-1 $2A+1$, $2(x-2)+1$, $2x-3$

1-2 (1) $(x+3)(x-11)$ (2) $(x+y-1)(x+y+4)$
(3) $(5a+2b)(3a+4b)$ (4) $(x+y-1)(x+5y-9)$

2-1 $ac-bc$, c, c

2-2 (1) $(x+1)(x+2)(x-2)$ (2) $(a-b)(a+c)(a-c)$
(3) $(3x+y+1)(3x-y+1)$
(4) $(2x+3y+1)(2x-3y+1)$

3-1 $x-y$, $2\sqrt{6}$, $4\sqrt{3}$

3-2 (1) 10000 (2) $24\sqrt{6}$ (3) 16

STEP 2 대표 유형으로 개념 잡기 114쪽~118쪽

1-2 (1) $(a+2b)(x+2y)(x-2y)$ (2) $5a(2x+1)(3x-4)$
(3) $(a-b)(a-1)(a-2)$

2-2 (1) $(x-5)(5x-12)$ (2) $x(x-8)$
(3) $(x+y-1)(x+y+3)$ (4) $(a-2b-5)(a-2b+8)$

3-2 (1) $(5x+3)(x-1)$ (2) $x(3x-2)$
(3) $(4x+1)^2$ (4) $(x+4y+7)(x-6y-13)$

4-2 (1) $(y-4)(x-1)$ (2) $(a+1)^2(a-1)$
(3) $(x-a)(x-b)$ (4) $(x+1)(x^2-3)$

5-2 (1) $(a+b+3)(a-b+3)$ (2) $(a+b-4)(a-b+4)$
(3) $(x+y+2)(x-y+2)$ (4) $(2x+y+5)(2x-y-5)$

6-2 $3y$, $2x$, $x+3$, $x+3$, $x+3$

6-3 $(x-y+4)(x+y-3)$

7-2 (1) 6060 (2) 22 (3) 20

8-2 (1) 2 (2) 8

9-2 75

9-3 (1) 32 (2) 4

10-2 $2\sqrt{3}$

STEP 3 개념 뛰어넘기 119쪽~121쪽

01 ④	02 ①	03 3	04 ②
05 7	06 $2(a-1)(a+5)$		07 ②
08 ⑤	09 $8x+2$	10 ①, ③	11 ③
12 ③	13 1600	14 1	15 32
16 ⑤	17 $6\sqrt{6}+6$	18 30600 cm^2, ㉢	
19 ②	20 -55		

7 이차방정식의 풀이

1 이차방정식과 그 해

개념 확인 124쪽

1 ㉡, ㉢, ㉤

2 $x=2$

STEP 1 기초 개념 드릴 125쪽

1-1 ㉠, ㉢, ㉣, ㉥ 연구 이차식

1-2 (1) ○ (2) × (3) × (4) ○

2-1 $p=0, q=-2$ 연구 $0, -2$

2-2 (1) $a=7, b=4, c=0$ (2) $a=1, b=-3, c=-4$
(3) $a=4, b=-1, c=-3$ (4) $a=1, b=0, c=0$

3-1 ㉠, ㉣ 연구 2

3-2 (1) × (2) ○ (3) ○ (4) ×

STEP 2 대표 유형으로 개념 잡기 126쪽~128쪽

1-2 ③ 2-2 $a\neq1$ 2-3 ③ 3-2 ②

3-3 ② 4-2 -5 4-3 -10

5-2 (1) 3 (2) 8 (3) 15 6-2 (1) -4 (2) 14

STEP 3 개념 뛰어넘기 129쪽~130쪽

01 ② 02 (1) $(5-p)x^2+5x+4=0$ (2) $p\neq5$

03 ① 04 ④, ⑤ 05 ④ 06 ④

07 5 08 -3 09 6 10 ⑤

11 7 12 ⑤ 13 ③

2 인수분해를 이용한 이차방정식의 풀이

개념 확인 131쪽~132쪽

1 (1) $x=-2$ 또는 $x=7$ (2) $x=3$ 또는 $x=-\frac{1}{2}$
(3) $x=0$ 또는 $x=4$ (4) $x=\frac{2}{3}$ 또는 $x=\frac{1}{4}$

2 (1) $x=-1$ 또는 $x=-6$ (2) $x=-9$ 또는 $x=6$
(3) $x=-\frac{1}{5}$ 또는 $x=\frac{1}{5}$ (4) $x=\frac{1}{2}$ 또는 $x=-\frac{2}{3}$

3 ③

4 (1) $x=-3$ (2) $x=\frac{5}{2}$ (3) $x=7$ (4) $x=-\frac{1}{4}$

5 (1) 36 (2) ±10

STEP 1 기초 개념 드릴 133쪽

1-1 (1) $x=-2$ 또는 $x=\frac{1}{3}$ (2) $x=-2$ 또는 $x=5$
연구 (1) $-2, \frac{1}{3}$ (2) $-2, 5$

1-2 (1) $x=0$ 또는 $x=8$ (2) $x=-\frac{2}{3}$ 또는 $x=\frac{2}{3}$
(3) $x=-3$ 또는 $x=-9$ (4) $x=-2$ 또는 $x=8$
(5) $x=3$ 또는 $x=7$ (6) $x=2$ 또는 $x=-\frac{1}{2}$
(7) $x=-\frac{8}{5}$ 또는 $x=3$ (8) $x=-\frac{1}{2}$ 또는 $x=\frac{3}{2}$

2-1 $x=-3$ 연구 $16, 3, -3$

2-2 (1) $x=-2$ (2) $x=-\frac{2}{3}$ (3) $x=5$ (4) $x=1$

3-1 $2, 3, \frac{9}{4}, \frac{9}{2}$

3-2 (1) 9 (2) ±2 (3) 3

STEP 2 대표 유형으로 개념 잡기 134쪽~136쪽

1-2 ②

2-2 (1) $x=3$ 또는 $x=-5$ (2) $x=0$ 또는 $x=4$
(3) $x=1$ 또는 $x=-6$ (4) $x=1$ 또는 $x=-\frac{7}{3}$

3-2 $\frac{1}{2}$ 3-3 (1) 12 (2) 4 4-2 $x=3$

4-3 -1 5-2 ②

6-2 (1) 19 (2) -3 또는 5 (3) 14

STEP 3 개념 뛰어넘기 137쪽~138쪽

01 ④ 02 ④ 03 ⑤

04 $x=1$ 또는 $x=-4$ 05 $x=-\frac{3}{7}$ 또는 $x=\frac{1}{2}$

06 4 07 (1) 2 (2) $\frac{1}{2}$ 08 -6

09 3 10 $x=-3$ 11 ④ 12 11

13 ②, ③ 14 ②, ⑤

3 제곱근을 이용한 이차방정식의 풀이

개념 확인 139쪽~140쪽

1 (1) $x=\pm\sqrt{10}$ (2) $x=\pm\sqrt{5}$ (3) $x=\pm2\sqrt{3}$

(4) $x=\pm\sqrt{6}$ (5) $x=\pm\frac{5}{2}$ (6) $x=\pm\frac{\sqrt{6}}{2}$

2 (1) $x=1$ 또는 $x=-3$ (2) $x=2\pm\sqrt{7}$ (3) $x=\frac{1\pm2\sqrt{2}}{3}$

(4) $x=3\pm\sqrt{6}$

3 3, 25, 25, 5, 28, $-5\pm2\sqrt{7}$

STEP 1 기초 개념 드릴 141쪽

1-1 4, $\frac{1}{2}$, $\pm\frac{\sqrt{2}}{2}$

1-2 (1) $x=\pm3\sqrt{2}$ (2) $x=\pm\frac{4}{3}$ (3) $x=\pm\frac{\sqrt{3}}{2}$ (4) $x=\pm\frac{\sqrt{6}}{6}$

2-1 9, $\frac{9}{4}$, $\frac{3}{2}$, $\frac{1}{2}$, $-\frac{5}{2}$

2-2 (1) $x=4$ 또는 $x=-8$ (2) $x=3\pm\sqrt{5}$

(3) $x=-5\pm\frac{\sqrt{2}}{3}$ (4) $x=1$ 또는 $x=-\frac{1}{2}$

3-1 $\frac{1}{3}$, $\frac{25}{36}$, $\frac{25}{36}$, $\frac{37}{36}$, $\frac{\sqrt{37}}{6}$, $\frac{5\pm\sqrt{37}}{6}$

3-2 (1) $x=-2\pm\sqrt{5}$ (2) $x=\frac{3\pm\sqrt{5}}{2}$ (3) $x=1\pm\sqrt{7}$

STEP 2 대표 유형으로 개념 잡기 142쪽~143쪽

1-2 7 1-3 2 2-2 ① 3-2 8

3-3 -26

4-2 (1) $x=\frac{1\pm\sqrt{13}}{2}$ (2) $x=\frac{-3\pm3\sqrt{3}}{2}$ (3) $x=\frac{4\pm\sqrt{10}}{3}$

계산력 집중 연습 144쪽

1 (1) $x=0$ 또는 $x=7$ (2) $x=2$ 또는 $x=-\frac{6}{5}$

(3) $x=-1$ 또는 $x=\frac{1}{2}$ (4) $x=\frac{3}{2}$ 또는 $x=-6$

2 (1) $x=-7$ 또는 $x=3$ (2) $x=-4$ 또는 $x=-1$

(3) $x=\frac{5}{3}$ 또는 $x=-1$ (4) $x=-5$ 또는 $x=3$

(5) $x=7$ 또는 $x=-5$ (6) $x=1$ 또는 $x=9$

(7) $x=-4$ 또는 $x=1$

3 (1) $x=-4$ (2) $x=\frac{1}{3}$ (3) $x=\frac{3}{2}$ (4) $x=-3$

4 (1) 16 (2) 6 (3) 11 (4) -1

5 (1) $x=\pm\frac{\sqrt{7}}{2}$ (2) $x=-5\pm\sqrt{7}$ (3) $x=2\pm\sqrt{3}$

(4) $x=-1\pm\sqrt{2}$ (5) $x=-4\pm2\sqrt{2}$ (6) $x=\frac{1\pm\sqrt{15}}{3}$

6 (1) $x=2\pm\sqrt{7}$ (2) $x=-3\pm\sqrt{5}$ (3) $x=\frac{5\pm\sqrt{41}}{4}$

STEP 3 개념 뛰어넘기 145쪽

01 ② 02 -3 03 $-\frac{1}{3}$ 04 10

05 ①, ② 06 ⑤ 07 $x=\frac{3\pm\sqrt{41}}{2}$

8 근의 공식과 이차방정식의 활용

1 이차방정식의 근의 공식

개념 확인 148쪽~149쪽

1 (1) $x=\frac{-5\pm\sqrt{17}}{2}$ (2) $x=1\pm\sqrt{7}$ (3) $x=\frac{7\pm\sqrt{17}}{4}$

(4) $x=\frac{3\pm\sqrt{11}}{2}$

2 (1) $x=1$ 또는 $x=-3$ (2) $x=\frac{5\pm\sqrt{22}}{3}$

(3) $x=-3$ 또는 $x=\frac{1}{2}$ (4) $x=-8$ 또는 $x=4$

STEP 1 기초 개념 드릴 150쪽

1-1 -6, -6, -6, $\frac{3\pm2\sqrt{3}}{3}$

1-2 (1) $x=\frac{3\pm\sqrt{29}}{2}$ (2) $x=2\pm2\sqrt{2}$ (3) $x=\frac{-11\pm\sqrt{133}}{6}$

2-1 (1) $x=2$ 또는 $x=\frac{1}{2}$ (2) $x=\frac{2\pm\sqrt{13}}{9}$

연구 (1) 10, $2x^2-5x+2$ (2) 6, $9x^2-4x-1$

2-2 (1) $x=1$ 또는 $x=5$ (2) $x=\frac{5\pm\sqrt{145}}{20}$

(3) $x=2$ 또는 $x=3$ (4) $x=\frac{-2\pm\sqrt{10}}{6}$

3-1 $x+2$, 1, 1, 1, $x+2$, -1, -6

3-2 (1) $x=0$ 또는 $x=-1$ (2) $x=-5$ 또는 $x=4$

STEP 2 대표 유형으로 개념 잡기 151쪽~152쪽

1-2 21 **1-3** 1

2-2 (1) $x=2\pm\sqrt{7}$ (2) $x=\frac{1\pm\sqrt{177}}{4}$ (3) $x=\frac{-1\pm\sqrt{17}}{4}$

3-2 (1) $x=\frac{-4\pm\sqrt{6}}{2}$ (2) $x=\frac{-3\pm\sqrt{41}}{8}$ (3) $x=\frac{2\pm\sqrt{14}}{2}$

(4) $x=2\pm\sqrt{7}$ (5) $x=2\pm\sqrt{3}$

4-2 (1) $x=3$ 또는 $x=-3$ (2) $x=-6$ 또는 $x=5$

(3) $x=7$ 또는 $x=\frac{7}{3}$

계산력 집중 연습 153쪽

1 (1) $x=0$ 또는 $x=5$ (2) $x=3$ 또는 $x=-8$

(3) $x=\frac{1}{2}$ 또는 $x=-\frac{1}{5}$ (4) $x=6$ 또는 $x=-7$

(5) $x=1$ 또는 $x=-7$ (6) $x=\frac{3}{4}$

2 (1) $x=\pm\frac{9}{7}$ (2) $x=-4\pm3\sqrt{2}$ (3) $x=\frac{1\pm\sqrt{17}}{2}$

(4) $x=\frac{-2\pm\sqrt{10}}{2}$ (5) $x=\frac{-3\pm2\sqrt{3}}{3}$ (6) $x=\frac{5\pm\sqrt{35}}{5}$

3 (1) $x=\frac{3\pm\sqrt{11}}{2}$ (2) $x=\frac{-6\pm\sqrt{33}}{3}$ (3) $x=\frac{-1\pm\sqrt{21}}{2}$

(4) $x=\frac{4\pm\sqrt{37}}{3}$ (5) $x=\frac{1\pm\sqrt{11}}{3}$ (6) $x=\frac{5\pm\sqrt{5}}{5}$

(7) $x=4\pm\sqrt{22}$ (8) $x=-3$ (9) $x=6$ 또는 $x=-8$

STEP 3 개념 뛰어넘기 154쪽

01 ④ **02** ② **03** 풀이 참조 **04** ①

05 5 **06** ⑤ **07** ⑤

2 이차방정식의 활용

개념 확인 155쪽~157쪽

1 (1) 2개 (2) 0개 (3) 1개 (4) 2개

2 (1) 2, 1, 4, $2x^2+6x-8=0$ (2) 5, $3x^2-30x+75=0$

3 ① $x+1$ ② $x+1$, $x+1$ ③ 2 ④ 2, 2, 3

STEP 1 기초 개념 드릴 158쪽~159쪽

1-1 (1) 0개 (2) 2개 연구 (1) $0, -4, 0$ (2) $-2, -5, 24, 2$

1-2 (1) 1개 (2) 0개 (3) 2개

2-1 (1) $k<25$ (2) $k=25$ (3) $k>25$

연구 k (1) $100-4k$ (2) $100-4k$ (3) $100-4k$

2-2 (1) $k<13$ (2) $k=13$ (3) $k>13$

3-1 $6x^2-5x+1=0$ 연구 $\frac{1}{2}, 0, 5, 1, 0, 5, 1$

3-2 (1) $x^2+4x+4=0$ (2) $2x^2-2x-12=0$

(3) $3x^2-x-2=0$

4-1 $x+2, x+2, 11, 11$ **4-2** 6

5-1 $x-4, x-4, 16, 16$ **5-2** 15 m

6-1 $120, 15, 15, 15$ **6-2** 십각형

STEP 2 대표 유형으로 개념 잡기 160쪽~163쪽

1-2 ⑤ **1-3** $a>-16$ **2-2** 11 **2-3** $x=\frac{1}{4}$

3-2 $4, 5, 6$ **4-2** 15명 **5-2** 3 cm **6-2** 2

7-2 (1) $x^2-12x+16=0$ (2) $x=6\pm2\sqrt{5}$ (3) $(6+2\sqrt{5})$ cm

8-2 (1) 1초 후 또는 7초 후 (2) 8초

STEP 3 개념 뛰어넘기 164쪽~165쪽

01 ⑤ **02** ① **03** $\frac{9}{2}$

04 $a=-1, b=-12$ **05** ⑤ **06** ⑤

07 3 **08** 11세 **09** ① **10** 2 m

11 12 **12** ② **13** ②

9 이차함수의 그래프 (1)

1 이차함수 $y=ax^2$의 그래프

개념 확인 168쪽~171쪽

1 (1) × (2) ○ (3) ○ (4) ×

2 (1) -3 (2) 0 (3) -3

3 (1)

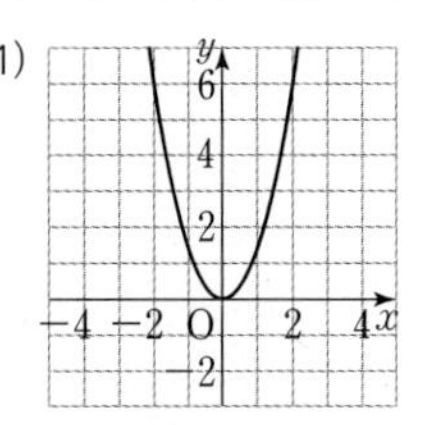

꼭짓점의 좌표 : $(0, 0)$

축의 방정식 : $x=0$

(2)

꼭짓점의 좌표 : $(0, 0)$

축의 방정식 : $x=0$

(3)

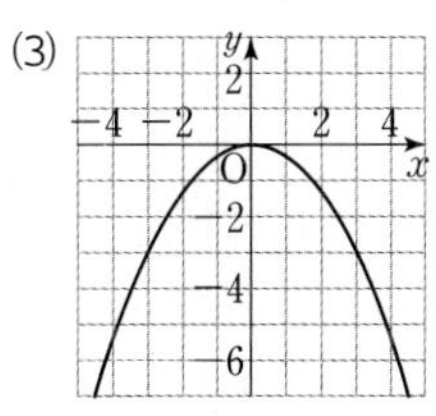

꼭짓점의 좌표 : $(0, 0)$

축의 방정식 : $x=0$

4 (1) ㉠, ㉡, ㉢, ㉣ (2) ㉢과 ㉤ (3) ㉤, ㉥ (4) ㉢과 ㉤

STEP 1 기초 개념 드릴 172쪽~173쪽

1-1 (1) ○ (2) × (3) × (4) ○

1-2 ㉠, ㉣, ㉤

2-1 (1) 2 (2) 1 (3) 16 (4) 11

2-2 (1) 1 (2) 10

3-1 (1) 아래 (2) y (3) 감소 (4) 증가

3-2 (1) 위 (2) y (3) 증가 (4) 감소 (5) x

4-1

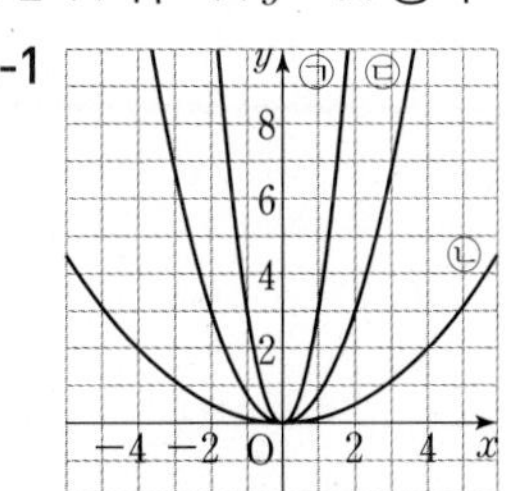

(1) 아래로 (2) $0, 0$

(3) $x=0$ (4) ㉡

(5) 감소 (6) 증가

연구 아래

4-2

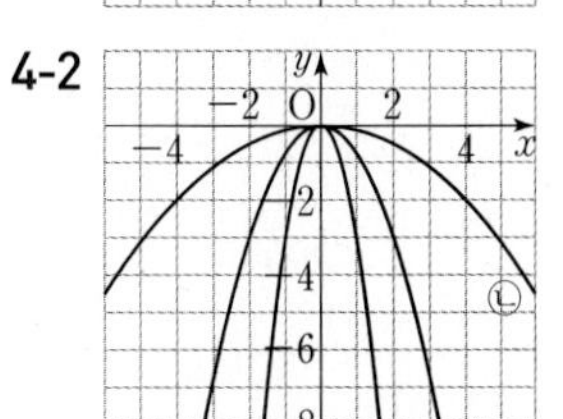

(1) 위로 (2) $0, 0$

(3) $x=0$ (4) ㉠

(5) 증가 (6) 감소

5-1 (1)

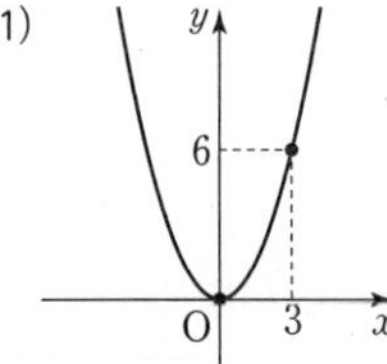

(2)

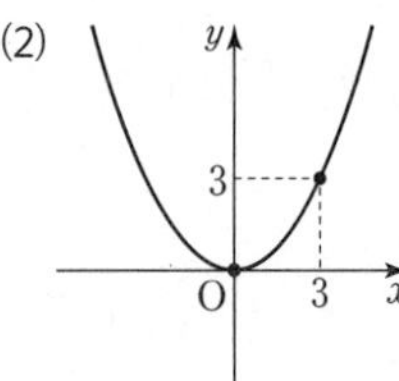

(3)

(4)

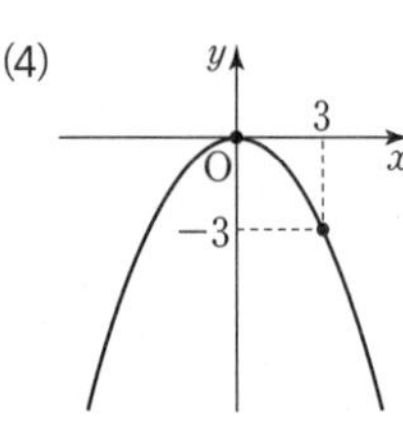

5-2 (1)

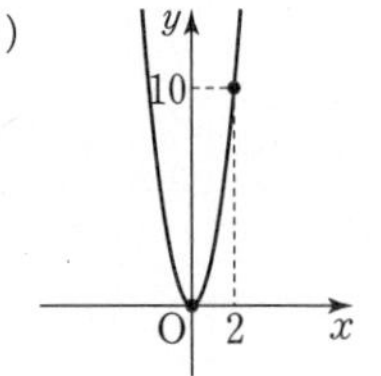

(2)

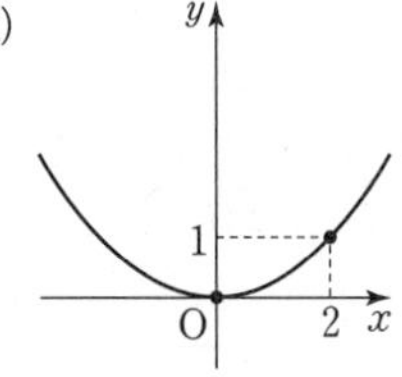

(3)

(4)

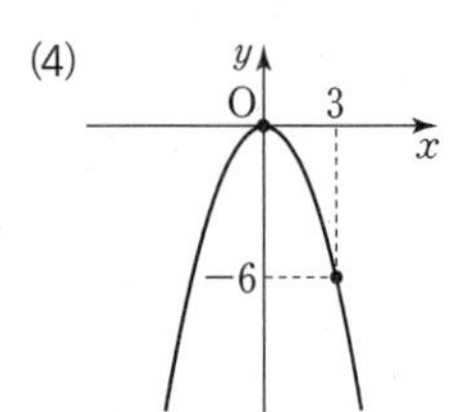

STEP 2 대표 유형으로 개념 잡기 174쪽~176쪽

1-2 ㉠, ㉥	**2-2** 4	**2-3** 2	**3-2** ③
3-3 ±2	**4-2** ㉡과 ㉢	**4-3** ⑤	**5-2** ②
5-3 ①	**6-2** $y=\frac{1}{9}x^2$		

STEP 3 개념 뛰어넘기 177쪽~178쪽

01 ③	**02** ②	**03** ③	**04** 5
05 22	**06** $\frac{5}{4}$	**07** ②	**08** ④
09 ⑤	**10** ③	**11** ⑤	**12** ③

2 이차함수 $y=ax^2+q$, $y=a(x-p)^2$의 그래프

개념 확인 179쪽~180쪽

1 $y=4x^2-5$

2

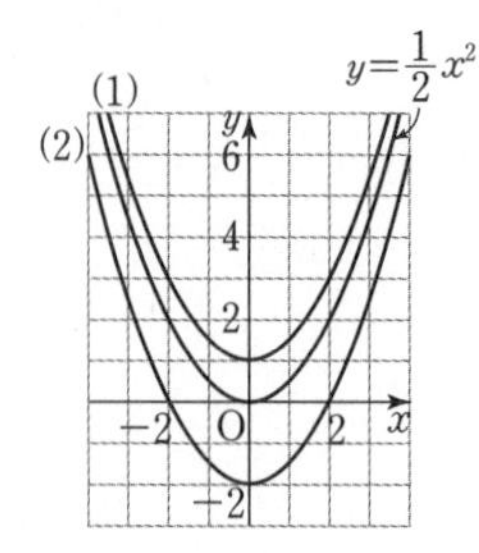

(1) 꼭짓점의 좌표 : $(0, 1)$, 축의 방정식 : $x=0$
(2) 꼭짓점의 좌표 : $(0, -2)$, 축의 방정식 : $x=0$

3 $y=3(x+1)^2$

4

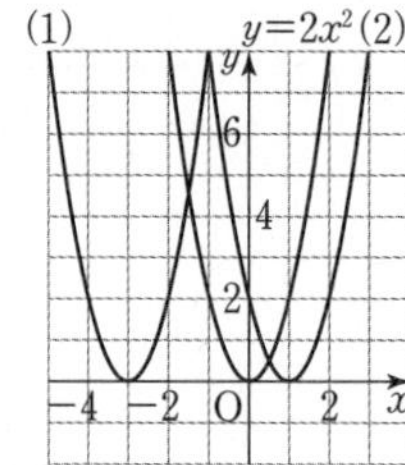

(1) 꼭짓점의 좌표 : $(-3, 0)$, 축의 방정식 : $x=-3$
(2) 꼭짓점의 좌표 : $(1, 0)$, 축의 방정식 : $x=1$

STEP 1 기초 개념 드릴 181쪽~182쪽

1-1

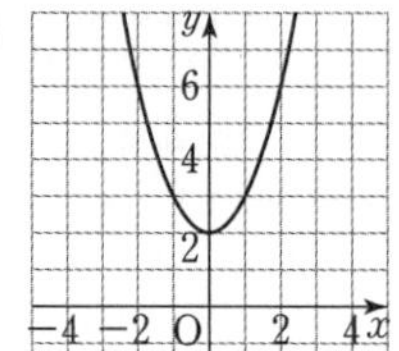

(1) y, 2 (2) 0, 2
(3) $x=0$ (4) 아래
(5) $x>0$

1-2

(1) $-\frac{1}{4}x^2$, y, -3 (2) 0, -3
(3) $x=0$ (4) 위
(5) $x>0$

2-1 (1)

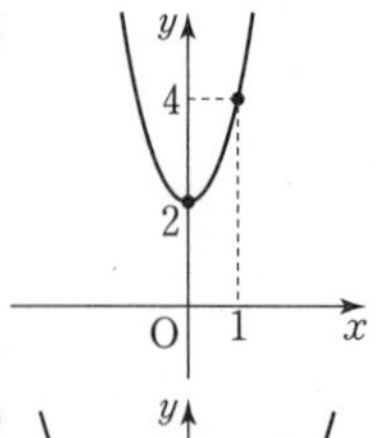

(2)

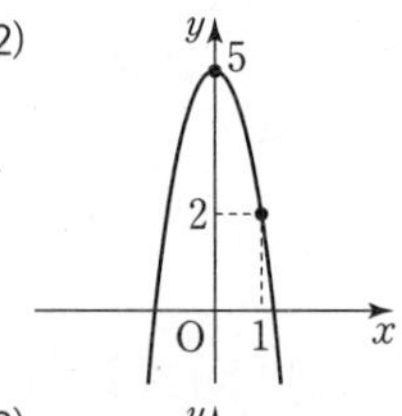

2-2 (1)

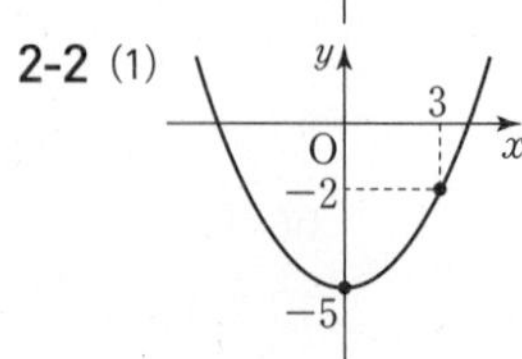

(2)

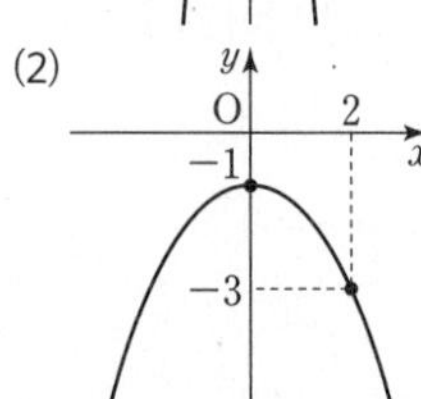

3-1 (1) $y=\frac{5}{2}x^2+3$,

꼭짓점의 좌표 : $(0, 3)$, 축의 방정식 : $x=0$

(2) $y=-4x^2-1$,

꼭짓점의 좌표 : $(0, -1)$, 축의 방정식 : $x=0$

3-2 (1) $y=3x^2-5$,

꼭짓점의 좌표 : $(0, -5)$, 축의 방정식 : $x=0$

(2) $y=-\frac{3}{4}x^2+2$,

꼭짓점의 좌표 : $(0, 2)$, 축의 방정식 : $x=0$

4-1

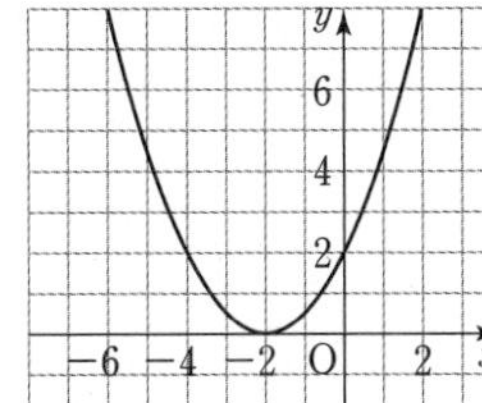

(1) $\frac{1}{2}$, x, -2
(2) -2, 0
(3) $x=-2$ (4) 아래
(5) $x>-2$

4-2

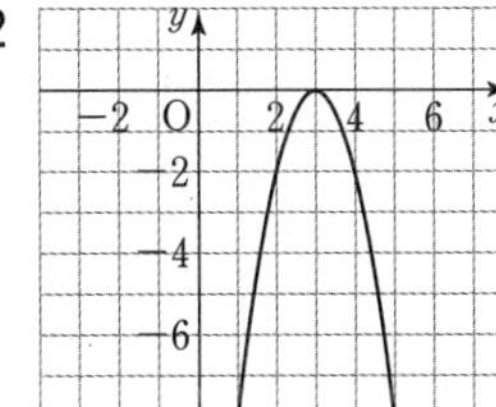

(1) $-2x^2$, x, 3
(2) 3, 0
(3) $x=3$ (4) 위
(5) $x<3$

5-1 (1)

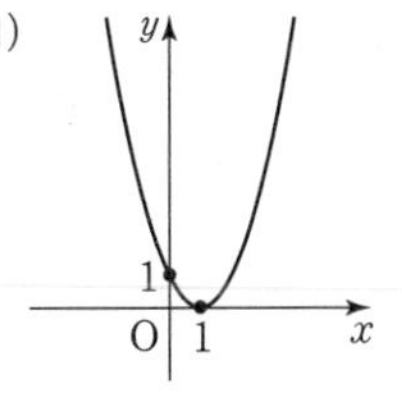

(2)

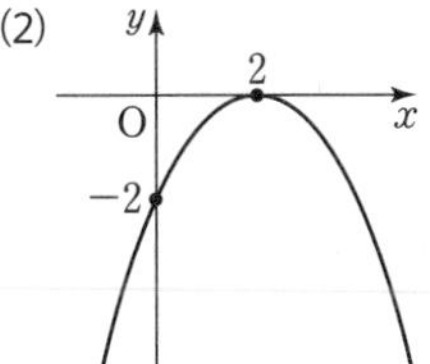

5-2 (1)

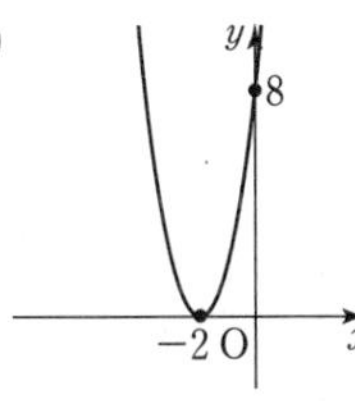

(2)

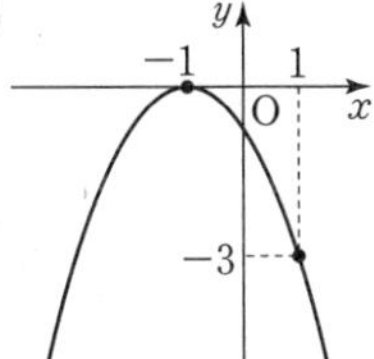

6-1 (1) $y=\frac{5}{2}(x-2)^2$,

꼭짓점의 좌표 : $(2, 0)$, 축의 방정식 : $x=2$

(2) $y=-3(x+5)^2$,

꼭짓점의 좌표 : $(-5, 0)$, 축의 방정식 : $x=-5$

6-2 (1) $y=4(x+1)^2$,

꼭짓점의 좌표 : $(-1, 0)$, 축의 방정식 : $x=-1$

(2) $y=-\frac{2}{3}(x-3)^2$,

꼭짓점의 좌표 : $(3, 0)$, 축의 방정식 : $x=3$

STEP 2 대표 유형으로 개념 잡기 183쪽~184쪽

1-2 $-\frac{11}{3}$ **1-3** 5 **2-2** ⑤ **3-2** -12

3-3 $a=\frac{1}{4}$, $p=5$ **4-2** ②, ④

STEP 3 개념 뛰어넘기 185쪽

01 ② **02** 4 **03** ⑤ **04** ④

05 -3 **06** 2 **07** ②

3 이차함수 $y=a(x-p)^2+q$의 그래프

개념 확인 186쪽~189쪽

1 $y=3(x+1)^2+4$

2

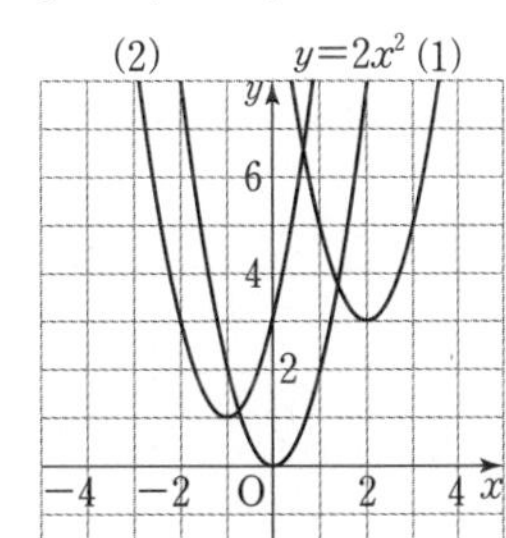

(1) 꼭짓점의 좌표 : $(2, 3)$
축의 방정식 : $x=2$
(2) 꼭짓점의 좌표 : $(-1, 1)$
축의 방정식 : $x=-1$

3 (1) 꼭짓점의 좌표 : $(0, 0)$, 축의 방정식 : $x=0$

(2) 꼭짓점의 좌표 : $(0, 0)$, 축의 방정식 : $x=0$

(3) 꼭짓점의 좌표 : $(0, 2)$, 축의 방정식 : $x=0$

(4) 꼭짓점의 좌표 : $(0, 5)$, 축의 방정식 : $x=0$

(5) 꼭짓점의 좌표 : $(1, 0)$, 축의 방정식 : $x=1$

(6) 꼭짓점의 좌표 : $(-2, 0)$, 축의 방정식 : $x=-2$

(7) 꼭짓점의 좌표 : $\left(-\frac{2}{3}, 1\right)$, 축의 방정식 : $x=-\frac{2}{3}$

(8) 꼭짓점의 좌표 : $\left(3, -\frac{1}{2}\right)$, 축의 방정식 : $x=3$

(9) 꼭짓점의 좌표 : $\left(\frac{3}{2}, \frac{3}{4}\right)$, 축의 방정식 : $x=\frac{3}{2}$

4

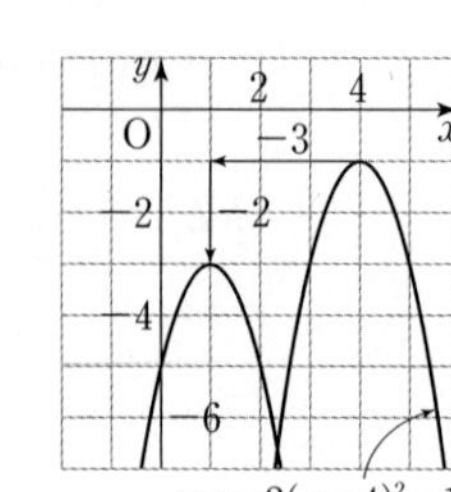

$y=-2(x-4)^2-1$

(1) $(1,\ -3)$

(2) $y=-2(x-1)^2-3$

5 (1) $>,\ =,\ >$　(2) $<,\ >,\ >$　(3) $>,\ <,\ <$

STEP 1 기초 개념 드릴　190쪽~191쪽

1-1

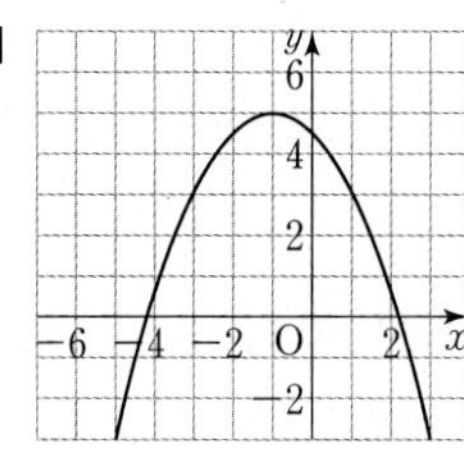

(1) $-\frac{1}{2},\ -1,\ 5$

(2) $-1,\ 5$　(3) $x=-1$

(4) 위　(5) $x<-1$

1-2

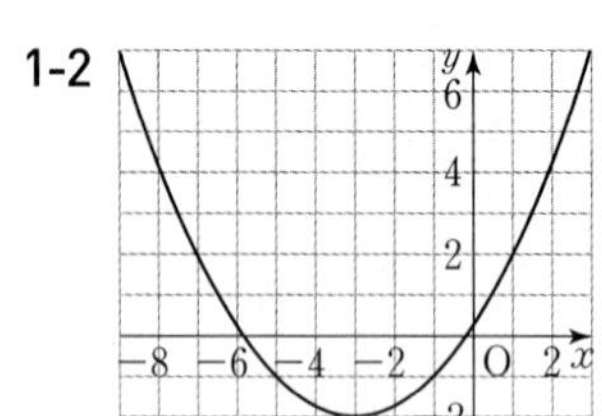

(1) $\frac{1}{4},\ -3,\ -2$

(2) $-3,\ -2$　(3) $x=-3$

(4) 아래　(5) $x<-3$

2-1 (1)

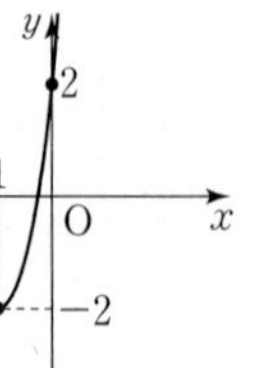

(2)

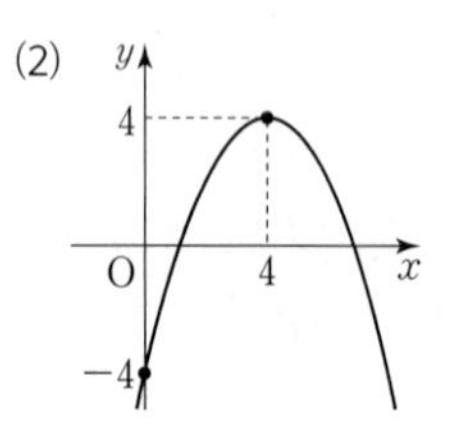

2-2 (1)

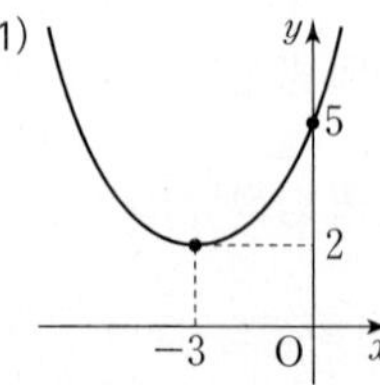

(2)

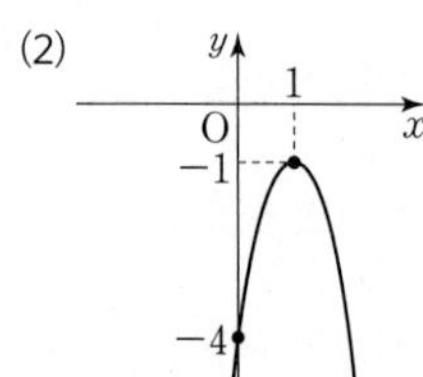

3-1 (1) $y=(x+3)^2+4$,

꼭짓점의 좌표 : $(-3,\ 4)$, 축의 방정식 : $x=-3$

(2) $y=-4\left(x-\frac{1}{2}\right)^2+\frac{3}{2}$,

꼭짓점의 좌표 : $\left(\frac{1}{2},\ \frac{3}{2}\right)$, 축의 방정식 : $x=\frac{1}{2}$

3-2 (1) $y=3(x-1)^2-6$,

꼭짓점의 좌표 : $(1,\ -6)$, 축의 방정식 : $x=1$

(2) $y=-\frac{1}{2}(x+5)^2-3$,

꼭짓점의 좌표 : $(-5,\ -3)$, 축의 방정식 : $x=-5$

4-1 $x<-5$　**4-2** $x>2$

5-1 $y=2(x-4)^2-3$　연구 $q+n$

5-2 $y=-\frac{1}{4}(x+5)^2-2$

STEP 2 대표 유형으로 개념 잡기　192쪽~194쪽

1-2 ②　**2-2** 9　**2-3** 2　**3-2** 1

4-2 ⑤　**5-2** 1　**6-2** $a<0,\ p<0,\ q>0$

6-3 $a>0,\ p<0,\ q>0$

계산력 집중 연습　195쪽

1 (1) 꼭짓점의 좌표 : $(0,\ 0)$

축의 방정식 : $x=0$

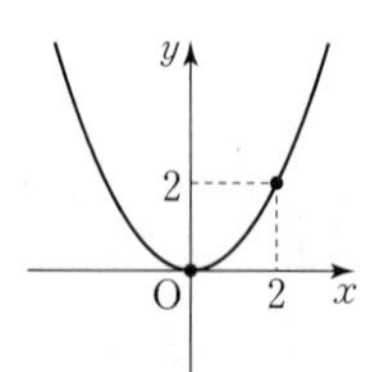

(2) 꼭짓점의 좌표 : $(0,\ 0)$

축의 방정식 : $x=0$

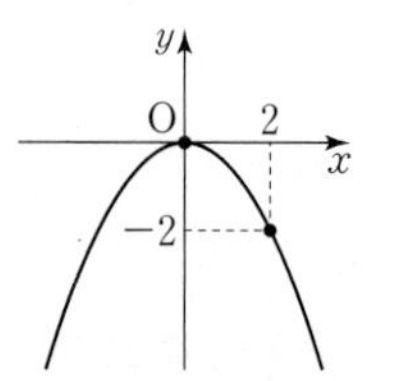

(3) 꼭짓점의 좌표 : $(0,\ 4)$

축의 방정식 : $x=0$

(4) 꼭짓점의 좌표 : $(0,\ -1)$

축의 방정식 : $x=0$

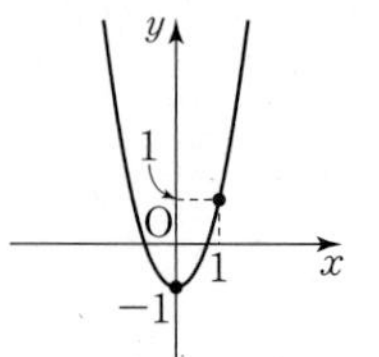

(5) 꼭짓점의 좌표 : $(1, 0)$
축의 방정식 : $x=1$

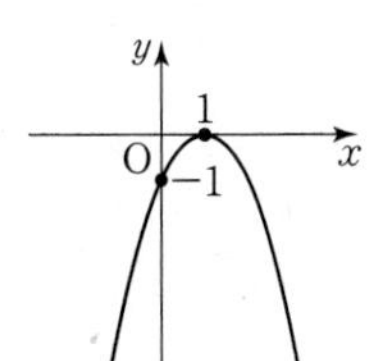

(6) 꼭짓점의 좌표 : $(-1, 0)$
축의 방정식 : $x=-1$

2 (1) 꼭짓점의 좌표 : $(-3, -1)$
축의 방정식 : $x=-3$

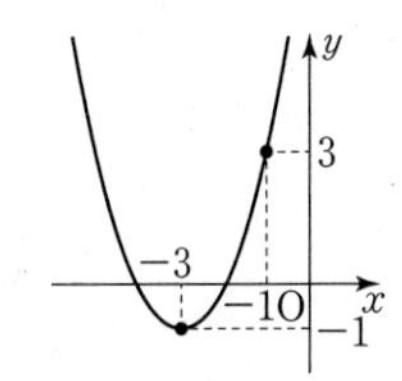

(2) 꼭짓점의 좌표 : $(-1, 3)$
축의 방정식 : $x=-1$

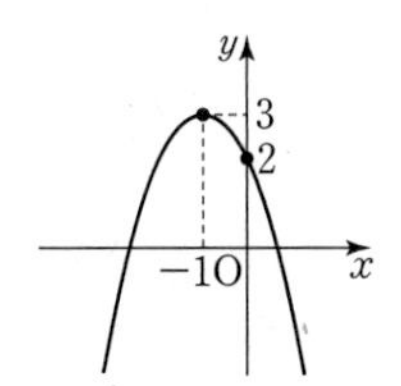

(3) 꼭짓점의 좌표 : $(-1, 4)$
축의 방정식 : $x=-1$

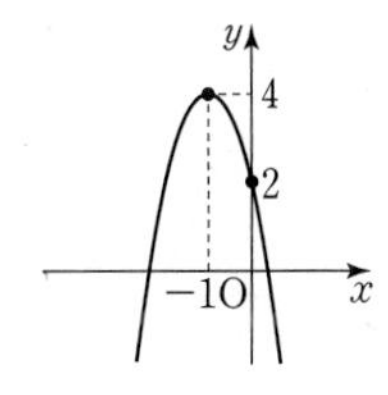

(4) 꼭짓점의 좌표 : $(2, -3)$
축의 방정식 : $x=2$

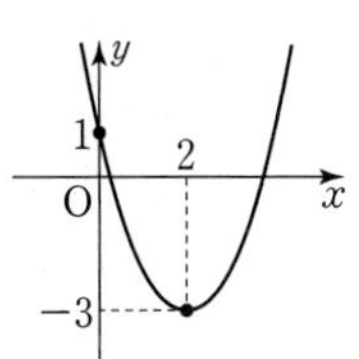

(5) 꼭짓점의 좌표 : $(4, 1)$
축의 방정식 : $x=4$

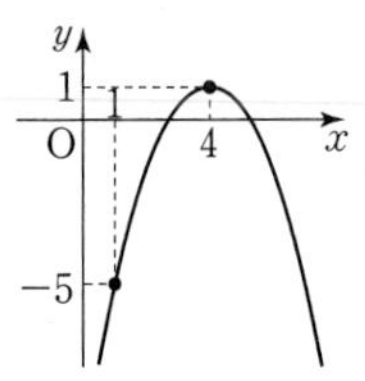

(6) 꼭짓점의 좌표 : $(1, -1)$
축의 방정식 : $x=1$

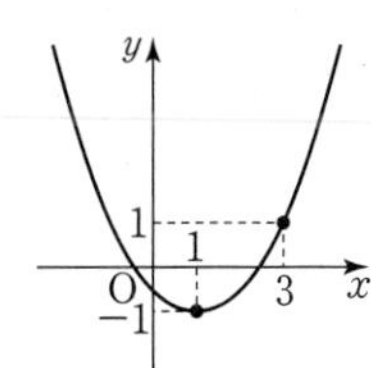

STEP 3 개념 뛰어넘기 196쪽~197쪽

01 ③	**02** ②	**03** ④	**04** ⑤
05 -7	**06** $0, 4$	**07** 8	**08** ④
09 ①	**10** ㉠, ㉡, ㉣	**11** ②, ③	**12** -14

10 이차함수의 그래프 (2)

1 이차함수 $y=ax^2+bx+c$의 그래프

개념 확인 201쪽~202쪽

1 (1) $1, 1, 1, 1, 1, 6$ (2) $(-1, 6)$ (3) $(0, 5)$

(4)

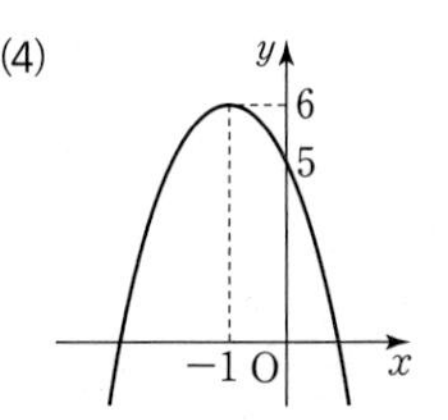

2 (1) $A(-6, 0)$, $B(1, 0)$ (2) $C(0, -6)$

3 (1) $<$ (2) $<$ (3) $<$

STEP 1 기초 개념 드릴 203쪽

1-1 (1) $y=2(x+2)^2+1$,
꼭짓점의 좌표 : $(-2, 1)$, 축의 방정식 : $x=-2$

(2) $y=-(x-3)^2+4$,
꼭짓점의 좌표 : $(3, 4)$, 축의 방정식 : $x=3$

1-2 (1) $y=(x-1)^2+2$,
꼭짓점의 좌표 : $(1, 2)$, 축의 방정식 : $x=1$

(2) $y=-3\left(x+\frac{3}{2}\right)^2+\frac{7}{4}$,
꼭짓점의 좌표 : $\left(-\frac{3}{2}, \frac{7}{4}\right)$, 축의 방정식 : $x=-\frac{3}{2}$

2-1 (1) 꼭짓점의 좌표 : $(1, -2)$
축의 방정식 : $x=1$

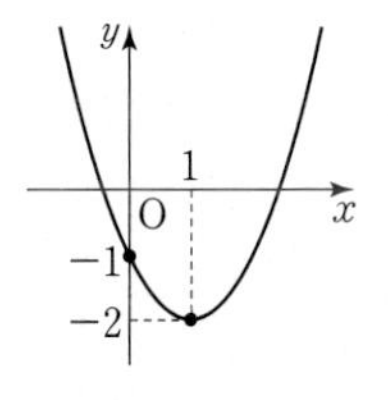

(2) 꼭짓점의 좌표 : $(-1, 3)$
축의 방정식 : $x=-1$

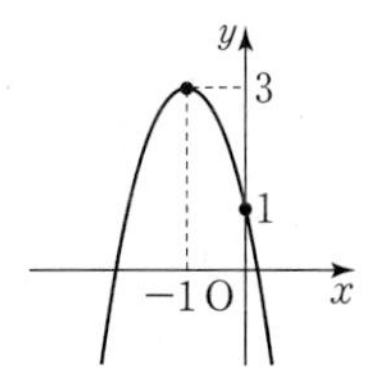

2-2 (1) 꼭짓점의 좌표 : $(4, 2)$
축의 방정식 : $x=4$

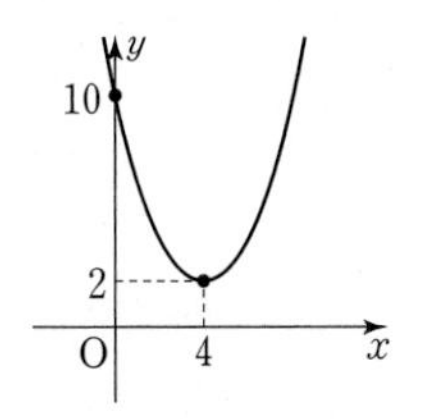

(2) 꼭짓점의 좌표 : $(3, 1)$
축의 방정식 : $x=3$

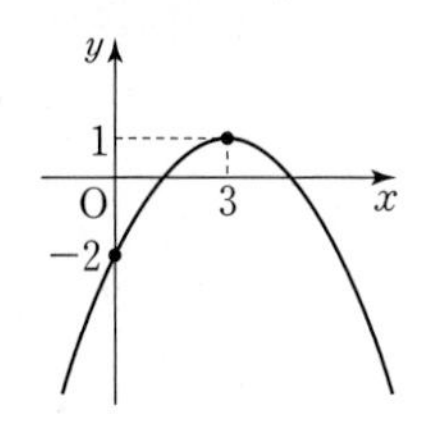

3-1 (1) $a>0, b>0, c>0$ (2) $a<0, b<0, c>0$
3-2 (1) $a<0, b>0, c=0$ (2) $a>0, b=0, c<0$

STEP 2 대표 유형으로 개념 잡기 204쪽~208쪽

1-2 13
1-3 꼭짓점의 좌표 : $(-2, 3)$, 축의 방정식 : $x=-2$
2-2 -4 **2-3** $p=-1, q=-5$ **3-2** ③
4-2 ⑤ **5-2** ②, ④ **6-2** -1 **7-2** ③
8-2 -9 **8-3** $k<-13$ **9-2** ② **10-2** 15
10-3 16

STEP 3 개념 뛰어넘기 209쪽~210쪽

01 $y=\frac{1}{3}(x+3)^2+1$ **02** ② **03** -2
04 ⑤ **05** ⑤ **06** ③ **07** 7
08 8 **09** -5 **10** 27 **11** ①
12 ②

2 이차함수의 식 구하기

개념 확인 211쪽~212쪽

1 $y=2x^2-4x-2$ **2** $y=-x^2-4x+3$
3 $y=-x^2-3x+4$ **4** $y=2x^2+4x-16$

STEP 1 기초 개념 드릴 213쪽

1-1 $2, 2, a+2, 3, 3, 2, 3x^2-6x+5$
1-2 $y=2x^2-12x+13$
1-3 $y=-2x^2+12x-10$
2-1 $2, -3, \frac{3}{4}, -7, \frac{3}{4}x^2-7x+13$
2-2 $y=9x^2+4x-5$
2-3 $y=x^2-x-6$

STEP 2 대표 유형으로 개념 잡기 214쪽~215쪽

1-2 $(0, 7)$ **2-2** 4
3-2 $y=-\frac{3}{8}x^2+\frac{3}{4}x+3$ **4-2** $\left(\frac{1}{2}, \frac{27}{8}\right)$

STEP 3 개념 뛰어넘기 216쪽

01 5 **02** $(0, -12)$ **03** ② **04** -7
05 $(2, -4)$ **06** 5

단원 종합 문제

1쪽~4쪽

❶ 제곱근의 뜻과 성질 ~ ❸ 근호를 포함한 식의 계산

01 ⑤	02 ⑤	03 ①	04 ④
05 ②	06 30	07 42	08 ④
09 ④	10 ③	11 ④	

12 점 P : $1+\sqrt{2}$, 점 Q : $1-\sqrt{2}$ 13 ③

14 ②	15 ⑤	16 ③	17 ⑤
18 ⑤	19 ①	20 $\frac{8}{25}$	21 ②
22 ②	23 ③	24 ④	25 ①

26 (1) $6\sqrt{3}+\sqrt{2}$ (2) $18+\sqrt{3}$ 27 $\sqrt{5}$

5쪽~9쪽

❹ 다항식의 곱셈 ~ ❻ 인수분해 공식의 활용

01 ①	02 ①	03 ③	04 ④
05 ③	06 3	07 4	08 ③
09 ②	10 ①	11 25	12 ④
13 ⑤	14 ②	15 ①	16 ①
17 ⑤	18 ③	19 ⑤	20 -5
21 ③	22 8		

23 (1) $x^2+3x-18$ (2) $(x-3)(x+6)$

24 ④ 25 ⑤ 26 $(x+y+2)(x+y-3)$

27 -8	28 ②	29 ③	30 ⑤
31 1	32 ③	33 ①	34 ②

35 $x=17, y=13$ 36 ②

10쪽~13쪽

❼ 이차방정식의 풀이 ~ ❽ 근의 공식과 이차방정식의 활용

01 ①, ⑤	02 ⑤	03 ③	04 -1
05 ⑤	06 ④	07 ④	08 ①
09 (1) $\frac{1}{2}$ (2) 2		10 ⑤	11 ④
12 ③	13 4	14 ②	15 ③

16 16, 16, $(x-4)^2$, 14, $4\pm\sqrt{14}$

17 $x=-1\pm\frac{\sqrt{10}}{2}$		18 ③	19 3
20 ⑤	21 ①	22 ①	23 ②
24 ①, ②	25 30	26 ④	27 ②

28 4초

14쪽~16쪽

❾ 이차함수의 그래프 (1) ~ ❿ 이차함수의 그래프 (2)

01 ①, ⑤	02 ①	03 ②	04 ⑤
05 ④	06 ③	07 ③	08 -12
09 ②, ③	10 ②	11 1	12 3
13 ③	14 ②	15 ②	16 ①, ⑤
17 ②	18 $\frac{125}{8}$	19 ②	20 ①
21 ②			

개념 해결의 법칙 중학수학 3-1

정답과 해설

1. 제곱근의 뜻과 성질

1 제곱근의 뜻과 표현

개념 확인

8쪽~9쪽

1. (1) 6, -6 (2) $\frac{1}{3}$, $-\frac{1}{3}$ (3) 0.7, -0.7 (4) 0 (5) 3, -3 (6) 없다.

2. (1) 1, -1 (2) 10, -10 (3) 0.9, -0.9 (4) $\frac{5}{4}$, $-\frac{5}{4}$ (5) 0 (6) 없다.

3. (1) $\pm\sqrt{3}$ (2) $\pm\sqrt{\frac{1}{5}}$ (3) $\pm\sqrt{0.1}$ (4) $\pm\sqrt{13}$

4. (1) 5 (2) -7 (3) 10 (4) $-\frac{1}{2}$

5. (1) 3 (2) -3 (3) ±3 (4) 3

5 (1) 9의 양의 제곱근은 $\sqrt{9}$, 즉 3이다.
(2) 9의 음의 제곱근은 $-\sqrt{9}$, 즉 -3이다.
(3) 9의 제곱근은 $\pm\sqrt{9}$, 즉 ±3이다.
(4) 제곱근 9는 $\sqrt{9}$, 즉 3이다.

STEP 1

10쪽

1-1. (1) 49, 49, -7 (2) 8, 8, $\sqrt{8}$, $-\sqrt{8}$

1-2. (1) ±5 (2) ±6 (3) $\pm\frac{5}{6}$ (4) $\pm\sqrt{\frac{1}{3}}$ (5) ±0.8 (6) $\pm\sqrt{0.2}$

2-1. (1) 4 (2) -3 (3) 0.04, 0.2 (4) 음, $-\frac{1}{10}$

2-2. (1) 6 (2) -2 (3) -0.7 (4) $\frac{11}{6}$

3-1. (1) $\pm\sqrt{2}$ (2) $\pm\sqrt{\frac{3}{5}}$ (3) $\pm\sqrt{0.8}$ (4) ±2

연구 (1) 2, 2

3-2. (1) $\pm\sqrt{10}$ (2) $\pm\sqrt{\frac{1}{7}}$ (3) $\pm\sqrt{1.1}$ (4) ±3

2-2 (1) $\sqrt{36}=$(36의 양의 제곱근)$=6$
(2) $-\sqrt{4}=$(4의 음의 제곱근)$=-2$
(3) $-\sqrt{0.49}=$(0.49의 음의 제곱근)$=-0.7$
(4) $\sqrt{\frac{121}{36}}=\left(\frac{121}{36}\text{의 양의 제곱근}\right)=\frac{11}{6}$

3-1 (1) $\sqrt{4}=2$의 제곱근은 $\pm\sqrt{2}$이다.
(2) $\sqrt{\frac{9}{25}}=\frac{3}{5}$의 제곱근은 $\pm\sqrt{\frac{3}{5}}$이다.
(3) $\sqrt{0.64}=0.8$의 제곱근은 $\pm\sqrt{0.8}$이다.
(4) $\sqrt{16}=4$의 제곱근은 ±2이다.

3-2 (1) $\sqrt{100}=10$의 제곱근은 $\pm\sqrt{10}$이다.
(2) $\sqrt{\frac{1}{49}}=\frac{1}{7}$의 제곱근은 $\pm\sqrt{\frac{1}{7}}$이다.
(3) $\sqrt{1.21}=1.1$의 제곱근은 $\pm\sqrt{1.1}$이다.
(4) $\sqrt{81}=9$의 제곱근은 ±3이다.

STEP 2

11쪽~12쪽

1-2. ②

2-2. ③ **2-3.** ⑤

3-2. ㉢, ㉣ **3-3.** ④

4-2. -2 **4-3.** 12

1-2 ① $\sqrt{6}$, $-\sqrt{6}$ ③ 2, -2
④ $\sqrt{3}$, $-\sqrt{3}$ ⑤ $\sqrt{0.1}$, $-\sqrt{0.1}$
따라서 옳은 것은 ②이다.

2-2 ① $\sqrt{1}=1$ ② $\sqrt{1.21}=1.1$
④ $\sqrt{\frac{4}{49}}=\frac{2}{7}$ ⑤ $\sqrt{81}=9$
따라서 근호를 사용해야만 나타낼 수 있는 수는 ③이다.

2-3 주어진 수의 제곱근을 구하면
① $\pm\sqrt{5}$ ② $\pm\sqrt{0.9}$ ③ $\pm\sqrt{\frac{8}{49}}$
④ $\pm\sqrt{1000}$ ⑤ $\pm\sqrt{0.25}=\pm0.5$
따라서 제곱근을 근호를 사용하지 않고 나타낼 수 있는 것은 ⑤이다.

3-2 ㉠ 0의 제곱근은 0 하나뿐이다.
㉡ 7의 음의 제곱근은 $-\sqrt{7}$이다.
㉢ 제곱근 4는 $\sqrt{4}=2$이다.
㉣ $(-3)^2=9$의 제곱근은 ±3이다.
㉤ $\sqrt{9}=3$의 제곱근은 $\pm\sqrt{3}$이다.
따라서 옳은 것은 ㉢, ㉣이다.

3-3 ① 제곱근 9는 $\sqrt{9}=3$이다.
② 2의 양의 제곱근은 $\sqrt{2}$이다.

③ 음수의 제곱근은 없다.

⑤ $(-4)^2=16$의 제곱근은 ±4이다.

따라서 옳은 것은 ④이다.

4-2 $\sqrt{16}=4$의 양의 제곱근은 $\sqrt{4}$, 즉 2이므로 $A=2$

$(-4)^2=16$의 음의 제곱근은 $-\sqrt{16}$, 즉 -4이므로 $B=-4$

$\therefore A+B=2+(-4)=-2$

4-3 제곱근 81은 $\sqrt{81}$, 즉 9이므로 $a=9$

$\sqrt{81}=9$의 양의 제곱근은 $\sqrt{9}$, 즉 3이므로 $b=3$

$\therefore a+b=9+3=12$

STEP 3 13쪽~14쪽

01. ⑤ **02.** ①, ⑤ **03.** ① **04.** ④ **05.** ⑤
06. ④ **07.** 2개 **08.** ① **09.** ㉠, ㉣ **10.** -1
11. 10 **12.** $\sqrt{35}$ m **13.** $\sqrt{65}$
14. (1) 은주, 희선 (2) 풀이 참조

04 ④ 음수의 제곱근은 없으므로 -25의 제곱근은 없다.

05 ① $\sqrt{81}=9$의 제곱근은 ±3이다.

② 6의 제곱근은 $\pm\sqrt{6}$이다.

③ $\sqrt{49}=7$의 제곱근은 $\pm\sqrt{7}$이다.

④ 25의 제곱근은 ±5이다.

따라서 옳은 것은 ⑤이다.

06 ① 0.16의 제곱근은 $\pm\sqrt{0.16}=\pm0.4$

② $\frac{4}{9}$의 제곱근은 $\pm\sqrt{\frac{4}{9}}=\pm\frac{2}{3}$

③ 1의 제곱근은 $\pm\sqrt{1}=\pm1$

④ 5의 제곱근은 $\pm\sqrt{5}$

⑤ 81의 제곱근은 $\pm\sqrt{81}=\pm9$

따라서 제곱근을 근호를 사용해야만 나타낼 수 있는 수는 ④이다.

07 $\sqrt{\frac{1}{10000}}=\frac{1}{100}$, $\sqrt{196}=14$

따라서 근호를 사용하지 않고 나타낼 수 있는 것의 개수는 2개이다.

08 ① $\sqrt{5}$

②, ③, ④, ⑤ $\pm\sqrt{5}$

따라서 그 값이 나머지 넷과 다른 하나는 ①이다.

09 ㉠ 제곱근 49는 $\sqrt{49}=7$이다.

㉡ $-\sqrt{25}=-5$의 제곱근은 없다.

㉢ $\sqrt{16}=4$의 제곱근은 ±2이다.

㉣ $(-8)^2=64$의 양의 제곱근은 $\sqrt{64}=8$이다.

㉤ x의 제곱근이 a이면 $a^2=x$이다.

따라서 옳은 것은 ㉠, ㉣이다.

10 ㉠ $\sqrt{(-9)^2}=9$의 양의 제곱근은 $\sqrt{9}$, 즉 3이므로 $x=3$

㉡ $2^4=16$의 음의 제곱근은 $-\sqrt{16}$, 즉 -4이므로 $y=-4$

$\therefore x+y=3+(-4)=-1$

11 $(-8)^2=64$의 양의 제곱근은 $\sqrt{64}$,

즉 8이므로 $A=8$ …… [40 %]

$\sqrt{16}=4$의 음의 제곱근은 $-\sqrt{4}$,

즉 -2이므로 $B=-2$ …… [40 %]

$\therefore A-B=8-(-2)=10$ …… [20 %]

12 직사각형 모양의 화단의 넓이는 $7\times5=35\ (\text{m}^2)$

정사각형 모양의 화단의 한 변의 길이를 x m라 하면

$x^2=35$ $\therefore x=\sqrt{35}\ (\because x>0)$

따라서 정사각형 모양의 화단의 한 변의 길이는 $\sqrt{35}$ m이다.

13 △ABD에서 피타고라스 정리에 의해

$\overline{AB}^2=5^2-3^2=16$

그런데 $\overline{AB}>0$이므로 $\overline{AB}=4$

△ABC에서 $\overline{BC}=3+4=7$

피타고라스 정리에 의해

$x^2=7^2+4^2=65$

그런데 $x>0$이므로 $x=\sqrt{65}$

14 (2) 은주 : 제곱근 7은 $\sqrt{7}$이다.

희선 : $\sqrt{(-2)^2}=\sqrt{4}=2$

2 제곱근의 성질

개념 확인 15쪽~17쪽

1. (1) 5 (2) 6 (3) 2 (4) 10 (5) 3 (6) -7 (7) $-\frac{1}{3}$ (8) $-\frac{1}{2}$

2. (1) 7 (2) 2 (3) 2 (4) -2

3. (1) $2a$ (2) $-4a$, $4a$ (3) a, $-2a$, $3a$

4. (1) $-2a$ (2) $-4a$ (3) $-3a$

5. (1) $<$ (2) $>$ (3) $<$ (4) $<$ (5) $<$ (6) $>$

2 (1) $\sqrt{2^2}+\sqrt{(-5)^2}=2+5=7$

(2) $\sqrt{12^2}\div\sqrt{(-6)^2}=12\div6=2$

(3) $(-\sqrt{14})^2\times\left(\sqrt{\frac{1}{7}}\right)^2=14\times\frac{1}{7}=2$

(4) $\sqrt{(-13)^2}-(-\sqrt{15})^2=13-15=-2$

4 (1) $2a<0$이므로 $\sqrt{(2a)^2}=-2a$

(2) $-4a>0$이므로 $\sqrt{(-4a)^2}=-4a$

(3) $a<0,\ -2a>0$이므로

$\sqrt{a^2}+\sqrt{(-2a)^2}=-a+(-2a)=-3a$

5 (1) $3<5$이므로 $\sqrt{3}<\sqrt{5}$

(2) $\frac{2}{3}>\frac{2}{5}$이므로 $\sqrt{\frac{2}{3}}>\sqrt{\frac{2}{5}}$

(3) $10>7$이므로 $\sqrt{10}>\sqrt{7}$ $\quad\therefore -\sqrt{10}<-\sqrt{7}$

(4) $\frac{1}{2}>\frac{1}{3}$이므로 $\sqrt{\frac{1}{2}}>\sqrt{\frac{1}{3}}$ $\quad\therefore -\sqrt{\frac{1}{2}}<-\sqrt{\frac{1}{3}}$

(5) $5=\sqrt{5^2}=\sqrt{25}$이고 $\sqrt{25}<\sqrt{27}$ $\quad\therefore 5<\sqrt{27}$

(6) $5<\sqrt{27}$이므로 $-5>-\sqrt{27}$

(4) $-3a<0,\ 1-a>0$이므로

$\sqrt{(-3a)^2}+\sqrt{(1-a)^2}=-(-3a)+1-a$

$=3a+1-a=2a+1$

3-2 (1) $6=\sqrt{6^2}=\sqrt{36}$이고 $\sqrt{36}>\sqrt{35}$ $\quad\therefore 6>\sqrt{35}$

(2) $0.5=\sqrt{0.5^2}=\sqrt{0.25}$이고 $\sqrt{0.5}>\sqrt{0.25}$

$\therefore \sqrt{0.5}>0.5$

(3) $4=\sqrt{4^2}=\sqrt{16}$이고 $\sqrt{16}>\sqrt{15}$

$\therefore -\sqrt{16}<-\sqrt{15}$, 즉 $-4<-\sqrt{15}$

(4) $\frac{1}{2}=\sqrt{\left(\frac{1}{2}\right)^2}=\sqrt{\frac{1}{4}}$이고 $\sqrt{\frac{1}{4}}<\sqrt{\frac{2}{3}}$ $\quad\therefore \frac{1}{2}<\sqrt{\frac{2}{3}}$

(5) $\frac{1}{2}=\sqrt{\left(\frac{1}{2}\right)^2}=\sqrt{\frac{1}{4}}$이고 $\sqrt{\frac{1}{5}}<\sqrt{\frac{1}{4}}$

$\therefore -\sqrt{\frac{1}{5}}>-\sqrt{\frac{1}{4}}$, 즉 $-\sqrt{\frac{1}{5}}>-\frac{1}{2}$

(6) $\frac{1}{2}=\sqrt{\left(\frac{1}{2}\right)^2}=\sqrt{\frac{1}{4}}$이고 $\sqrt{\frac{1}{4}}<\sqrt{\frac{1}{3}}$

$\therefore -\sqrt{\frac{1}{4}}>-\sqrt{\frac{1}{3}}$, 즉 $-\frac{1}{2}>-\sqrt{\frac{1}{3}}$

STEP 1 18쪽

1-1. (1) 3 (2) 7 (3) -8 (4) -11 (5) $\frac{2}{7}$ (6) -1.2

연구 (5) $\frac{2}{7}$ (6) $1.2,\ -1.2$

1-2. (1) 30 (2) 3 (3) 2 (4) 0.05 (5) $\frac{3}{2}$

2-1. (1) $a-2$ (2) $-a+2$

연구 (1) $>,\ a-2$ (2) $<,\ a-2,\ -a+2$

2-2. (1) $x-1$ (2) $-x+1$ (3) 1 (4) $2a+1$

3-1. (1) $<$ (2) $<$ 연구 (1) $<,\ <$ (2) $<,\ <$

3-2. (1) $>$ (2) $>$ (3) $<$ (4) $<$ (5) $>$ (6) $>$

1-2 (1) $\sqrt{36}\times(\sqrt{5})^2=6\times5=30$

(2) $-(\sqrt{3})^2+\sqrt{(-6)^2}=-3+6=3$

(3) $(-\sqrt{3})^2-\sqrt{(-1)^2}=3-1=2$

(4) $\sqrt{0.01}\times\sqrt{(-0.5)^2}=0.1\times0.5=0.05$

(5) $\sqrt{\left(-\frac{1}{2}\right)^2}\div\left(\sqrt{\frac{1}{3}}\right)^2=\frac{1}{2}\div\frac{1}{3}=\frac{1}{2}\times3=\frac{3}{2}$

2-2 (1) $x-1>0$이므로 $\sqrt{(x-1)^2}=x-1$

(2) $x-1<0$이므로 $\sqrt{(x-1)^2}=-(x-1)=-x+1$

(3) $a>0,\ a-1<0$이므로

$\sqrt{a^2}+\sqrt{(a-1)^2}=a-(a-1)=a-a+1=1$

STEP 2 19쪽~23쪽

1-2. ①

2-2. (1) 13 (2) 14 (3) 1 (4) -9

3-2. ③, ④ **3-3.** (1) 0 (2) $-3a$

4-2. (1) 10 (2) 1 (3) a

5-2. 24 **5-3.** 15

6-2. 10 **6-3.** 3

7-2. 19 **7-3.** 11

8-2. 1, 14, 25, 34, 41, 46, 49 **8-3.** 3, 8, 11, 12

9-2. ③

9-3. $-2,\ -\sqrt{3},\ -\sqrt{\frac{4}{3}},\ \sqrt{\frac{7}{2}},\ \sqrt{5}$

10-2. (1) 3개 (2) 5개 (3) 8개

1-2 ② $-\sqrt{3^2}=-3$

③ $-(-\sqrt{5})^2=-5$

④ $\sqrt{(-6)^2}=6$

⑤ $(-\sqrt{7})^2=7$

따라서 옳은 것은 ①이다.

2-2 (1) $\sqrt{(-7)^2}+(-\sqrt{5})^2+\frac{1}{2}\times\sqrt{2^2}=7+5+\frac{1}{2}\times2$

$=7+5+1=13$

(2) $\sqrt{64}-(-\sqrt{3})^2+\sqrt{(-9)^2}=8-3+9=14$

(3) $(-\sqrt{7})^2+\sqrt{(-5)^2}-\sqrt{121}=7+5-11=1$

(4) $\sqrt{(-5)^2}-(\sqrt{11})^2+\sqrt{81}\div(-\sqrt{3^2})$
$=5-11+9\div(-3)$
$=5-11+(-3)$
$=-9$

3-2 ① $-a<0$이므로 $\sqrt{(-a)^2}=-(-a)=a$
② $3a>0$이므로 $-\sqrt{(3a)^2}=-3a$
③ $-5a<0$이므로 $\sqrt{(-5a)^2}=-(-5a)=5a$
④ $4a>0$이므로 $-\sqrt{16a^2}=-\sqrt{(4a)^2}=-4a$
⑤ $-8a<0$이므로
$-\sqrt{(-8a)^2}=-\{-(-8a)\}=-8a$
따라서 옳은 것은 ③, ④이다.

3-3 (1) $a>0$일 때, $-4a<0$, $3a>0$이므로
$-\sqrt{a^2}+\sqrt{(-4a)^2}-\sqrt{9a^2}$
$=-\sqrt{a^2}+\sqrt{(-4a)^2}-\sqrt{(3a)^2}$
$=-a-(-4a)-3a$
$=-a+4a-3a$
$=0$
(2) $a<0$일 때, $5a<0$, $-3a>0$이므로
$\sqrt{a^2}+\sqrt{25a^2}-\sqrt{(-3a)^2}$
$=\sqrt{a^2}+\sqrt{(5a)^2}-\sqrt{(-3a)^2}$
$=-a-5a-(-3a)$
$=-a-5a+3a$
$=-3a$

4-2 (1) $0<x<5$일 때, $x+5>0$, $x-5<0$이므로
$\sqrt{(x+5)^2}+\sqrt{(x-5)^2}=x+5-(x-5)$
$=x+5-x+5$
$=10$
(2) $2<a<3$일 때, $a-3<0$, $2-a<0$이므로
$\sqrt{(a-3)^2}+\sqrt{(2-a)^2}=-(a-3)-(2-a)$
$=-a+3-2+a$
$=1$
(3) $0<a<b$일 때, $-2a<0$, $a-b<0$이므로
$\sqrt{(-2a)^2}-(\sqrt{b})^2+\sqrt{(a-b)^2}$
$=-(-2a)-b-(a-b)$
$=2a-b-a+b$
$=a$

5-2 24를 소인수분해하면 $24=2^3\times3$
즉 $\sqrt{24x}=\sqrt{2^3\times3\times x}$가 자연수가 되려면 $2^3\times3\times x$가 제곱수가 되어야 한다.
이때 $2^3\times3$에서 지수가 홀수인 소인수는 2, 3이므로
$x=2\times3\times1^2, 2\times3\times2^2, 2\times3\times3^2, \cdots$
따라서 가장 작은 두 자리 자연수는
$2\times3\times2^2=24$

5-3 60을 소인수분해하면 $60=2^2\times3\times5$
즉 $\sqrt{60x}=\sqrt{2^2\times3\times5\times x}$가 자연수가 되려면
$2^2\times3\times5\times x$가 제곱수가 되어야 한다.
이때 $2^2\times3\times5$에서 지수가 홀수인 소인수는 3, 5이므로
$x=3\times5\times1^2, 3\times5\times2^2, 3\times5\times3^2, \cdots$
따라서 가장 작은 값은
$3\times5\times1^2=15$

6-2 360을 소인수분해하면 $360=2^3\times3^2\times5$
즉 $\sqrt{\frac{360}{x}}=\sqrt{\frac{2^3\times3^2\times5}{x}}$가 자연수가 되려면 $\frac{2^3\times3^2\times5}{x}$가 제곱수가 되어야 한다.
이때 $2^3\times3^2\times5$에서 지수가 홀수인 소인수는 2, 5이므로
$x=2\times5, 2\times5\times2^2, 2\times5\times3^2, 2\times5\times2^2\times3^2$
따라서 가장 작은 값은
$2\times5=10$

6-3 48을 소인수분해하면 $48=2^4\times3$
즉 $\sqrt{\frac{48}{a}}=\sqrt{\frac{2^4\times3}{a}}$이 자연수가 되려면 $\frac{2^4\times3}{a}$이 제곱수가 되어야 한다.
이때 $2^4\times3$에서 지수가 홀수인 소인수는 3이므로
$a=3, 3\times2^2, 3\times2^4$
따라서 가장 작은 값은 3이다.

7-2 $\sqrt{81+x}$가 자연수가 되려면 $81+x$가 81보다 큰 제곱수이어야 하므로
$81+x=100, 121, 144, \cdots$
따라서 자연수 x의 값은 19, 40, 63, $\cdots$이므로 가장 작은 값은 19이다.

7-3 $\sqrt{110+x}$가 자연수가 되려면 $110+x$가 110보다 큰 제곱수이어야 하므로
$110+x=121, 144, 169, \cdots$
따라서 자연수 x의 값은 11, 34, 59, $\cdots$이므로 가장 작은 값은 11이다.

8-2 $\sqrt{50-n}$이 자연수가 되려면 $50-n$이 50보다 작은 제곱수이어야 하므로

$50-n=1, 4, 9, 16, 25, 36, 49$

$\therefore n=49, 46, 41, 34, 25, 14, 1$

8-3 $\sqrt{12-x}$가 정수가 되려면 $12-x$가 0 또는 12보다 작은 제곱수이어야 하므로

$12-x=0, 1, 4, 9$

$\therefore x=12, 11, 8, 3$

9-2 ① $0.2=\sqrt{0.2^2}=\sqrt{0.04}$이고 $\sqrt{0.2}>\sqrt{0.04}$

$\therefore \sqrt{0.2}>0.2$

② $3=\sqrt{3^2}=\sqrt{9}$이고 $\sqrt{9}>\sqrt{8}$

$\therefore -\sqrt{9}<-\sqrt{8}$, 즉 $-3<-\sqrt{8}$

③ $\frac{3}{4}>\frac{2}{3}$이므로 $\sqrt{\frac{3}{4}}>\sqrt{\frac{2}{3}}$

④ $\frac{1}{2}=\sqrt{\left(\frac{1}{2}\right)^2}=\sqrt{\frac{1}{4}}$이고 $\sqrt{\frac{1}{4}}>\sqrt{\frac{1}{5}}$

$\therefore -\sqrt{\frac{1}{4}}<-\sqrt{\frac{1}{5}}$, 즉 $-\frac{1}{2}<-\sqrt{\frac{1}{5}}$

⑤ $7>6$이므로 $\sqrt{7}>\sqrt{6}$ $\quad\therefore -\sqrt{7}<-\sqrt{6}$

따라서 옳은 것은 ③이다.

9-3 $-\sqrt{3}$, $-2=-\sqrt{4}$, $-\sqrt{\frac{4}{3}}$의 대소를 비교하면

$4>3>\frac{4}{3}$이므로 $\sqrt{4}>\sqrt{3}>\sqrt{\frac{4}{3}}$

$\therefore -\sqrt{4}<-\sqrt{3}<-\sqrt{\frac{4}{3}}$, 즉 $-2<-\sqrt{3}<-\sqrt{\frac{4}{3}}$

$\sqrt{\frac{7}{2}}$과 $\sqrt{5}$의 대소를 비교하면

$\frac{7}{2}<5$이므로 $\sqrt{\frac{7}{2}}<\sqrt{5}$

$\therefore -2<-\sqrt{3}<-\sqrt{\frac{4}{3}}<\sqrt{\frac{7}{2}}<\sqrt{5}$

따라서 작은 수부터 차례로 나열하면

$-2, -\sqrt{3}, -\sqrt{\frac{4}{3}}, \sqrt{\frac{7}{2}}, \sqrt{5}$이다.

10-2 (1) $1\le\sqrt{x}<2$의 각 변을 제곱하면

$1\le x<4$

따라서 자연수 x는 1, 2, 3의 3개이다.

(2) $-3<-\sqrt{x}\le-2$의 각 변에 -1을 곱하면 $2\le\sqrt{x}<3$

각 변을 제곱하면

$4\le x<9$

따라서 자연수 x는 4, 5, 6, 7, 8의 5개이다.

(3) $3<\sqrt{3x}<6$의 각 변을 제곱하면

$9<3x<36$ $\quad\therefore 3<x<12$

따라서 자연수 x는 4, 5, 6, 7, 8, 9, 10, 11의 8개이다.

STEP 3 24쪽~25쪽

01. ④ **02.** ② **03.** (1) 0 (2) -1 **04.** ③
05. (1) -5 (2) $2x-1$ (3) 5
06. (1) $48=2^4\times3$ (2) 3 (3) 12 **07.** 3 **08.** 35
09. ④ **10.** $\sqrt{8}$
11. (1) 3 (2) 4 (3) 9 (4) 16 (5) 10, 11, 12, 13, 14, 15
12. 8 **13.** 5 **14.** 6

01 ①, ②, ③, ⑤ 7

④ -7

따라서 그 값이 나머지 넷과 다른 하나는 ④이다.

02 ① $\sqrt{36}+\sqrt{(-2)^2}=6+2=8$

② $(\sqrt{10})^2-(-\sqrt{7})^2=10-7=3$

③ $\sqrt{0.64}\times\left(-\sqrt{\frac{5}{9}}\right)^2=0.8\times\frac{5}{9}=\frac{8}{10}\times\frac{5}{9}=\frac{4}{9}$

④ $\left(-\sqrt{\frac{2}{3}}\right)^2\div\sqrt{\frac{1}{9}}=\frac{2}{3}\div\frac{1}{3}=\frac{2}{3}\times3=2$

⑤ $-\sqrt{2^4}\div\sqrt{\left(-\frac{1}{2}\right)^2}=-\sqrt{16}\div\sqrt{\left(-\frac{1}{2}\right)^2}$

$=-4\div\frac{1}{2}$

$=-4\times2=-8$

따라서 옳은 것은 ②이다.

03 (1) $\sqrt{2^2}\div(-\sqrt{2})^2-(\sqrt{2})^2\div\sqrt{(-2)^2}$

$=2\div2-2\div2$

$=1-1=0$

(2) $\sqrt{16}-\sqrt{\frac{4}{25}}\times\sqrt{(-5)^2}-\sqrt{(-3)^2}$

$=4-\frac{2}{5}\times5-3$

$=4-2-3=-1$

04 $a<0, b>0$이므로

$-2a>0, 3a<0, -3b<0, 2b>0$

$\therefore -\sqrt{(-2a)^2}+\sqrt{9a^2}+\sqrt{(-3b)^2}-\sqrt{4b^2}$

$=-\sqrt{(-2a)^2}+\sqrt{(3a)^2}+\sqrt{(-3b)^2}-\sqrt{(2b)^2}$

$=-(-2a)-3a-(-3b)-2b$

$=2a-3a+3b-2b$

$=-a+b$

05 (1) $x<-2$일 때, $x+2<0$, $x-3<0$이므로

$$\begin{aligned}\sqrt{(x+2)^2}-\sqrt{(x-3)^2}&=-(x+2)-\{-(x-3)\}\\&=-x-2+x-3\\&=-5\end{aligned}$$

(2) $-2<x<3$일 때, $x+2>0$, $x-3<0$이므로

$$\begin{aligned}\sqrt{(x+2)^2}-\sqrt{(x-3)^2}&=x+2-\{-(x-3)\}\\&=x+2+x-3\\&=2x-1\end{aligned}$$

(3) $x>3$일 때, $x+2>0$, $x-3>0$이므로

$$\begin{aligned}\sqrt{(x+2)^2}-\sqrt{(x-3)^2}&=x+2-(x-3)\\&=x+2-x+3\\&=5\end{aligned}$$

06 (1)
```
2) 48
2) 24
2) 12
2)  6
    3
```
$\therefore 48=2^4\times3$ …… [20 %]

(2) $\sqrt{48x}=\sqrt{2^4\times3\times x}$가 자연수가 되려면 $2^4\times3\times x$가 제곱수가 되어야 한다.

이때 $2^4\times3$에서 지수가 홀수인 소인수는 3이므로

$x=3\times1^2, 3\times2^2, 3\times3^2, \cdots$

따라서 가장 작은 값은

$3\times1^2=3$ …… [40 %]

(3) $x=3$을 $\sqrt{48x}$에 대입하면

$\sqrt{48\times3}=\sqrt{144}=12$ …… [40 %]

07 75를 소인수분해하면 $75=3\times5^2$

즉 $\sqrt{\frac{75}{x}}=\sqrt{\frac{3\times5^2}{x}}$이 자연수가 되려면 $\frac{3\times5^2}{x}$이 제곱수가 되어야 한다.

이때 3×5^2에서 지수가 홀수인 소인수는 3이므로

$x=3, 3\times5^2$

따라서 가장 작은 값은 3이다.

08 $\sqrt{40-x}$가 정수가 되려면 $40-x$는 0 또는 40보다 작은 제곱수이어야 하므로

$40-x=0, 1, 4, 9, 16, 25, 36$

$\therefore x=40, 39, 36, 31, 24, 15, 4$ …… ㉠

$\sqrt{x+5}$가 정수가 되려면 $x+5$는 5보다 큰 제곱수이어야 하므로

$x+5=9, 16, 25, 36, 49, \cdots$

$\therefore x=4, 11, 20, 31, 44, \cdots$ …… ㉡

㉠, ㉡에서 공통인 x의 값은 4, 31이므로 그 합은

$4+31=35$

09 ① $4=\sqrt{4^2}=\sqrt{16}$이고 $\sqrt{16}<\sqrt{18}$ $\quad\therefore 4<\sqrt{18}$

② $5=\sqrt{5^2}=\sqrt{25}$이고 $\sqrt{24}<\sqrt{25}$

$\therefore -\sqrt{24}>-\sqrt{25}$, 즉 $-\sqrt{24}>-5$

③ $2.5=\sqrt{2.5^2}=\sqrt{6.25}$이고 $\sqrt{6.25}>\sqrt{6}$ $\quad\therefore 2.5>\sqrt{6}$

④ $\frac{1}{3}=\sqrt{\left(\frac{1}{3}\right)^2}=\sqrt{\frac{1}{9}}$이고 $\sqrt{\frac{1}{9}}<\sqrt{\frac{1}{6}}$ $\quad\therefore \frac{1}{3}<\sqrt{\frac{1}{6}}$

⑤ $\frac{1}{5}=\sqrt{\left(\frac{1}{5}\right)^2}=\sqrt{\frac{1}{25}}$이고 $\sqrt{\frac{1}{25}}<\sqrt{\frac{1}{5}}$

$\therefore \frac{1}{5}<\sqrt{\frac{1}{5}}$

따라서 옳은 것은 ④이다.

10 $-3=-\sqrt{9}$와 $-\sqrt{6}$의 대소를 비교하면

$9>6$이므로 $\sqrt{9}>\sqrt{6}$

$\therefore -\sqrt{9}<-\sqrt{6}$, 즉 $-3<-\sqrt{6}$

$\sqrt{20}, \sqrt{\frac{1}{2}}, \sqrt{8}, 4=\sqrt{16}$의 대소를 비교하면

$\frac{1}{2}<8<16<20$이므로 $\sqrt{\frac{1}{2}}<\sqrt{8}<\sqrt{16}<\sqrt{20}$

$\therefore \sqrt{\frac{1}{2}}<\sqrt{8}<4<\sqrt{20}$

따라서 작은 수부터 차례로 나열하면

$-3, -\sqrt{6}, \sqrt{\frac{1}{2}}, \sqrt{8}, 4, \sqrt{20}$

이므로 네 번째에 오는 수는 $\sqrt{8}$이다.

12 $6<\sqrt{3n}<8$의 각 변을 제곱하면

$36<3n<64$ $\quad\therefore 12<n<\frac{64}{3}$

이때 자연수 n의 값 중에서 가장 큰 수는 21, 가장 작은 수는 13이므로 $a=21$, $b=13$

$\therefore a-b=21-13=8$

13 $2<\sqrt{2x+1}<3$의 각 변을 제곱하면

$4<2x+1<9$, $3<2x<8$

$\therefore \frac{3}{2}<x<4$ …… [60 %]

따라서 자연수 x의 값은 2, 3이므로 …… [30 %]

그 합은 $2+3=5$ …… [10 %]

14 $1<3<4$이므로 $1<\sqrt{3}<2$ $\quad\therefore N(3)=1$

$4<6<9$이므로 $2<\sqrt{6}<3$ $\quad\therefore N(6)=2$

$\sqrt{9}=3$이므로 $N(9)=3$

$\therefore N(3)+N(6)+N(9)=1+2+3=6$

2. 무리수와 실수

1 무리수와 실수

개념 확인

28쪽~32쪽

1. (1) 유 (2) 무 (3) 유 (4) 무 (5) 무 (6) 무

2. 점P : $-3-\sqrt{5}$, 점Q : $-3+\sqrt{5}$, 점R : $4-\sqrt{8}$, 점S : $4+\sqrt{8}$

3. $>$, $>$

4. (1) $<$ (2) $>$ (3) $>$ (4) $<$

5. (1) ㉠ 2.345 ㉡ 2.373 ㉢ 2.412 ㉣ 2.431

(2) ㉠ 3.873 ㉡ 4.159 ㉢ 4.254 ㉣ 4.405

1 (3) $-\sqrt{\frac{1}{9}}=-\sqrt{\left(\frac{1}{3}\right)^2}=-\frac{1}{3}$이므로 유리수이다.

2 $\triangle$ABC에서 $\overline{AC}=\sqrt{2^2+1^2}=\sqrt{5}$

$\overline{PC}=\overline{AC}=\sqrt{5}$이고 점 C에 대응하는 수는 -3이므로 점 P에 대응하는 수는 $-3-\sqrt{5}$이다.

$\overline{QC}=\overline{AC}=\sqrt{5}$이고 점 C에 대응하는 수는 -3이므로 점 Q에 대응하는 수는 $-3+\sqrt{5}$이다.

$\triangle$DEF에서 $\overline{DE}=\sqrt{2^2+2^2}=\sqrt{8}$

$\overline{RE}=\overline{DE}=\sqrt{8}$이고 점 E에 대응하는 수는 4이므로 점 R에 대응하는 수는 $4-\sqrt{8}$이다.

$\overline{SE}=\overline{DE}=\sqrt{8}$이고 점 E에 대응하는 수는 4이므로 점 S에 대응하는 수는 $4+\sqrt{8}$이다.

4 (1) $\sqrt{3}+1-(\sqrt{5}+1)=\sqrt{3}-\sqrt{5}<0$

$\therefore \sqrt{3}+1<\sqrt{5}+1$

(2) $-3-\sqrt{7}-(-4-\sqrt{7})=1>0$

$\therefore -3-\sqrt{7}>-4-\sqrt{7}$

(3) $2-\sqrt{5}-(2-\sqrt{7})$

$=-\sqrt{5}+\sqrt{7}$

$=\sqrt{7}-\sqrt{5}>0$

$\therefore 2-\sqrt{5}>2-\sqrt{7}$

(4) $\sqrt{15}-\sqrt{17}-(-\sqrt{17}+4)$

$=\sqrt{15}-4$

$=\sqrt{15}-\sqrt{16}<0$

$\therefore \sqrt{15}-\sqrt{17}<-\sqrt{17}+4$

STEP 1

33쪽

1-1. (1) 유 (2) 유 (3) 무 (4) 유

연구 (1) 2 (2) 7 (4) $-\frac{3}{4}$

1-2. (1) 무리수 (2) ○ (3) 유리수 (4) ○

2-1. $\sqrt{2}$, $\sqrt{2}$, $3-\sqrt{2}$, $3+\sqrt{2}$ 연구 $-$, $+$

2-2. (1) $\sqrt{2}$ (2) $1-\sqrt{2}$

3-1. (1) × (2) ○ (3) × 연구 실수

3-2. (1) × (2) × (3) ○

2-2 (1) $\triangle$DBC에서 $\overline{BD}=\sqrt{1^2+1^2}=\sqrt{2}$

이때 $\overline{BP}=\overline{BD}=\sqrt{2}$이고 점 B에 대응하는 수는 0이므로 점 P에 대응하는 수는 $\sqrt{2}$이다.

(2) $\triangle$ABC에서 $\overline{AC}=\sqrt{1^2+1^2}=\sqrt{2}$

이때 $\overline{QC}=\overline{AC}=\sqrt{2}$이고 점 C에 대응하는 수는 1이므로 점 Q에 대응하는 수는 $1-\sqrt{2}$이다.

3-1 (3) $\sqrt{5}$는 무리수이므로 수직선 위에 나타낼 수 있다.

3-2 (2) 서로 다른 두 유리수 사이에는 무수히 많은 유리수가 있다.

STEP 2

34쪽~36쪽

1-2. ③ **1-3.** 3개

2-2. ④

3-2. (1) $\overline{AB}=\sqrt{10}$, $\overline{BC}=\sqrt{10}$ (2) $1-\sqrt{10}$ (3) $1+\sqrt{10}$

4-2. ①, ②

5-2. ② **5-3.** ⑤

6-2. ④

1-2 ① $-\sqrt{100}=-\sqrt{10^2}=-10$ (유리수)

② $0.2\dot{5}$는 순환소수이므로 유리수

④ $(-\sqrt{5})^2=5$ (유리수)

⑤ $\sqrt{0.\dot{1}}=\sqrt{\frac{1}{9}}=\sqrt{\left(\frac{1}{3}\right)^2}=\frac{1}{3}$ (유리수)

따라서 무리수인 것은 ③이다.

1-3 순환소수가 아닌 무한소수는 무리수이다.

$0.\dot{2}$는 순환소수이므로 유리수이고,

$\sqrt{64}=\sqrt{8^2}=8$이므로 유리수이다.

따라서 무리수인 것은 $\sqrt{2}$, $\sqrt{\frac{12}{9}}$, 0.101001000⋯의 3개이다.

2-2 ④ $\sqrt{7}$은 무리수이므로 $\frac{(\text{정수})}{(0\text{이 아닌 정수})}$ 꼴로 나타낼 수 없다.

3-2 (1) $\overline{AB}=\sqrt{1^2+3^2}=\sqrt{10}$, $\overline{BC}=\sqrt{3^2+1^2}=\sqrt{10}$
(2) $\overline{BP}=\overline{BA}=\sqrt{10}$이므로 점 P에 대응하는 수는 $1-\sqrt{10}$
(3) $\overline{BQ}=\overline{BC}=\sqrt{10}$이므로 점 Q에 대응하는 수는 $1+\sqrt{10}$

4-2 ① 3과 4 사이에는 무수히 많은 무리수가 있다.
② $\sqrt{13}$은 무리수이므로 수직선 위에 나타낼 수 있다.
따라서 옳지 않은 것은 ①, ②이다.

5-2 ① $4-(3-\sqrt{2})=1+\sqrt{2}>0$ $\therefore 4>3-\sqrt{2}$
② $\sqrt{2}+3-5=\sqrt{2}-2=\sqrt{2}-\sqrt{4}<0$ $\therefore \sqrt{2}+3<5$
③ $\sqrt{7}-3-(-3+\sqrt{3})=\sqrt{7}-\sqrt{3}>0$
$\therefore \sqrt{7}-3>-3+\sqrt{3}$
④ $1-\sqrt{2}-(-\sqrt{5}+1)=\sqrt{5}-\sqrt{2}>0$
$\therefore 1-\sqrt{2}>-\sqrt{5}+1$
⑤ $\sqrt{3}+\sqrt{7}-(\sqrt{5}+\sqrt{3})=\sqrt{7}-\sqrt{5}>0$
$\therefore \sqrt{3}+\sqrt{7}>\sqrt{5}+\sqrt{3}$
따라서 옳은 것은 ②이다.

5-3 ① $3=\sqrt{9}$이므로 $\sqrt{5}<3$
② $2+\sqrt{3}-4=\sqrt{3}-2=\sqrt{3}-\sqrt{4}<0$ $\therefore 2+\sqrt{3}<4$
③ $\sqrt{3}>\sqrt{2}$이므로 $-\sqrt{3}<-\sqrt{2}$
④ $\sqrt{7}+1-(\sqrt{6}+1)=\sqrt{7}-\sqrt{6}>0$
$\therefore \sqrt{7}+1>\sqrt{6}+1$
⑤ $5-\sqrt{2}-(5-\sqrt{3})=\sqrt{3}-\sqrt{2}>0$
$\therefore 5-\sqrt{2}>5-\sqrt{3}$
따라서 옳지 않은 것은 ⑤이다.

6-2 ① $\sqrt{3}<2<3$
② $1+\sqrt{3}=2.732$ $\therefore \sqrt{3}<1+\sqrt{3}<3$
③ $\frac{\sqrt{3}+3}{2}$은 $\sqrt{3}$과 3을 나타내는 두 점의 중점에 대응하는 수이므로 $\sqrt{3}$과 3 사이의 수이다.
④ $3-\sqrt{3}=1.268$이므로 $3-\sqrt{3}<\sqrt{3}$
⑤ $0.1+\sqrt{3}=1.832$ $\therefore \sqrt{3}<0.1+\sqrt{3}<3$
따라서 $\sqrt{3}$과 3 사이에 있는 수가 아닌 것은 ④이다.

STEP 3

37쪽~39쪽

01. ㉢, ㉣, ㉤ **02.** ③ **03.** ④ **04.** ⑤
05. ① **06.** 점 P : $-3-\sqrt{13}$, 점 Q : $-3+\sqrt{13}$
07. -1 **08.** ③, ⑤ **09.** ① **10.** ㉡, ㉣ **11.** ④
12. (1) $a>b$ (2) $b<c$ (3) $a>c$ (4) $b<c<a$
13. 점 A : $1-\sqrt{5}$, 점 B : $2-\sqrt{2}$, 점 C : $\sqrt{2}+1$, 점 D : $\sqrt{5}+1$
14. (1) 점 P : $2-\sqrt{10}$, 점 Q : $2+\sqrt{10}$ (2) 예 $2-\sqrt{8}$, $\sqrt{5}$, $2+\sqrt{3}$
15. ② **16.** 8.445

01 ㉠ $\sqrt{9}=\sqrt{3^2}=3$ (유리수)
㉡ $0.4\dot{3}$은 순환소수이므로 유리수
㉢ $\frac{\pi}{2}$는 무리수
㉣ $\sqrt{3.6}$은 무리수
㉤ $\sqrt{5}-1$은 무리수
㉥ $\sqrt{\frac{1}{4}}=\sqrt{\left(\frac{1}{2}\right)^2}=\frac{1}{2}$ (유리수)
따라서 무리수인 것은 ㉢, ㉣, ㉤이다.

02 □ 안에 알맞은 말은 무리수이다.
① $-\sqrt{0.16}=-\sqrt{0.4^2}=-0.4$ (유리수)
② $\sqrt{0.09}=\sqrt{0.3^2}=0.3$ (유리수)
③ $\sqrt{10}-1$은 무리수
④ $1.2\dot{7}$은 순환소수이므로 유리수
⑤ $-\sqrt{4}=-\sqrt{2^2}=-2$ (유리수)
따라서 □ 안의 수에 해당하는 것은 ③이다.

03 순환소수가 아닌 무한소수는 무리수이다.
① $-\sqrt{(-5)^2}=-5$ (유리수)
② $\sqrt{121}=\sqrt{11^2}=11$ (유리수)
③ $\sqrt{\frac{4}{9}}=\sqrt{\left(\frac{2}{3}\right)^2}=\frac{2}{3}$ (유리수)
④ $\sqrt{0.9}$는 무리수
⑤ $\sqrt{1.69}=\sqrt{1.3^2}=1.3$ (유리수)
따라서 순환소수가 아닌 무한소수인 것은 ④이다.

04 ⑤ $\sqrt{64}=\sqrt{8^2}=8$이므로 유리수이다.

05 ㉡ 4의 제곱근은 $\pm\sqrt{4}=\pm2$이므로 유리수이다.
㉢ 무리수는 분수로 나타낼 수 없다.
㉣ $\sqrt{5}$는 순환하지 않는 무한소수이므로 순환소수로 나타낼 수 없다.
따라서 옳은 것은 ㉠이다.

06 △ABC에서 $\overline{AC}=\sqrt{3^2+2^2}=\sqrt{13}$
이때 $\overline{AP}=\overline{AQ}=\overline{AC}=\sqrt{13}$이고 점 A에 대응하는 수는 -3이므로 점 P에 대응하는 수는 $-3-\sqrt{13}$, 점 Q에 대응하는 수는 $-3+\sqrt{13}$이다.

07 $\overline{AB}=\sqrt{1^2+1^2}=\sqrt{2}$이므로
$\overline{AP}=\overline{AB}=\sqrt{2}$
따라서 점 P에 대응하는 수가 $-1+\sqrt{2}$이므로 점 A에 대응하는 수는 -1이다.

08 $\overline{AC}=\sqrt{1^2+1^2}=\sqrt{2}$, $\overline{BD}=\sqrt{1^2+1^2}=\sqrt{2}$
③ $\overline{PB}=\overline{PC}-\overline{BC}=\sqrt{2}-1$
④ $\overline{BQ}=\overline{BD}=\sqrt{2}$
⑤ $\overline{PQ}=\overline{PB}+\overline{BQ}=(\sqrt{2}-1)+\sqrt{2}=2\sqrt{2}-1$
따라서 옳지 않은 것은 ③, ⑤이다.

09 ② 순환소수가 아닌 무한소수는 무리수이므로 수직선 위의 점에 대응시킬 수 있다.
③ 무리수에 대응하는 점들로 수직선을 완전히 메울 수 없고, 실수에 대응하는 점들로 수직선을 완전히 메울 수 있다.
④ $\sqrt{2}$와 $\sqrt{5}$ 사이에는 무수히 많은 무리수가 있다.
⑤ 3과 4 사이에는 무수히 많은 무리수가 있다.
따라서 옳은 것은 ①이다.

10 ㉠ 2와 3 사이에는 무수히 많은 무리수가 있다.
㉢ $\sqrt{5}$와 $\sqrt{7}$ 사이에는 무수히 많은 무리수가 있다.
따라서 옳은 것은 ㉡, ㉣이다.

11 ① $\sqrt{6}+\sqrt{2}-(\sqrt{6}+1)=\sqrt{2}-1>0$
$\therefore \sqrt{6}+\sqrt{2}>\sqrt{6}+1$
② $3-\sqrt{7}-(3-\sqrt{11})=\sqrt{11}-\sqrt{7}>0$
$\therefore 3-\sqrt{7}>3-\sqrt{11}$
③ $2+\sqrt{6}-(\sqrt{3}+\sqrt{6})=2-\sqrt{3}=\sqrt{4}-\sqrt{3}>0$
$\therefore 2+\sqrt{6}>\sqrt{3}+\sqrt{6}$
④ $\sqrt{5}-2-3=\sqrt{5}-5=\sqrt{5}-\sqrt{25}<0$
$\therefore \sqrt{5}-2<3$
⑤ $\sqrt{13}+1-4=\sqrt{13}-3=\sqrt{13}-\sqrt{9}>0$
$\therefore \sqrt{13}+1>4$
따라서 옳지 않은 것은 ④이다.

12 (1) $a-b=\sqrt{5}+2-(2+\sqrt{3})$
$=\sqrt{5}-\sqrt{3}>0$
$\therefore a>b$ …… [25 %]
(2) $b-c=2+\sqrt{3}-(\sqrt{5}+\sqrt{3})$
$=2-\sqrt{5}=\sqrt{4}-\sqrt{5}<0$
$\therefore b<c$ …… [25 %]
(3) $a-c=\sqrt{5}+2-(\sqrt{5}+\sqrt{3})$
$=2-\sqrt{3}=\sqrt{4}-\sqrt{3}>0$
$\therefore a>c$ …… [25 %]
(4) (1), (2), (3)에서 $b<c<a$ …… [25 %]

13 $1<\sqrt{2}<2$에서 $2<\sqrt{2}+1<3$
$2<\sqrt{5}<3$에서 $3<\sqrt{5}+1<4$
$-2<-\sqrt{2}<-1$에서 $0<2-\sqrt{2}<1$
$-3<-\sqrt{5}<-2$에서 $-2<1-\sqrt{5}<-1$
따라서 네 점 A, B, C, D에 대응하는 수는 각각 $1-\sqrt{5}$, $2-\sqrt{2}$, $\sqrt{2}+1$, $\sqrt{5}+1$이다.

14 (1) $\overline{AB}=\sqrt{1^2+3^2}=\sqrt{10}$이므로 $\overline{BP}=\overline{BA}=\sqrt{10}$
따라서 점 P에 대응하는 수는 $2-\sqrt{10}$이다.
…… [25 %]
$\overline{BC}=\sqrt{3^2+1^2}=\sqrt{10}$이므로 $\overline{BQ}=\overline{BC}=\sqrt{10}$
따라서 점 Q에 대응하는 수는 $2+\sqrt{10}$이다.
…… [25 %]
(2) 두 수 $2-\sqrt{10}$과 $2+\sqrt{10}$ 사이에 있는 무리수를 찾으면 $2-\sqrt{8}$, $\sqrt{2}$, $\sqrt{3}$, $\sqrt{5}$, $\sqrt{6}$, $\sqrt{7}$, $2+\sqrt{3}$ 등이 있다.
…… [50 %]

15 ① $\sqrt{2}+0.5=1.914$
$\therefore \sqrt{2}<\sqrt{2}+0.5<\sqrt{5}$
② $\sqrt{5}-2=0.236$이므로 $\sqrt{5}-2<\sqrt{2}$
③ $\dfrac{\sqrt{2}+\sqrt{5}}{2}$는 $\sqrt{2}$와 $\sqrt{5}$를 나타내는 두 점의 중점에 대응하는 수이므로 $\sqrt{2}$와 $\sqrt{5}$ 사이의 수이다.
④ $\sqrt{5}-0.001=2.235$
$\therefore \sqrt{2}<\sqrt{5}-0.001<\sqrt{5}$
⑤ $\sqrt{2}<2<\sqrt{5}$
따라서 $\sqrt{2}$와 $\sqrt{5}$ 사이에 있는 수가 아닌 것은 ②이다.

16 $\sqrt{5.83}=2.415$이므로 $a=2.415$
$\sqrt{6.03}=2.456$이므로 $b=6.03$
$\therefore a+b=2.415+6.03=8.445$

3. 근호를 포함한 식의 계산

1 제곱근의 곱셈과 나눗셈

개념 확인

42쪽~45쪽

1. (1) $\sqrt{14}$ (2) $\sqrt{3}$ (3) $\sqrt{30}$ (4) $-14\sqrt{21}$ (5) 2 (6) $\sqrt{2}$ (7) $-\sqrt{\frac{2}{3}}$ (8) $\sqrt{\frac{11}{5}}$ (9) $2\sqrt{7}$

2. (1) $\sqrt{18}$ (2) $\sqrt{32}$ (3) $-\sqrt{27}$ (4) $-\sqrt{60}$ (5) $\sqrt{\frac{6}{49}}$ (6) $\sqrt{\frac{12}{25}}$ (7) $-\sqrt{\frac{7}{9}}$ (8) $-\sqrt{\frac{44}{25}}$

3. (1) $3\sqrt{5}$ (2) $4\sqrt{5}$ (3) $-4\sqrt{3}$ (4) $-6\sqrt{3}$ (5) $\frac{\sqrt{6}}{5}$ (6) $-\frac{\sqrt{15}}{7}$ (7) $\frac{\sqrt{11}}{10}$ (8) $-\frac{\sqrt{13}}{10}$

4. (1) $\sqrt{2}$, $\frac{3\sqrt{2}}{2}$ (2) $\sqrt{3}$, $\sqrt{3}$, $\frac{\sqrt{15}}{9}$ (3) 2, $\sqrt{3}$, $\frac{\sqrt{3}}{3}$ (4) 6, 6, 6, 6, $\frac{\sqrt{30}}{12}$

5. (1) $\frac{2\sqrt{7}}{7}$ (2) $\frac{\sqrt{2}}{3}$ (3) $-\frac{\sqrt{15}}{10}$ (4) $\sqrt{2}$

6. (1) 100, 10, 10, 17.32 (2) 30, 30, 5.477, 54.77 (3) 3, 3, 1.732, 173.2

7. (1) 100, 10, 10, 0.1414 (2) 20, 20, 4.472, 0.4472 (3) 2, 2, 1.414, 0.01414

1

(1) $\sqrt{2}\times\sqrt{7}=\sqrt{2\times7}=\sqrt{14}$

(2) $\sqrt{\frac{6}{5}}\times\sqrt{\frac{5}{2}}=\sqrt{\frac{6}{5}\times\frac{5}{2}}=\sqrt{3}$

(3) $\sqrt{2}\sqrt{3}\sqrt{5}=\sqrt{2\times3\times5}=\sqrt{30}$

(4) $-7\sqrt{3}\times2\sqrt{7}=(-7\times2)\times\sqrt{3\times7}=-14\sqrt{21}$

(5) $\sqrt{24}\div\sqrt{6}=\frac{\sqrt{24}}{\sqrt{6}}=\sqrt{\frac{24}{6}}=\sqrt{4}=2$

(6) $\frac{\sqrt{10}}{\sqrt{5}}=\sqrt{\frac{10}{5}}=\sqrt{2}$

(7) $-\sqrt{\frac{3}{5}}\div\sqrt{\frac{9}{10}}=-\sqrt{\frac{3}{5}\div\frac{9}{10}}$

$=-\sqrt{\frac{3}{5}\times\frac{10}{9}}=-\sqrt{\frac{2}{3}}$

(8) $\sqrt{3}\div\frac{\sqrt{15}}{\sqrt{11}}=\sqrt{3}\times\frac{\sqrt{11}}{\sqrt{15}}=\sqrt{3\times\frac{11}{15}}=\sqrt{\frac{11}{5}}$

(9) $10\sqrt{21}\div5\sqrt{3}=\frac{10\sqrt{21}}{5\sqrt{3}}=\frac{10}{5}\sqrt{\frac{21}{3}}=2\sqrt{7}$

2

(1) $3\sqrt{2}=\sqrt{3^2\times2}=\sqrt{18}$

(2) $4\sqrt{2}=\sqrt{4^2\times2}=\sqrt{32}$

(3) $-3\sqrt{3}=-\sqrt{3^2\times3}=-\sqrt{27}$

(4) $-2\sqrt{15}=-\sqrt{2^2\times15}=-\sqrt{60}$

(5) $\frac{\sqrt{6}}{7}=\sqrt{\frac{6}{7^2}}=\sqrt{\frac{6}{49}}$

(6) $\frac{2\sqrt{3}}{5}=\sqrt{\frac{2^2\times3}{5^2}}=\sqrt{\frac{12}{25}}$

(7) $-\frac{\sqrt{7}}{3}=-\sqrt{\frac{7}{3^2}}=-\sqrt{\frac{7}{9}}$

(8) $-\frac{2\sqrt{11}}{5}=-\sqrt{\frac{2^2\times11}{5^2}}=-\sqrt{\frac{44}{25}}$

3

(1) $\sqrt{45}=\sqrt{3^2\times5}=3\sqrt{5}$

(2) $\sqrt{80}=\sqrt{4^2\times5}=4\sqrt{5}$

(3) $-\sqrt{48}=-\sqrt{4^2\times3}=-4\sqrt{3}$

(4) $-\sqrt{108}=-\sqrt{6^2\times3}=-6\sqrt{3}$

(5) $\sqrt{\frac{6}{25}}=\sqrt{\frac{6}{5^2}}=\frac{\sqrt{6}}{5}$

(6) $-\sqrt{\frac{15}{49}}=-\sqrt{\frac{15}{7^2}}=-\frac{\sqrt{15}}{7}$

(7) $\sqrt{0.11}=\sqrt{\frac{11}{100}}=\sqrt{\frac{11}{10^2}}=\frac{\sqrt{11}}{10}$

(8) $-\sqrt{0.13}=-\sqrt{\frac{13}{100}}=-\sqrt{\frac{13}{10^2}}=-\frac{\sqrt{13}}{10}$

4

(3) $\frac{2}{\sqrt{12}}=\frac{2}{\sqrt{2^2\times3}}=\frac{2}{\boxed{2}\sqrt{3}}=\frac{1}{\sqrt{3}}=\frac{\boxed{\sqrt{3}}}{\sqrt{3}\times\sqrt{3}}$

$=\boxed{\frac{\sqrt{3}}{3}}$

(4) $\frac{\sqrt{5}}{\sqrt{24}}=\frac{\sqrt{5}}{\sqrt{2^2\times6}}=\frac{\sqrt{5}}{2\sqrt{\boxed{6}}}=\frac{\sqrt{5}\times\sqrt{\boxed{6}}}{2\sqrt{\boxed{6}}\times\sqrt{\boxed{6}}}$

$=\frac{\sqrt{30}}{2\times6}=\boxed{\frac{\sqrt{30}}{12}}$

5

(1) $\frac{2}{\sqrt{7}}=\frac{2\times\sqrt{7}}{\sqrt{7}\times\sqrt{7}}=\frac{2\sqrt{7}}{7}$

(2) $\frac{2}{3\sqrt{2}}=\frac{2\times\sqrt{2}}{3\sqrt{2}\times\sqrt{2}}=\frac{2\sqrt{2}}{3\times2}=\frac{\sqrt{2}}{3}$

(3) $-\frac{\sqrt{3}}{2\sqrt{5}}=-\frac{\sqrt{3}\times\sqrt{5}}{2\sqrt{5}\times\sqrt{5}}=-\frac{\sqrt{15}}{2\times5}=-\frac{\sqrt{15}}{10}$

(4) $\frac{6}{\sqrt{18}}=\frac{6}{\sqrt{3^2\times2}}=\frac{6}{3\sqrt{2}}=\frac{2}{\sqrt{2}}=\frac{2\times\sqrt{2}}{\sqrt{2}\times\sqrt{2}}=\frac{2\sqrt{2}}{2}=\sqrt{2}$

STEP 1 46쪽

1-1. (1) 3, 3 (2) 7, 7 (3) 4, 4

1-2. (1) $5\sqrt{3}$ (2) $-3\sqrt{10}$ (3) $-10\sqrt{2}$ (4) $\frac{\sqrt{21}}{2}$ (5) $-\frac{\sqrt{13}}{8}$ (6) $3\sqrt{3}$

2-1. 5, 75, $10\sqrt{3}$

2-2. (1) $6\sqrt{15}$ (2) $6\sqrt{6}$ (3) $4\sqrt{5}$ (4) 42

3-1. $\sqrt{6}$, $\sqrt{12}$, $\sqrt{3}$, $\frac{\sqrt{3}}{3}$

3-2. (1) $\sqrt{2}$ (2) $-\frac{\sqrt{6}}{24}$ (3) $\frac{\sqrt{3}}{3}$ (4) $\frac{\sqrt{6}}{3}$

1-2 (1) $\sqrt{75}=\sqrt{5^2\times3}=5\sqrt{3}$

(2) $-\sqrt{90}=-\sqrt{3^2\times10}=-3\sqrt{10}$

(3) $-\sqrt{200}=-\sqrt{10^2\times2}=-10\sqrt{2}$

(4) $\sqrt{\frac{21}{4}}=\sqrt{\frac{21}{2^2}}=\frac{\sqrt{21}}{2}$

(5) $-\sqrt{\frac{13}{64}}=-\sqrt{\frac{13}{8^2}}=-\frac{\sqrt{13}}{8}$

(6) $\frac{\sqrt{81}}{\sqrt{3}}=\sqrt{\frac{81}{3}}=\sqrt{27}=\sqrt{3^2\times3}=3\sqrt{3}$

2-2 (1) $\sqrt{12}\times\sqrt{45}=2\sqrt{3}\times3\sqrt{5}=6\sqrt{15}$

(2) $\sqrt{18}\times\sqrt{12}=3\sqrt{2}\times2\sqrt{3}=6\sqrt{6}$

(3) $\sqrt{8}\times\sqrt{10}=2\sqrt{2}\times\sqrt{10}=2\sqrt{20}=4\sqrt{5}$

(4) $\sqrt{28}\times\sqrt{63}=2\sqrt{7}\times3\sqrt{7}=6\times7=42$

3-2 (1) $4\sqrt{3}\div\sqrt{24}=4\sqrt{3}\div2\sqrt{6}=\frac{4\sqrt{3}}{2\sqrt{6}}=2\sqrt{\frac{3}{6}}=2\sqrt{\frac{1}{2}}$

$=\frac{2}{\sqrt{2}}=\frac{2\times\sqrt{2}}{\sqrt{2}\times\sqrt{2}}=\frac{2\sqrt{2}}{2}=\sqrt{2}$

(2) $\sqrt{3}\div(-4\sqrt{18})=\sqrt{3}\div(-12\sqrt{2})=-\frac{\sqrt{3}}{12\sqrt{2}}$

$=-\frac{\sqrt{3}\times\sqrt{2}}{12\sqrt{2}\times\sqrt{2}}=-\frac{\sqrt{6}}{12\times2}=-\frac{\sqrt{6}}{24}$

(3) $\sqrt{6}\div\sqrt{18}=\frac{\sqrt{6}}{\sqrt{18}}=\sqrt{\frac{6}{18}}=\sqrt{\frac{1}{3}}=\frac{1}{\sqrt{3}}$

$=\frac{\sqrt{3}}{\sqrt{3}\times\sqrt{3}}=\frac{\sqrt{3}}{3}$

(4) $\sqrt{10}\div\sqrt{15}=\frac{\sqrt{10}}{\sqrt{15}}=\sqrt{\frac{10}{15}}=\sqrt{\frac{2}{3}}=\frac{\sqrt{2}}{\sqrt{3}}$

$=\frac{\sqrt{2}\times\sqrt{3}}{\sqrt{3}\times\sqrt{3}}=\frac{\sqrt{6}}{3}$

STEP 2 47쪽~50쪽

1-2. ② **1-3.** $12\sqrt{6}$

2-2. ④

3-2. (1) 23 (2) $2\sqrt{6}$ **3-3.** $\frac{1}{50}$

4-2. ② **4-3.** ①

5-2. ⑤ **5-3.** 3

6-2. (1) $2\sqrt{15}$ (2) $-2\sqrt{5}$ (3) $\frac{8\sqrt{10}}{5}$

7-2. (1) 18 cm^2 (2) $2\sqrt{3}$ cm **7-3.** $2\sqrt{6}$ cm

8-2. ④ **8-3.** ㉡, ㉣

1-2 ① $\sqrt{2}\sqrt{3}=\sqrt{2\times3}=\sqrt{6}$

② $\sqrt{\frac{1}{8}}\sqrt{8}=\sqrt{\frac{1}{8}\times8}=1$

③ $\sqrt{5}\sqrt{7}=\sqrt{5\times7}=\sqrt{35}$

④ $\sqrt{\frac{5}{4}}\sqrt{\frac{12}{5}}=\sqrt{\frac{5}{4}\times\frac{12}{5}}=\sqrt{3}$

⑤ $2\sqrt{3}\sqrt{2}=2\sqrt{3\times2}=2\sqrt{6}$

따라서 옳은 것은 ②이다.

1-3 $3\sqrt{5}\times\left(-\sqrt{\frac{3}{5}}\right)\times(-4\sqrt{2})$

$=\{3\times(-1)\times(-4)\}\times\sqrt{5\times\frac{3}{5}\times2}$

$=12\sqrt{6}$

2-2 ① $\sqrt{48}\div\sqrt{3}=\frac{\sqrt{48}}{\sqrt{3}}=\sqrt{\frac{48}{3}}=\sqrt{16}=4$

② $3\sqrt{15}\div\sqrt{5}=\frac{3\sqrt{15}}{\sqrt{5}}=3\sqrt{\frac{15}{5}}=3\sqrt{3}$

③ $\frac{5\sqrt{7}}{2}\div\frac{\sqrt{14}}{\sqrt{2}}=\frac{5\sqrt{7}}{2}\times\frac{\sqrt{2}}{\sqrt{14}}=\frac{5}{2}\sqrt{7\times\frac{2}{14}}=\frac{5}{2}$

④ $\sqrt{27}\div\frac{1}{\sqrt{3}}=\sqrt{27}\times\sqrt{3}=\sqrt{27\times3}=\sqrt{81}=9$

⑤ $6\sqrt{18}\div(-3\sqrt{3})=\frac{6\sqrt{18}}{-3\sqrt{3}}=-\frac{6}{3}\sqrt{\frac{18}{3}}=-2\sqrt{6}$

따라서 옳지 않은 것은 ④이다.

3-2 (1) $3\sqrt{2}=\sqrt{3^2\times2}=\sqrt{18}$이므로 $a=18$

$\sqrt{20}=\sqrt{2^2\times5}=2\sqrt{5}$이므로 $b=5$

$\therefore a+b=18+5=23$

(2) $\sqrt{48}=\sqrt{4^2\times3}=4\sqrt{3}$이므로 $a=4$

$\sqrt{72}=\sqrt{6^2\times2}=6\sqrt{2}$이므로 $b=6$

$\therefore \sqrt{ab}=\sqrt{4\times6}=\sqrt{24}=\sqrt{2^2\times6}=2\sqrt{6}$

3-3 $\sqrt{0.002}=\sqrt{\frac{20}{10000}}=\sqrt{\frac{2^2\times5}{100^2}}=\frac{2\sqrt{5}}{100}=\frac{\sqrt{5}}{50}$

$\therefore k=\frac{1}{50}$

4-2 $\sqrt{150}=\sqrt{2\times3\times5^2}=5\times\sqrt{2}\times\sqrt{3}=5ab$

4-3 $\sqrt{60}=\sqrt{2^2\times3\times5}=2\times\sqrt{3}\times\sqrt{5}=2ab$

5-2 ① $\frac{\sqrt{3}}{\sqrt{6}}=\frac{1}{\sqrt{2}}=\frac{\sqrt{2}}{\sqrt{2}\times\sqrt{2}}=\frac{\sqrt{2}}{2}$

② $\frac{\sqrt{40}}{\sqrt{24}}=\frac{\sqrt{5}}{\sqrt{3}}=\frac{\sqrt{5}\times\sqrt{3}}{\sqrt{3}\times\sqrt{3}}=\frac{\sqrt{15}}{3}$

③ $\frac{3}{5\sqrt{3}}=\frac{3\times\sqrt{3}}{5\sqrt{3}\times\sqrt{3}}=\frac{3\sqrt{3}}{15}=\frac{\sqrt{3}}{5}$

④ $\frac{3\sqrt{2}}{\sqrt{14}}=\frac{3}{\sqrt{7}}=\frac{3\times\sqrt{7}}{\sqrt{7}\times\sqrt{7}}=\frac{3\sqrt{7}}{7}$

⑤ $\frac{\sqrt{3}}{3\sqrt{11}}=\frac{\sqrt{3}\times\sqrt{11}}{3\sqrt{11}\times\sqrt{11}}=\frac{\sqrt{33}}{33}$

따라서 옳지 않은 것은 ⑤이다.

5-3 $\frac{5\sqrt{6}}{a\sqrt{10}}=\frac{5\sqrt{3}}{a\sqrt{5}}=\frac{5\sqrt{3}\times\sqrt{5}}{a\sqrt{5}\times\sqrt{5}}=\frac{5\sqrt{15}}{5a}=\frac{\sqrt{15}}{a}$

이때 $\frac{\sqrt{15}}{a}=\frac{\sqrt{15}}{3}$이므로 $a=3$

6-2 (1) $4\sqrt{5}\div2\sqrt{18}\times3\sqrt{6}=4\sqrt{5}\times\frac{1}{6\sqrt{2}}\times3\sqrt{6}$

$=2\sqrt{15}$

(2) $-\frac{2\sqrt{2}}{3}\times\sqrt{\frac{15}{8}}\div\frac{\sqrt{3}}{6}=-\frac{2\sqrt{2}}{3}\times\frac{\sqrt{15}}{2\sqrt{2}}\times\frac{6}{\sqrt{3}}$

$=-2\sqrt{5}$

(3) $\frac{4}{\sqrt{10}}\times\sqrt{40}\div\frac{\sqrt{10}}{2}=\frac{4}{\sqrt{10}}\times2\sqrt{10}\times\frac{2}{\sqrt{10}}$

$=\frac{16}{\sqrt{10}}=\frac{16\times\sqrt{10}}{\sqrt{10}\times\sqrt{10}}$

$=\frac{16\sqrt{10}}{10}=\frac{8\sqrt{10}}{5}$

7-2 (1) $3\sqrt{2}\times3\sqrt{2}=18\ (\text{cm}^2)$

(2) 직사각형 B의 세로의 길이를 x cm라 하면

$3\sqrt{3}\times x=18$이므로

$x=18\div3\sqrt{3}=\frac{18}{3\sqrt{3}}=\frac{6}{\sqrt{3}}$

$=\frac{6\times\sqrt{3}}{\sqrt{3}\times\sqrt{3}}=\frac{6\sqrt{3}}{3}=2\sqrt{3}$

따라서 직사각형 B의 세로의 길이는 $2\sqrt{3}$ cm이다.

7-3 직육면체의 높이를 h cm라 하면

$2\sqrt{3}\times3\sqrt{2}\times h=72$이므로

$h=72\div2\sqrt{3}\div3\sqrt{2}$

$=72\times\frac{1}{2\sqrt{3}}\times\frac{1}{3\sqrt{2}}$

$=\frac{12}{\sqrt{6}}=\frac{12\times\sqrt{6}}{\sqrt{6}\times\sqrt{6}}$

$=\frac{12\sqrt{6}}{6}=2\sqrt{6}$

따라서 직육면체의 높이는 $2\sqrt{6}$ cm이다.

8-2 ① $\sqrt{500}=\sqrt{100\times5}=10\sqrt{5}=10\times2.236=22.36$

② $\sqrt{5000}=\sqrt{100\times50}=10\sqrt{50}=10\times7.071=70.71$

③ $\sqrt{50000}=\sqrt{10000\times5}=100\sqrt{5}=100\times2.236=223.6$

④ $\sqrt{0.5}=\sqrt{\frac{50}{100}}=\frac{\sqrt{50}}{10}=\frac{7.071}{10}=0.7071$

⑤ $\sqrt{0.005}=\sqrt{\frac{50}{10000}}=\frac{\sqrt{50}}{100}=\frac{7.071}{100}=0.07071$

따라서 옳은 것은 ④이다.

8-3 ㉠ $\sqrt{2.14}$

㉡ $\sqrt{2140}=\sqrt{100\times21.4}=10\sqrt{21.4}$

㉢ $\sqrt{214}=\sqrt{100\times2.14}=10\sqrt{2.14}$

㉣ $\sqrt{0.214}=\sqrt{\frac{21.4}{100}}=\frac{\sqrt{21.4}}{10}$

따라서 $\sqrt{21.4}$의 값을 이용하여 그 값을 구할 수 있는 것은 ㉡, ㉣이다.

계산력 집중 연습

51쪽

1. (1) -4 (2) $6\sqrt{10}$ (3) 3 (4) $-4\sqrt{2}$ (5) $\sqrt{15}$

2. (1) $\frac{\sqrt{65}}{13}$ (2) $-\frac{\sqrt{15}}{5}$ (3) $-\frac{\sqrt{22}}{11}$ (4) $\frac{\sqrt{30}}{24}$ (5) $\frac{2\sqrt{10}}{3}$

(6) $-\frac{3\sqrt{3}}{2}$ (7) $\frac{3\sqrt{2}}{4}$ (8) $\frac{2\sqrt{3}}{9}$ (9) $\frac{\sqrt{6}}{8}$ (10) $\frac{\sqrt{30}}{10}$

3. (1) $\sqrt{6}$ (2) 3 (3) $\frac{\sqrt{7}}{9}$ (4) $\frac{5\sqrt{6}}{2}$ (5) $2\sqrt{3}$ (6) $\sqrt{3}$ (7) $\frac{4\sqrt{15}}{5}$

(8) $4\sqrt{3}$

1 (1) $-\sqrt{2}\times\sqrt{8}=-\sqrt{2\times8}=-\sqrt{16}=-4$

(2) $2\sqrt{5}\times3\sqrt{2}=(2\times3)\times\sqrt{5\times2}=6\sqrt{10}$

(3) $\sqrt{\frac{15}{2}}\sqrt{\frac{6}{5}}=\sqrt{\frac{15}{2}\times\frac{6}{5}}=\sqrt{9}=3$

(4) $8\sqrt{14}\div(-2\sqrt{7})=\frac{8\sqrt{14}}{-2\sqrt{7}}=-\frac{8}{2}\sqrt{\frac{14}{7}}=-4\sqrt{2}$

(5) $\sqrt{30}\div\frac{\sqrt{8}}{2}=\sqrt{30}\times\frac{2}{\sqrt{8}}=2\sqrt{\frac{30}{8}}=2\sqrt{\frac{15}{4}}$

$=2\times\frac{\sqrt{15}}{2}=\sqrt{15}$

2 (1) $\frac{\sqrt{5}}{\sqrt{13}}=\frac{\sqrt{5}\times\sqrt{13}}{\sqrt{13}\times\sqrt{13}}=\frac{\sqrt{65}}{13}$

(2) $-\frac{3}{\sqrt{15}}=-\frac{3\times\sqrt{15}}{\sqrt{15}\times\sqrt{15}}=-\frac{3\sqrt{15}}{15}=-\frac{\sqrt{15}}{5}$

(3) $-\sqrt{\frac{2}{11}}=-\frac{\sqrt{2}}{\sqrt{11}}=-\frac{\sqrt{2}\times\sqrt{11}}{\sqrt{11}\times\sqrt{11}}=-\frac{\sqrt{22}}{11}$

(4) $\frac{\sqrt{5}}{4\sqrt{6}}=\frac{\sqrt{5}\times\sqrt{6}}{4\sqrt{6}\times\sqrt{6}}=\frac{\sqrt{30}}{24}$

(5) $\frac{20}{3\sqrt{10}}=\frac{20\times\sqrt{10}}{3\sqrt{10}\times\sqrt{10}}=\frac{20\sqrt{10}}{30}=\frac{2\sqrt{10}}{3}$

(6) $-\frac{9}{2\sqrt{3}}=-\frac{9\times\sqrt{3}}{2\sqrt{3}\times\sqrt{3}}=-\frac{9\sqrt{3}}{6}=-\frac{3\sqrt{3}}{2}$

(7) $\frac{3}{\sqrt{8}}=\frac{3}{2\sqrt{2}}=\frac{3\times\sqrt{2}}{2\sqrt{2}\times\sqrt{2}}=\frac{3\sqrt{2}}{4}$

(8) $\frac{2}{\sqrt{27}}=\frac{2}{3\sqrt{3}}=\frac{2\times\sqrt{3}}{3\sqrt{3}\times\sqrt{3}}=\frac{2\sqrt{3}}{9}$

(9) $\frac{\sqrt{3}}{\sqrt{32}}=\frac{\sqrt{3}}{4\sqrt{2}}=\frac{\sqrt{3}\times\sqrt{2}}{4\sqrt{2}\times\sqrt{2}}=\frac{\sqrt{6}}{8}$

(10) $\frac{3\sqrt{3}}{\sqrt{90}}=\frac{3\sqrt{3}}{3\sqrt{10}}=\frac{\sqrt{3}}{\sqrt{10}}=\frac{\sqrt{3}\times\sqrt{10}}{\sqrt{10}\times\sqrt{10}}=\frac{\sqrt{30}}{10}$

3 (1) $2\sqrt{3}\times\sqrt{5}\div\sqrt{10}=2\sqrt{3}\times\sqrt{5}\times\frac{1}{\sqrt{10}}=\frac{2\sqrt{3}}{\sqrt{2}}$

$=\frac{2\sqrt{3}\times\sqrt{2}}{\sqrt{2}\times\sqrt{2}}=\frac{2\sqrt{6}}{2}=\sqrt{6}$

(2) $\sqrt{21}\div\sqrt{35}\times\sqrt{15}=\sqrt{21}\times\frac{1}{\sqrt{35}}\times\sqrt{15}$

$=\sqrt{9}=3$

(3) $\frac{1}{\sqrt{3}}\div\frac{3}{\sqrt{2}}\times\frac{\sqrt{7}}{\sqrt{6}}=\frac{1}{\sqrt{3}}\times\frac{\sqrt{2}}{3}\times\frac{\sqrt{7}}{\sqrt{6}}=\frac{\sqrt{7}}{9}$

(4) $\sqrt{3}\times\frac{\sqrt{5}}{\sqrt{2}}\div\frac{1}{\sqrt{5}}=\sqrt{3}\times\frac{\sqrt{5}}{\sqrt{2}}\times\sqrt{5}=\frac{5\sqrt{3}}{\sqrt{2}}$

$=\frac{5\sqrt{3}\times\sqrt{2}}{\sqrt{2}\times\sqrt{2}}=\frac{5\sqrt{6}}{2}$

(5) $\frac{6}{\sqrt{3}}\div\frac{\sqrt{6}}{\sqrt{5}}\times\frac{\sqrt{18}}{\sqrt{15}}=\frac{6}{\sqrt{3}}\times\frac{\sqrt{5}}{\sqrt{6}}\times\frac{\sqrt{18}}{\sqrt{15}}=\frac{6}{\sqrt{3}}$

$=\frac{6\times\sqrt{3}}{\sqrt{3}\times\sqrt{3}}=\frac{6\sqrt{3}}{3}=2\sqrt{3}$

(6) $\sqrt{\frac{6}{5}}\times\frac{2}{\sqrt{3}}\div\sqrt{\frac{8}{15}}=\frac{\sqrt{6}}{\sqrt{5}}\times\frac{2}{\sqrt{3}}\times\frac{\sqrt{15}}{\sqrt{8}}=\frac{2\sqrt{3}}{\sqrt{4}}$

$=\frac{2\sqrt{3}}{2}=\sqrt{3}$

(7) $\sqrt{12}\times\sqrt{2}\div\frac{\sqrt{5}}{\sqrt{2}}=2\sqrt{3}\times\sqrt{2}\times\frac{\sqrt{2}}{\sqrt{5}}=\frac{4\sqrt{3}}{\sqrt{5}}$

$=\frac{4\sqrt{3}\times\sqrt{5}}{\sqrt{5}\times\sqrt{5}}=\frac{4\sqrt{15}}{5}$

(8) $\frac{30}{\sqrt{12}}\div\sqrt{15}\times\sqrt{\frac{48}{5}}=\frac{30}{2\sqrt{3}}\times\frac{1}{\sqrt{15}}\times\frac{4\sqrt{3}}{\sqrt{5}}$

$=\frac{60}{\sqrt{75}}=\frac{60}{5\sqrt{3}}=\frac{12}{\sqrt{3}}$

$=\frac{12\times\sqrt{3}}{\sqrt{3}\times\sqrt{3}}=\frac{12\sqrt{3}}{3}=4\sqrt{3}$

STEP 3 52쪽~53쪽

01. ③	**02.** ②	**03.** ②	**04.** ④	**05.** $\frac{\sqrt{5}}{2}$
06. $5\sqrt{2}$	**07.** 3	**08.** $\sqrt{6}$	**09.** $6\sqrt{15}$ cm^2	
10. $4\sqrt{2}$ cm		**11.** ④	**12.** ②	**13.** ⑤

01 ① $\sqrt{5}\sqrt{7}=\sqrt{5\times7}=\sqrt{35}$

② $(-\sqrt{2})\times(-\sqrt{7})=\sqrt{2\times7}=\sqrt{14}$

③ $\sqrt{15}\sqrt{\frac{2}{5}}=\sqrt{15\times\frac{2}{5}}=\sqrt{6}$

④ $-\frac{\sqrt{35}}{\sqrt{5}}=-\sqrt{\frac{35}{5}}=-\sqrt{7}$

⑤ $\sqrt{42}\div\sqrt{14}=\frac{\sqrt{42}}{\sqrt{14}}=\sqrt{\frac{42}{14}}=\sqrt{3}$

따라서 옳은 것은 ③이다.

02 ① $2\sqrt{2}=\sqrt{2^2\times2}=\sqrt{8}$ $\therefore \square=8$

② $-\sqrt{32}=-\sqrt{4^2\times2}=-4\sqrt{2}$ $\therefore \square=2$

③ $\frac{\sqrt{3}}{2}=\sqrt{\frac{3}{2^2}}=\sqrt{\frac{3}{4}}$ $\therefore \square=4$

④ $\sqrt{2}\times\sqrt{5}=\sqrt{2\times5}=\sqrt{10}$ $\therefore \square=10$

⑤ $\sqrt{18}\div\sqrt{\square}=\sqrt{6}$에서 $\frac{\sqrt{18}}{\sqrt{\square}}=\sqrt{6}$, $\sqrt{\frac{18}{\square}}=\sqrt{6}$

이므로 $\frac{18}{\square}=6$ $\therefore \square=3$

따라서 $\square$ 안에 들어갈 수가 가장 작은 것은 ②이다.

03 ㉠ $\sqrt{12}=\sqrt{2^2\times3}=2\sqrt{3}$

㉡ $\sqrt{44}=\sqrt{2^2\times11}=2\sqrt{11}$

㉢ $\sqrt{60}=\sqrt{2^2\times15}=2\sqrt{15}$

㉣ $\sqrt{128}=\sqrt{8^2\times2}=8\sqrt{2}$

따라서 옳게 나타낸 것은 ㉠, ㉢이다.

04 $\sqrt{18}=\sqrt{2\times3^2}=\sqrt{2}\times\sqrt{3}\times\sqrt{3}=a\times b\times b=ab^2$

05 $\dfrac{5}{2\sqrt{5}}=\dfrac{5\times\sqrt{5}}{2\sqrt{5}\times\sqrt{5}}=\dfrac{5\sqrt{5}}{10}=\dfrac{\sqrt{5}}{2}$

06 $\sqrt{\dfrac{27}{50}}=\dfrac{\sqrt{27}}{\sqrt{50}}=\dfrac{3\sqrt{3}}{5\sqrt{2}}=\dfrac{3\sqrt{3}\times\sqrt{2}}{5\sqrt{2}\times\sqrt{2}}=\dfrac{3\sqrt{6}}{10}$ ······ [40 %]

따라서 $a=5$, $b=10$이므로 ······ [20 %]

$\sqrt{ab}=\sqrt{5\times10}=\sqrt{50}=5\sqrt{2}$ ······ [40 %]

07 $\dfrac{2\sqrt{2}}{a\sqrt{6}}=\dfrac{2\sqrt{2}\times\sqrt{6}}{a\sqrt{6}\times\sqrt{6}}=\dfrac{2\sqrt{12}}{6a}=\dfrac{\sqrt{12}}{3a}=\dfrac{2\sqrt{3}}{3a}$

이때 $\dfrac{2\sqrt{3}}{3a}=\dfrac{2\sqrt{3}}{9}$이므로 $3a=9$ $\quad\therefore a=3$

08 $\dfrac{\sqrt{35}}{\sqrt{12}}\times\dfrac{2\sqrt{6}}{\sqrt{7}}\div\sqrt{\dfrac{5}{3}}=\dfrac{\sqrt{35}}{2\sqrt{3}}\times\dfrac{2\sqrt{6}}{\sqrt{7}}\times\dfrac{\sqrt{3}}{\sqrt{5}}=\sqrt{6}$

09 □ADGH$=54\text{ cm}^2$이므로 $\overline{AD}=\sqrt{54}=3\sqrt{6}\ (\text{cm})$

□CEFD$=10\text{ cm}^2$이므로 $\overline{CD}=\sqrt{10}\text{ cm}$

따라서 □ABCD의 넓이는

$\overline{AD}\times\overline{CD}=3\sqrt{6}\times\sqrt{10}=3\sqrt{60}$

$=3\times2\sqrt{15}=6\sqrt{15}\ (\text{cm}^2)$

10 직육면체의 높이를 h cm라 하면

$\sqrt{30}\times\sqrt{6}\times h=24\sqrt{10}$이므로

$h=24\sqrt{10}\div\sqrt{30}\div\sqrt{6}$

$=24\sqrt{10}\times\dfrac{1}{\sqrt{30}}\times\dfrac{1}{\sqrt{6}}$

$=\dfrac{24}{\sqrt{18}}=\dfrac{24}{3\sqrt{2}}=\dfrac{8}{\sqrt{2}}$

$=\dfrac{8\times\sqrt{2}}{\sqrt{2}\times\sqrt{2}}=\dfrac{8\sqrt{2}}{2}=4\sqrt{2}$

따라서 직육면체의 높이는 $4\sqrt{2}$ cm이다.

11 ① $\sqrt{0.006}=\sqrt{\dfrac{60}{10000}}=\dfrac{\sqrt{60}}{100}=\dfrac{7.746}{100}=0.07746$

② $\sqrt{0.06}=\sqrt{\dfrac{6}{100}}=\dfrac{\sqrt{6}}{10}=\dfrac{2.449}{10}=0.2449$

③ $\sqrt{600}=\sqrt{100\times6}=10\sqrt{6}=10\times2.449=24.49$

④ $\sqrt{6000}=\sqrt{100\times60}=10\sqrt{60}=10\times7.746=77.46$

⑤ $\sqrt{60000}=\sqrt{10000\times6}=100\sqrt{6}=100\times2.449=244.9$

따라서 옳은 것은 ④이다.

12 ① $\sqrt{0.0003}=\sqrt{\dfrac{3}{10000}}=\dfrac{\sqrt{3}}{100}=\dfrac{1.732}{100}=0.01732$

② $\sqrt{0.003}=\sqrt{\dfrac{30}{10000}}=\dfrac{\sqrt{30}}{100}$

③ $\sqrt{0.03}=\sqrt{\dfrac{3}{100}}=\dfrac{\sqrt{3}}{10}=\dfrac{1.732}{10}=0.1732$

④ $\sqrt{300}=\sqrt{100\times3}=10\sqrt{3}=10\times1.732=17.32$

⑤ $\sqrt{30000}=\sqrt{10000\times3}=100\sqrt{3}$

$=100\times1.732=173.2$

따라서 그 값을 구할 수 없는 것은 ②이다.

13 $\sqrt{5}=2.236$이므로 $\sqrt{5}\times100=223.6$

즉 $\sqrt{a}=\sqrt{5}\times100=\sqrt{5\times100^2}=\sqrt{50000}$

$\therefore a=50000$

2 제곱근의 덧셈과 뺄셈

개념 확인 54쪽~57쪽

1. (1) $5\sqrt{3}$ (2) 0 (3) $6\sqrt{3}-2\sqrt{7}$

2. (1) $7\sqrt{2}$ (2) $\sqrt{6}$ (3) $\dfrac{8\sqrt{7}}{7}$ (4) $\dfrac{2\sqrt{5}}{5}$ (5) $-4\sqrt{3}$

(6) $2\sqrt{3}-\sqrt{2}$

3. (1) $3\sqrt{2}-2\sqrt{10}$ (2) $5\sqrt{2}+10$ (3) $2\sqrt{3}-2$

4. (1) $\dfrac{\sqrt{10}-3\sqrt{6}}{2}$ (2) $\dfrac{3\sqrt{10}+\sqrt{30}}{10}$ (3) $\sqrt{5}-1$

5. (1) $-\sqrt{3}$ (2) $5\sqrt{3}$ (3) $3-\sqrt{5}$ (4) $\sqrt{5}$

6. (1) $>$ (2) $<$

7. (1) 정수 부분 : 2, 소수 부분 : $\sqrt{7}-2$

(2) 정수 부분 : 3, 소수 부분 : $\sqrt{13}-3$

(3) 정수 부분 : 4, 소수 부분 : $\sqrt{5}-2$

(4) 정수 부분 : 1, 소수 부분 : $2-\sqrt{2}$

2 (1) $\sqrt{18}+\sqrt{32}=3\sqrt{2}+4\sqrt{2}=7\sqrt{2}$

(2) $\sqrt{54}-\sqrt{24}=3\sqrt{6}-2\sqrt{6}=\sqrt{6}$

(3) $\sqrt{7}+\dfrac{1}{\sqrt{7}}=\sqrt{7}+\dfrac{\sqrt{7}}{7}=\dfrac{8\sqrt{7}}{7}$

(4) $\dfrac{3}{\sqrt{5}}-\dfrac{\sqrt{5}}{5}=\dfrac{3\sqrt{5}}{5}-\dfrac{\sqrt{5}}{5}=\dfrac{2\sqrt{5}}{5}$

(5) $\sqrt{48}-\sqrt{27}-\sqrt{75}=4\sqrt{3}-3\sqrt{3}-5\sqrt{3}=-4\sqrt{3}$

(6) $\sqrt{48}+4\sqrt{2}-\sqrt{50}-\sqrt{12}$

$=4\sqrt{3}+4\sqrt{2}-5\sqrt{2}-2\sqrt{3}=2\sqrt{3}-\sqrt{2}$

3 (1) $\sqrt{2}(3-2\sqrt{5})=3\sqrt{2}-2\sqrt{2}\sqrt{5}=3\sqrt{2}-2\sqrt{10}$

(2) $(\sqrt{10}+\sqrt{20})\sqrt{5}=\sqrt{10}\sqrt{5}+\sqrt{20}\sqrt{5}=\sqrt{50}+\sqrt{100}$
$=5\sqrt{2}+10$

4 (1) $\dfrac{\sqrt{5}-3\sqrt{3}}{\sqrt{2}}=\dfrac{(\sqrt{5}-3\sqrt{3})\sqrt{2}}{\sqrt{2}\times\sqrt{2}}=\dfrac{\sqrt{10}-3\sqrt{6}}{2}$

(2) $\dfrac{3+\sqrt{3}}{\sqrt{10}}=\dfrac{(3+\sqrt{3})\sqrt{10}}{\sqrt{10}\times\sqrt{10}}=\dfrac{3\sqrt{10}+\sqrt{30}}{10}$

(3) $\dfrac{5-\sqrt{5}}{\sqrt{5}}=\dfrac{(5-\sqrt{5})\sqrt{5}}{\sqrt{5}\times\sqrt{5}}=\dfrac{5\sqrt{5}-5}{5}=\sqrt{5}-1$

5 (1) $\sqrt{6}\times\sqrt{2}-3\sqrt{3}=\sqrt{12}-3\sqrt{3}=2\sqrt{3}-3\sqrt{3}=-\sqrt{3}$

(2) $\sqrt{18}\div\sqrt{6}+4\times\sqrt{3}=\dfrac{\sqrt{18}}{\sqrt{6}}+4\sqrt{3}=\sqrt{3}+4\sqrt{3}=5\sqrt{3}$

(3) $\sqrt{6}\div\dfrac{\sqrt{2}}{\sqrt{3}}-\dfrac{\sqrt{20}}{2}=\sqrt{6}\times\dfrac{\sqrt{3}}{\sqrt{2}}-\dfrac{2\sqrt{5}}{2}=3-\sqrt{5}$

(4) $(\sqrt{50}-5)\div\sqrt{5}+\sqrt{2}(\sqrt{10}-\sqrt{5})$
$=\dfrac{5\sqrt{2}-5}{\sqrt{5}}+\sqrt{20}-\sqrt{10}$
$=\dfrac{5\sqrt{10}-5\sqrt{5}}{5}+2\sqrt{5}-\sqrt{10}$
$=\sqrt{10}-\sqrt{5}+2\sqrt{5}-\sqrt{10}=\sqrt{5}$

6 (1) $(\sqrt{2}+2)-(3\sqrt{2}-1)=\sqrt{2}+2-3\sqrt{2}+1$
$=-2\sqrt{2}+3$
$=-\sqrt{8}+\sqrt{9}>0$
$\therefore \sqrt{2}+2>3\sqrt{2}-1$

(2) $(5\sqrt{3}-3\sqrt{2})-(\sqrt{2}+2\sqrt{3})=5\sqrt{3}-3\sqrt{2}-\sqrt{2}-2\sqrt{3}$
$=3\sqrt{3}-4\sqrt{2}$
$=\sqrt{27}-\sqrt{32}<0$
$\therefore 5\sqrt{3}-3\sqrt{2}<\sqrt{2}+2\sqrt{3}$

7 (1) $\sqrt{4}<\sqrt{7}<\sqrt{9}$이므로 $2<\sqrt{7}<3$
따라서 정수 부분은 2, 소수 부분은 $\sqrt{7}-2$

(2) $\sqrt{9}<\sqrt{13}<\sqrt{16}$이므로 $3<\sqrt{13}<4$
따라서 정수 부분은 3, 소수 부분은 $\sqrt{13}-3$

(3) $\sqrt{4}<\sqrt{5}<\sqrt{9}$이므로 $2<\sqrt{5}<3$
각 변에 2를 더하면 $4<2+\sqrt{5}<5$
따라서 정수 부분은 4,
소수 부분은 $(2+\sqrt{5})-4=\sqrt{5}-2$

(4) $\sqrt{1}<\sqrt{2}<\sqrt{4}$이므로 $1<\sqrt{2}<2$
각 변에 -1을 곱하면 $-2<-\sqrt{2}<-1$
각 변에 3을 더하면 $1<3-\sqrt{2}<2$
따라서 정수 부분은 1,
소수 부분은 $(3-\sqrt{2})-1=2-\sqrt{2}$

STEP 1 58쪽

1-1. ㉣ 연구 $\neq$, $m-n$

1-2. (1) $4\sqrt{5}$ (2) $\sqrt{7}$ (3) $-3\sqrt{2}-2\sqrt{3}$ (4) $7\sqrt{2}$ (5) $5\sqrt{3}$

2-1. $\sqrt{5}$, $\sqrt{5}$, 100, 10, $-\sqrt{3}$

2-2. (1) $7\sqrt{3}$ (2) $-6\sqrt{2}$ (3) $22\sqrt{2}$ (4) $5\sqrt{2}-3\sqrt{7}$

3-1. $5\sqrt{3}$, 64, $>$, $>$ **3-2.** (1) $<$ (2) $>$ (3) $<$

1-2 (3) $2\sqrt{2}+6\sqrt{3}-5\sqrt{2}-8\sqrt{3}$
$=2\sqrt{2}-5\sqrt{2}+6\sqrt{3}-8\sqrt{3}$
$=-3\sqrt{2}-2\sqrt{3}$

(4) $\sqrt{50}-\sqrt{32}+2\sqrt{18}=5\sqrt{2}-4\sqrt{2}+6\sqrt{2}=7\sqrt{2}$

(5) $2\sqrt{12}+\dfrac{6}{\sqrt{3}}-\sqrt{3}=4\sqrt{3}+2\sqrt{3}-\sqrt{3}=5\sqrt{3}$

2-2 (1) $\dfrac{9}{\sqrt{3}}+\sqrt{2}\times\sqrt{24}=\dfrac{9\sqrt{3}}{3}+\sqrt{48}$
$=3\sqrt{3}+4\sqrt{3}=7\sqrt{3}$

(2) $-\dfrac{16}{\sqrt{8}}-\sqrt{40}\div\sqrt{5}=-\dfrac{16}{2\sqrt{2}}-\dfrac{\sqrt{40}}{\sqrt{5}}$
$=-\dfrac{8}{\sqrt{2}}-\sqrt{8}$
$=-\dfrac{8\sqrt{2}}{2}-2\sqrt{2}$
$=-4\sqrt{2}-2\sqrt{2}=-6\sqrt{2}$

(3) $4\sqrt{3}\times2\sqrt{6}-8\sqrt{10}\div4\sqrt{5}=8\sqrt{18}-\dfrac{8\sqrt{10}}{4\sqrt{5}}$
$=24\sqrt{2}-2\sqrt{2}=22\sqrt{2}$

(4) $\sqrt{7}(\sqrt{14}-2)-(\sqrt{32}+\sqrt{28})\div2$
$=\sqrt{98}-2\sqrt{7}-(4\sqrt{2}+2\sqrt{7})\div2$
$=7\sqrt{2}-2\sqrt{7}-2\sqrt{2}-\sqrt{7}$
$=5\sqrt{2}-3\sqrt{7}$

3-2 (1) $(4-\sqrt{3})-(1+\sqrt{3})=4-\sqrt{3}-1-\sqrt{3}$
$=3-2\sqrt{3}=\sqrt{9}-\sqrt{12}<0$
$\therefore 4-\sqrt{3}<1+\sqrt{3}$

(2) $(1-\sqrt{7})-(2\sqrt{7}-7)=1-\sqrt{7}-2\sqrt{7}+7$
$=8-3\sqrt{7}$
$=\sqrt{64}-\sqrt{63}>0$
$\therefore 1-\sqrt{7}>2\sqrt{7}-7$

(3) $(2\sqrt{3}-1)-(3\sqrt{2}-1)=2\sqrt{3}-1-3\sqrt{2}+1$
$=2\sqrt{3}-3\sqrt{2}$
$=\sqrt{12}-\sqrt{18}<0$
$\therefore 2\sqrt{3}-1<3\sqrt{2}-1$

STEP 2 59쪽~62쪽

1-2. ⑤ **1-3.** $\frac{2}{3}$

2-2. (1) $2\sqrt{3}-\sqrt{5}$ (2) $2\sqrt{2}-3\sqrt{3}$ (3) $4\sqrt{2}-\sqrt{3}$

3-2. (1) $2\sqrt{6}+3\sqrt{5}$ (2) $\sqrt{5}-\sqrt{3}$ (3) $8\sqrt{3}-\sqrt{6}$ (4) $\frac{\sqrt{6}}{6}$

4-2. $\frac{7}{2}$ **4-3.** 6

5-2. (1) $5\sqrt{2}-9\sqrt{3}$ (2) $-\frac{7\sqrt{3}}{3}-\frac{2\sqrt{6}}{3}$ (3) $\sqrt{3}+4\sqrt{6}$

6-2. ② **6-3.** ⑤

7-2. $(2\sqrt{5}+10)\ \text{cm}^2$

8-2. $10-\sqrt{3}$ **8-3.** $\sqrt{6}-5$

1-2 ③ $\sqrt{8}+\sqrt{18}+\sqrt{32}=2\sqrt{2}+3\sqrt{2}+4\sqrt{2}=9\sqrt{2}$

④ $\sqrt{27}+\sqrt{48}-\sqrt{3}=3\sqrt{3}+4\sqrt{3}-\sqrt{3}=6\sqrt{3}$

⑤ $\sqrt{24}-\sqrt{54}+5\sqrt{6}=2\sqrt{6}-3\sqrt{6}+5\sqrt{6}=4\sqrt{6}$

따라서 옳지 않은 것은 ⑤이다.

1-3 $\sqrt{3}-\frac{1}{\sqrt{3}}=\sqrt{3}-\frac{\sqrt{3}}{\sqrt{3}\times\sqrt{3}}=\sqrt{3}-\frac{\sqrt{3}}{3}$

$=\frac{3\sqrt{3}}{3}-\frac{\sqrt{3}}{3}=\frac{2\sqrt{3}}{3}$

$\therefore k=\frac{2}{3}$

2-2 (1) $2\sqrt{5}-\sqrt{48}-\sqrt{45}+\sqrt{108}$

$=2\sqrt{5}-4\sqrt{3}-3\sqrt{5}+6\sqrt{3}$

$=2\sqrt{3}-\sqrt{5}$

(2) $2\sqrt{18}+3\sqrt{12}-\sqrt{32}-3\sqrt{27}$

$=6\sqrt{2}+6\sqrt{3}-4\sqrt{2}-9\sqrt{3}$

$=2\sqrt{2}-3\sqrt{3}$

(3) $\frac{2\sqrt{3}}{\sqrt{6}}-4\sqrt{3}+\frac{6}{\sqrt{2}}+\sqrt{27}$

$=\frac{2\sqrt{3}\times\sqrt{6}}{\sqrt{6}\times\sqrt{6}}-4\sqrt{3}+\frac{6\times\sqrt{2}}{\sqrt{2}\times\sqrt{2}}+3\sqrt{3}$

$=\frac{2\sqrt{18}}{6}-4\sqrt{3}+\frac{6\sqrt{2}}{2}+3\sqrt{3}$

$=\sqrt{2}-4\sqrt{3}+3\sqrt{2}+3\sqrt{3}$

$=4\sqrt{2}-\sqrt{3}$

3-2 (1) $\sqrt{3}(2\sqrt{2}+\sqrt{15})=2\sqrt{6}+\sqrt{45}=2\sqrt{6}+3\sqrt{5}$

(2) $(\sqrt{30}-\sqrt{18})\div\sqrt{6}=\frac{\sqrt{30}-\sqrt{18}}{\sqrt{6}}=\sqrt{5}-\sqrt{3}$

(3) $\sqrt{2}(\sqrt{3}+\sqrt{6})-\sqrt{12}(\sqrt{2}-3)$

$=\sqrt{6}+\sqrt{12}-\sqrt{24}+3\sqrt{12}$

$=\sqrt{6}+2\sqrt{3}-2\sqrt{6}+6\sqrt{3}$

$=8\sqrt{3}-\sqrt{6}$

(4) $\frac{2\sqrt{2}-3}{\sqrt{3}}-\frac{\sqrt{3}-\sqrt{6}}{\sqrt{2}}$

$=\frac{(2\sqrt{2}-3)\times\sqrt{3}}{\sqrt{3}\times\sqrt{3}}-\frac{(\sqrt{3}-\sqrt{6})\times\sqrt{2}}{\sqrt{2}\times\sqrt{2}}$

$=\frac{2\sqrt{6}-3\sqrt{3}}{3}-\frac{\sqrt{6}-2\sqrt{3}}{2}$

$=\frac{2\sqrt{6}}{3}-\sqrt{3}-\frac{\sqrt{6}}{2}+\sqrt{3}=\frac{\sqrt{6}}{6}$

4-2 $7\sqrt{3}+2a-4-2a\sqrt{3}=2a-4+(7-2a)\sqrt{3}$

이때 유리수가 되려면 $7-2a=0$이어야 하므로

$-2a=-7 \quad \therefore a=\frac{7}{2}$

4-3 $\sqrt{2}(a+4\sqrt{2})-\sqrt{3}(3\sqrt{3}+2\sqrt{6})$

$=a\sqrt{2}+8-9-6\sqrt{2}$

$=-1+(a-6)\sqrt{2}$

이때 유리수가 되려면 $a-6=0$이어야 하므로

$a=6$

5-2 (1) $\sqrt{24}\left(\sqrt{3}-\frac{5}{\sqrt{2}}\right)-(\sqrt{12}-\sqrt{18})\div\sqrt{6}$

$=2\sqrt{6}\left(\sqrt{3}-\frac{5}{\sqrt{2}}\right)-\frac{\sqrt{12}-\sqrt{18}}{\sqrt{6}}$

$=2\sqrt{18}-10\sqrt{3}-(\sqrt{2}-\sqrt{3})$

$=6\sqrt{2}-10\sqrt{3}-\sqrt{2}+\sqrt{3}$

$=5\sqrt{2}-9\sqrt{3}$

(2) $\sqrt{2}\left(\frac{2}{\sqrt{6}}-\frac{10}{\sqrt{12}}\right)+\sqrt{3}\left(\frac{6}{\sqrt{18}}-3\right)$

$=\frac{2}{\sqrt{3}}-\frac{10}{\sqrt{6}}+\frac{6}{\sqrt{6}}-3\sqrt{3}$

$=\frac{2\sqrt{3}}{3}-\frac{10\sqrt{6}}{6}+\frac{6\sqrt{6}}{6}-3\sqrt{3}$

$=\frac{2\sqrt{3}}{3}-\frac{5\sqrt{6}}{3}+\sqrt{6}-3\sqrt{3}$

$=-\frac{7\sqrt{3}}{3}-\frac{2\sqrt{6}}{3}$

(3) $(\sqrt{6}+2\sqrt{3})\sqrt{2}-\frac{3-6\sqrt{2}}{\sqrt{3}}$

$=2\sqrt{3}+2\sqrt{6}-\frac{3\sqrt{3}-6\sqrt{6}}{3}$

$=2\sqrt{3}+2\sqrt{6}-\sqrt{3}+2\sqrt{6}$

$=\sqrt{3}+4\sqrt{6}$

6-2 ① $3-(\sqrt{5}+1)=2-\sqrt{5}=\sqrt{4}-\sqrt{5}<0$

$\therefore 3<\sqrt{5}+1$

② $(\sqrt{21}-3)-2=\sqrt{21}-5=\sqrt{21}-\sqrt{25}<0$

$\therefore \sqrt{21}-3<2$

③ $(\sqrt{7}+2)-(\sqrt{6}+2)=\sqrt{7}-\sqrt{6}>0$

$\therefore \sqrt{7}+2>\sqrt{6}+2$

④ $5-2\sqrt{5}-(\sqrt{5}-2)=7-3\sqrt{5}=\sqrt{49}-\sqrt{45}>0$

$\therefore 5-2\sqrt{5}>\sqrt{5}-2$

⑤ $(8-\sqrt{10})-(\sqrt{55}-\sqrt{10})=8-\sqrt{55}=\sqrt{64}-\sqrt{55}>0$

$\therefore 8-\sqrt{10}>\sqrt{55}-\sqrt{10}$

따라서 옳은 것은 ②이다.

6-3 $a-b=(2\sqrt{3}+2)-(3\sqrt{3}-1)=2\sqrt{3}+2-3\sqrt{3}+1$

$=3-\sqrt{3}=\sqrt{9}-\sqrt{3}>0$

$\therefore a>b$ …… ㉠

$b-c=(3\sqrt{3}-1)-(2+\sqrt{3})=3\sqrt{3}-1-2-\sqrt{3}$

$=2\sqrt{3}-3=\sqrt{12}-\sqrt{9}>0$

$\therefore b>c$ …… ㉡

㉠, ㉡에 의하여 $c<b<a$

7-2 (사다리꼴의 넓이)$=\frac{1}{2}\times(\sqrt{8}+\sqrt{40})\times\sqrt{10}$

$=\frac{1}{2}\times(2\sqrt{2}+2\sqrt{10})\times\sqrt{10}$

$=\sqrt{20}+10$

$=2\sqrt{5}+10\ (\text{cm}^2)$

8-2 $\sqrt{1}<\sqrt{3}<\sqrt{4}$이므로 $1<\sqrt{3}<2$

각 변에 -1을 곱하면 $-2<-\sqrt{3}<-1$

각 변에 6을 더하면 $4<6-\sqrt{3}<5$

따라서 정수 부분은 4,

소수 부분은 $(6-\sqrt{3})-4=2-\sqrt{3}$이므로

$a=4,\ b=2-\sqrt{3}$

$\therefore 2a+b=2\times4+2-\sqrt{3}=10-\sqrt{3}$

8-3 $\frac{\sqrt{12}+\sqrt{2}}{\sqrt{2}}=\sqrt{6}+1$

$\sqrt{4}<\sqrt{6}<\sqrt{9}$이므로 $2<\sqrt{6}<3$

각 변에 1을 더하면 $3<\sqrt{6}+1<4$

따라서 정수 부분은 3,

소수 부분은 $(\sqrt{6}+1)-3=\sqrt{6}-2$이므로

$a=3,\ b=\sqrt{6}-2$

$\therefore b-a=\sqrt{6}-2-3=\sqrt{6}-5$

계산력 집중 연습

63쪽

1. (1) $-\sqrt{7}$ (2) $3\sqrt{5}$ (3) $5\sqrt{2}$ (4) $9\sqrt{7}$ (5) $-2\sqrt{3}$

(6) $\frac{5\sqrt{6}}{3}$ (7) $\sqrt{3}$ (8) $-2\sqrt{2}+2\sqrt{5}$ (9) $5\sqrt{10}-8\sqrt{7}$

(10) $10\sqrt{2}-8\sqrt{3}$ (11) $3\sqrt{2}-2\sqrt{3}$ (12) $2\sqrt{3}-\sqrt{5}$

2. (1) $4\sqrt{6}$ (2) $-7\sqrt{6}$ (3) $2\sqrt{5}$ (4) $\frac{9\sqrt{7}}{2}$ (5) $6-4\sqrt{2}$

(6) 1 (7) $10\sqrt{2}-25$ (8) $8\sqrt{3}-10$

1 (3) $\sqrt{32}-\sqrt{8}+\sqrt{18}=4\sqrt{2}-2\sqrt{2}+3\sqrt{2}=5\sqrt{2}$

(4) $2\sqrt{7}+\sqrt{63}+2\sqrt{28}=2\sqrt{7}+3\sqrt{7}+4\sqrt{7}=9\sqrt{7}$

(5) $\sqrt{48}-\sqrt{27}+\sqrt{12}-\sqrt{75}=4\sqrt{3}-3\sqrt{3}+2\sqrt{3}-5\sqrt{3}$

$=-2\sqrt{3}$

(6) $2\sqrt{24}+\frac{4}{\sqrt{6}}-3\sqrt{6}=4\sqrt{6}+\frac{4\sqrt{6}}{6}-3\sqrt{6}$

$=4\sqrt{6}+\frac{2\sqrt{6}}{3}-3\sqrt{6}=\frac{5\sqrt{6}}{3}$

(7) $\sqrt{\frac{3}{4}}-\frac{3}{\sqrt{12}}+\sqrt{3}=\frac{\sqrt{3}}{2}-\frac{3}{2\sqrt{3}}+\sqrt{3}$

$=\frac{\sqrt{3}}{2}-\frac{3\sqrt{3}}{6}+\sqrt{3}$

$=\frac{\sqrt{3}}{2}-\frac{\sqrt{3}}{2}+\sqrt{3}=\sqrt{3}$

(10) $\sqrt{72}-\sqrt{75}+\sqrt{32}-\sqrt{27}=6\sqrt{2}-5\sqrt{3}+4\sqrt{2}-3\sqrt{3}$

$=10\sqrt{2}-8\sqrt{3}$

(11) $6\sqrt{2}-\sqrt{75}-\frac{6}{\sqrt{2}}+\sqrt{27}$

$=6\sqrt{2}-5\sqrt{3}-\frac{6\sqrt{2}}{2}+3\sqrt{3}$

$=6\sqrt{2}-5\sqrt{3}-3\sqrt{2}+3\sqrt{3}$

$=3\sqrt{2}-2\sqrt{3}$

(12) $\sqrt{27}-\sqrt{45}-\frac{6}{2\sqrt{3}}+\frac{10}{\sqrt{5}}$

$=3\sqrt{3}-3\sqrt{5}-\frac{6\sqrt{3}}{6}+\frac{10\sqrt{5}}{5}$

$=3\sqrt{3}-3\sqrt{5}-\sqrt{3}+2\sqrt{5}$

$=2\sqrt{3}-\sqrt{5}$

2 (1) $6\div\sqrt{6}+\sqrt{54}=\frac{6}{\sqrt{6}}+3\sqrt{6}=\frac{6\sqrt{6}}{6}+3\sqrt{6}$

$=\sqrt{6}+3\sqrt{6}=4\sqrt{6}$

(2) $2\sqrt{42}\div\sqrt{7}-3\sqrt{18}\times\sqrt{3}=\frac{2\sqrt{42}}{\sqrt{7}}-9\sqrt{2}\times\sqrt{3}$

$=2\sqrt{6}-9\sqrt{6}=-7\sqrt{6}$

(3) $3\sqrt{10}\times\sqrt{2}-2\sqrt{60}\div\sqrt{3}=3\sqrt{20}-\frac{2\sqrt{60}}{\sqrt{3}}$
$=6\sqrt{5}-2\sqrt{20}$
$=6\sqrt{5}-4\sqrt{5}=2\sqrt{5}$

(4) $6\sqrt{14}\div\sqrt{2}-3\sqrt{21}\div2\sqrt{3}=\frac{6\sqrt{14}}{\sqrt{2}}-\frac{3\sqrt{21}}{2\sqrt{3}}$
$=6\sqrt{7}-\frac{3\sqrt{7}}{2}=\frac{9\sqrt{7}}{2}$

(5) $\sqrt{27}\times\frac{2}{\sqrt{3}}-\sqrt{40}\div\frac{\sqrt{5}}{2}=3\sqrt{3}\times\frac{2}{\sqrt{3}}-\sqrt{40}\times\frac{2}{\sqrt{5}}$
$=6-2\sqrt{8}=6-4\sqrt{2}$

(6) $\frac{\sqrt{27}+3}{\sqrt{3}}+\frac{\sqrt{8}+\sqrt{6}}{\sqrt{2}}$
$=\frac{3\sqrt{3}+3}{\sqrt{3}}-\frac{2\sqrt{2}+\sqrt{6}}{\sqrt{2}}$
$=3+\frac{3}{\sqrt{3}}-2-\sqrt{3}$
$=3+\sqrt{3}-2-\sqrt{3}=1$

(7) $\sqrt{75}\left(\sqrt{6}-\frac{2}{\sqrt{3}}\right)-\frac{5}{\sqrt{3}}(\sqrt{6}+\sqrt{27})$
$=5\sqrt{3}\left(\sqrt{6}-\frac{2}{\sqrt{3}}\right)-\frac{5}{\sqrt{3}}(\sqrt{6}+3\sqrt{3})$
$=5\sqrt{18}-10-5\sqrt{2}-15$
$=15\sqrt{2}-10-5\sqrt{2}-15=10\sqrt{2}-25$

(8) $\sqrt{12}(2-\sqrt{3})+(6-\sqrt{12})\div\frac{\sqrt{3}}{2}$
$=2\sqrt{3}(2-\sqrt{3})+(6-2\sqrt{3})\times\frac{2}{\sqrt{3}}$
$=4\sqrt{3}-6+\frac{12}{\sqrt{3}}-4=4\sqrt{3}-6+\frac{12\sqrt{3}}{3}-4$
$=4\sqrt{3}-6+4\sqrt{3}-4=8\sqrt{3}-10$

STEP 3 64쪽~65쪽

01. ③	**02.** 3	**03.** ④	**04.** $\sqrt{6}+4$	**05.** ②
06. 6	**07.** ③	**08.** 5	**09.** ⑤	**10.** $28\sqrt{3}$ m
11. ④	**12.** $\sqrt{3}-1$			

01 ① $5\sqrt{7}-\frac{21}{\sqrt{7}}=5\sqrt{7}-3\sqrt{7}=2\sqrt{7}$
② $\sqrt{32}+\sqrt{18}-\sqrt{72}=4\sqrt{2}+3\sqrt{2}-6\sqrt{2}=\sqrt{2}$
③ $\sqrt{20}-\sqrt{45}-\sqrt{80}=2\sqrt{5}-3\sqrt{5}-4\sqrt{5}=-5\sqrt{5}$
④ $\sqrt{12}-\sqrt{27}+\sqrt{48}=2\sqrt{3}-3\sqrt{3}+4\sqrt{3}=3\sqrt{3}$
⑤ $\sqrt{18}-\frac{3}{\sqrt{2}}+\sqrt{32}=3\sqrt{2}-\frac{3\sqrt{2}}{2}+4\sqrt{2}=\frac{11\sqrt{2}}{2}$
따라서 옳은 것은 ③이다.

02 $\sqrt{45}+\sqrt{108}-\sqrt{48}-\sqrt{80}=3\sqrt{5}+6\sqrt{3}-4\sqrt{3}-4\sqrt{5}$
$=2\sqrt{3}-\sqrt{5}$
따라서 $a=2$, $b=-1$이므로
$2a+b=2\times2+(-1)=3$

03 $\frac{3}{\sqrt{45}}+\frac{5}{\sqrt{8}}-\frac{\sqrt{18}}{4}-\frac{4}{\sqrt{20}}$
$=\frac{3}{3\sqrt{5}}+\frac{5}{2\sqrt{2}}-\frac{3\sqrt{2}}{4}-\frac{4}{2\sqrt{5}}$
$=\frac{\sqrt{5}}{5}+\frac{5\sqrt{2}}{4}-\frac{3\sqrt{2}}{4}-\frac{2\sqrt{5}}{5}$
$=\frac{\sqrt{2}}{2}-\frac{\sqrt{5}}{5}$

04 $\sqrt{3}(\sqrt{2}+2)-\sqrt{2}(\sqrt{6}-2\sqrt{2})=\sqrt{6}+2\sqrt{3}-\sqrt{12}+4$
$=\sqrt{6}+2\sqrt{3}-2\sqrt{3}+4$
$=\sqrt{6}+4$

05 $\sqrt{24}-2\sqrt{12}-\sqrt{6}\left(3-\frac{4}{\sqrt{18}}\right)=2\sqrt{6}-4\sqrt{3}-3\sqrt{6}+\frac{4}{\sqrt{3}}$
$=2\sqrt{6}-4\sqrt{3}-3\sqrt{6}+\frac{4\sqrt{3}}{3}$
$=-\frac{8\sqrt{3}}{3}-\sqrt{6}$
따라서 $a=-\frac{8}{3}$, $b=-1$이므로
$a-b=-\frac{8}{3}-(-1)=-\frac{5}{3}$

06 $\sqrt{7}(4\sqrt{7}-a)+\sqrt{28}(3-\sqrt{7})$
$=28-a\sqrt{7}+6\sqrt{7}-14$
$=14+(6-a)\sqrt{7}$ ...... [50 %]
이때 유리수가 되려면 $6-a=0$이어야 하므로
$a=6$ ...... [50 %]

07 $6\sqrt{22}\div\frac{\sqrt{11}}{2}-\frac{10}{\sqrt{6}}\times\sqrt{3}=6\sqrt{22}\times\frac{2}{\sqrt{11}}-\frac{10}{\sqrt{2}}$
$=12\sqrt{2}-5\sqrt{2}=7\sqrt{2}$

08 $\frac{\sqrt{18}+\sqrt{6}}{\sqrt{3}}+2\sqrt{8}-\sqrt{3}(4\sqrt{2}+\sqrt{6})$
$=\sqrt{6}+\sqrt{2}+4\sqrt{2}-4\sqrt{6}-3\sqrt{2}$
$=2\sqrt{2}-3\sqrt{6}$ ...... [60 %]
따라서 $a=2$, $b=-3$이므로 ...... [20 %]
$a-b=2-(-3)=5$ ...... [20 %]

09 ① $(\sqrt{10}-1)-2=\sqrt{10}-3=\sqrt{10}-\sqrt{9}>0$
$\therefore \sqrt{10}-1>2$
② $(\sqrt{10}-3)-(\sqrt{10}-\sqrt{8})=\sqrt{8}-3=\sqrt{8}-\sqrt{9}<0$
$\therefore \sqrt{10}-3<\sqrt{10}-\sqrt{8}$
③ $(3\sqrt{2}-2)-(2+\sqrt{2})=2\sqrt{2}-4=\sqrt{8}-\sqrt{16}<0$
$\therefore 3\sqrt{2}-2<2+\sqrt{2}$
④ $(\sqrt{5}+\sqrt{7})-(\sqrt{8}+\sqrt{5})=\sqrt{7}-\sqrt{8}<0$
$\therefore \sqrt{5}+\sqrt{7}<\sqrt{8}+\sqrt{5}$
⑤ $(3\sqrt{2}-1)-(2\sqrt{3}-1)=3\sqrt{2}-2\sqrt{3}=\sqrt{18}-\sqrt{12}>0$
$\therefore 3\sqrt{2}-1>2\sqrt{3}-1$
따라서 옳은 것은 ⑤이다.

10 넓이가 3 m^2인 정사각형의 한 변의 길이는 $\sqrt{3}$ m
넓이가 27 m^2인 정사각형의 한 변의 길이는
$\sqrt{27}=3\sqrt{3}$ (m)
넓이가 75 m^2인 정사각형의 한 변의 길이는
$\sqrt{75}=5\sqrt{3}$ (m)
따라서 울타리의 총 길이는 오른쪽 그림과 같이 가로의 길이가
$\sqrt{3}+3\sqrt{3}+5\sqrt{3}=9\sqrt{3}$ (m), 세로의 길이가 $5\sqrt{3}$ m인 직사각형의 둘레의 길이와 같으므로
$2\times(9\sqrt{3}+5\sqrt{3})=2\times14\sqrt{3}=28\sqrt{3}$ (m)

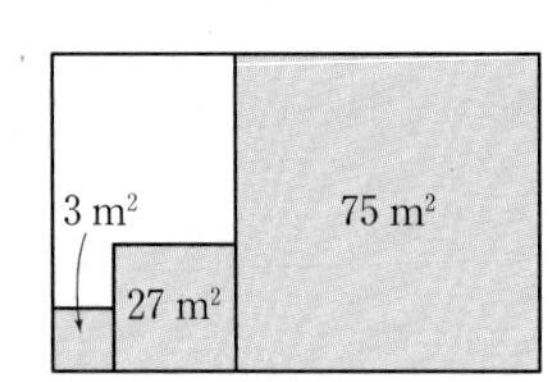

11 $\sqrt{9}<\sqrt{13}<\sqrt{16}$이므로 $3<\sqrt{13}<4$
각 변에 1을 더하면 $4<\sqrt{13}+1<5$
따라서 정수 부분은 4,
소수 부분은 $(\sqrt{13}+1)-4=\sqrt{13}-3$이므로
$a=4$, $b=\sqrt{13}-3$
$\therefore a^2+b=4^2+\sqrt{13}-3=13+\sqrt{13}$

12 $\sqrt{1}<\sqrt{3}<\sqrt{4}$이므로 $1<\sqrt{3}<2$
각 변에 -1을 곱하면 $-2<-\sqrt{3}<-1$
각 변에 3을 더하면 $1<3-\sqrt{3}<2$
따라서 정수 부분은 1,
소수 부분은 $(3-\sqrt{3})-1=2-\sqrt{3}$이므로
$a=1$, $b=2-\sqrt{3}$
$\therefore a-b=1-(2-\sqrt{3})=\sqrt{3}-1$

4. 다항식의 곱셈

1 곱셈 공식

개념 확인

68쪽~71쪽

1. (1) $3ab-4a+3b^2-4b$ (2) $2xy+10x-y-5$
(3) $12xy-3x+8y-2$ (4) $2x^2+5xy+2y^2$
2. (1) $2x^2-xy-3y^2+x+y$
(2) $3x^2+5xy-2y^2+3x-y$
3. (1) x^2+6x+9 (2) $9x^2+24xy+16y^2$
(3) $x^2-8x+16$ (4) $4x^2-4xy+y^2$
4. (1) x^2-4x+4 (2) $4x^2-4xy+y^2$
(3) $4x^2+12x+9$ (4) $9x^2+12xy+4y^2$
5. (1) x^2-16 (2) $4x^2-1$ (3) $9x^2-25y^2$ (4) $49a^2-4b^2$
6. (1) a^2-4 (2) $9x^2-4y^2$ (3) $9-y^2$ (4) $9-4x^2$
7. (1) $a^2+8a+15$ (2) $a^2-4a-21$
(3) $x^2-13x+30$ (4) $x^2+xy-12y^2$
8. (1) $6x^2+11x+3$ (2) $10x^2-x-3$
(3) $2a^2-9a+4$ (4) $4x^2+5xy-21y^2$

1 (4) $(x+2y)(2x+y)=2x^2+xy+4xy+2y^2$
$=2x^2+5xy+2y^2$

2 (1) $(x+y)(2x-3y+1)$
$=2x^2-3xy+x+2xy-3y^2+y$
$=2x^2-xy-3y^2+x+y$
(2) $(x+2y+1)(3x-y)$
$=3x^2-xy+6xy-2y^2+3x-y$
$=3x^2+5xy-2y^2+3x-y$

3 (1) $(x+3)^2=x^2+2\times x\times3+3^2$
$=x^2+6x+9$
(2) $(3x+4y)^2=(3x)^2+2\times3x\times4y+(4y)^2$
$=9x^2+24xy+16y^2$
(3) $(x-4)^2=x^2-2\times x\times4+4^2$
$=x^2-8x+16$
(4) $(2x-y)^2=(2x)^2-2\times2x\times y+y^2$
$=4x^2-4xy+y^2$

4 (1) $(-x+2)^2=(x-2)^2=x^2-2\times x\times2+2^2$
$=x^2-4x+4$

(2) $(-2x+y)^2=(2x-y)^2=(2x)^2-2\times2x\times y+y^2$
$=4x^2-4xy+y^2$

(3) $(-2x-3)^2=(2x+3)^2=(2x)^2+2\times2x\times3+3^2$
$=4x^2+12x+9$

(4) $(-3x-2y)^2=(3x+2y)^2$
$=(3x)^2+2\times3x\times2y+(2y)^2$
$=9x^2+12xy+4y^2$

5 (1) $(x+4)(x-4)=x^2-4^2=x^2-16$

(2) $(2x+1)(2x-1)=(2x)^2-1^2=4x^2-1$

(3) $(3x+5y)(3x-5y)=(3x)^2-(5y)^2$
$=9x^2-25y^2$

(4) $(7a+2b)(7a-2b)=(7a)^2-(2b)^2$
$=49a^2-4b^2$

6 (1) $(-a+2)(-a-2)=(-a)^2-2^2=a^2-4$

(2) $(-3x+2y)(-3x-2y)=(-3x)^2-(2y)^2$
$=9x^2-4y^2$

(3) $(-3-y)(-3+y)=(-3)^2-y^2=9-y^2$

(4) $(-2x+3)(2x+3)=(3-2x)(3+2x)$
$=3^2-(2x)^2=9-4x^2$

7 (1) $(a+3)(a+5)=a^2+(3+5)a+3\times5$
$=a^2+8a+15$

(2) $(a+3)(a-7)=a^2+(3-7)a+3\times(-7)$
$=a^2-4a-21$

(3) $(x-10)(x-3)=x^2+(-10-3)x+(-10)\times(-3)$
$=x^2-13x+30$

(4) $(x-3y)(x+4y)=x^2+(-3y+4y)x+(-3y)\times4y$
$=x^2+xy-12y^2$

8 (1) $(2x+3)(3x+1)$
$=(2\times3)x^2+(2\times1+3\times3)x+3\times1$
$=6x^2+11x+3$

(2) $(5x-3)(2x+1)$
$=(5\times2)x^2+\{5\times1+(-3)\times2\}x+(-3)\times1$
$=10x^2-x-3$

(3) $(2a-1)(a-4)$
$=(2\times1)a^2+\{2\times(-4)+(-1)\times1\}a+(-1)\times(-4)$
$=2a^2-9a+4$

(4) $(4x-7y)(x+3y)$
$=(4\times1)x^2+\{4\times3y+(-7y)\times1\}x+(-7y)\times3y$
$=4x^2+5xy-21y^2$

STEP 1 72쪽

1-1. (1) -4, $3b$, $3ab-4a+6b-8$
(2) xy, $3y$, $x^2-y^2-3x+3y$

1-2. (1) $ax+ay+bx+by$ (2) $4xy+28x-y-7$
(3) $5a^2-2ab+19a-6b+12$
(4) $6x^2+9xy-23x-12y+20$

2-1. (1) $2x$, 1, $4x^2-4x+1$ (2) $-x$, x^2, 16

2-2. (1) $9a^2+12a+4$ (2) $16x^2+24xy+9y^2$
(3) $25x^2-49$ (4) $9a^2-4$

3-1. (1) $5y$, $5y$, 2, $15y^2$ (2) 2, $-3y$, $4y$, 6, $12y^2$

3-2. (1) x^2-3x+2 (2) $x^2+2xy-8y^2$
(3) $20x^2-2x-6$ (4) $-12x^2-5xy+2y^2$

1-2 (3) $(a+3)(5a-2b+4)$
$=5a^2-2ab+4a+15a-6b+12$
$=5a^2-2ab+19a-6b+12$

(4) $(2x+3y-5)(3x-4)$
$=6x^2-8x+9xy-12y-15x+20$
$=6x^2+9xy-23x-12y+20$

2-2 (1) $(3a+2)^2=(3a)^2+2\times3a\times2+2^2$
$=9a^2+12a+4$

(2) $(-4x-3y)^2=(4x+3y)^2$
$=(4x)^2+2\times4x\times3y+(3y)^2$
$=16x^2+24xy+9y^2$

(3) $(5x+7)(5x-7)=(5x)^2-7^2$
$=25x^2-49$

(4) $(-3a+2)(-3a-2)=(-3a)^2-2^2$
$=9a^2-4$

3-2 (1) $(x-1)(x-2)=x^2+(-1-2)x+(-1)\times(-2)$
$=x^2-3x+2$

(2) $(x-2y)(x+4y)=x^2+(-2y+4y)x+(-2y)\times4y$
$=x^2+2xy-8y^2$

(3) $(5x-3)(4x+2)$
$=(5\times4)x^2+\{5\times2+(-3)\times4\}x+(-3)\times2$
$=20x^2-2x-6$

(4) $(-3x-2y)(4x-y)$
$=\{(-3)\times4\}x^2+\{(-3)\times(-y)+(-2y)\times4\}x$
$+(-2y)\times(-y)$
$=-12x^2-5xy+2y^2$

STEP 2

73쪽~75쪽

1-2. -2	**1-3.** 4
2-2. ④	**3-2.** ④
4-2. ②, ⑤	**5-2.** $a=-3, b=9$
5-3. 11	**6-2.** ②

1-2 $(x+2)(x+3y-4)$의 전개식에서
x가 나오는 항만 계산하면
$x\times(-4)+2\times x=-4x+2x=-2x$
따라서 x의 계수는 -2이다.

1-3 $(3x-2y+1)(4x+3y)$의 전개식에서
xy가 나오는 항만 계산하면
$3x\times 3y+(-2y)\times 4x=9xy-8xy=xy$
y가 나오는 항만 계산하면
$1\times 3y=3y$
따라서 xy의 계수는 1, y의 계수는 3이므로
그 합은 $1+3=4$

2-2 ① $(x-2)^2=x^2-2\times x\times 2+2^2$
$=x^2-4x+4$
② $\left(3x-\frac{1}{3}\right)^2=(3x)^2-2\times 3x\times\frac{1}{3}+\left(\frac{1}{3}\right)^2$
$=9x^2-2x+\frac{1}{9}$
③ $(x+6)^2=x^2+2\times x\times 6+6^2$
$=x^2+12x+36$
④ $(-2x+2)^2=(2x-2)^2$
$=(2x)^2-2\times 2x\times 2+2^2$
$=4x^2-8x+4$
⑤ $\left(\frac{1}{2}x-y\right)^2=\left(\frac{1}{2}x\right)^2-2\times\frac{1}{2}x\times y+y^2$
$=\frac{1}{4}x^2-xy+y^2$
따라서 옳은 것은 ④이다.

3-2 ① $(-2x+y)(-2x-y)=(-2x)^2-y^2$
$=4x^2-y^2$
② $\left(x-\frac{1}{5}\right)\left(x+\frac{1}{5}\right)=x^2-\left(\frac{1}{5}\right)^2$
$=x^2-\frac{1}{25}$
③ $(4a-2b)(4a+2b)=(4a)^2-(2b)^2$
$=16a^2-4b^2$
④ $(-x-y)(y-x)=(-x-y)(-x+y)$
$=(-x)^2-y^2$
$=x^2-y^2$
⑤ $(1-4x)(1+4x)=1^2-(4x)^2$
$=1-16x^2$
따라서 옳지 않은 것은 ④이다.

4-2 ① $(x+3)(x-5)=x^2+(3-5)x+3\times(-5)$
$=x^2-2x-15$
② $(x-4y)(x+9y)$
$=x^2+(-4y+9y)x+(-4y)\times 9y$
$=x^2+5xy-36y^2$
③ $(x+5)(2x+4)$
$=(1\times 2)x^2+(1\times 4+5\times 2)x+5\times 4$
$=2x^2+14x+20$
④ $(-5x-3y)(-4x+5y)$
$=\{(-5)\times(-4)\}x^2$
$+\{(-5)\times 5y+(-3y)\times(-4)\}x+(-3y)\times 5y$
$=20x^2-13xy-15y^2$
⑤ $(2x-3)(3x+1)$
$=(2\times 3)x^2+\{2\times 1+(-3)\times 3\}x+(-3)\times 1$
$=6x^2-7x-3$
따라서 옳지 않은 것은 ②, ⑤이다.

5-2 $(2x+a)^2=(2x)^2+2\times 2x\times a+a^2$
$=4x^2+4ax+a^2$
$=4x^2-12x+b$
에서 $4a=-12$, $a^2=b$
$\therefore a=-3, b=9$

5-3 $(3x+A)(Bx+5)$
$=(3\times B)x^2+(3\times 5+A\times B)x+A\times 5$
$=3Bx^2+(15+AB)x+5A$
$=6x^2+Cx-10$
에서 $3B=6$, $15+AB=C$, $5A=-10$
따라서 $A=-2$, $B=2$, $C=11$이므로
$A+B+C=-2+2+11=11$

6-2 색칠한 정사각형에서
(한 변의 길이)$=a-b$이므로
(색칠한 직사각형의 넓이)$=(a-b)^2$
$=a^2-2ab+b^2$

계산력 집중 연습 76쪽

1. (1) $9x^2-12xy+4y^2$ (2) $4a^2+\frac{4}{3}ab+\frac{1}{9}b^2$
(3) $25x^2-20x+4$ (4) $4x^2+28xy+49y^2$
(5) $16a^2-4ab+\frac{1}{4}b^2$

2. (1) x^2-1 (2) $25-4x^2$ (3) $9x^2-16$
(4) $4b^2-9a^2$ (5) $\frac{9}{16}x^2-y^2$

3. (1) x^2+5x+6 (2) a^2-9a+8 (3) x^2-x-20
(4) a^2+a-12 (5) $x^2-4xy+3y^2$

4. (1) $3x^2+10x+8$ (2) $18a^2+37a-20$ (3) $8m^2-42m+27$
(4) $-15m^2+8m+16$ (5) $4x^2+\frac{8}{3}x+\frac{1}{3}$

1 (1) $(3x-2y)^2=(3x)^2-2\times3x\times2y+(2y)^2$
$=9x^2-12xy+4y^2$

(2) $\left(2a+\frac{1}{3}b\right)^2=(2a)^2+2\times2a\times\frac{1}{3}b+\left(\frac{1}{3}b\right)^2$
$=4a^2+\frac{4}{3}ab+\frac{1}{9}b^2$

(3) $(-5x+2)^2=(5x-2)^2$
$=(5x)^2-2\times5x\times2+2^2$
$=25x^2-20x+4$

(4) $(-2x-7y)^2=(2x+7y)^2$
$=(2x)^2+2\times2x\times7y+(7y)^2$
$=4x^2+28xy+49y^2$

(5) $\left(-4a+\frac{1}{2}b\right)^2=\left(4a-\frac{1}{2}b\right)^2$
$=(4a)^2-2\times4a\times\frac{1}{2}b+\left(\frac{1}{2}b\right)^2$
$=16a^2-4ab+\frac{1}{4}b^2$

2 (1) $(x+1)(x-1)=x^2-1^2=x^2-1$

(2) $(-2x+5)(2x+5)=(5-2x)(5+2x)$
$=5^2-(2x)^2$
$=25-4x^2$

(3) $(3x+4)(3x-4)=(3x)^2-4^2=9x^2-16$

(4) $(3a+2b)(-3a+2b)=(2b+3a)(2b-3a)$
$=(2b)^2-(3a)^2$
$=4b^2-9a^2$

(5) $\left(-\frac{3}{4}x-y\right)\left(-\frac{3}{4}x+y\right)=\left(-\frac{3}{4}x\right)^2-y^2$
$=\frac{9}{16}x^2-y^2$

3 (1) $(x+2)(x+3)=x^2+(2+3)x+2\times3$
$=x^2+5x+6$

(2) $(a-1)(a-8)=a^2+(-1-8)a+(-1)\times(-8)$
$=a^2-9a+8$

(3) $(x-5)(x+4)=x^2+(-5+4)x+(-5)\times4$
$=x^2-x-20$

(4) $(-3+a)(a+4)=(a-3)(a+4)$
$=a^2+(-3+4)a+(-3)\times4$
$=a^2+a-12$

(5) $(x-3y)(x-y)=x^2+(-3y-y)x+(-3y)\times(-y)$
$=x^2-4xy+3y^2$

4 (1) $(x+2)(3x+4)$
$=(1\times3)x^2+(1\times4+2\times3)x+2\times4$
$=3x^2+10x+8$

(2) $(9a-4)(2a+5)$
$=(9\times2)a^2+\{9\times5+(-4)\times2\}a+(-4)\times5$
$=18a^2+37a-20$

(3) $(4m-3)(2m-9)$
$=(4\times2)m^2+\{4\times(-9)+(-3)\times2\}m+(-3)\times(-9)$
$=8m^2-42m+27$

(4) $(-5m-4)(3m-4)$
$=\{(-5)\times3\}m^2+\{(-5)\times(-4)+(-4)\times3\}m+(-4)\times(-4)$
$=-15m^2+8m+16$

(5) $\left(4x+\frac{2}{3}\right)\left(x+\frac{1}{2}\right)$
$=(4\times1)x^2+\left(4\times\frac{1}{2}+\frac{2}{3}\times1\right)x+\frac{2}{3}\times\frac{1}{2}$
$=4x^2+\frac{8}{3}x+\frac{1}{3}$

STEP 3 77쪽

01. 8 **02.** ⑤ **03.** -4 **04.** ⑤ **05.** ②
06. $15x^2-8x+1$

01 $(x-2y)(3x+y)$의 전개식에서
x^2이 나오는 항만 계산하면
$x\times3x=3x^2$
xy가 나오는 항만 계산하면
$x\times y+(-2y)\times3x=xy-6xy=-5xy$
따라서 $a=3$, $b=-5$이므로
$a-b=3-(-5)=8$

02 ① $(a+b)^2=a^2+2ab+b^2$

② $(-a-b)^2=\{-(a+b)\}^2=(a+b)^2=a^2+2ab+b^2$

③ $\{-(a+b)\}^2=(a+b)^2=a^2+2ab+b^2$

④ $\{a-(-b)\}^2=(a+b)^2=a^2+2ab+b^2$

⑤ $\{-(-a+b)\}^2=(a-b)^2=a^2-2ab+b^2$

따라서 전개식이 나머지 넷과 다른 하나는 ⑤이다.

03 ㉠에서 $(x+3)(x-3)=x^2-3^2=x^2-9$

$\therefore a=9$

㉡에서

$(3x-4)(2x+5)$

$=(3\times 2)x^2+\{3\times 5+(-4)\times 2\}x+(-4)\times 5$

$=6x^2+7x-20$

$\therefore b=7,\ c=-20$

$\therefore a+b+c=9+7+(-20)=-4$

04 ① $(x+7)^2=x^2+2\times x\times 7+7^2=x^2+14x+49$

② $\left(\frac{1}{2}x-2y\right)^2=\left(\frac{1}{2}x\right)^2-2\times\frac{1}{2}x\times 2y+(2y)^2$

$=\frac{1}{4}x^2-2xy+4y^2$

③ $(-x-7)(-x+7)=(-x)^2-7^2$

$=x^2-49$

④ $(x+6)(x-5)=x^2+(6-5)x+6\times(-5)$

$=x^2+x-30$

⑤ $(5x-1)(4x-5)$

$=(5\times 4)x^2+\{5\times(-5)+(-1)\times 4\}x+(-1)\times(-5)$

$=20x^2-29x+5$

따라서 옳은 것은 ⑤이다.

05 $(x-8)(2x+a)=2x^2+(a-16)x-8a$

$=2x^2+bx-16$

에서 $a-16=b,\ -8a=-16$

따라서 $a=2,\ b=-14$이므로

$a+b=2+(-14)=-12$

06

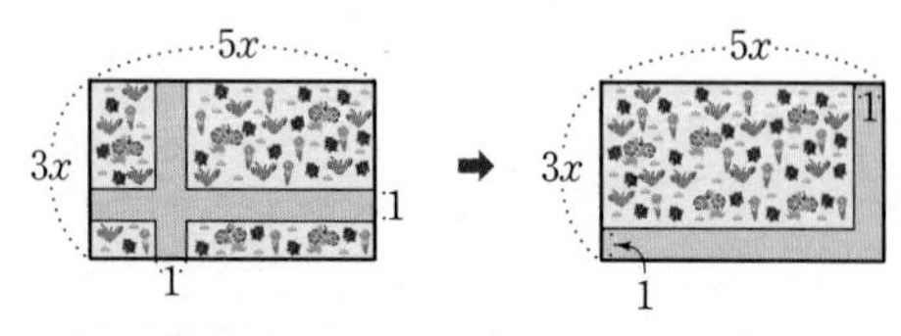

위의 그림과 같이 길을 이동하면

꽃밭에서 (가로의 길이)$=5x-1$,

(세로의 길이)$=3x-1$이므로 …… [30 %]

(길을 제외한 꽃밭의 넓이)

$=(5x-1)(3x-1)$

$=(5\times 3)x^2+\{5\times(-1)+(-1)\times 3\}x+(-1)\times(-1)$

$=15x^2-8x+1$ …… [70 %]

2 곱셈 공식의 활용

개념 확인 78쪽~81쪽

1. (1) 10609 (2) 9604

2. (1) 9996 (2) 10403

3. (1) $10+2\sqrt{21}$ (2) $5-2\sqrt{6}$ (3) 11 (4) $-3-2\sqrt{5}$

4. (1) $2-\sqrt{3}$ (2) $\frac{3+\sqrt{3}}{2}$ (3) $\sqrt{6}-2$

5. (1) $-x^2+34$ (2) $5x^2-11x-15$

6. (1) $x^2-2xy+y^2-9$ (2) $a^2+2ab+b^2-2a-2b-3$

7. (1) 30 (2) 24

8. (1) 8 (2) 12

1 (1) $103^2=(100+3)^2$

$=100^2+2\times 100\times 3+3^2$

$=10000+600+9=10609$

(2) $98^2=(100-2)^2$

$=100^2-2\times 100\times 2+2^2$

$=10000-400+4=9604$

2 (1) $102\times 98=(100+2)(100-2)$

$=100^2-2^2$

$=10000-4=9996$

(2) $101\times 103=(100+1)(100+3)$

$=100^2+(1+3)\times 100+1\times 3$

$=10000+400+3$

$=10403$

3 (1) $(\sqrt{7}+\sqrt{3})^2=(\sqrt{7})^2+2\times\sqrt{7}\times\sqrt{3}+(\sqrt{3})^2$

$=7+2\sqrt{21}+3=10+2\sqrt{21}$

(2) $(\sqrt{3}-\sqrt{2})^2=(\sqrt{3})^2-2\times\sqrt{3}\times\sqrt{2}+(\sqrt{2})^2$

$=3-2\sqrt{6}+2=5-2\sqrt{6}$

(3) $(4+\sqrt{5})(4-\sqrt{5})=4^2-(\sqrt{5})^2=16-5=11$

(4) $(\sqrt{5}-4)(\sqrt{5}+2)=(\sqrt{5})^2+(-4+2)\sqrt{5}-4\times 2$

$=5-2\sqrt{5}-8=-3-2\sqrt{5}$

4 (1) $\frac{1}{2+\sqrt{3}}=\frac{2-\sqrt{3}}{(2+\sqrt{3})(2-\sqrt{3})}=\frac{2-\sqrt{3}}{4-3}=2-\sqrt{3}$

(2) $\frac{\sqrt{3}}{\sqrt{3}-1}=\frac{\sqrt{3}(\sqrt{3}+1)}{(\sqrt{3}-1)(\sqrt{3}+1)}=\frac{3+\sqrt{3}}{3-1}=\frac{3+\sqrt{3}}{2}$

(3) $\frac{\sqrt{2}}{\sqrt{3}+\sqrt{2}}=\frac{\sqrt{2}(\sqrt{3}-\sqrt{2})}{(\sqrt{3}+\sqrt{2})(\sqrt{3}-\sqrt{2})}=\frac{\sqrt{6}-2}{3-2}=\sqrt{6}-2$

5 (1) $(x-2)^2-2(x+3)(x-5)$
$=x^2-4x+4-2(x^2-2x-15)$
$=x^2-4x+4-2x^2+4x+30$
$=-x^2+34$

(2) $(2x-3)(3x+2)-(x+3)^2$
$=6x^2-5x-6-(x^2+6x+9)$
$=6x^2-5x-6-x^2-6x-9$
$=5x^2-11x-15$

6 (1) $x-y=A$로 놓으면
$(x-y+3)(x-y-3)=(A+3)(A-3)$
$=A^2-9$
$=(x-y)^2-9$
$=x^2-2xy+y^2-9$

(2) $a+b=A$로 놓으면
$(a+b+1)(a+b-3)=(A+1)(A-3)$
$=A^2-2A-3$
$=(a+b)^2-2(a+b)-3$
$=a^2+2ab+b^2-2a-2b-3$

7 (1) $x^2+y^2=(x+y)^2-2xy$
$=6^2-2\times3$
$=36-6=30$

(2) $(x-y)^2=(x+y)^2-4xy$
$=6^2-4\times3$
$=36-12=24$

8 (1) $x^2+y^2=(x-y)^2+2xy$
$=(-2)^2+2\times2$
$=4+4=8$

(2) $(x+y)^2=(x-y)^2+4xy$
$=(-2)^2+4\times2$
$=4+8=12$

STEP 1 82쪽

1-1. (1) 400, 10404 (2) 2, 2, 2, 4, 2496

1-2. (1) 9409 (2) 9991 (3) 10712

2-1. (1) $5+2\sqrt{6}$ (2) 2 연구 (1) $\sqrt{3}$, $\sqrt{3}$ (2) 1

2-2. (1) $9-2\sqrt{14}$ (2) -2

3-1. (1) $\sqrt{2}+1$, $\sqrt{2}+1$, $\sqrt{2}+1$ (2) $3-2\sqrt{2}$, $3-2\sqrt{2}$, $3\sqrt{2}-4$

3-2. (1) $3+\sqrt{5}$ (2) $-3-2\sqrt{3}$ (3) $3\sqrt{2}-2\sqrt{3}$ (4) $19+6\sqrt{10}$

1-2 (1) $97^2=(100-3)^2$
$=100^2-2\times100\times3+3^2$
$=10000-600+9$
$=9409$

(2) $103\times97=(100+3)(100-3)$
$=100^2-3^2$
$=10000-9=9991$

(3) $103\times104=(100+3)(100+4)$
$=100^2+(3+4)\times100+3\times4$
$=10000+700+12$
$=10712$

2-1 (1) $(\sqrt{2}+\sqrt{3})^2=(\sqrt{2})^2+2\times\sqrt{2}\times\sqrt{3}+(\sqrt{3})^2$
$=2+2\sqrt{6}+3=5+2\sqrt{6}$

(2) $(\sqrt{3}+1)(\sqrt{3}-1)=(\sqrt{3})^2-1^2$
$=3-1=2$

2-2 (1) $(\sqrt{7}-\sqrt{2})^2=(\sqrt{7})^2-2\times\sqrt{7}\times\sqrt{2}+(\sqrt{2})^2$
$=7-2\sqrt{14}+2=9-2\sqrt{14}$

(2) $(\sqrt{5}+\sqrt{7})(\sqrt{5}-\sqrt{7})=(\sqrt{5})^2-(\sqrt{7})^2$
$=5-7=-2$

3-1 (1) $\dfrac{1}{\sqrt{2}-1}=\dfrac{\boxed{\sqrt{2}+1}}{(\sqrt{2}-1)(\boxed{\sqrt{2}+1})}$
$=\dfrac{\sqrt{2}+1}{2-1}=\boxed{\sqrt{2}+1}$

(2) $\dfrac{\sqrt{2}}{3+2\sqrt{2}}=\dfrac{\sqrt{2}(\boxed{3-2\sqrt{2}})}{(3+2\sqrt{2})(\boxed{3-2\sqrt{2}})}$
$=\dfrac{3\sqrt{2}-4}{9-8}=\boxed{3\sqrt{2}-4}$

3-2 (1) $\dfrac{4}{3-\sqrt{5}}=\dfrac{4(3+\sqrt{5})}{(3-\sqrt{5})(3+\sqrt{5})}=\dfrac{4(3+\sqrt{5})}{9-5}=3+\sqrt{5}$

(2) $\dfrac{\sqrt{3}}{\sqrt{3}-2}=\dfrac{\sqrt{3}(\sqrt{3}+2)}{(\sqrt{3}-2)(\sqrt{3}+2)}=\dfrac{3+2\sqrt{3}}{3-4}=-3-2\sqrt{3}$

(3) $\dfrac{\sqrt{6}}{\sqrt{2}+\sqrt{3}}=\dfrac{\sqrt{6}(\sqrt{2}-\sqrt{3})}{(\sqrt{2}+\sqrt{3})(\sqrt{2}-\sqrt{3})}=\dfrac{\sqrt{12}-\sqrt{18}}{2-3}$
$=\dfrac{2\sqrt{3}-3\sqrt{2}}{-1}=3\sqrt{2}-2\sqrt{3}$

(4) $\dfrac{\sqrt{10}+3}{\sqrt{10}-3}=\dfrac{(\sqrt{10}+3)^2}{(\sqrt{10}-3)(\sqrt{10}+3)}$
$=\dfrac{10+6\sqrt{10}+9}{10-9}=19+6\sqrt{10}$

STEP 2 83쪽~86쪽

1-2. ② **1-3.** 3596

2-2. ②

3-2. (1) $2-\sqrt{3}$ (2) $5\sqrt{6}-12$ (3) $5+2\sqrt{6}$ (4) $9-4\sqrt{5}$

3-3. $2\sqrt{2}$

4-2. $-7x^2+26x+31$ **4-3.** 9

5-2. $a^2-2ab+b^2-5a+5b-6$

5-3. $a^2-4ab+4b^2+4a-8b+4$

6-2. (1) $2-2\sqrt{15}$ (2) $-8\sqrt{3}$ **6-3.** $-2\sqrt{3}$

7-2. 10 **7-3.** 4

8-2. (1) 29 (2) 33 **8-3.** 8

1-2 ① $102^2=(100+2)^2 \Rightarrow (a+b)^2=a^2+2ab+b^2$

② $48\times53=(50-2)(50+3)$

$\Rightarrow (x+a)(x+b)=x^2+(a+b)x+ab$

③ $997^2=(1000-3)^2 \Rightarrow (a-b)^2=a^2-2ab+b^2$

④ $203\times197=(200+3)(200-3)$

$\Rightarrow (a+b)(a-b)=a^2-b^2$

⑤ $101\times102=(100+1)(100+2)$

$\Rightarrow (x+a)(x+b)=x^2+(a+b)x+ab$

따라서 옳지 않은 것은 ②이다.

1-3 $58\times62=(60-2)(60+2)$

$=60^2-2^2$

$=3600-4=3596$

2-2 ① $(\sqrt{6}+2)^2=(\sqrt{6})^2+2\times\sqrt{6}\times2+2^2$

$=6+4\sqrt{6}+4=10+4\sqrt{6}$

② $(\sqrt{7}-\sqrt{5})^2=(\sqrt{7})^2-2\times\sqrt{7}\times\sqrt{5}+(\sqrt{5})^2$

$=7-2\sqrt{35}+5=12-2\sqrt{35}$

③ $(3+2\sqrt{2})(3-2\sqrt{2})=3^2-(2\sqrt{2})^2=9-8=1$

④ $(\sqrt{5}+\sqrt{2})(\sqrt{5}-3\sqrt{2})$

$=(\sqrt{5})^2+(\sqrt{2}-3\sqrt{2})\sqrt{5}+\sqrt{2}\times(-3\sqrt{2})$

$=5-2\sqrt{10}-6=-1-2\sqrt{10}$

⑤ $(3\sqrt{3}-\sqrt{2})(2\sqrt{3}+\sqrt{2})$

$=(3\times2)(\sqrt{3})^2+(3\sqrt{2}-2\sqrt{2})\sqrt{3}-\sqrt{2}\times\sqrt{2}$

$=18+\sqrt{6}-2=16+\sqrt{6}$

따라서 옳은 것은 ②이다.

3-2 (1) $\dfrac{1}{\sqrt{3}+2}=\dfrac{\sqrt{3}-2}{(\sqrt{3}+2)(\sqrt{3}-2)}=\dfrac{\sqrt{3}-2}{3-4}=2-\sqrt{3}$

(2) $\dfrac{\sqrt{6}}{5+2\sqrt{6}}=\dfrac{\sqrt{6}(5-2\sqrt{6})}{(5+2\sqrt{6})(5-2\sqrt{6})}$

$=\dfrac{5\sqrt{6}-12}{25-24}=5\sqrt{6}-12$

(3) $\dfrac{\sqrt{3}+\sqrt{2}}{\sqrt{3}-\sqrt{2}}=\dfrac{(\sqrt{3}+\sqrt{2})^2}{(\sqrt{3}-\sqrt{2})(\sqrt{3}+\sqrt{2})}$

$=\dfrac{3+2\sqrt{6}+2}{3-2}=5+2\sqrt{6}$

(4) $\dfrac{\sqrt{5}-2}{\sqrt{5}+2}=\dfrac{(\sqrt{5}-2)^2}{(\sqrt{5}+2)(\sqrt{5}-2)}$

$=\dfrac{5-4\sqrt{5}+4}{5-4}=9-4\sqrt{5}$

3-3 $\dfrac{1}{1+\sqrt{2}}-\dfrac{1}{1-\sqrt{2}}$

$=\dfrac{1-\sqrt{2}}{(1+\sqrt{2})(1-\sqrt{2})}-\dfrac{1+\sqrt{2}}{(1-\sqrt{2})(1+\sqrt{2})}$

$=\dfrac{1-\sqrt{2}}{1-2}-\dfrac{1+\sqrt{2}}{1-2}$

$=\sqrt{2}-1+1+\sqrt{2}=2\sqrt{2}$

4-2 $(x+3)(x+7)-(2x-5)(4x+2)$

$=x^2+10x+21-(8x^2-16x-10)$

$=x^2+10x+21-8x^2+16x+10$

$=-7x^2+26x+31$

4-3 $(x-4)^2+2(x+3)(x-3)$

$=x^2-8x+16+2(x^2-9)$

$=x^2-8x+16+2x^2-18$

$=3x^2-8x-2$

따라서 $a=3$, $b=-8$, $c=-2$이므로

$a-b+c=3-(-8)+(-2)=9$

5-2 $a-b=A$로 놓으면

$(a-b+1)(a-b-6)=(A+1)(A-6)$

$=A^2-5A-6$

$=(a-b)^2-5(a-b)-6$

$=a^2-2ab+b^2-5a+5b-6$

5-3 $a-2b=A$로 놓으면

$(a-2b+2)^2=(A+2)^2$

$=A^2+4A+4$

$=(a-2b)^2+4(a-2b)+4$

$=a^2-4ab+4b^2+4a-8b+4$

6-2 (1) $\sqrt{3}x-\sqrt{5}y$에 $x=4\sqrt{3}-\sqrt{5}$, $y=2\sqrt{5}+\sqrt{3}$을 대입하면

$\sqrt{3}x-\sqrt{5}y=\sqrt{3}(4\sqrt{3}-\sqrt{5})-\sqrt{5}(2\sqrt{5}+\sqrt{3})$

$=12-\sqrt{15}-10-\sqrt{15}$

$=2-2\sqrt{15}$

(2) $\frac{y}{x}-\frac{x}{y}=\frac{y^2-x^2}{xy}$이고

$xy=(2+\sqrt{3})(2-\sqrt{3})=4-3=1$

$y^2-x^2=(2-\sqrt{3})^2-(2+\sqrt{3})^2$
$=(4-4\sqrt{3}+3)-(4+4\sqrt{3}+3)$
$=-8\sqrt{3}$

$\therefore \frac{y}{x}-\frac{x}{y}=\frac{y^2-x^2}{xy}=\frac{-8\sqrt{3}}{1}=-8\sqrt{3}$

6-3 $x=\frac{1}{\sqrt{3}-2}=\frac{\sqrt{3}+2}{(\sqrt{3}-2)(\sqrt{3}+2)}=\frac{\sqrt{3}+2}{3-4}=-\sqrt{3}-2$

$y=\frac{1}{\sqrt{3}+2}=\frac{\sqrt{3}-2}{(\sqrt{3}+2)(\sqrt{3}-2)}=\frac{\sqrt{3}-2}{3-4}=-\sqrt{3}+2$

$\therefore x+y=(-\sqrt{3}-2)+(-\sqrt{3}+2)=-2\sqrt{3}$

7-2 $x=-1+\sqrt{5}$에서 $x+1=\sqrt{5}$
양변을 제곱하면 $(x+1)^2=(\sqrt{5})^2$
$x^2+2x+1=5$, $x^2+2x=4$
$\therefore x^2+2x+6=4+6=10$

7-3 $x=\frac{6}{3-\sqrt{3}}=\frac{6(3+\sqrt{3})}{(3-\sqrt{3})(3+\sqrt{3})}=\frac{6(3+\sqrt{3})}{9-3}=3+\sqrt{3}$
이므로 $x=3+\sqrt{3}$에서 $x-3=\sqrt{3}$
양변을 제곱하면 $(x-3)^2=(\sqrt{3})^2$
$x^2-6x+9=3$, $x^2-6x=-6$
$\therefore x^2-6x+10=-6+10=4$

8-2 (1) $a^2+b^2=(a+b)^2-2ab$
$=5^2-2\times(-2)$
$=25+4=29$

(2) $(a-b)^2=(a+b)^2-4ab$
$=5^2-4\times(-2)$
$=25+8=33$

8-3 $x^2+y^2=(x+y)^2-2xy$
$=(2\sqrt{3})^2-2\times2$
$=12-4=8$

계산력 집중 연습

87쪽

1. (1) 2916 (2) 9801 (3) 60.84 (4) 39999 (5) 11130

2. (1) $3+2\sqrt{2}$ (2) $8-2\sqrt{15}$ (3) 3 (4) $12+5\sqrt{6}$ (5) $13-7\sqrt{3}$

3. (1) $14+6\sqrt{5}$ (2) $7-4\sqrt{3}$ (3) $4+\sqrt{15}$ (4) $\frac{3-\sqrt{5}}{2}$

4. (1) $2x^2-5x-5$ (2) $3x^2-3x-11$ (3) $x^2+2xy+y^2-16$
(4) $4x^2+12xy+9y^2-4x-6y+1$ (5) x^4-81

1 (1) $54^2=(50+4)^2=50^2+2\times50\times4+4^2=2916$

(2) $99^2=(100-1)^2=100^2-2\times100\times1+1^2=9801$

(3) $7.8^2=(8-0.2)^2=8^2-2\times8\times0.2+0.2^2=60.84$

(4) $201\times199=(200+1)(200-1)$
$=200^2-1^2=39999$

(5) $105\times106=(100+5)(100+6)$
$=100^2+(5+6)\times100+5\times6$
$=11130$

2 (1) $(\sqrt{2}+1)^2=(\sqrt{2})^2+2\times\sqrt{2}\times1+1^2$
$=2+2\sqrt{2}+1=3+2\sqrt{2}$

(2) $(\sqrt{5}-\sqrt{3})^2=(\sqrt{5})^2-2\times\sqrt{5}\times\sqrt{3}+(\sqrt{3})^2$
$=5-2\sqrt{15}+3=8-2\sqrt{15}$

(3) $(2\sqrt{2}+\sqrt{5})(2\sqrt{2}-\sqrt{5})=(2\sqrt{2})^2-(\sqrt{5})^2=8-5=3$

(4) $(\sqrt{6}+2)(\sqrt{6}+3)=(\sqrt{6})^2+(2+3)\sqrt{6}+2\times3$
$=6+5\sqrt{6}+6=12+5\sqrt{6}$

(5) $(2\sqrt{3}+1)(3\sqrt{3}-5)$
$=(2\times3)(\sqrt{3})^2+(-10+3)\sqrt{3}+1\times(-5)$
$=18-7\sqrt{3}-5=13-7\sqrt{3}$

3 (1) $\frac{8}{7-3\sqrt{5}}=\frac{8(7+3\sqrt{5})}{(7-3\sqrt{5})(7+3\sqrt{5})}=\frac{8(7+3\sqrt{5})}{49-45}$
$=2(7+3\sqrt{5})=14+6\sqrt{5}$

(2) $\frac{2-\sqrt{3}}{2+\sqrt{3}}=\frac{(2-\sqrt{3})^2}{(2+\sqrt{3})(2-\sqrt{3})}=\frac{4-4\sqrt{3}+3}{4-3}$
$=7-4\sqrt{3}$

(3) $\frac{\sqrt{5}+\sqrt{3}}{\sqrt{5}-\sqrt{3}}=\frac{(\sqrt{5}+\sqrt{3})^2}{(\sqrt{5}-\sqrt{3})(\sqrt{5}+\sqrt{3})}=\frac{5+2\sqrt{15}+3}{5-3}$
$=\frac{8+2\sqrt{15}}{2}=4+\sqrt{15}$

(4) $\frac{\sqrt{10}-\sqrt{2}}{\sqrt{10}+\sqrt{2}}=\frac{(\sqrt{10}-\sqrt{2})^2}{(\sqrt{10}+\sqrt{2})(\sqrt{10}-\sqrt{2})}=\frac{10-2\sqrt{20}+2}{10-2}$
$=\frac{12-4\sqrt{5}}{8}=\frac{3-\sqrt{5}}{2}$

4 (1) $(2x-3)(3x+2)-(2x+1)(2x-1)$
$=6x^2-5x-6-(4x^2-1)$
$=6x^2-5x-6-4x^2+1$
$=2x^2-5x-5$

(2) $(2x+1)^2-(x+3)(x+4)$
$=4x^2+4x+1-(x^2+7x+12)$
$=4x^2+4x+1-x^2-7x-12$
$=3x^2-3x-11$

(3) $x+y=A$로 놓으면

$(x+y+4)(x+y-4)=(A+4)(A-4)$
$=A^2-16$
$=(x+y)^2-16$
$=x^2+2xy+y^2-16$

(4) $2x+3y=A$로 놓으면

$(2x+3y-1)^2=(A-1)^2=A^2-2A+1$
$=(2x+3y)^2-2(2x+3y)+1$
$=4x^2+12xy+9y^2-4x-6y+1$

(5) $(x-3)(x+3)(x^2+9)=(x^2-9)(x^2+9)$
$=x^4-81$

STEP 3 88쪽~89쪽

01. ④	**02.** (1) $(a+b)(a-b)=a^2-b^2$ (2) 63.99			
03. ④	**04.** ③	**05.** ④	**06.** 2	**07.** ②
08. $4a^2+12ab+9b^2-1$			**09.** ②	**10.** ⑤
11. -2	**12.** (1) -6 (2) -1 (3) 38			**13.** $\frac{5}{2}$

01 ① $96^2=(100-4)^2$ ➡ $(a-b)^2=a^2-2ab+b^2$

② $1003^2=(1000+3)^2$ ➡ $(a+b)^2=a^2+2ab+b^2$

③ $198\times202=(200-2)(200+2)$
➡ $(a-b)(a+b)=a^2-b^2$

④ $102\times103=(100+2)(100+3)$
➡ $(x+a)(x+b)=x^2+(a+b)x+ab$

⑤ $49\times51=(50-1)(50+1)$
➡ $(a-b)(a+b)=a^2-b^2$

02 (1) $8.1\times7.9=(8+0.1)(8-0.1)$
➡ $(a+b)(a-b)=a^2-b^2$ …… [30 %]

(2) $8.1\times7.9=(8+0.1)(8-0.1)=8^2-0.1^2$
$=64-0.01=63.99$ …… [70 %]

03 ① $(2\sqrt{3}+3)^2=(2\sqrt{3})^2+2\times2\sqrt{3}\times3+3^2$
$=12+12\sqrt{3}+9=21+12\sqrt{3}$

② $(\sqrt{5}+4)(\sqrt{5}-7)=(\sqrt{5})^2+(4-7)\sqrt{5}+4\times(-7)$
$=5-3\sqrt{5}-28=-23-3\sqrt{5}$

③ $(\sqrt{8}-\sqrt{12})^2=(\sqrt{8})^2-2\times\sqrt{8}\times\sqrt{12}+(\sqrt{12})^2$
$=8-8\sqrt{6}+12=20-8\sqrt{6}$

④ $(5\sqrt{3}+\sqrt{2})(4\sqrt{3}-\sqrt{2})$
$=(5\times4)(\sqrt{3})^2+(-5\sqrt{2}+4\sqrt{2})\sqrt{3}+\sqrt{2}\times(-\sqrt{2})$
$=60-\sqrt{6}-2=58-\sqrt{6}$

⑤ $(\sqrt{7}+3)(\sqrt{7}-3)=(\sqrt{7})^2-3^2=7-9=-2$

따라서 옳은 것은 ④이다.

04 ① $\frac{\sqrt{5}}{\sqrt{12}}=\frac{\sqrt{5}}{2\sqrt{3}}=\frac{\sqrt{5}\times\sqrt{3}}{2\sqrt{3}\times\sqrt{3}}=\frac{\sqrt{15}}{6}$

② $\frac{1}{\sqrt{3}+2}=\frac{\sqrt{3}-2}{(\sqrt{3}+2)(\sqrt{3}-2)}=\frac{\sqrt{3}-2}{3-4}$
$=2-\sqrt{3}$

③ $\frac{\sqrt{2}}{2-\sqrt{5}}=\frac{\sqrt{2}(2+\sqrt{5})}{(2-\sqrt{5})(2+\sqrt{5})}=\frac{2\sqrt{2}+\sqrt{10}}{4-5}$
$=-2\sqrt{2}-\sqrt{10}$

④ $\frac{2}{\sqrt{5}+\sqrt{3}}=\frac{2(\sqrt{5}-\sqrt{3})}{(\sqrt{5}+\sqrt{3})(\sqrt{5}-\sqrt{3})}=\frac{2(\sqrt{5}-\sqrt{3})}{5-3}$
$=\sqrt{5}-\sqrt{3}$

⑤ $\frac{\sqrt{6}}{3+2\sqrt{2}}=\frac{\sqrt{6}(3-2\sqrt{2})}{(3+2\sqrt{2})(3-2\sqrt{2})}=\frac{3\sqrt{6}-2\sqrt{12}}{9-8}$
$=3\sqrt{6}-4\sqrt{3}$

따라서 옳지 않은 것은 ③이다.

05 $\frac{1}{2+\sqrt{3}}+\frac{2+\sqrt{3}}{2-\sqrt{3}}$
$=\frac{2-\sqrt{3}}{(2+\sqrt{3})(2-\sqrt{3})}+\frac{(2+\sqrt{3})^2}{(2-\sqrt{3})(2+\sqrt{3})}$
$=\frac{2-\sqrt{3}}{4-3}+\frac{4+4\sqrt{3}+3}{4-3}$
$=2-\sqrt{3}+7+4\sqrt{3}$
$=9+3\sqrt{3}$

06 $(2+a\sqrt{2})(\sqrt{2}-1)=2\sqrt{2}-2+2a-a\sqrt{2}$
$=2a-2+(2-a)\sqrt{2}$

이때 유리수가 되려면 $2-a=0$이어야 하므로
$a=2$

07 $(x-a)^2-(3x-5)(2x+4)$
$=x^2-2ax+a^2-(6x^2+2x-20)$
$=x^2-2ax+a^2-6x^2-2x+20$
$=-5x^2+(-2a-2)x+a^2+20$

이때 x의 계수가 6이므로
$-2a-2=6$, $-2a=8$ $\therefore a=-4$

08 $2a+3b=A$로 놓으면

$(2a+3b+1)(2a+3b-1)$
$=(A+1)(A-1)$
$=A^2-1$
$=(2a+3b)^2-1$
$=4a^2+12ab+9b^2-1$

09 $(2-1)(2+1)(2^2+1)(2^4+1)$
$=(2^2-1)(2^2+1)(2^4+1)$
$=(2^4-1)(2^4+1)$
$=2^8-1$
$\therefore A=8$

10 $a+b=(\sqrt{3}+\sqrt{2})+(\sqrt{3}-\sqrt{2})=2\sqrt{3}$
$a-b=(\sqrt{3}+\sqrt{2})-(\sqrt{3}-\sqrt{2})=2\sqrt{2}$
$\therefore (a+b)(a-b)=2\sqrt{3}\times2\sqrt{2}=4\sqrt{6}$

11 $x=\dfrac{1}{4-\sqrt{15}}=\dfrac{4+\sqrt{15}}{(4-\sqrt{15})(4+\sqrt{15})}$
$=\dfrac{4+\sqrt{15}}{16-15}=4+\sqrt{15}$
이므로 $x=4+\sqrt{15}$에서 $x-4=\sqrt{15}$
양변을 제곱하면 $(x-4)^2=(\sqrt{15})^2$
$x^2-8x+16=15$, $x^2-8x=-1$
$\therefore x^2-8x-1=-1-1=-2$

12 $x=\dfrac{1}{3-\sqrt{10}}=\dfrac{3+\sqrt{10}}{(3-\sqrt{10})(3+\sqrt{10})}$
$=\dfrac{3+\sqrt{10}}{9-10}=-3-\sqrt{10}$
$y=\dfrac{1}{3+\sqrt{10}}=\dfrac{3-\sqrt{10}}{(3+\sqrt{10})(3-\sqrt{10})}$
$=\dfrac{3-\sqrt{10}}{9-10}=-3+\sqrt{10}$ …… [40 %]
(1) $x+y=(-3-\sqrt{10})+(-3+\sqrt{10})$
$=-6$ …… [20 %]
(2) $xy=(-3-\sqrt{10})(-3+\sqrt{10})$
$=(-3)^2-(\sqrt{10})^2=9-10=-1$ …… [20 %]
(3) $x^2+y^2=(x+y)^2-2xy$
$=(-6)^2-2\times(-1)=38$ …… [20 %]

13 $\dfrac{b}{a}+\dfrac{a}{b}=\dfrac{a^2+b^2}{ab}=\dfrac{(a+b)^2-2ab}{ab}$
$=\dfrac{3^2-2\times2}{2}=\dfrac{5}{2}$

5. 인수분해 공식

1 인수분해의 뜻과 공식

개념 확인

92쪽~96쪽

1. $1, x, y, x+y, xy, x(x+y), y(x+y), xy(x+y)$

2. (1) $x(a-b)$ (2) $a(x-2y)$ (3) $3a(b+2c)$
(4) $x(x+2)$ (5) $(x+1)(a-b)$ (6) $(a-1)(2-b)$

3. (1) $(x+1)^2$ (2) $(x-3)^2$ (3) $(5x-1)^2$ (4) $(6x+1)^2$
(5) $(x-2y)^2$ (6) $(x+8y)^2$ (7) $(3x-2y)^2$
(8) $(7x+3y)^2$ (9) $\left(x-\dfrac{1}{2}\right)^2$ (10) $\left(\dfrac{1}{5}x+1\right)^2$

4. (1) 4 (2) 16 (3) 81 (4) 49

5. (1) ±10 (2) ±16 (3) ±4 (4) ±24

6. (1) $(x+5)(x-5)$ (2) $(7x+1)(7x-1)$
(3) $\left(x+\dfrac{1}{3}\right)\left(x-\dfrac{1}{3}\right)$ (4) $(3x+4y)(3x-4y)$

7. (1) $-3, 3, 0, (x+1)(x-4)$
(2) $-7, -5, 7, 5, (x-2)(x-3)$

8. (1) $x, 6x, 3x, -4, -4x, (x+2)(3x-4)$
(2) $6xy, 2x, 5y, 10xy, 16xy, (2x+3y)(2x+5y)$

3 (1) $x^2+2x+1=x^2+2\times x\times1+1^2=(x+1)^2$
(2) $x^2-6x+9=x^2-2\times x\times3+3^2=(x-3)^2$
(3) $25x^2-10x+1=(5x)^2-2\times5x\times1+1^2=(5x-1)^2$
(4) $36x^2+12x+1=(6x)^2+2\times6x\times1+1^2=(6x+1)^2$
(5) $x^2-4xy+4y^2=x^2-2\times x\times2y+(2y)^2$
$=(x-2y)^2$
(6) $x^2+16xy+64y=x^2+2\times x\times8y+(8y)^2$
$=(x+8y)^2$
(7) $9x^2-12xy+4y^2=(3x)^2-2\times3x\times2y+(2y)^2$
$=(3x-2y)^2$
(8) $49x^2+42xy+9y^2=(7x)^2+2\times7x\times3y+(3y)^2$
$=(7x+3y)^2$
(9) $x^2-x+\dfrac{1}{4}=x^2-2\times x\times\dfrac{1}{2}+\left(\dfrac{1}{2}\right)^2$
$=\left(x-\dfrac{1}{2}\right)^2$
(10) $\dfrac{1}{25}x^2+\dfrac{2}{5}x+1=\left(\dfrac{1}{5}x\right)^2+2\times\dfrac{1}{5}x\times1+1^2$
$=\left(\dfrac{1}{5}x+1\right)^2$

4 (1) $\square=\left(\frac{4}{2}\right)^2=2^2=4$

(2) $\square=\left(\frac{-8}{2}\right)^2=(-4)^2=16$

(3) $\square=\left(\frac{18}{2}\right)^2=9^2=81$

(4) $\square=\left(\frac{-14}{2}\right)^2=(-7)^2=49$

5 (1) $x^2+\square x+25=x^2+\square x+5^2$에서

$\square=\pm2\times5=\pm10$

(2) $x^2+\square x+64=x^2+\square x+8^2$에서

$\square=\pm2\times8=\pm16$

(3) $4x^2+\square x+1=(2x)^2+\square x+1^2$에서

$\square=\pm2\times2\times1=\pm4$

(4) $16x^2+\square x+9=(4x)^2+\square x+3^2$에서

$\square=\pm2\times4\times3=\pm24$

6 (1) $x^2-25=x^2-5^2$

$=(x+5)(x-5)$

(2) $49x^2-1=(7x)^2-1^2$

$=(7x+1)(7x-1)$

(3) $x^2-\frac{1}{9}=x^2-\left(\frac{1}{3}\right)^2$

$=\left(x+\frac{1}{3}\right)\left(x-\frac{1}{3}\right)$

(4) $9x^2-16y^2=(3x)^2-(4y)^2$

$=(3x+4y)(3x-4y)$

7 (1)

곱이 -4인 두 정수	합
$1, -4$	-3
$-1, 4$	3
$-2, 2$	0

위의 표에서 곱이 -4, 합이 -3인 두 정수를 찾으면 1, -4이므로

$x^2-3x-4=(x+1)(x-4)$

(2)

곱이 6인 두 정수	합
$-1, -6$	-7
$-2, -3$	-5
$1, 6$	7
$2, 3$	5

위의 표에서 곱이 6, 합이 -5인 두 정수를 찾으면 -2, -3이므로

$x^2-5x+6=(x-2)(x-3)$

STEP 1 97쪽

1-1. (1) $a(a-2)$ (2) $y(x+2)$

(3) $mn(m-n+1)$ (4) $(x+y)(1+x-3y)$

1-2. (1) $2x(y+3z)$ (2) $xy(4x+7)$ (3) $2a(ab^2-b+1)$

(4) $(x-y)(m+1)$ (5) $(a+2)(xy-3)$

2-1. (1) $(x-1)^2$ (2) $(2x+y)^2$ (3) $(3x+5y)^2$

(4) $(a+9)(a-9)$ (5) $(b+2a)(b-2a)$

(6) $9(x+2y)(x-2y)$

연구 (1) $a-b$ (2) $a+b$

2-2. (1) $(x+2)^2$ (2) $(3x-1)^2$ (3) $3(x+1)^2$

(4) $2(x-5)^2$ (5) $\left(x-\frac{1}{3}\right)^2$ (6) $(4x+1)(4x-1)$

(7) $\left(1+\frac{1}{2}a\right)\left(1-\frac{1}{2}a\right)$ (8) $5(a+3b)(a-3b)$

3-1. (1) $(x-2)(x-7)$ (2) $(x-2)(x+4)$

(3) $(x-4y)(x+8y)$ (4) $(x+3)(2x+1)$

(5) $(2x-1)(3x-2)$ (6) $(2x-3y)(3x+5y)$

연구 (1) $x+b$ (2) b, d

3-2. (1) $(x-1)(x-2)$ (2) $(x-3)(x+8)$

(3) $(x+10)(x-4)$ (4) $(x+y)(x-8y)$

(5) $(2x+1)(3x-7)$ (6) $(x+2)(5x-3)$

(7) $(2x-y)(4x+3y)$ (8) $(2x-y)(5x+3y)$

2-1 (1) $x^2-2x+1=x^2-2\times x\times1+1^2=(x-1)^2$

(2) $4x^2+4xy+y^2=(2x)^2+2\times2x\times y+y^2=(2x+y)^2$

(3) $9x^2+30xy+25y^2=(3x)^2+2\times3x\times5y+(5y)^2$

$=(3x+5y)^2$

(4) $a^2-81=a^2-9^2=(a+9)(a-9)$

(5) $-4a^2+b^2=b^2-4a^2=b^2-(2a)^2$

$=(b+2a)(b-2a)$

(6) $9x^2-36y^2=9(x^2-4y^2)=9\{x^2-(2y)^2\}$

$=9(x+2y)(x-2y)$

2-2 (1) $x^2+4x+4=x^2+2\times x\times2+2^2=(x+2)^2$

(2) $9x^2-6x+1=(3x)^2-2\times3x\times1+1^2=(3x-1)^2$

(3) $3x^2+6x+3=3(x^2+2x+1)$

$=3(x^2+2\times x\times1+1^2)=3(x+1)^2$

(4) $2x^2-20x+50=2(x^2-10x+25)$

$=2(x^2-2\times x\times5+5^2)=2(x-5)^2$

(5) $x^2-\frac{2}{3}x+\frac{1}{9}=x^2-2\times x\times\frac{1}{3}+\left(\frac{1}{3}\right)^2=\left(x-\frac{1}{3}\right)^2$

(6) $16x^2-1=(4x)^2-1^2=(4x+1)(4x-1)$

(7) $-\frac{1}{4}a^2+1=1-\frac{1}{4}a^2=1^2-\left(\frac{1}{2}a\right)^2$

$=\left(1+\frac{1}{2}a\right)\left(1-\frac{1}{2}a\right)$

(8) $5a^2-45b^2=5(a^2-9b^2)=5\{a^2-(3b)^2\}$

$=5(a+3b)(a-3b)$

3-1 (1) $x^2-9x+14=(x-2)(x-7)$

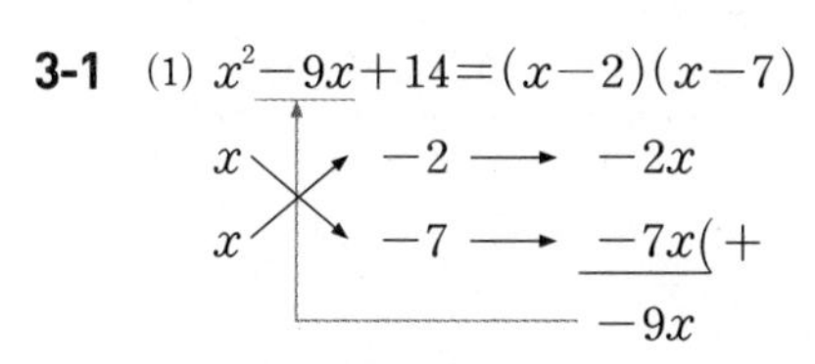

$x \quad -2 \longrightarrow -2x$
$x \quad -7 \longrightarrow -7x\ (+$
$-9x$

(2) $x^2+2x-8=(x-2)(x+4)$

$x \quad -2 \longrightarrow -2x$
$x \quad 4 \longrightarrow 4x\ (+$
$2x$

(3) $x^2+4xy-32y^2=(x-4y)(x+8y)$

$x \quad -4y \longrightarrow -4xy$
$x \quad 8y \longrightarrow 8xy\ (+$
$4xy$

(4) $2x^2+7x+3=(x+3)(2x+1)$

$x \quad 3 \longrightarrow 6x$
$2x \quad 1 \longrightarrow x\ (+$
$7x$

(5) $6x^2-7x+2=(2x-1)(3x-2)$

$2x \quad -1 \longrightarrow -3x$
$3x \quad -2 \longrightarrow -4x\ (+$
$-7x$

(6) $6x^2+xy-15y^2=(2x-3y)(3x+5y)$

$2x \quad -3y \longrightarrow -9xy$
$3x \quad 5y \longrightarrow 10xy\ (+$
xy

3-2 (1) $x^2-3x+2=(x-1)(x-2)$

$x \quad -1 \longrightarrow -x$
$x \quad -2 \longrightarrow -2x\ (+$
$-3x$

(2) $x^2+5x-24=(x-3)(x+8)$

$x \quad -3 \longrightarrow -3x$
$x \quad 8 \longrightarrow 8x\ (+$
$5x$

(3) $x^2+6x-40=(x+10)(x-4)$

$x \quad 10 \longrightarrow 10x$
$x \quad -4 \longrightarrow -4x\ (+$
$6x$

(4) $x^2-7xy-8y^2=(x+y)(x-8y)$

$x \quad y \longrightarrow xy$
$x \quad -8y \longrightarrow -8xy\ (+$
$-7xy$

(5) $6x^2-11x-7=(2x+1)(3x-7)$

$2x \quad 1 \longrightarrow 3x$
$3x \quad -7 \longrightarrow -14x\ (+$
$-11x$

(6) $5x^2+7x-6=(x+2)(5x-3)$

$x \quad 2 \longrightarrow 10x$
$5x \quad -3 \longrightarrow -3x\ (+$
$7x$

(7) $8x^2+2xy-3y^2=(2x-y)(4x+3y)$

$2x \quad -y \longrightarrow -4xy$
$4x \quad 3y \longrightarrow 6xy\ (+$
$2xy$

(8) $10x^2+xy-3y^2=(2x-y)(5x+3y)$

$2x \quad -y \longrightarrow -5xy$
$5x \quad 3y \longrightarrow 6xy\ (+$
xy

STEP 2 98쪽~103쪽

1-2. ④ **1-3.** ⑤

2-2. ⑤

3-2. (1) 9 (2) 25 (3) 16 (4) 9

3-3. $a=\frac{1}{16}$, $b=\frac{1}{4}$

4-2. (1) ± 8 (2) ± 12 (3) ± 30 (4) $\pm\frac{1}{2}$

5-2. $2a-2$ **5-3.** $-2a-3$

6-2. ④

7-2. $2x-11$ **7-3.** -16

8-2. ② **8-3.** 1

9-2. ① **9-3.** $x-3$

10-2. -22 **10-3.** 1

11-2. $3x+3$

12-2. $4x+7$ **12-3.** $36a+16b$

1-2 $2x^2y-4xy^2=2xy(x-2y)$
따라서 주어진 다항식의 인수가 아닌 것은 ④이다.

1-3 ⑤ $2x^2+4x=2x(x+2)$

2-2 ① $x^2-10x+25=(x-5)^2$

② $\frac{1}{4}x^2-\frac{1}{3}xy+\frac{1}{9}y^2=\left(\frac{1}{2}x-\frac{1}{3}y\right)^2$

③ $16x^2+8x+1=(4x+1)^2$

④ $\frac{1}{4}x^2-x+1=\left(\frac{1}{2}x-1\right)^2$

따라서 완전제곱식으로 인수분해할 수 없는 것은 ⑤이다.

3-2 (1) $\square=\left(\frac{-6}{2}\right)^2=(-3)^2=9$

(2) $\square=\left(\frac{10}{2}\right)^2=5^2=25$

(3) $9a^2+24ab+\square b^2=(3a)^2+2\times 3a\times 4b+\square b^2$에서

$\square b^2=(4b)^2=16b^2$ $\quad\therefore \square=16$

(4) $4x^2-12xy+\square y^2=(2x)^2-2\times 2x\times 3y+\square y^2$에서

$\square y^2=(3y)^2=9y^2$ $\quad\therefore \square=9$

3-3 $4x^2+x+a=(2x)^2+2\times 2x\times\frac{1}{4}+a$에서

$a=\left(\frac{1}{4}\right)^2=\frac{1}{16}$

즉 $4x^2+x+\frac{1}{16}=\left(2x+\frac{1}{4}\right)^2$이므로 $b=\frac{1}{4}$

4-2 (1) $x^2+\square xy+16y^2=x^2+\square xy+(4y)^2$에서

$\square=\pm 2\times 1\times 4=\pm 8$

(2) $4a^2+\square a+9=(2a)^2+\square a+3^2$에서

$\square=\pm 2\times 2\times 3=\pm 12$

(3) $9x^2+\square x+25=(3x)^2+\square x+5^2$에서

$\square=\pm 2\times 3\times 5=\pm 30$

(4) $x^2+\square xy+\frac{1}{16}y^2=x^2+\square xy+\left(\frac{1}{4}y\right)^2$에서

$\square=\pm 2\times 1\times\frac{1}{4}=\pm\frac{1}{2}$

5-2 $\sqrt{a^2}-\sqrt{a^2-4a+4}=\sqrt{a^2}-\sqrt{(a-2)^2}$이고

$0<a<2$일 때, $a>0$, $a-2<0$이므로

$\sqrt{a^2}-\sqrt{(a-2)^2}=a-\{-(a-2)\}$

$=a+a-2=2a-2$

5-3 $\sqrt{a^2-2a+1}-\sqrt{a^2+8a+16}=\sqrt{(a-1)^2}-\sqrt{(a+4)^2}$이고

$-4<a<1$일 때, $a-1<0$, $a+4>0$이므로

$\sqrt{(a-1)^2}-\sqrt{(a+4)^2}=-(a-1)-(a+4)$

$=-a+1-a-4$

$=-2a-3$

6-2 ④ $-9x^2+100=100-9x^2=10^2-(3x)^2$

$=(10+3x)(10-3x)$

따라서 인수분해한 것이 옳지 않은 것은 ④이다.

7-2 $x^2-11x+24=(x-3)(x-8)$

$x \quad -3 \longrightarrow -3x$

$x \quad -8 \longrightarrow -8x$ (+

$-11x$

따라서 두 일차식의 합은

$(x-3)+(x-8)=2x-11$

7-3 $x^2+5x+a=(x+b)(x-3)$에서 우변을 전개하면

$x^2+5x+a=x^2+(b-3)x-3b$

각 항의 계수를 비교하면

$5=b-3$이므로 $b=8$

$a=-3b$이므로 $a=-3\times 8=-24$

$\therefore a+b=-24+8=-16$

8-2 $10x^2-9x-7=(2x+1)(5x-7)$

$2x \quad 1 \longrightarrow 5x$

$5x \quad -7 \longrightarrow -14x$ (+

$-9x$

따라서 두 일차식의 합은

$(2x+1)+(5x-7)=7x-6$

8-3 $4x^2-5x+A=(x-2)(Bx+C)$에서 우변을 전개하면

$4x^2-5x+A=Bx^2+(-2B+C)x-2C$

각 항의 계수를 비교하면

$B=4$

$-5=-2B+C$이므로 $C=-5+2B=-5+2\times 4=3$

$A=-2C$이므로 $A=-2\times 3=-6$

$\therefore A+B+C=-6+4+3=1$

9-2 $x^2+x-6=(x-2)(x+3)$

$4x^2-3x-10=(x-2)(4x+5)$

따라서 두 다항식에 공통으로 들어 있는 인수는 ①이다.

9-3 $x^2+3x-18=(x-3)(x+6)$

$3x^2-7x-6=(x-3)(3x+2)$

따라서 두 다항식에 공통으로 들어 있는 인수는 $x-3$이다.

10-2 $3x^2+5x+a$가 $x-2$로 나누어떨어지므로 $x-2$를 인수로 갖는다. 이때 x^2의 계수가 3이므로

$3x^2+5x+a=(x-2)(3x+\square)$로 놓으면

$-6+\square=5$ $\quad\therefore \square=11$

즉 $(x-2)(3x+11)=3x^2+5x-22$이므로

$a=-22$

10-3 $x-4$가 x^2-6x+a의 인수이고 x^2의 계수가 1이므로

$x^2-6x+a=(x-4)(x+A)$로 놓으면

$-4+A=-6$ $\quad\therefore A=-2$

즉 $(x-4)(x-2)=x^2-6x+8$이므로 $a=8$
$x-4$가 $2x^2+bx-4$의 인수이고 x^2의 계수가 2이므로
$2x^2+bx-4=(x-4)(2x+B)$로 놓으면
$-4B=-4$ $\therefore B=1$
즉 $(x-4)(2x+1)=2x^2-7x-4$이므로 $b=-7$
$\therefore a+b=8+(-7)=1$

11-2 주어진 직사각형의 넓이의 합을 식으로 나타내면
$x^2+x^2+x+x+x+x+x+1+1$
$=2x^2+5x+2$
$=(x+2)(2x+1)$
따라서 새로 만든 직사각형의 가로, 세로의 길이는 각각 $x+2$, $2x+1$ 또는 $2x+1$, $x+2$이므로 그 합은
$(x+2)+(2x+1)=3x+3$

12-2 $4x^2+19x+21=\frac{1}{2}\times\{(x+2)+(x+4)\}\times$(높이)에서
$(x+3)(4x+7)=(x+3)\times$(높이)
$\therefore$ (높이)$=4x+7$

12-3 $81a^2+72ab+16b^2=(9a+4b)^2$
따라서 정사각형 모양의 공원의 한 변의 길이는 $9a+4b$이므로 둘레의 길이는
$4(9a+4b)=36a+16b$

계산력 집중 연습 104쪽

1. (1) $m(m-4)$ (2) $xy(x-2)$ (3) $5a^2b(2-b)$
(4) $(a+b)(a+b+7)$ (5) $3a(b+1)(a-4)$

2. (1) $(x+6)^2$ (2) $(x-11)^2$ (3) $(7x-1)^2$ (4) $(3x+4)^2$
(5) $\left(x+\frac{1}{4}\right)^2$ (6) $\left(\frac{1}{6}x-1\right)^2$ (7) $3(x-5y)^2$ (8) $4(2x-y)^2$

3. (1) $(2a+3)(2a-3)$ (2) $(7a+4b)(7a-4b)$
(3) $(2y+3x)(2y-3x)$ (4) $5(3x+5y)(3x-5y)$

4. (1) $(x+5)(x+6)$ (2) $(x-4)(x+3)$ (3) $(x-7y)(x+8y)$
(4) $(x-3y)(x-6y)$ (5) $3(x+2)(x-5)$
(6) $2(x-4y)(x-8y)$ (7) $-(x+2)(x-9)$
(8) $-(x-2y)(x+6y)$

5. (1) $(x+4)(3x-2)$ (2) $(x-1)(7x+4)$
(3) $(x-1)(9x-4)$ (4) $(x-y)(3x+2y)$
(5) $(3x-4y)(5x+3y)$ (6) $2(x-1)(3x+10)$
(7) $4(x-3y)(2x+y)$ (8) $-(3x+5y)(4x-y)$

2 (3) $49x^2-14x+1=(7x)^2-2\times7x\times1+1^2$
$=(7x-1)^2$
(4) $9x^2+24x+16=(3x)^2+2\times3x\times4+4^2$
$=(3x+4)^2$
(5) $x^2+\frac{1}{2}x+\frac{1}{16}=x^2+2\times x\times\frac{1}{4}+\left(\frac{1}{4}\right)^2$
$=\left(x+\frac{1}{4}\right)^2$
(6) $\frac{1}{36}x^2-\frac{1}{3}x+1=\left(\frac{1}{6}x\right)^2-2\times\frac{1}{6}x\times1+1^2$
$=\left(\frac{1}{6}x-1\right)^2$
(7) $3x^2-30xy+75y^2=3(x^2-10xy+25y^2)$
$=3\{x^2-2\times x\times5y+(5y)^2\}$
$=3(x-5y)^2$
(8) $16x^2-16xy+4y^2=4(4x^2-4xy+y^2)$
$=4\{(2x)^2-2\times2x\times y+y^2\}$
$=4(2x-y)^2$

3 (1) $4a^2-9=(2a)^2-3^2=(2a+3)(2a-3)$
(2) $49a^2-16b^2=(7a)^2-(4b)^2=(7a+4b)(7a-4b)$
(3) $-9x^2+4y^2=4y^2-9x^2=(2y)^2-(3x)^2$
$=(2y+3x)(2y-3x)$
(4) $45x^2-125y^2=5(9x^2-25y^2)$
$=5\{(3x)^2-(5y)^2\}$
$=5(3x+5y)(3x-5y)$

4 (3) $x^2+xy-56y^2=(x-7y)(x+8y)$
$x \quad -7y \longrightarrow -7xy$
$x \quad 8y \longrightarrow 8xy$ (+
xy

(4) $x^2-9xy+18y^2=(x-3y)(x-6y)$
$x \quad -3y \longrightarrow -3xy$
$x \quad -6y \longrightarrow -6xy$ (+
$-9xy$

(5) $3x^2-9x-30=3(x^2-3x-10)$
$x^2-3x-10=(x+2)(x-5)$
$x \quad 2 \longrightarrow 2x$
$x \quad -5 \longrightarrow -5x$ (+
$-3x$
$\therefore 3x^2-9x-30=3(x+2)(x-5)$

(6) $2x^2-24xy+64y^2=2(x^2-12xy+32y^2)$
$x^2-12xy+32y^2=(x-4y)(x-8y)$
$x \quad -4y \longrightarrow -4xy$
$x \quad -8y \longrightarrow -8xy$ (+
$-12xy$

$\therefore\ 2x^2-24xy+64y^2=2(x-4y)(x-8y)$

(7) $-x^2+7x+18=-(x^2-7x-18)$

$x^2-7x-18=(x+2)(x-9)$

$x \quad 2 \to 2x$
$x \quad -9 \to -9x\ (+$
$\qquad -7x$

$\therefore\ -x^2+7x+18=-(x+2)(x-9)$

(8) $-x^2-4xy+12y^2=-(x^2+4xy-12y^2)$

$x^2+4xy-12y^2=(x-2y)(x+6y)$

$x \quad -2y \to -2xy$
$x \quad 6y \to 6xy\ (+$
$\qquad 4xy$

$\therefore\ -x^2-4xy+12y^2=-(x-2y)(x+6y)$

5 (1) $3x^2+10x-8=(x+4)(3x-2)$

$x \quad 4 \to 12x$
$3x \quad -2 \to -2x\ (+$
$\qquad 10x$

(2) $7x^2-3x-4=(x-1)(7x+4)$

$x \quad -1 \to -7x$
$7x \quad 4 \to 4x\ (+$
$\qquad -3x$

(3) $9x^2-13x+4=(x-1)(9x-4)$

$x \quad -1 \to -9x$
$9x \quad -4 \to -4x\ (+$
$\qquad -13x$

(4) $3x^2-xy-2y^2=(x-y)(3x+2y)$

$x \quad -y \to -3xy$
$3x \quad 2y \to 2xy\ (+$
$\qquad -xy$

(5) $15x^2-11xy-12y^2=(3x-4y)(5x+3y)$

$3x \quad -4y \to -20xy$
$5x \quad 3y \to 9xy\ (+$
$\qquad -11xy$

(6) $6x^2+14x-20=2(3x^2+7x-10)$

$3x^2+7x-10=(x-1)(3x+10)$

$x \quad -1 \to -3x$
$3x \quad 10 \to 10x\ (+$
$\qquad 7x$

$\therefore\ 6x^2+14x-20=2(x-1)(3x+10)$

(7) $8x^2-20xy-12y^2=4(2x^2-5xy-3y^2)$

$2x^2-5xy-3y^2=(x-3y)(2x+y)$

$x \quad -3y \to -6xy$
$2x \quad y \to xy\ (+$
$\qquad -5xy$

$\therefore\ 8x^2-20xy-12y^2=4(x-3y)(2x+y)$

(8) $-12x^2-17xy+5y^2=-(12x^2+17xy-5y^2)$

$12x^2+17xy-5y^2=(3x+5y)(4x-y)$

$3x \quad 5y \to 20xy$
$4x \quad -y \to -3xy\ (+$
$\qquad 17xy$

$\therefore\ -12x^2-17xy+5y^2=-(3x+5y)(4x-y)$

STEP 3 105쪽~107쪽

01. ③	**02.** ②, ⑤	**03.** ④	**04.** ③	**05.** 72
06. ②	**07.** 25	**08.** ⑤	**09.** ⑤	**10.** ④
11. ④	**12.** 4개	**13.** ①	**14.** −13	**15.** ⑤
16. ②	**17.** ⑤	**18.** 1	**19.** ①	**20.** 16
21. (1) $A=2$, $B=-24$ (2) $(x-4)(x+6)$				

01 ③ $6xy+2y^2$의 인수는 $1, 2, y, 2y, 3x+y, 2(3x+y)$, $y(3x+y), 2y(3x+y)$이다.

02 $x^3y-3xy^2=xy(x^2-3y)$
따라서 주어진 다항식의 인수인 것은 ②, ⑤이다.

03 ④ $4x^3-2x=2x(2x^2-1)$
따라서 인수분해한 것이 옳지 않은 것은 ④이다.

04 ① $x^2+2xy+y^2=(x+y)^2$
② $a^2-8ab+16b^2=(a-4b)^2$
④ $\frac{1}{4}x^2+\frac{1}{3}x+\frac{1}{9}=\left(\frac{1}{2}x+\frac{1}{3}\right)^2$
⑤ $x^2+\frac{6}{5}x+\frac{9}{25}=\left(x+\frac{3}{5}\right)^2$
따라서 완전제곱식으로 인수분해할 수 없는 것은 ③이다.

05 $x^2-16x+A=(x-B)^2$에서
$A=\left(\frac{-16}{2}\right)^2=(-8)^2=64$ …… [40 %]
즉 $x^2-16x+64=(x-8)^2$이므로 $B=8$ …… [40 %]
$\therefore A+B=64+8=72$ …… [20 %]

06 ① $\square=\left(\frac{-2}{2}\right)^2=1^2=1$
② $\square a^2-4a+1=\square a^2-2\times 2a\times 1+1^2$에서
$\square a^2=(2a)^2=4a^2 \quad \therefore \square=4$

③ $\square=\left(\frac{1}{2}\right)^2=\frac{1}{4}$

④ $9a^2-6a+\square=(3a)^2-2\times3a\times1+\square$에서
$\square=1^2=1$

⑤ $4b^2+\square b+\frac{1}{4}=(2b)^2+\square b+\left(\frac{1}{2}\right)^2$에서
$\square=2\times2\times\frac{1}{2}=2$

따라서 $\square$ 안에 들어갈 양수 중 가장 큰 것은 ②이다.

07 $(x-3)(x+7)+k=x^2+4x-21+k$
이 식이 완전제곱식이 되려면
$-21+k=\left(\frac{4}{2}\right)^2$, $-21+k=4$ $\therefore k=25$

08 $\sqrt{a^2+2a+1}-\sqrt{a^2-6a+9}=\sqrt{(a+1)^2}-\sqrt{(a-3)^2}$이고
$-1<a<3$일 때, $a+1>0$, $a-3<0$이므로
$\sqrt{(a+1)^2}-\sqrt{(a-3)^2}=a+1-\{-(a-3)\}$
$=a+1+a-3=2a-2$

09 ① $a^2-1=(a+1)(a-1)$
② $a^2-81b^2=(a+9b)(a-9b)$
③ $4a^2-25b^2=(2a+5b)(2a-5b)$
④ $64x^2-49y^2=(8x+7y)(8x-7y)$
따라서 인수분해가 바르게 된 것은 ⑤이다.

10 $49x^2-9y^2=(7x+3y)(7x-3y)$
따라서 $a=7$, $b=3$이므로 $a+b=7+3=10$

11 $(x+5)(x+6)-6=x^2+11x+24$
$=(x+3)(x+8)$

12 다항식 x^2+kx-8이 $(x+a)(x+b)$ (단, $a>b$이고 a, b는 정수)로 인수분해된다고 하면 $ab=-8$
두 수의 곱이 -8이 되는 정수 a, b를 구하여 순서쌍 (a, b)로 나타내면 $(1, -8)$, $(2, -4)$, $(4, -2)$, $(8, -1)$이다.
이때 $k=a+b$이므로 k의 값은 -7, -2, 2, 7의 4개이다.

13 ① $x^2-36=(x+6)(x-6)$ $\therefore \square=6$
② $x^2+10xy+25y^2=(x+5y)^2$ $\therefore \square=5$
③ $x^2-x-12=(x-4)(x+3)$ $\therefore \square=3$
④ $4x^2+5x-6=(x+2)(4x-3)$ $\therefore \square=4$
⑤ $6x^2-19x-7=(2x-7)(3x+1)$ $\therefore \square=2$
따라서 가장 큰 것은 ①이다.

14 $12x^2+ax-5=(bx-5)(4x+c)$에서 우변을 전개하면
$12x^2+ax-5=4bx^2+(bc-20)x-5c$ …… [30 %]
각 항의 계수를 비교하면
$12=4b$이므로 $b=3$ …… [20 %]
$-5=-5c$이므로 $c=1$ …… [20 %]
$a=bc-20=3\times1-20=-17$ …… [20 %]
$\therefore a+b+c=-17+3+1=-13$ …… [10 %]

15 $(2x+3)(4x-3)+10=8x^2+6x+1$
$=(2x+1)(4x+1)$
따라서 두 일차식의 합은
$(2x+1)+(4x+1)=6x+2$

16 $x^2-x-6=(x+2)(x-3)$
$2x^2+2x-24=2(x^2+x-12)=2(x-3)(x+4)$
따라서 두 다항식에 공통으로 들어 있는 인수는 ②이다.

17 ① $x^2y-3xy=xy(x-3)$
② $x^2-9=(x+3)(x-3)$
③ $2x^2-12x+18=2(x^2-6x+9)=2(x-3)^2$
④ $2x^2-5x-3=(x-3)(2x+1)$
⑤ $3x^2+15xy+18y^2=3(x^2+5xy+6y^2)$
$=3(x+2y)(x+3y)$
따라서 $x-3$으로 나누어떨어지지 않는 것은 ⑤이다.

18 $2x-1$이 $6x^2+ax-2$의 인수이고 x^2의 계수가 6이므로
$6x^2+ax-2=(2x-1)(3x+\square)$로 놓으면 …… [50 %]
$-1\times\square=-2$ $\therefore \square=2$ …… [20 %]
즉 $(2x-1)(3x+2)=6x^2+x-2$이므로 $a=1$ …… [30 %]

19 주어진 직사각형의 넓이의 합을 식으로 나타내면
$x^2+x+x+x+x+1+1+1+1=x^2+5x+4$
$=(x+1)(x+4)$

20 (직사각형의 넓이)=(가로의 길이)×(세로의 길이)이므로
$6x^2+bx+6=(2x+a)(3x+2)$에서 우변을 전개하면
$6x^2+bx+6=6x^2+(4+3a)x+2a$
각 항의 계수를 비교하면
$6=2a$이므로 $a=3$
$b=4+3a$이므로 $b=4+3\times3=13$
$\therefore a+b=3+13=16$

21 (1) 영모는 상수항을 제대로 보았으므로
$(x+3)(x-8)=x^2-5x-24$에서 상수항은 -24
$\therefore B=-24$
승환이는 x의 계수를 제대로 보았으므로
$(x-2)(x+4)=x^2+2x-8$에서 x의 계수는 2
$\therefore A=2$
(2) 처음 이차식은 $x^2+2x-24$이므로 이 식을 인수분해하면 $x^2+2x-24=(x-4)(x+6)$

6. 인수분해 공식의 활용

1 인수분해 공식의 활용

개념 확인 110쪽~112쪽

1. (1) $b(a+2b)(a-2b)$ (2) $x(x+3)(x+4)$
(3) $3xy(x+5)(x-1)$ (4) $(x+y)(x+4)(x-4)$
(5) $(x-2)(x+7)$ (6) $(a+b+1)(a-b-9)$

2. (1) $(x-1)(2y-1)$ (2) $(x-5)(y+1)$
(3) $(x+y-1)(x-y-1)$ (4) $(x-2y+3)(x-2y-3)$

3. $x-2$, $x-2$, $(x-2)(x+y-4)$

4. (1) 1500 (2) 10000 (3) 4900 (4) 2800

5. (1) 8 (2) $8\sqrt{5}$ (3) 4

1 (1) $a^2b-4b^3=b(a^2-4b^2)=b(a+2b)(a-2b)$

(2) $x^3+7x^2+12x=x(x^2+7x+12)$
$=x(x+3)(x+4)$

(3) $3x^3y+12x^2y-15xy=3xy(x^2+4x-5)$
$=3xy(x+5)(x-1)$

(4) $(x+y)x^2-16(x+y)=(x+y)(x^2-16)$
$=(x+y)(x+4)(x-4)$

(5) $x+1=A$로 치환하면
$(x+1)^2+3(x+1)-18=A^2+3A-18$
$=(A-3)(A+6)$
$=(x+1-3)(x+1+6)$
$=(x-2)(x+7)$

(6) $a-4=A$, $b+5=B$로 치환하면
$(a-4)^2-(b+5)^2$
$=A^2-B^2$
$=(A+B)(A-B)$
$=\{(a-4)+(b+5)\}\{(a-4)-(b+5)\}$
$=(a+b+1)(a-b-9)$

2 (1) $2xy-2y-x+1=2y(x-1)-(x-1)$
$=(x-1)(2y-1)$

(2) $xy-5y+x-5=y(x-5)+(x-5)$
$=(x-5)(y+1)$

(3) $x^2-2x+1-y^2=(x^2-2x+1)-y^2$
$=(x-1)^2-y^2$
$=(x-1+y)(x-1-y)$
$=(x+y-1)(x-y-1)$

(4) $x^2-4xy+4y^2-9=(x^2-4xy+4y^2)-9$
$=(x-2y)^2-3^2$
$=(x-2y+3)(x-2y-3)$

4 (1) $15\times75+15\times25=15\times(75+25)=15\times100=1500$

(2) $99^2+2\times99+1=(99+1)^2=100^2=10000$

(3) $73^2-2\times73\times3+3^2=(73-3)^2=70^2=4900$

(4) $64^2-36^2=(64+36)(64-36)=100\times28=2800$

5 (1) $x^2-4x+4=(x-2)^2$
$=(2-2\sqrt{2}-2)^2$
$=(-2\sqrt{2})^2=8$

(2) $x^2-y^2=(x+y)(x-y)$
$=\{(2+\sqrt{5})+(2-\sqrt{5})\}\{(2+\sqrt{5})-(2-\sqrt{5})\}$
$=4\times2\sqrt{5}=8\sqrt{5}$

(3) $a^2-2ab+b^2=(a-b)^2$
$=\{(\sqrt{2}+1)-(\sqrt{2}-1)\}^2$
$=2^2=4$

STEP 1 113쪽

1-1. $2A+1$, $2(x-2)+1$, $2x-3$

1-2. (1) $(x+3)(x-11)$ (2) $(x+y-1)(x+y+4)$
(3) $(5a+2b)(3a+4b)$ (4) $(x+y-1)(x+5y-9)$

2-1. $ac-bc$, c, c

2-2. (1) $(x+1)(x+2)(x-2)$ (2) $(a-b)(a+c)(a-c)$
(3) $(3x+y+1)(3x-y+1)$
(4) $(2x+3y+1)(2x-3y+1)$

3-1. $x-y$, $2\sqrt{6}$, $4\sqrt{3}$

3-2. (1) 10000 (2) $24\sqrt{6}$ (3) 16

1-2 (1) $x-3=A$로 치환하면
$(x-3)^2-2(x-3)-48=A^2-2A-48$
$=(A+6)(A-8)$
$=(x-3+6)(x-3-8)$
$=(x+3)(x-11)$

(2) $x+y=A$로 치환하면
$(x+y)(x+y+3)-4=A(A+3)-4$
$=A^2+3A-4$
$=(A-1)(A+4)$
$=(x+y-1)(x+y+4)$

(3) $4a+3b=A$, $a-b=B$로 치환하면

$(4a+3b)^2-(a-b)^2$
$=A^2-B^2$
$=(A+B)(A-B)$
$=\{(4a+3b)+(a-b)\}\{(4a+3b)-(a-b)\}$
$=(5a+2b)(3a+4b)$

(4) $x+1=A$, $y-2=B$로 치환하면

$(x+1)^2+6(x+1)(y-2)+5(y-2)^2$
$=A^2+6AB+5B^2$
$=(A+B)(A+5B)$
$=\{(x+1)+(y-2)\}\{(x+1)+5(y-2)\}$
$=(x+y-1)(x+5y-9)$

2-2 (1) $x^3+x^2-4x-4=(x^3+x^2)+(-4x-4)$
$=x^2(x+1)-4(x+1)$
$=(x+1)(x^2-4)$
$=(x+1)(x+2)(x-2)$

(2) $a^3-a^2b-ac^2+bc^2=(a^3-a^2b)+(-ac^2+bc^2)$
$=a^2(a-b)-c^2(a-b)$
$=(a-b)(a^2-c^2)$
$=(a-b)(a+c)(a-c)$

(3) $9x^2-y^2+6x+1=(9x^2+6x+1)-y^2$
$=(3x+1)^2-y^2$
$=(3x+1+y)(3x+1-y)$
$=(3x+y+1)(3x-y+1)$

(4) $4x^2+4x-9y^2+1=(4x^2+4x+1)-9y^2$
$=(2x+1)^2-(3y)^2$
$=(2x+1+3y)(2x+1-3y)$
$=(2x+3y+1)(2x-3y+1)$

3-2 (1) $n^2-6n+9=(n-3)^2$
$=(103-3)^2$
$=100^2=10000$

(2) x^2-y^2
$=(x+y)(x-y)$
$=\{(3\sqrt{2}+2\sqrt{3})+(3\sqrt{2}-2\sqrt{3})\}$
$\{(3\sqrt{2}+2\sqrt{3})-(3\sqrt{2}-2\sqrt{3})\}$
$=6\sqrt{2}\times4\sqrt{3}=24\sqrt{6}$

(3) $a^2(a-b)+b^2(b-a)=a^2(a-b)-b^2(a-b)$
$=(a-b)(a^2-b^2)$
$=(a-b)(a+b)(a-b)$
$=(a+b)(a-b)^2$
$=4\times(-2)^2=16$

STEP 2 114쪽~118쪽

1-2. (1) $(a+2b)(x+2y)(x-2y)$ (2) $5a(2x+1)(3x-4)$ (3) $(a-b)(a-1)(a-2)$

2-2. (1) $(x-5)(5x-12)$ (2) $x(x-8)$ (3) $(x+y-1)(x+y+3)$ (4) $(a-2b-5)(a-2b+8)$

3-2. (1) $(5x+3)(x-1)$ (2) $x(3x-2)$ (3) $(4x+1)^2$ (4) $(x+4y+7)(x-6y-13)$

4-2. (1) $(y-4)(x-1)$ (2) $(a+1)^2(a-1)$ (3) $(x-a)(x-b)$ (4) $(x+1)(x^2-3)$

5-2. (1) $(a+b+3)(a-b+3)$ (2) $(a+b-4)(a-b+4)$ (3) $(x+y+2)(x-y+2)$ (4) $(2x+y+5)(2x-y-5)$

6-2. $3y$, $2x$, $x+3$, $x+3$, $x+3$

6-3. $(x-y+4)(x+y-3)$

7-2. (1) 6060 (2) 22 (3) 20

8-2. (1) 2 (2) 8 **9-2.** 75

9-3. (1) 32 (2) 4 **10-2.** $2\sqrt{3}$

1-2 (1) $(a+2b)x^2-4(a+2b)y^2=(a+2b)(x^2-4y^2)$
$=(a+2b)(x+2y)(x-2y)$

(2) $30ax^2-25ax-20a=5a(6x^2-5x-4)$
$=5a(2x+1)(3x-4)$

(3) $(a-b)a^2-3a(a-b)+2(a-b)$
$=(a-b)(a^2-3a+2)$
$=(a-b)(a-1)(a-2)$

2-2 (1) $x-3=A$로 치환하면

$5(x-3)^2-7(x-3)-6$
$=5A^2-7A-6$
$=(A-2)(5A+3)$
$=\{(x-3)-2\}\{5(x-3)+3\}$
$=(x-5)(5x-12)$

(2) $x-2=A$로 치환하면

$(x-2)^2-4(x-2)-12$
$=A^2-4A-12$
$=(A+2)(A-6)$
$=\{(x-2)+2\}\{(x-2)-6\}$
$=x(x-8)$

(3) $x+y=A$로 치환하면

$(x+y)(x+y+2)-3=A(A+2)-3$
$=A^2+2A-3$
$=(A-1)(A+3)$
$=(x+y-1)(x+y+3)$

(4) $a-2b=A$로 치환하면

$(a-2b)(a-2b+3)-40$
$=A(A+3)-40$
$=A^2+3A-40$
$=(A-5)(A+8)$
$=(a-2b-5)(a-2b+8)$

3-2 (1) $3x+1=A$, $x+1=B$로 치환하면

$(3x+1)^2-4(x+1)^2$
$=A^2-4B^2=(A+2B)(A-2B)$
$=\{(3x+1)+2(x+1)\}\{(3x+1)-2(x+1)\}$
$=(5x+3)(x-1)$

(2) $2x-1=A$, $x-1=B$로 치환하면

$(2x-1)^2-(x-1)^2$
$=A^2-B^2=(A+B)(A-B)$
$=\{(2x-1)+(x-1)\}\{(2x-1)-(x-1)\}$
$=x(3x-2)$

(3) $x+4=A$, $x-1=B$로 치환하면

$(x+4)^2+6(x+4)(x-1)+9(x-1)^2$
$=A^2+6AB+9B^2$
$=(A+3B)^2$
$=\{(x+4)+3(x-1)\}^2$
$=(4x+1)^2$

(4) $x-1=A$, $y+2=B$로 치환하면

$(x-1)^2-2(x-1)(y+2)-24(y+2)^2$
$=A^2-2AB-24B^2$
$=(A+4B)(A-6B)$
$=\{(x-1)+4(y+2)\}\{(x-1)-6(y+2)\}$
$=(x+4y+7)(x-6y-13)$

4-2 (1) $xy-4x-y+4=(xy-4x)+(-y+4)$
$=x(y-4)-(y-4)$
$=(y-4)(x-1)$

(2) $a^3+a^2-a-1=(a^3+a^2)+(-a-1)$
$=a^2(a+1)-(a+1)$
$=(a+1)(a^2-1)$
$=(a+1)(a+1)(a-1)$
$=(a+1)^2(a-1)$

(3) $x^2-ax-bx+ab=(x^2-ax)+(-bx+ab)$
$=x(x-a)-b(x-a)$
$=(x-a)(x-b)$

(4) $x^3+x^2-3x-3=(x^3+x^2)+(-3x-3)$
$=x^2(x+1)-3(x+1)$
$=(x+1)(x^2-3)$

5-2 (1) $a^2+6a+9-b^2=(a^2+6a+9)-b^2$
$=(a+3)^2-b^2$
$=(a+3+b)(a+3-b)$
$=(a+b+3)(a-b+3)$

(2) $a^2-b^2+8b-16=a^2-(b^2-8b+16)$
$=a^2-(b-4)^2$
$=(a+b-4)(a-b+4)$

(3) $x^2-y^2+4x+4=(x^2+4x+4)-y^2$
$=(x+2)^2-y^2$
$=(x+2+y)(x+2-y)$
$=(x+y+2)(x-y+2)$

(4) $4x^2-y^2-10y-25=4x^2-(y^2+10y+25)$
$=(2x)^2-(y+5)^2$
$=(2x+y+5)(2x-y-5)$

6-3 주어진 식을 x에 대하여 내림차순으로 정리하여 인수분해하면

$x^2-y^2+x+7y-12=x^2+x-y^2+7y-12$
$=x^2+x-(y^2-7y+12)$
$=x^2+x-(y-4)(y-3)$
$=\{x-(y-4)\}\{x+(y-3)\}$
$=(x-y+4)(x+y-3)$

7-2 (1) $2020\times2.1+2020\times0.9=2020\times(2.1+0.9)$
$=2020\times3=6060$

(2) $\frac{1}{4}\times23^2-\frac{1}{4}\times21^2=\frac{1}{4}\times(23^2-21^2)$
$=\frac{1}{4}\times(23+21)(23-21)$
$=\frac{1}{4}\times44\times2=22$

(3) $\sqrt{52^2-48^2}=\sqrt{(52+48)(52-48)}$
$=\sqrt{100\times4}$
$=\sqrt{400}=20$

8-2 (1) $x^2-8x+16=(x-4)^2$
$=\{(4-\sqrt{2})-4\}^2$
$=(-\sqrt{2})^2=2$

(2) $x=\frac{1}{\sqrt{2}+\sqrt{3}}=\frac{\sqrt{2}-\sqrt{3}}{(\sqrt{2}+\sqrt{3})(\sqrt{2}-\sqrt{3})}$
$=\frac{\sqrt{2}-\sqrt{3}}{2-3}=\sqrt{3}-\sqrt{2}$

$y=\frac{1}{\sqrt{2}-\sqrt{3}}=\frac{\sqrt{2}+\sqrt{3}}{(\sqrt{2}-\sqrt{3})(\sqrt{2}+\sqrt{3})}$
$=\frac{\sqrt{2}+\sqrt{3}}{2-3}=-\sqrt{2}-\sqrt{3}$

$\therefore x^2+2xy+y^2=(x+y)^2$
$=\{(\sqrt{3}-\sqrt{2})+(-\sqrt{2}-\sqrt{3})\}^2$
$=(-2\sqrt{2})^2=8$

9-2 $x^2+4xy+4y^2-6=(x+2y)^2-6$
$=9^2-6$
$=81-6=75$

9-3 (1) $a^2+4a+4-b^2=(a^2+4a+4)-b^2$
$=(a+2)^2-b^2$
$=(a+2+b)(a+2-b)$
$=(a+b+2)(a-b+2)$
$=(6+2)(2+2)$
$=8\times4=32$

(2) $x^2-3x-y^2+3y=(x^2-y^2)+(-3x+3y)$
$=(x+y)(x-y)-3(x-y)$
$=(x-y)(x+y-3)$
$=2\times(5-3)=4$

10-2 두 정사각형의 둘레의 길이의 합이 $16\sqrt{3}$이므로
$4a+4b=16\sqrt{3}$ $\quad\therefore a+b=4\sqrt{3}$
색칠한 부분의 넓이가 24이므로
$a^2-b^2=24$
이때 $a^2-b^2=(a+b)(a-b)$에서
$24=4\sqrt{3}(a-b)$
$\therefore a-b=\frac{24}{4\sqrt{3}}=2\sqrt{3}$

STEP 3 119쪽~121쪽

01. ④	**02.** ①	**03.** 3	**04.** ②	**05.** 7
06. $2(a-1)(a+5)$		**07.** ②	**08.** ⑤	**09.** $8x+2$
10. ①, ③	**11.** ③	**12.** ③	**13.** 1600	**14.** 1
15. 32	**16.** ⑤	**17.** $6\sqrt{6}+6$		
18. 30600 cm^2, ㉢		**19.** ②	**20.** -55	

01 $x^2(y-1)+x(y-1)-2(y-1)$
$=(y-1)(x^2+x-2)$
$=(y-1)(x-1)(x+2)$

02 $3x-1=A$로 치환하면
$(3x-1)^2+6(3x-1)+8=A^2+6A+8$
$=(A+2)(A+4)$
$=\{(3x-1)+2\}\{(3x-1)+4\}$
$=(3x+1)(3x+3)$
$=3(x+1)(3x+1)$

따라서 $a=1$, $b=3$이므로
$a-b=1-3=-2$

주의
공통으로 들어 있는 인수를 남기지 않고 모두 묶어 냈는지 반드시 확인한다.

03 $x-y=A$로 치환하면
$(x-y)(x-y-3)-10=A(A-3)-10$
$=A^2-3A-10$
$=(A-5)(A+2)$
$=(x-y-5)(x-y+2)$
따라서 $a=5$, $b=2$이므로
$a-b=5-2=3$

04 ① $2x+1=A$, $x-3=B$로 치환하면
$(2x+1)^2-(x-3)^2$
$=A^2-B^2$
$=(A+B)(A-B)$
$=\{(2x+1)+(x-3)\}\{(2x+1)-(x-3)\}$
$=(3x-2)(x+4)$
② $2ax^2-8ax+8a=2a(x^2-4x+4)=2a(x-2)^2$
③ $a^3-9a=a(a^2-9)=a(a+3)(a-3)$
④ $a(x-y)+b(x-y)-c(y-x)$
$=a(x-y)+b(x-y)+c(x-y)$
$=(x-y)(a+b+c)$
⑤ $3x^2-10x-8=(x-4)(3x+2)$
따라서 인수분해가 바르게 된 것은 ②이다.

05 $2x-3=A$, $3y-1=B$로 치환하면
$(2x-3)^2-(3y-1)^2$
$=A^2-B^2$
$=(A+B)(A-B)$
$=\{(2x-3)+(3y-1)\}\{(2x-3)-(3y-1)\}$
$=(2x+3y-4)(2x-3y-2)$
따라서 $m=4$, $n=3$이므로
$m+n=4+3=7$

06 $a+1=A$, $a-3=B$로 치환하면
$2(a+1)^2+(a+1)(a-3)-(a-3)^2$
$=2A^2+AB-B^2$
$=(A+B)(2A-B)$
$=\{(a+1)+(a-3)\}\{2(a+1)-(a-3)\}$
$=(2a-2)(a+5)$
$=2(a-1)(a+5)$

07 $xy+x+y+1=(xy+x)+(y+1)$
$=x(y+1)+(y+1)$
$=(y+1)(x+1)$
$x^2+x-xy-y=x(x+1)-y(x+1)$
$=(x+1)(x-y)$
따라서 두 다항식에 공통으로 들어 있는 인수는 ②이다.

08 $a^2x-4x+4-a^2=(a^2x-4x)+(4-a^2)$
$=x(a^2-4)-(a^2-4)$
$=(a^2-4)(x-1)$
$=(a+2)(a-2)(x-1)$
따라서 주어진 다항식의 인수가 아닌 것은 ⑤이다.

09 $16x^2-y^2+8x+1=(16x^2+8x+1)-y^2$
$=(4x+1)^2-y^2$
$=(4x+1+y)(4x+1-y)$
$=(4x+y+1)(4x-y+1)$
…… [60 %]
따라서 주어진 다항식은 두 일차식 $4x+y+1$, $4x-y+1$의 곱으로 인수분해되므로 두 일차식의 합은
$(4x+y+1)+(4x-y+1)=8x+2$ …… [40 %]

10 $x^2+2xy+2x-2y-3=2xy-2y+x^2+2x-3$
$=2y(x-1)+(x-1)(x+3)$
$=(x-1)(2y+x+3)$
$=(x-1)(x+2y+3)$
따라서 주어진 다항식의 인수는 ①, ③이다.

11 $99^2-1=(99+1)(99-1)=100\times98=9800$
따라서 이용되는 인수분해 공식은 ③이다.

12 $0.77^2-0.23^2=(0.77+0.23)(0.77-0.23)$
$=1\times0.54$
$=0.54$

13 $37^2+2\times37\times3+3^2=(37+3)^2$
$=40^2$
$=1600$

14 $\dfrac{2020\times2021-2021}{2020^2-1}=\dfrac{2021\times(2020-1)}{(2020+1)(2020-1)}$
$=\dfrac{2021}{2021}$
$=1$

15 $x^2-6xy+9y^2=(x-3y)^2$
$=\{(3+\sqrt{2})-3(1-\sqrt{2})\}^2$
$=(4\sqrt{2})^2$
$=32$

16 $x=\dfrac{1}{\sqrt{5}-2}=\dfrac{\sqrt{5}+2}{(\sqrt{5}-2)(\sqrt{5}+2)}=\dfrac{\sqrt{5}+2}{5-4}=\sqrt{5}+2$
$y=\dfrac{1}{\sqrt{5}+2}=\dfrac{\sqrt{5}-2}{(\sqrt{5}+2)(\sqrt{5}-2)}=\dfrac{\sqrt{5}-2}{5-4}=\sqrt{5}-2$
$\therefore x^3y-xy^3=xy(x^2-y^2)$
$=xy(x+y)(x-y)$
$=(\sqrt{5}+2)(\sqrt{5}-2)\{(\sqrt{5}+2)+(\sqrt{5}-2)\}$
$\{(\sqrt{5}+2)-(\sqrt{5}-2)\}$
$=(5-4)\times2\sqrt{5}\times4$
$=8\sqrt{5}$

17 $x^2-y^2+6x-6y=(x^2-y^2)+(6x-6y)$
$=(x+y)(x-y)+6(x-y)$
$=(x-y)(x+y+6)$
$=(6+\sqrt{6})\{(-6+\sqrt{6})+6\}$
$=\sqrt{6}(6+\sqrt{6})$
$=6\sqrt{6}+6$

18 (주어진 도형의 넓이)$=203^2-103^2$
$=(203+103)(203-103)$
$=306\times100$
$=30600\ (\text{cm}^2)$ …… [50 %]
따라서 이용된 인수분해 공식은 ㉢이다. …… [50 %]

19 ax^2-a+bx^2-b
$=(ax^2-a)+(bx^2-b)$
$=a(x^2-1)+b(x^2-1)$
$=(x^2-1)(a+b)$
$=(x+1)(x-1)(a+b)$
$=\{(\sqrt{5}-1)+1\}\{(\sqrt{5}-1)-1\}(5+2\sqrt{5})$
$=\sqrt{5}(\sqrt{5}-2)(5+2\sqrt{5})$
$=(5-2\sqrt{5})(5+2\sqrt{5})$
$=25-20$
$=5$

20 $1^2-2^2+3^2-4^2+5^2-6^2+7^2-8^2+9^2-10^2$
$=(1^2-2^2)+(3^2-4^2)+(5^2-6^2)+(7^2-8^2)+(9^2-10^2)$
$=(1+2)(1-2)+(3+4)(3-4)+(5+6)(5-6)$
$+(7+8)(7-8)+(9+10)(9-10)$
$=3\times(-1)+7\times(-1)+11\times(-1)+15\times(-1)$
$+19\times(-1)$
$=-3-7-11-15-19$
$=-55$

7. 이차방정식의 풀이

1 이차방정식과 그 해

개념 확인

124쪽

1. ㉡, ㉢, ㉤ **2.** $x=2$

1 ㉠ 이차식
㉡ 이차방정식
㉢ 이차방정식
㉣ $x^2+2=x(x+1)$에서 $x^2+2=x^2+x$
$x^2+2-x^2-x=0$
$\therefore -x+2=0$ ➡ 일차방정식
㉤ $x^3+3x=x(x^2-x)$에서 $x^3+3x=x^3-x^2$
$x^3+3x-x^3+x^2=0$
$\therefore x^2+3x=0$ ➡ 이차방정식
따라서 x에 대한 이차방정식은 ㉡, ㉢, ㉤이다.

2

x의 값	좌변	우변	참/거짓
0	$0^2+0-6=-6$	0	거짓
1	$1^2+1-6=-4$	0	거짓
2	$2^2+2-6=0$	0	참
3	$3^2+3-6=6$	0	거짓

따라서 구하는 해는 $x=2$이다.

STEP 1

125쪽

1-1. ㉠, ㉢, ㉣, ㉥ 연구 이차식
1-2. (1) ○ (2) × (3) × (4) ○
2-1. $p=0, q=-2$ 연구 $0, -2$
2-2. (1) $a=7, b=4, c=0$ (2) $a=1, b=-3, c=-4$
(3) $a=4, b=-1, c=-3$ (4) $a=1, b=0, c=0$
3-1. ㉠, ㉣ 연구 2
3-2. (1) × (2) ○ (3) ○ (4) ×

1-1 ㉠ $x=x^2-2$에서 $-x^2+x+2=0$ ➡ 이차방정식
㉡ 이차식
㉢ $5-x^2=x^2+3x$에서 $5-x^2-x^2-3x=0$
$\therefore -2x^2-3x+5=0$ ➡ 이차방정식
㉣ $x(x-1)=0$에서 $x^2-x=0$ ➡ 이차방정식
㉤ $4x-1=2(x+1)$에서 $4x-1=2x+2$
$4x-1-2x-2=0$
$\therefore 2x-3=0$ ➡ 일차방정식
㉥ 이차방정식
따라서 이차방정식인 것은 ㉠, ㉢, ㉣, ㉥이다.

1-2 (1) $x^2-2x=-1$에서 $x^2-2x+1=0$ ➡ 이차방정식
(2) $x(x-1)=x^2+x$에서 $x^2-x=x^2+x$
$x^2-x-x^2-x=0$ $\therefore -2x=0$ ➡ 일차방정식
(3) $(1-2x)^2=4x^2$에서 $1-4x+4x^2=4x^2$
$\therefore -4x+1=0$ ➡ 일차방정식
(4) $x^3+2x=x^2(x-1)$에서 $x^3+2x=x^3-x^2$
$\therefore x^2+2x=0$ ➡ 이차방정식

2-1 $(x-1)^2+2x=3$에서 $x^2-2x+1+2x=3$
즉 $x^2-2=0$이므로 $p=0, q=-2$

2-2 (1) $7x^2=-4x$에서 $7x^2+4x=0$ $\therefore a=7, b=4, c=0$
(2) $x(x-3)=4$에서 $x^2-3x=4$
$\therefore x^2-3x-4=0$, 즉 $a=1, b=-3, c=-4$
(3) $(x-1)(4x+3)=0$에서 $4x^2-x-3=0$
$\therefore a=4, b=-1, c=-3$
(4) $x^2+x-3=x-3$에서 $x^2=0$ $\therefore a=1, b=0, c=0$

3-1 각 이차방정식에 $x=2$를 대입하여 등식이 성립하는 것을 찾는다.
㉠ $2^2-2-2=0$
㉡ $2^2-6\times2=-8\neq0$
㉢ $(2-3)\times(2+2)=-4\neq0$
㉣ $2\times2^2-2-6=0$
따라서 $x=2$가 해가 되는 것은 ㉠, ㉣이다.

3-2 (1) $x=2$를 대입하면 $2^2\neq2$
(2) $x=-2$를 대입하면 $(-2-1)\times(-2+2)=0$
(3) $x=4$를 대입하면 $4^2-5\times4+4=0$
(4) $x=1$을 대입하면 $(1+1)^2\neq0$

STEP 2

126쪽~128쪽

1-2. ③
2-2. $a\neq1$ **2-3.** ③
3-2. ② **3-3.** ②
4-2. -5 **4-3.** -10
5-2. (1) 3 (2) 8 (3) 15
6-2. (1) -4 (2) 14

1-2 ① 이차식

② $x^2-1=2x^3$에서 $-2x^3+x^2-1=0$

➡ x^3항이 있으므로 이차방정식이 아니다.

③ $(x-5)^2=3x$에서 $x^2-10x+25=3x$

$\therefore x^2-13x+25=0$ ➡ 이차방정식

④ $(x+1)(x-1)=x^2-x$에서 $x^2-1=x^2-x$

$\therefore x-1=0$ ➡ 일차방정식

⑤ 일차방정식

2-2 x에 대한 이차방정식이 되려면 이차항의 계수가 0이 아니어야 하므로

$a-1\neq 0 \qquad \therefore a\neq 1$

2-3 $2(x-1)^2=kx^2+x$에서 $2x^2-4x+2=kx^2+x$

$(2-k)x^2-5x+2=0$

위의 식이 x에 대한 이차방정식이 되려면

$2-k\neq 0 \qquad \therefore k\neq 2$

3-2 x에 [ ] 안의 수를 대입했을 때 (좌변)≠(우변)인 것을 찾는다.

① $x=1$을 대입하면 $(1-1)^2=0$

② $x=5$를 대입하면 $5^2-4\times 5-1\neq 0$

③ $x=-5$를 대입하면 $(-5)^2+2\times(-5)-15=0$

④ $x=\frac{1}{2}$을 대입하면 $2\times\left(\frac{1}{2}\right)^2+\frac{1}{2}-1=0$

⑤ $x=-\frac{3}{2}$을 대입하면 $2\times\left(-\frac{3}{2}\right)^2+\left(-\frac{3}{2}\right)-3=0$

3-3 각 방정식에 $x=-2$를 대입하여 등식이 성립하는 것을 찾는다.

① $(-2)^2-3\times(-2)-4\neq 0$

② $(-2)^2-(-2)-6=0$

③ $(-2)^2+2\times(-2)-4\neq 0$

④ $(-2)^2+4\times(-2)-5\neq 0$

⑤ $2\times(-2)^2-(-2)+6\neq 0$

4-2 $x=2$를 $x^2+ax-a+1=0$에 대입하면

$2^2+a\times 2-a+1=0$

$4+2a-a+1=0 \qquad \therefore a=-5$

4-3 $x=-2$를 $x^2-3x+a=0$에 대입하면

$(-2)^2-3\times(-2)+a=0$

$4+6+a=0 \qquad \therefore a=-10$

5-2 $x=\alpha$, $x=\beta$를 $x^2-x-3=0$에 각각 대입하면

$\alpha^2-\alpha-3=0$, $\beta^2-\beta-3=0$

(1) $\alpha^2-\alpha-3=0$이므로 $\alpha^2-\alpha=3$

(2) $\alpha^2-\alpha+5=3+5=8$

(3) $\beta^2-\beta-3=0$이므로 $\beta^2-\beta=3$

$\therefore (\alpha^2-\alpha+2)(\beta^2-\beta)=(3+2)\times 3=15$

6-2 (1) $x=a$를 $x^2+4x+1=0$에 대입하면

$a^2+4a+1=0$

이때 $a\neq 0$이므로 양변을 a로 나누면

$a+4+\frac{1}{a}=0 \qquad \therefore a+\frac{1}{a}=-4$

(2) $a^2+\frac{1}{a^2}=\left(a+\frac{1}{a}\right)^2-2=(-4)^2-2=14$

STEP 3 129쪽~130쪽

01. ②	**02.** (1) $(5-p)x^2+5x+4=0$ (2) $p\neq 5$			
03. ①	**04.** ④, ⑤	**05.** ④	**06.** ④	**07.** 5
08. −3	**09.** 6	**10.** ⑤	**11.** 7	**12.** ⑤
13. ③				

01 ① 이차식

② $x^2=2x$에서 $x^2-2x=0$ ➡ 이차방정식

③ $(x+1)(3x-2)=3x^2$에서 $3x^2+x-2=3x^2$

$\therefore x-2=0$ ➡ 일차방정식

④ $x^2-3x=(x+2)(x-2)$에서 $x^2-3x=x^2-4$

$\therefore -3x+4=0$ ➡ 일차방정식

⑤ $x-1=3(x+1)$에서 $x-1=3x+3$

$\therefore -2x-4=0$ ➡ 일차방정식

02 (1) $5x(x+1)=px^2-4$에서

$5x^2+5x=px^2-4$

$\therefore (5-p)x^2+5x+4=0$ …… [50 %]

(2) $(5-p)x^2+5x+4=0$이 x에 대한 이차방정식이 되려면 이차항의 계수가 0이 아니어야 하므로

$5-p\neq 0 \qquad \therefore p\neq 5$ …… [50 %]

03 $(a+3)x^2-4x+(a-2)=0$이 x에 대한 이차방정식이 되려면 이차항의 계수가 0이 아니어야 하므로

$a+3\neq 0 \qquad \therefore a\neq -3$

04 ① $x=-2$를 대입하면 $(-2)^2-3\times(-2)+2\neq 0$

② $x=-1$을 대입하면 $(-1)^2-3\times(-1)+2\neq 0$

③ $x=0$을 대입하면 $0^2-3\times 0+2\neq 0$

④ $x=1$을 대입하면 $1^2-3\times 1+2=0$

⑤ $x=2$를 대입하면 $2^2-3\times 2+2=0$

따라서 주어진 x의 값 중에서 $x^2-3x+2=0$의 해는 ④, ⑤이다.

05 ① $x=-5$를 $x^2-5x=0$에 대입하면
$(-5)^2-5\times(-5)\neq0$
② $x=2$를 $2x^2-x-2=0$에 대입하면
$2\times2^2-2-2\neq0$
③ $x=-1$을 $x^2-6x+5=0$에 대입하면
$(-1)^2-6\times(-1)+5\neq0$
④ $x=6$을 $x^2-4x-12=0$에 대입하면
$6^2-4\times6-12=0$
⑤ $x=1$을 $2x^2-3x-2=0$에 대입하면
$2\times1^2-3\times1-2\neq0$
따라서 [ ] 안의 수가 주어진 이차방정식의 해가 되는 것은 ④이다.

06 ① $x=3$을 $x^2+1=0$에 대입하면
$3^2+1\neq0$
② $x=3$을 $2x^2-8=0$에 대입하면
$2\times3^2-8\neq0$
③ $x=3$을 $(x-3)^2=9$에 대입하면
$(3-3)^2\neq9$
④ $x=3$을 $x^2-2x-3=0$에 대입하면
$3^2-2\times3-3=0$
⑤ $x=3$을 $3x^2-4x+4=0$에 대입하면
$3\times3^2-4\times3+4\neq0$
따라서 $x=3$이 해가 되는 것은 ④이다.

07 $x=\frac{1}{3}$을 $3x^2+ax-2=0$에 대입하면
$3\times\left(\frac{1}{3}\right)^2+a\times\frac{1}{3}-2=0$
$\frac{1}{3}+\frac{1}{3}a-2=0,\ \frac{1}{3}a=\frac{5}{3}\qquad\therefore a=5$

08 $x=3$을 $x^2-2x+a=0$에 대입하면
$3^2-2\times3+a=0,\ 9-6+a=0$
$\therefore a=-3$

09 $x=2$를 $x^2+ax+12=0$에 대입하면
$4+2a+12=0,\ 2a=-16\qquad\therefore a=-8$ …… [40 %]
$x=2$를 $2x^2-3x+b=0$에 대입하면
$8-6+b=0,\ 2+b=0\qquad\therefore b=-2$ …… [40 %]
$\therefore b-a=-2-(-8)=6$ …… [20 %]

10 $x=a$를 $x^2+x-12=0$에 대입하면
$a^2+a-12=0\qquad\therefore a^2+a=12$

11 $x=p$를 $x^2+3x-1=0$에 대입하면
$p^2+3p-1=0\qquad\therefore p^2+3p=1$
$x=q$를 $2x^2-5x+3=0$에 대입하면
$2q^2-5q+3=0\qquad\therefore 2q^2-5q=-3$
$\therefore (p^2+3p-2)(2q^2-5q-4)$
$=(1-2)\times(-3-4)$
$=(-1)\times(-7)=7$

12 $x=m$을 $x^2-8x+1=0$에 대입하면
$m^2-8m+1=0$
이때 $m\neq0$이므로 양변을 m으로 나누면
$m-8+\frac{1}{m}=0\qquad\therefore m+\frac{1}{m}=8$

13 $x=a$를 $x^2-4x+2=0$에 대입하면
$a^2-4a+2=0$
이때 $a\neq0$이므로 양변을 a로 나누면
$a-4+\frac{2}{a}=0\qquad\therefore a+\frac{2}{a}=4$
$\therefore a^2+\frac{4}{a^2}=\left(a+\frac{2}{a}\right)^2-4$
$=4^2-4=12$

2 인수분해를 이용한 이차방정식의 풀이

개념 확인 131쪽~132쪽

1. (1) $x=-2$ 또는 $x=7$ (2) $x=3$ 또는 $x=-\frac{1}{2}$
(3) $x=0$ 또는 $x=4$ (4) $x=\frac{2}{3}$ 또는 $x=\frac{1}{4}$

2. (1) $x=-1$ 또는 $x=-6$ (2) $x=-9$ 또는 $x=6$
(3) $x=-\frac{1}{5}$ 또는 $x=\frac{1}{5}$ (4) $x=\frac{1}{2}$ 또는 $x=-\frac{2}{3}$

3. ③

4. (1) $x=-3$ (2) $x=\frac{5}{2}$ (3) $x=7$ (4) $x=-\frac{1}{4}$

5. (1) 36 (2) ±10

1 (1) $(x+2)(x-7)=0$에서 $x+2=0$ 또는 $x-7=0$
$\therefore x=-2$ 또는 $x=7$
(2) $(x-3)(2x+1)=0$에서 $x-3=0$ 또는 $2x+1=0$
$\therefore x=3$ 또는 $x=-\frac{1}{2}$

(3) $2x(x-4)=0$에서 $2x=0$ 또는 $x-4=0$

$\therefore x=0$ 또는 $x=4$

(4) $(3x-2)(4x-1)=0$에서 $3x-2=0$ 또는 $4x-1=0$

$\therefore x=\frac{2}{3}$ 또는 $x=\frac{1}{4}$

2 (1) $x^2+7x+6=0$에서 $(x+1)(x+6)=0$

$x+1=0$ 또는 $x+6=0$

$\therefore x=-1$ 또는 $x=-6$

(2) $x^2+3x-54=0$에서 $(x+9)(x-6)=0$

$x+9=0$ 또는 $x-6=0$

$\therefore x=-9$ 또는 $x=6$

(3) $25x^2-1=0$에서 $(5x+1)(5x-1)=0$

$5x+1=0$ 또는 $5x-1=0$

$\therefore x=-\frac{1}{5}$ 또는 $x=\frac{1}{5}$

(4) $6x^2+x-2=0$에서 $(2x-1)(3x+2)=0$

$2x-1=0$ 또는 $3x+2=0$

$\therefore x=\frac{1}{2}$ 또는 $x=-\frac{2}{3}$

3 ① $(x-1)(x-2)=0$ $\quad\therefore x=1$ 또는 $x=2$

② $x^2-4=0$에서 $(x+2)(x-2)=0$

$\therefore x=-2$ 또는 $x=2$

③ $(x-1)^2=0$ $\quad\therefore x=1$

④ $x^2=1$에서 $x^2-1=0$

$(x+1)(x-1)=0$ $\quad\therefore x=-1$ 또는 $x=1$

⑤ $(x-1)^2=9$에서 $x^2-2x+1=9$

$x^2-2x-8=0$, $(x+2)(x-4)=0$

$\therefore x=-2$ 또는 $x=4$

따라서 중근을 갖는 것은 ③이다.

4 (3) $x^2-14x+49=0$에서 $(x-7)^2=0$

$\therefore x=7$

(4) $16x^2+8x+1=0$에서 $(4x+1)^2=0$

$4x+1=0$, $4x=-1$ $\quad\therefore x=-\frac{1}{4}$

5 (1) $x^2-12x+k=0$이 중근을 가지려면

$k=\left(\frac{-12}{2}\right)^2=36$

(2) $x^2+kx+25=0$이 중근을 가지려면

$25=\left(\frac{k}{2}\right)^2$, $25=\frac{k^2}{4}$

$k^2=100$ $\quad\therefore k=\pm10$

STEP 1 133쪽

1-1. (1) $x=-2$ 또는 $x=\frac{1}{3}$ (2) $x=-2$ 또는 $x=5$

연구 (1) -2, $\frac{1}{3}$ (2) -2, 5

1-2. (1) $x=0$ 또는 $x=8$ (2) $x=-\frac{2}{3}$ 또는 $x=\frac{2}{3}$

(3) $x=-3$ 또는 $x=-9$ (4) $x=-2$ 또는 $x=8$

(5) $x=3$ 또는 $x=7$ (6) $x=2$ 또는 $x=-\frac{1}{2}$

(7) $x=-\frac{8}{5}$ 또는 $x=3$ (8) $x=-\frac{1}{2}$ 또는 $x=\frac{3}{2}$

2-1. $x=-3$ 연구 $16, 3, -3$

2-2. (1) $x=-2$ (2) $x=-\frac{2}{3}$ (3) $x=5$ (4) $x=1$

3-1. $2, 3, \frac{9}{4}, \frac{9}{2}$ **3-2.** (1) 9 (2) ±2 (3) 3

1-2 (1) $x^2-8x=0$에서 $x(x-8)=0$

$\therefore x=0$ 또는 $x=8$

(2) $x^2-\frac{4}{9}=0$에서 $\left(x+\frac{2}{3}\right)\left(x-\frac{2}{3}\right)=0$

$\therefore x=-\frac{2}{3}$ 또는 $x=\frac{2}{3}$

(3) $x^2+12x+27=0$에서 $(x+3)(x+9)=0$

$\therefore x=-3$ 또는 $x=-9$

(4) $x^2-6x-16=0$에서 $(x+2)(x-8)=0$

$\therefore x=-2$ 또는 $x=8$

(5) $x^2-10x=-21$에서 $x^2-10x+21=0$

$(x-3)(x-7)=0$ $\quad\therefore x=3$ 또는 $x=7$

(6) $2x^2-3x-2=0$에서 $(x-2)(2x+1)=0$

$\therefore x=2$ 또는 $x=-\frac{1}{2}$

(7) $5x^2-7x-24=0$에서 $(5x+8)(x-3)=0$

$\therefore x=-\frac{8}{5}$ 또는 $x=3$

(8) $10x^2=6x^2+4x+3$에서 $4x^2-4x-3=0$

$(2x+1)(2x-3)=0$ $\quad\therefore x=-\frac{1}{2}$ 또는 $x=\frac{3}{2}$

2-2 (3) $x^2-10x=-25$에서 $x^2-10x+25=0$

$(x-5)^2=0$ $\quad\therefore x=5$

(4) $5x^2-10x+5=0$에서 $x^2-2x+1=0$

$(x-1)^2=0$ $\quad\therefore x=1$

3-2 (1) $x^2-6x+k=0$이 중근을 가지려면

$k=\left(\frac{-6}{2}\right)^2=9$

(2) $x^2+kx+1=0$이 중근을 가지려면

$1=\left(\frac{k}{2}\right)^2$, $1=\frac{k^2}{4}$

$k^2=4$ $\quad\therefore k=\pm2$

(3) $3x^2+6x+k=0$의 양변을 3으로 나누면

$x^2+2x+\frac{k}{3}=0$

위의 식이 중근을 가지려면

$\frac{k}{3}=\left(\frac{2}{2}\right)^2$, $\frac{k}{3}=1$ $\quad\therefore k=3$

STEP 2 134쪽~136쪽

1-2. ②

2-2. (1) $x=3$ 또는 $x=-5$ (2) $x=0$ 또는 $x=4$

(3) $x=1$ 또는 $x=-6$ (4) $x=1$ 또는 $x=-\frac{7}{3}$

3-2. $\frac{1}{2}$ **3-3.** (1) 12 (2) 4

4-2. $x=3$ **4-3.** -1

5-2. ②

6-2. (1) 19 (2) -3 또는 5 (3) 14

1-2 $x(x-5)=0$에서 $x=0$ 또는 $x-5=0$

$\therefore x=0$ 또는 $x=5$

2-2 (1) $x^2+2x=15$에서 $x^2+2x-15=0$

$(x-3)(x+5)=0$

$\therefore x=3$ 또는 $x=-5$

(2) $(x+2)(x-3)=3(x-2)$에서 $x^2-x-6=3x-6$

$x^2-4x=0$, $x(x-4)=0$

$\therefore x=0$ 또는 $x=4$

(3) $x(x+5)=6$에서 $x^2+5x=6$

$x^2+5x-6=0$, $(x-1)(x+6)=0$

$\therefore x=1$ 또는 $x=-6$

(4) $3x^2-x-2=5(1-x)$에서 $3x^2-x-2=5-5x$

$3x^2+4x-7=0$, $(x-1)(3x+7)=0$

$\therefore x=1$ 또는 $x=-\frac{7}{3}$

3-2 $x=-3$을 $2x^2+5ax-3a=0$에 대입하면

$18-15a-3a=0$, $-18a=-18$ $\quad\therefore a=1$

$a=1$을 $2x^2+5ax-3a=0$에 대입하면

$2x^2+5x-3=0$, $(x+3)(2x-1)=0$

$\therefore x=-3$ 또는 $x=\frac{1}{2}$

따라서 구하는 다른 한 근은 $\frac{1}{2}$이다.

3-3 (1) $x^2+x-6=0$에서 $(x-2)(x+3)=0$

$\therefore x=2$ 또는 $x=-3$

이때 양수인 근은 2이므로

$x=2$를 $x^2-6x+k-4=0$에 대입하면

$4-12+k-4=0$ $\quad\therefore k=12$

(2) $k=12$를 $x^2-6x+k-4=0$에 대입하면

$x^2-6x+8=0$, $(x-2)(x-4)=0$

$\therefore x=2$ 또는 $x=4$

따라서 구하는 다른 한 근은 4이다.

4-2 $x^2+3x-18=0$에서 $(x-3)(x+6)=0$

$\therefore x=3$ 또는 $x=-6$

$2x^2-5x-3=0$에서 $(x-3)(2x+1)=0$

$\therefore x=3$ 또는 $x=-\frac{1}{2}$

따라서 두 이차방정식의 공통인 해는 $x=3$이다.

4-3 $x=3$을 $x^2+ax+3=0$에 대입하면

$9+3a+3=0$

$3a=-12$ $\quad\therefore a=-4$

$x=3$을 $2x^2-7x+b=0$에 대입하면

$18-21+b=0$ $\quad\therefore b=3$

$\therefore a+b=-4+3=-1$

5-2 ① $16x^2=4$에서 $16x^2-4=0$

$4x^2-1=0$, $(2x+1)(2x-1)=0$

$\therefore x=-\frac{1}{2}$ 또는 $x=\frac{1}{2}$

② $2(3-2x)=2-x^2$에서 $6-4x=2-x^2$

$x^2-4x+4=0$, $(x-2)^2=0$

$\therefore x=2$

③ $(x-2)^2=x$에서 $x^2-4x+4=x$

$x^2-5x+4=0$, $(x-1)(x-4)=0$

$\therefore x=1$ 또는 $x=4$

④ $x^2-3x+1=2x-5$에서 $x^2-5x+6=0$

$(x-2)(x-3)=0$ $\quad\therefore x=2$ 또는 $x=3$

⑤ $x^2-7x-18=0$에서 $(x+2)(x-9)=0$

$\therefore x=-2$ 또는 $x=9$

6-2 (1) $x^2-8x+k-3=0$이 중근을 가지려면

$k-3=\left(\frac{-8}{2}\right)^2$, $k-3=16$

$\therefore k=19$

(2) $x^2-2(k-1)x+16=0$이 중근을 가지려면

$16=\left\{\frac{-2(k-1)}{2}\right\}^2$

$16=(k-1)^2$, $k^2-2k+1=16$

$k^2-2k-15=0$, $(k+3)(k-5)=0$

$\therefore k=-3$ 또는 $k=5$

(3) $4x^2-12x+k-5=0$의 양변을 4로 나누면

$x^2-3x+\frac{k-5}{4}=0$

위의 이차방정식이 중근을 가지려면

$\frac{k-5}{4}=\left(\frac{-3}{2}\right)^2$, $\frac{k-5}{4}=\frac{9}{4}$

$k-5=9$ $\quad\therefore k=14$

STEP 3 137쪽~138쪽

01. ④	**02.** ④	**03.** ⑤	**04.** $x=1$ 또는 $x=-4$
05. $x=-\frac{3}{7}$ 또는 $x=\frac{1}{2}$		**06.** 4	
07. (1) 2 (2) $\frac{1}{2}$	**08.** -6	**09.** 3	**10.** $x=-3$
11. ④	**12.** 11	**13.** ②, ③	**14.** ②, ⑤

01 $(x-3)(3x+4)=0$에서 $x-3=0$ 또는 $3x+4=0$

$\therefore x=3$ 또는 $x=-\frac{4}{3}$

02 $3x^2+8=2x(x-3)$에서

$3x^2+8=2x^2-6x$, $x^2+6x+8=0$

$(x+2)(x+4)=0$

따라서 $a=2$, $b=4$ 또는 $a=4$, $b=2$이므로

$a+b=6$

03 $x^2-12x+27=0$에서 $(x-3)(x-9)=0$

$\therefore x=3$ 또는 $x=9$

04 $(x+6)(x-2)=x-8$에서 $x^2+4x-12=x-8$

$x^2+3x-4=0$, $(x-1)(x+4)=0$

$\therefore x=1$ 또는 $x=-4$

05 $4x^2+x-3=-10x^2+2x$에서

$14x^2-x-3=0$, $(7x+3)(2x-1)=0$

$\therefore x=-\frac{3}{7}$ 또는 $x=\frac{1}{2}$

06 $x=2$를 $x^2+3ax-2a+4=0$에 대입하면

$4+6a-2a+4=0$

$4a=-8$ $\quad\therefore a=-2$

즉 $x^2-6x+8=0$이므로

$(x-2)(x-4)=0$

$\therefore x=2$ 또는 $x=4$

따라서 다른 한 근은 4이다.

07 (1) $x=2$를 $ax^2-(a+3)x+2=0$에 대입하면

$4a-2(a+3)+2=0$

$4a-2a-6+2=0$

$2a=4$ $\quad\therefore a=2$ …… [50 %]

(2) $a=2$를 $ax^2-(a+3)x+2=0$에 대입하면

$2x^2-5x+2=0$, $(x-2)(2x-1)=0$

$\therefore x=2$ 또는 $x=\frac{1}{2}$

따라서 다른 한 근은 $\frac{1}{2}$이다. …… [50 %]

08 $x=2$를 $x^2+ax-8=0$에 대입하면

$4+2a-8=0$, $2a=4$ $\quad\therefore a=2$ …… [30 %]

즉 $x^2+2x-8=0$이므로 $(x+4)(x-2)=0$

$\therefore x=-4$ 또는 $x=2$ …… [30 %]

이때 다른 한 근은 -4이므로

$x=-4$를 $3x^2+10x+b=0$에 대입하면

$48-40+b=0$ $\quad\therefore b=-8$ …… [30 %]

$\therefore a+b=2+(-8)=-6$ …… [10 %]

09 $3x^2+2x-1=0$에서 $(x+1)(3x-1)=0$

$\therefore x=-1$ 또는 $x=\frac{1}{3}$

이때 두 근 중 작은 근은 -1이므로

$x=-1$을 $2x^2+5x+k=0$에 대입하면

$2-5+k=0$ $\quad\therefore k=3$

10 $x^2-2x-15=0$에서 $(x+3)(x-5)=0$

$\therefore x=-3$ 또는 $x=5$

$2x^2+5x-3=0$에서 $(x+3)(2x-1)=0$

$\therefore x=-3$ 또는 $x=\frac{1}{2}$

따라서 두 이차방정식의 공통인 해는 $x=-3$이다.

11 ㉠ $x^2=9$에서 $x^2-9=0$

$(x+3)(x-3)=0$

$\therefore x=-3$ 또는 $x=3$

㉡ $x^2+14x+49=0$에서 $(x+7)^2=0$

$\therefore x=-7$

㉢ $3x^2-x-4=0$에서 $(x+1)(3x-4)=0$

$\therefore x=-1$ 또는 $x=\frac{4}{3}$

㉣ $4x^2+4x-1=-2$에서 $4x^2+4x+1=0$

$(2x+1)^2=0 \quad \therefore x=-\frac{1}{2}$

㉤ $2(x-3)^2=0$에서 $x=3$

따라서 중근을 갖는 것은 ㉡, ㉣, ㉤이다.

12 $x^2-10x+14+k=0$이 중근을 가지려면

$14+k=\left(\frac{-10}{2}\right)^2$, $14+k=25$

$\therefore k=11$

13 $x^2-4mx-m=0$이 중근을 가지려면

$-m=\left(\frac{-4m}{2}\right)^2$, $-m=4m^2$

$4m^2+m=0$, $m(4m+1)=0$

$\therefore m=0$ 또는 $m=-\frac{1}{4}$

14 $x^2-(k-2)x+16=0$이 중근을 가지려면

$16=\left\{\frac{-(k-2)}{2}\right\}^2$, $16=\frac{(-k+2)^2}{4}$

$(-k+2)^2=64$, $k^2-4k+4=64$

$k^2-4k-60=0$, $(k+6)(k-10)=0$

$\therefore k=-6$ 또는 $k=10$

3 제곱근을 이용한 이차방정식의 풀이

개념 확인

139쪽~140쪽

1. (1) $x=\pm\sqrt{10}$ (2) $x=\pm\sqrt{5}$ (3) $x=\pm2\sqrt{3}$ (4) $x=\pm\sqrt{6}$ (5) $x=\pm\frac{5}{2}$ (6) $x=\pm\frac{\sqrt{6}}{2}$

2. (1) $x=1$ 또는 $x=-3$ (2) $x=2\pm\sqrt{7}$ (3) $x=\frac{1\pm2\sqrt{2}}{3}$ (4) $x=3\pm\sqrt{6}$

3. 3, 25, 25, 5, 28, $-5\pm2\sqrt{7}$

1 (3) $3x^2-36=0$에서 $3x^2=36$

$x^2=12 \quad \therefore x=\pm\sqrt{12}=\pm2\sqrt{3}$

(4) $2x^2+3=15$에서 $2x^2=12$

$x^2=6 \quad \therefore x=\pm\sqrt{6}$

(5) $4x^2-25=0$에서 $4x^2=25$

$x^2=\frac{25}{4} \quad \therefore x=\pm\sqrt{\frac{25}{4}}=\pm\frac{5}{2}$

(6) $2x^2-3=0$에서 $2x^2=3$

$x^2=\frac{3}{2} \quad \therefore x=\pm\sqrt{\frac{3}{2}}=\pm\frac{\sqrt{6}}{2}$

2 (1) $(x+1)^2=4$에서 $x+1=\pm2$

$x+1=2$ 또는 $x+1=-2$

$\therefore x=1$ 또는 $x=-3$

(2) $(x-2)^2-7=0$에서 $(x-2)^2=7$

$x-2=\pm\sqrt{7} \quad \therefore x=2\pm\sqrt{7}$

(3) $(3x-1)^2=8$에서 $3x-1=\pm2\sqrt{2}$

$3x=1\pm2\sqrt{2} \quad \therefore x=\frac{1\pm2\sqrt{2}}{3}$

(4) $5(x-3)^2=30$에서 $(x-3)^2=6$

$x-3=\pm\sqrt{6} \quad \therefore x=3\pm\sqrt{6}$

STEP 1

141쪽

1-1. 4, $\frac{1}{2}$, $\pm\frac{\sqrt{2}}{2}$

1-2. (1) $x=\pm3\sqrt{2}$ (2) $x=\pm\frac{4}{3}$ (3) $x=\pm\frac{\sqrt{3}}{2}$ (4) $x=\pm\frac{\sqrt{6}}{6}$

2-1. 9, $\frac{9}{4}$, $\frac{3}{2}$, $\frac{1}{2}$, $-\frac{5}{2}$

2-2. (1) $x=4$ 또는 $x=-8$ (2) $x=3\pm\sqrt{5}$ (3) $x=-5\pm\frac{\sqrt{2}}{3}$ (4) $x=1$ 또는 $x=-\frac{1}{2}$

3-1. $\frac{1}{3}$, $\frac{25}{36}$, $\frac{25}{36}$, $\frac{37}{36}$, $\frac{\sqrt{37}}{6}$, $\frac{5\pm\sqrt{37}}{6}$

3-2. (1) $x=-2\pm\sqrt{5}$ (2) $x=\frac{3\pm\sqrt{5}}{2}$ (3) $x=1\pm\sqrt{7}$

1-2 (1) $x^2-18=0$에서 $x^2=18$

$\therefore x=\pm\sqrt{18}=\pm3\sqrt{2}$

(2) $9x^2-16=0$에서 $9x^2=16$

$x^2=\frac{16}{9} \quad \therefore x=\pm\sqrt{\frac{16}{9}}=\pm\frac{4}{3}$

(3) $12x^2-9=0$에서 $12x^2=9$

$x^2=\frac{9}{12}=\frac{3}{4} \quad \therefore x=\pm\sqrt{\frac{3}{4}}=\pm\frac{\sqrt{3}}{2}$

(4) $18x^2-3=0$에서 $18x^2=3$

$x^2=\frac{3}{18}=\frac{1}{6} \quad \therefore x=\pm\sqrt{\frac{1}{6}}=\pm\frac{\sqrt{6}}{6}$

2-2 (1) $(x+2)^2=36$에서 $x+2=\pm6$

$x=-2+6$ 또는 $x=-2-6$

$\therefore x=4$ 또는 $x=-8$

(2) $2(x-3)^2=10$에서 $(x-3)^2=5$

$x-3=\pm\sqrt{5} \quad \therefore x=3\pm\sqrt{5}$

(3) $9(x+5)^2=2$에서 $(x+5)^2=\frac{2}{9}$

$x+5=\pm\frac{\sqrt{2}}{3}$ $\therefore x=-5\pm\frac{\sqrt{2}}{3}$

(4) $(4x-1)^2-9=0$에서 $(4x-1)^2=9$

$4x-1=\pm3$

$4x-1=3$ 또는 $4x-1=-3$

$\therefore x=1$ 또는 $x=-\frac{1}{2}$

3-2 (1) $x^2+4x-1=0$에서 $x^2+4x=1$

$x^2+4x+4=1+4$, $(x+2)^2=5$

$x+2=\pm\sqrt{5}$ $\therefore x=-2\pm\sqrt{5}$

(2) $x^2-3x+1=0$에서 $x^2-3x=-1$

$x^2-3x+\frac{9}{4}=-1+\frac{9}{4}$, $\left(x-\frac{3}{2}\right)^2=\frac{5}{4}$

$x-\frac{3}{2}=\pm\frac{\sqrt{5}}{2}$ $\therefore x=\frac{3\pm\sqrt{5}}{2}$

(3) $3x^2-6x-18=0$에서 $x^2-2x-6=0$

$x^2-2x=6$, $x^2-2x+1=6+1$

$(x-1)^2=7$, $x-1=\pm\sqrt{7}$

$\therefore x=1\pm\sqrt{7}$

STEP 2 142쪽~143쪽

1-2. 7 **1-3.** 2

2-2. ①

3-2. 8 **3-3.** -26

4-2. (1) $x=\frac{1\pm\sqrt{13}}{2}$ (2) $x=\frac{-3\pm3\sqrt{3}}{2}$ (3) $x=\frac{4\pm\sqrt{10}}{3}$

1-2 $4(x-2)^2=20$에서 $(x-2)^2=5$

$x-2=\pm\sqrt{5}$ $\therefore x=2\pm\sqrt{5}$

즉 $2\pm\sqrt{5}=a\pm\sqrt{b}$이므로 $a=2$, $b=5$

$\therefore a+b=2+5=7$

1-3 $2(x-4)^2=12$에서 $(x-4)^2=6$

$x-4=\pm\sqrt{6}$ $\therefore x=4\pm\sqrt{6}$

즉 $4\pm\sqrt{6}=a\pm\sqrt{b}$이므로 $a=4$, $b=6$

$\therefore b-a=6-4=2$

2-2 $(x-2)^2=3+k$가 해를 가지려면

$3+k\ge0$ $\therefore k\ge-3$

따라서 상수 k의 값으로 옳지 않은 것은 ①이다.

3-2 $x^2+4x-2=0$에서 $x^2+4x=2$

$x^2+4x+4=2+4$

$(x+2)^2=6$

따라서 $p=2$, $q=6$이므로

$p+q=2+6=8$

3-3 $3x^2-12x-1=0$에서 $x^2-4x-\frac{1}{3}=0$

$x^2-4x=\frac{1}{3}$, $x^2-4x+4=\frac{1}{3}+4$

$(x-2)^2=\frac{13}{3}$

따라서 $p=-2$, $q=\frac{13}{3}$이므로

$3pq=3\times(-2)\times\frac{13}{3}=-26$

4-2 (1) $x^2-x-3=0$에서 $x^2-x=3$

$x^2-x+\frac{1}{4}=3+\frac{1}{4}$, $\left(x-\frac{1}{2}\right)^2=\frac{13}{4}$

$x-\frac{1}{2}=\pm\frac{\sqrt{13}}{2}$ $\therefore x=\frac{1\pm\sqrt{13}}{2}$

(2) $2x^2+6x-9=0$에서 $x^2+3x-\frac{9}{2}=0$

$x^2+3x=\frac{9}{2}$, $x^2+3x+\frac{9}{4}=\frac{9}{2}+\frac{9}{4}$

$\left(x+\frac{3}{2}\right)^2=\frac{27}{4}$, $x+\frac{3}{2}=\pm\frac{3\sqrt{3}}{2}$

$\therefore x=\frac{-3\pm3\sqrt{3}}{2}$

(3) $3x^2-8x+2=0$에서 $x^2-\frac{8}{3}x+\frac{2}{3}=0$

$x^2-\frac{8}{3}x=-\frac{2}{3}$, $x^2-\frac{8}{3}x+\frac{16}{9}=-\frac{2}{3}+\frac{16}{9}$

$\left(x-\frac{4}{3}\right)^2=\frac{10}{9}$, $x-\frac{4}{3}=\pm\frac{\sqrt{10}}{3}$

$\therefore x=\frac{4\pm\sqrt{10}}{3}$

계산력 집중 연습 144쪽

1. (1) $x=0$ 또는 $x=7$ (2) $x=2$ 또는 $x=-\frac{6}{5}$

(3) $x=-1$ 또는 $x=\frac{1}{2}$ (4) $x=\frac{3}{2}$ 또는 $x=-6$

2. (1) $x=-7$ 또는 $x=3$ (2) $x=-4$ 또는 $x=-1$

(3) $x=\frac{5}{3}$ 또는 $x=-1$ (4) $x=-5$ 또는 $x=3$

(5) $x=7$ 또는 $x=-5$ (6) $x=1$ 또는 $x=9$

(7) $x=-4$ 또는 $x=1$

3. (1) $x=-4$ (2) $x=\frac{1}{3}$ (3) $x=\frac{3}{2}$ (4) $x=-3$

4. (1) 16 (2) 6 (3) 11 (4) -1

5. (1) $x=\pm\frac{\sqrt{7}}{2}$ (2) $x=-5\pm\sqrt{7}$ (3) $x=2\pm\sqrt{3}$

(4) $x=-1\pm\sqrt{2}$ (5) $x=-4\pm2\sqrt{2}$ (6) $x=\frac{1\pm\sqrt{15}}{3}$

6. (1) $x=2\pm\sqrt{7}$ (2) $x=-3\pm\sqrt{5}$ (3) $x=\frac{5\pm\sqrt{41}}{4}$

1 (4) $(2x-3)\left(\frac{1}{3}x+2\right)=0$에서

$2x-3=0$ 또는 $\frac{1}{3}x+2=0$

$\therefore x=\frac{3}{2}$ 또는 $x=-6$

2 (1) $x^2+4x-21=0$에서

$(x+7)(x-3)=0$ $\therefore x=-7$ 또는 $x=3$

(2) $x^2+5x+4=0$에서

$(x+4)(x+1)=0$ $\therefore x=-4$ 또는 $x=-1$

(3) $3x^2-2x-5=0$에서

$(3x-5)(x+1)=0$ $\therefore x=\frac{5}{3}$ 또는 $x=-1$

(4) $x^2+2x=15$에서 $x^2+2x-15=0$

$(x+5)(x-3)=0$ $\therefore x=-5$ 또는 $x=3$

(5) $(x+3)(x-5)=20$에서

$x^2-2x-15=20$, $x^2-2x-35=0$

$(x-7)(x+5)=0$ $\therefore x=7$ 또는 $x=-5$

(6) $(x-5)^2=16$에서

$x^2-10x+25=16$, $x^2-10x+9=0$

$(x-1)(x-9)=0$ $\therefore x=1$ 또는 $x=9$

(7) $(x+6)(x-2)=x-8$에서

$x^2+4x-12=x-8$, $x^2+3x-4=0$

$(x+4)(x-1)=0$ $\therefore x=-4$ 또는 $x=1$

3 (1) $x^2+8x+16=0$에서 $(x+4)^2=0$

$\therefore x=-4$

(2) $9x^2-6x+1=0$에서 $(3x-1)^2=0$

$\therefore x=\frac{1}{3}$

(3) $4x^2-12x+9=0$에서 $(2x-3)^2=0$

$\therefore x=\frac{3}{2}$

(4) $(x+4)^2=2x+7$에서 $x^2+8x+16=2x+7$

$x^2+6x+9=0$, $(x+3)^2=0$

$\therefore x=-3$

4 (1) $x^2-8x+k=0$이 중근을 가지려면

$k=\left(\frac{-8}{2}\right)^2=16$

(2) $x^2-10x+4k+1=0$이 중근을 가지려면

$4k+1=\left(\frac{-10}{2}\right)^2$, $4k+1=25$

$4k=24$ $\therefore k=6$

(3) $x^2+4x+k-7=0$이 중근을 가지려면

$k-7=\left(\frac{4}{2}\right)^2$, $k-7=4$ $\therefore k=11$

(4) $16x^2-8x-k=0$의 양변을 16으로 나누면

$x^2-\frac{1}{2}x-\frac{k}{16}=0$

위의 식이 중근을 가지려면

$-\frac{k}{16}=\left\{\left(-\frac{1}{2}\right)\div2\right\}^2$

$-\frac{k}{16}=\frac{1}{16}$ $\therefore k=-1$

5 (1) $4x^2=7$에서 $x^2=\frac{7}{4}$

$\therefore x=\pm\sqrt{\frac{7}{4}}=\pm\frac{\sqrt{7}}{2}$

(2) $(x+5)^2=7$에서 $x+5=\pm\sqrt{7}$

$\therefore x=-5\pm\sqrt{7}$

(3) $6(x-2)^2=18$에서 $(x-2)^2=3$

$x-2=\pm\sqrt{3}$ $\therefore x=2\pm\sqrt{3}$

(4) $4(x+1)^2-8=0$에서 $4(x+1)^2=8$

$(x+1)^2=2$, $x+1=\pm\sqrt{2}$ $\therefore x=-1\pm\sqrt{2}$

(5) $3(x+4)^2-24=0$에서 $3(x+4)^2=24$

$(x+4)^2=8$, $x+4=\pm2\sqrt{2}$ $\therefore x=-4\pm2\sqrt{2}$

(6) $(3x-1)^2-15=0$에서 $(3x-1)^2=15$

$3x-1=\pm\sqrt{15}$, $3x=1\pm\sqrt{15}$

$\therefore x=\frac{1\pm\sqrt{15}}{3}$

6 (1) $x^2-4x-3=0$에서 $x^2-4x=3$

$x^2-4x+4=3+4$, $(x-2)^2=7$

$x-2=\pm\sqrt{7}$ $\therefore x=2\pm\sqrt{7}$

(2) $x^2+6x+4=0$에서 $x^2+6x=-4$

$x^2+6x+9=-4+9$, $(x+3)^2=5$

$x+3=\pm\sqrt{5}$ $\therefore x=-3\pm\sqrt{5}$

(3) $2x^2-5x-2=0$에서 $x^2-\frac{5}{2}x-1=0$

$x^2-\frac{5}{2}x=1$, $x^2-\frac{5}{2}x+\frac{25}{16}=1+\frac{25}{16}$

$\left(x-\frac{5}{4}\right)^2=\frac{41}{16}$, $x-\frac{5}{4}=\pm\frac{\sqrt{41}}{4}$

$\therefore x=\frac{5\pm\sqrt{41}}{4}$

STEP 3 145쪽

01. ② **02.** -3 **03.** $-\frac{1}{3}$ **04.** 10 **05.** ①, ②

06. ⑤ **07.** $x=\frac{3\pm\sqrt{41}}{2}$

01 $4x^2-20=0$에서 $4x^2=20$

$x^2=5$ $\therefore x=\pm\sqrt{5}$

02 $3(x-2)^2-8=7$에서 $3(x-2)^2=15$

$(x-2)^2=5$, $x-2=\pm\sqrt{5}$

$\therefore x=2\pm\sqrt{5}$ …… [50 %]

즉 $2\pm\sqrt{5}=a\pm\sqrt{b}$이므로 $a=2$, $b=5$ …… [30 %]

$\therefore a-b=2-5=-3$ …… [20 %]

03 $3x^2-6x+1=0$에서 $x^2-2x+\frac{1}{3}=0$

$x^2-2x=-\frac{1}{3}$, $x^2-2x+1=-\frac{1}{3}+1$

$(x-1)^2=\frac{2}{3}$

따라서 $p=-1$, $q=\frac{2}{3}$이므로

$p+q=-1+\frac{2}{3}=-\frac{1}{3}$

04 $x^2-12x+a=0$에서 $x^2-12x=-a$

$x^2-12x+36=-a+36$, $(x-6)^2=-a+36$

$x-6=\pm\sqrt{-a+36}$

$\therefore x=6\pm\sqrt{-a+36}$

즉 $6\pm\sqrt{-a+36}=6\pm\sqrt{26}$이므로

$-a+36=26$ $\therefore a=10$

05 $(x-3)^2=k-1$의 해가 존재하려면

$k-1\geq 0$ $\therefore k\geq 1$

따라서 상수 k의 값이 아닌 것은 ①, ②이다.

06

$$x^2-8x+4=0$$
$$x^2-8x=-4$$
$$x^2-8x+16=-4+16$$
$$(x-4)^2=12$$
$$x-4=\pm 2\sqrt{3}$$
$$\therefore x=4\pm 2\sqrt{3}$$

07 $2x^2-6x-16=0$에서 $x^2-3x-8=0$

$x^2-3x=8$, $x^2-3x+\frac{9}{4}=8+\frac{9}{4}$

$\left(x-\frac{3}{2}\right)^2=\frac{41}{4}$, $x-\frac{3}{2}=\pm\frac{\sqrt{41}}{2}$

$\therefore x=\frac{3\pm\sqrt{41}}{2}$

8. 근의 공식과 이차방정식의 활용

1 이차방정식의 근의 공식

개념 확인 148쪽~149쪽

1. (1) $x=\frac{-5\pm\sqrt{17}}{2}$ (2) $x=1\pm\sqrt{7}$ (3) $x=\frac{7\pm\sqrt{17}}{4}$

(4) $x=\frac{3\pm\sqrt{11}}{2}$

2. (1) $x=1$ 또는 $x=-3$ (2) $x=\frac{5\pm\sqrt{22}}{3}$

(3) $x=-3$ 또는 $x=\frac{1}{2}$ (4) $x=-8$ 또는 $x=4$

1 (1) $x^2+5x+2=0$에서 $a=1$, $b=5$, $c=2$이므로

$$x=\frac{-5\pm\sqrt{5^2-4\times1\times2}}{2\times1}=\frac{-5\pm\sqrt{17}}{2}$$

(2) $x^2-2x-6=0$에서 $a=1$, $b=-2$, $c=-6$이므로

$$x=\frac{-(-2)\pm\sqrt{(-2)^2-4\times1\times(-6)}}{2\times1}$$
$$=\frac{2\pm2\sqrt{7}}{2}=1\pm\sqrt{7}$$

다른 풀이 $x^2-2x-6=0$에서 $a=1$, $b'=-1$, $c=-6$이므로

$$x=\frac{-(-1)\pm\sqrt{(-1)^2-1\times(-6)}}{1}=1\pm\sqrt{7}$$

(3) $2x^2-7x+4=0$에서 $a=2$, $b=-7$, $c=4$이므로

$$x=\frac{-(-7)\pm\sqrt{(-7)^2-4\times2\times4}}{2\times2}=\frac{7\pm\sqrt{17}}{4}$$

(4) $2x^2-6x-1=0$에서 $a=2$, $b=-6$, $c=-1$이므로

$$x=\frac{-(-6)\pm\sqrt{(-6)^2-4\times2\times(-1)}}{2\times2}$$
$$=\frac{6\pm2\sqrt{11}}{4}=\frac{3\pm\sqrt{11}}{2}$$

2 (1) $(x+2)^2=2x+7$의 좌변을 전개하면

$x^2+4x+4=2x+7$, $x^2+2x-3=0$

$(x-1)(x+3)=0$

$\therefore x=1$ 또는 $x=-3$

(2) $0.3x^2=x-0.1$의 양변에 10을 곱하면

$3x^2=10x-1$, $3x^2-10x+1=0$

$$\therefore x=\frac{-(-10)\pm\sqrt{(-10)^2-4\times3\times1}}{2\times3}$$
$$=\frac{10\pm2\sqrt{22}}{6}=\frac{5\pm\sqrt{22}}{3}$$

(3) $\frac{1}{5}x^2+\frac{1}{2}x-\frac{3}{10}=0$의 양변에 10을 곱하면

$2x^2+5x-3=0$, $(x+3)(2x-1)=0$

$\therefore x=-3$ 또는 $x=\frac{1}{2}$

(4) $(x+3)^2-2(x+3)-35=0$에서

$x+3=A$로 치환하면

$A^2-2A-35=0$

$(A+5)(A-7)=0$

$\therefore A=-5$ 또는 $A=7$

즉 $x+3=-5$ 또는 $x+3=7$

$\therefore x=-8$ 또는 $x=4$

STEP 1 150쪽

1-1. -6, -6, -6, $\frac{3\pm2\sqrt{3}}{3}$

1-2. (1) $x=\frac{3\pm\sqrt{29}}{2}$ (2) $x=2\pm2\sqrt{2}$ (3) $x=\frac{-11\pm\sqrt{133}}{6}$

2-1. (1) $x=2$ 또는 $x=\frac{1}{2}$ (2) $x=\frac{2\pm\sqrt{13}}{9}$

연구 (1) 10, $2x^2-5x+2$ (2) 6, $9x^2-4x-1$

2-2. (1) $x=1$ 또는 $x=5$ (2) $x=\frac{5\pm\sqrt{145}}{20}$

(3) $x=2$ 또는 $x=3$ (4) $x=\frac{-2\pm\sqrt{10}}{6}$

3-1. $x+2$, 1, 1, 1, $x+2$, -1, -6

3-2. (1) $x=0$ 또는 $x=-1$ (2) $x=-5$ 또는 $x=4$

1-2 (1) $x^2-3x-5=0$에서 $a=1, b=-3, c=-5$이므로

$x=\frac{-(-3)\pm\sqrt{(-3)^2-4\times1\times(-5)}}{2\times1}$

$=\frac{3\pm\sqrt{29}}{2}$

(2) $x^2-4x-4=0$에서 $a=1, b=-4, c=-4$이므로

$x=\frac{-(-4)\pm\sqrt{(-4)^2-4\times1\times(-4)}}{2\times1}$

$=\frac{4\pm4\sqrt{2}}{2}=2\pm2\sqrt{2}$

다른 풀이 $x^2-4x-4=0$에서 $a=1, b'=-2, c=-4$이므로

$x=\frac{-(-2)\pm\sqrt{(-2)^2-1\times(-4)}}{1}=2\pm2\sqrt{2}$

(3) $3x^2+11x-1=0$에서 $a=3, b=11, c=-1$이므로

$x=\frac{-11\pm\sqrt{11^2-4\times3\times(-1)}}{2\times3}=\frac{-11\pm\sqrt{133}}{6}$

2-1 (1) 양변에 10을 곱하면

$2x^2-5x+2=0$

$(x-2)(2x-1)=0$

$\therefore x=2$ 또는 $x=\frac{1}{2}$

(2) 양변에 분모의 최소공배수 6을 곱하면

$9x^2-4x-1=0$

$\therefore x=\frac{-(-4)\pm\sqrt{(-4)^2-4\times9\times(-1)}}{2\times9}$

$=\frac{4\pm2\sqrt{13}}{18}=\frac{2\pm\sqrt{13}}{9}$

다른 풀이 $9x^2-4x-1=0$에서 $a=9, b'=-2, c=-1$이므로

$x=\frac{-(-2)\pm\sqrt{(-2)^2-9\times(-1)}}{9}=\frac{2\pm\sqrt{13}}{9}$

2-2 (1) $0.1x^2-0.6x+0.5=0$의 양변에 10을 곱하면

$x^2-6x+5=0$, $(x-1)(x-5)=0$

$\therefore x=1$ 또는 $x=5$

(2) $x^2-0.5x-0.3=0$의 양변에 10을 곱하면

$10x^2-5x-3=0$

$\therefore x=\frac{-(-5)\pm\sqrt{(-5)^2-4\times10\times(-3)}}{2\times10}$

$=\frac{5\pm\sqrt{145}}{20}$

(3) $\frac{1}{3}x^2-\frac{5}{3}x+2=0$의 양변에 3을 곱하면

$x^2-5x+6=0$, $(x-2)(x-3)=0$

$\therefore x=2$ 또는 $x=3$

(4) $\frac{3}{2}x^2+x-\frac{1}{4}=0$의 양변에 4를 곱하면

$6x^2+4x-1=0$

$\therefore x=\frac{-4\pm\sqrt{4^2-4\times6\times(-1)}}{2\times6}$

$=\frac{-4\pm2\sqrt{10}}{12}=\frac{-2\pm\sqrt{10}}{6}$

다른 풀이 $6x^2+4x-1=0$에서 $a=6, b'=2, c=-1$이므로

$x=\frac{-2\pm\sqrt{2^2-6\times(-1)}}{6}=\frac{-2\pm\sqrt{10}}{6}$

3-2 (1) $(x-1)^2+3(x-1)+2=0$에서

$x-1=A$로 치환하면

$A^2+3A+2=0$, $(A+1)(A+2)=0$

$\therefore A=-1$ 또는 $A=-2$

즉 $x-1=-1$ 또는 $x-1=-2$

$\therefore x=0$ 또는 $x=-1$

(2) $(x+3)^2-5(x+3)-14=0$에서

$x+3=A$로 치환하면

$A^2-5A-14=0$, $(A+2)(A-7)=0$

$\therefore A=-2$ 또는 $A=7$

즉 $x+3=-2$ 또는 $x+3=7$

$\therefore x=-5$ 또는 $x=4$

(3) $(3x-2)(3x+2)=(x-2)^2$에서

$9x^2-4=x^2-4x+4$, $8x^2+4x-8=0$

$2x^2+x-2=0$

$\therefore x=\dfrac{-1\pm\sqrt{1^2-4\times2\times(-2)}}{2\times2}$

$=\dfrac{-1\pm\sqrt{17}}{4}$

STEP 2 151쪽~152쪽

1-2. 21 **1-3.** 1

2-2. (1) $x=2\pm\sqrt{7}$ (2) $x=\dfrac{1\pm\sqrt{177}}{4}$ (3) $x=\dfrac{-1\pm\sqrt{17}}{4}$

3-2. (1) $x=\dfrac{-4\pm\sqrt{6}}{2}$ (2) $x=\dfrac{-3\pm\sqrt{41}}{8}$ (3) $x=\dfrac{2\pm\sqrt{14}}{2}$

(4) $x=2\pm\sqrt{7}$ (5) $x=2\pm\sqrt{3}$

4-2. (1) $x=3$ 또는 $x=-3$ (2) $x=-6$ 또는 $x=5$

(3) $x=7$ 또는 $x=\dfrac{7}{3}$

1-2 $x^2-5x+1=0$에서

$x=\dfrac{-(-5)\pm\sqrt{(-5)^2-4\times1\times1}}{2\times1}=\dfrac{5\pm\sqrt{21}}{2}$

즉 $x=\dfrac{5\pm\sqrt{21}}{2}=\dfrac{5\pm\sqrt{A}}{2}$에서 $A=21$

1-3 $2x^2+5x+k=0$에서

$x=\dfrac{-5\pm\sqrt{5^2-4\times2\times k}}{2\times2}=\dfrac{-5\pm\sqrt{25-8k}}{4}$

즉 $x=\dfrac{-5\pm\sqrt{25-8k}}{4}=\dfrac{-5\pm\sqrt{17}}{4}$에서

$25-8k=17$, $-8k=-8$ $\therefore k=1$

2-2 (1) $(x-1)^2=2x+4$에서

$x^2-2x+1=2x+4$, $x^2-4x-3=0$

$\therefore x=\dfrac{-(-4)\pm\sqrt{(-4)^2-4\times1\times(-3)}}{2\times1}$

$=\dfrac{4\pm2\sqrt{7}}{2}=2\pm\sqrt{7}$

(2) $(x-3)(2x+5)=7$에서

$2x^2-x-15=7$, $2x^2-x-22=0$

$\therefore x=\dfrac{-(-1)\pm\sqrt{(-1)^2-4\times2\times(-22)}}{2\times2}$

$=\dfrac{1\pm\sqrt{177}}{4}$

3-2 (1) $0.2x^2+0.8x+0.6=0.1$의 양변에 10을 곱하면

$2x^2+8x+6=1$, $2x^2+8x+5=0$

$\therefore x=\dfrac{-8\pm\sqrt{8^2-4\times2\times5}}{2\times2}$

$=\dfrac{-8\pm2\sqrt{6}}{4}=\dfrac{-4\pm\sqrt{6}}{2}$

(2) $x^2+\dfrac{3}{4}x-\dfrac{1}{2}=0$의 양변에 4를 곱하면

$4x^2+3x-2=0$

$\therefore x=\dfrac{-3\pm\sqrt{3^2-4\times4\times(-2)}}{2\times4}$

$=\dfrac{-3\pm\sqrt{41}}{8}$

(3) $0.4=\dfrac{4}{10}=\dfrac{2}{5}$이므로

$\dfrac{1}{5}x^2-\dfrac{2}{5}x-\dfrac{1}{2}=0$의 양변에 10을 곱하면

$2x^2-4x-5=0$

$\therefore x=\dfrac{-(-4)\pm\sqrt{(-4)^2-4\times2\times(-5)}}{2\times2}$

$=\dfrac{4\pm2\sqrt{14}}{4}=\dfrac{2\pm\sqrt{14}}{2}$

(4) $0.5=\dfrac{5}{10}=\dfrac{1}{2}$이므로

$\dfrac{1}{6}x^2-\dfrac{2}{3}x-\dfrac{1}{2}=0$의 양변에 6을 곱하면

$x^2-4x-3=0$

$\therefore x=\dfrac{-(-4)\pm\sqrt{(-4)^2-4\times1\times(-3)}}{2\times1}$

$=\dfrac{4\pm2\sqrt{7}}{2}=2\pm\sqrt{7}$

(5) $0.5=\dfrac{5}{10}=\dfrac{1}{2}$이므로

$\dfrac{x(x-3)}{2}=\dfrac{1}{2}(x-1)$의 양변에 2를 곱하면

$x(x-3)=x-1$, $x^2-3x=x-1$

$x^2-4x+1=0$

$\therefore x=\dfrac{-(-4)\pm\sqrt{(-4)^2-4\times1\times1}}{2\times1}$

$=\dfrac{4\pm2\sqrt{3}}{2}=2\pm\sqrt{3}$

4-2 (1) $(x-1)^2+2(x-1)-8=0$에서
$x-1=A$로 치환하면
$A^2+2A-8=0$
$(A-2)(A+4)=0$
$\therefore A=2$ 또는 $A=-4$
즉 $x-1=2$ 또는 $x-1=-4$
$\therefore x=3$ 또는 $x=-3$

(2) $(x+3)^2-5(x+3)-24=0$에서
$x+3=A$로 치환하면
$A^2-5A-24=0$
$(A+3)(A-8)=0$
$\therefore A=-3$ 또는 $A=8$
즉 $x+3=-3$ 또는 $x+3=8$
$\therefore x=-6$ 또는 $x=5$

(3) $3(x-2)^2-16(x-2)+5=0$에서
$x-2=A$로 치환하면
$3A^2-16A+5=0$, $(A-5)(3A-1)=0$
$\therefore A=5$ 또는 $A=\frac{1}{3}$
즉 $x-2=5$ 또는 $x-2=\frac{1}{3}$
$\therefore x=7$ 또는 $x=\frac{7}{3}$

계산력 집중 연습 153쪽

1. (1) $x=0$ 또는 $x=5$ (2) $x=3$ 또는 $x=-8$
(3) $x=\frac{1}{2}$ 또는 $x=-\frac{1}{5}$ (4) $x=6$ 또는 $x=-7$
(5) $x=1$ 또는 $x=-7$ (6) $x=\frac{3}{4}$

2. (1) $x=\pm\frac{9}{7}$ (2) $x=-4\pm3\sqrt{2}$
(3) $x=\frac{1\pm\sqrt{17}}{2}$ (4) $x=\frac{-2\pm\sqrt{10}}{2}$
(5) $x=\frac{-3\pm2\sqrt{3}}{3}$ (6) $x=\frac{5\pm\sqrt{35}}{5}$

3. (1) $x=\frac{3\pm\sqrt{11}}{2}$ (2) $x=\frac{-6\pm\sqrt{33}}{3}$
(3) $x=\frac{-1\pm\sqrt{21}}{2}$ (4) $x=\frac{4\pm\sqrt{37}}{3}$
(5) $x=\frac{1\pm\sqrt{11}}{3}$ (6) $x=\frac{5\pm\sqrt{5}}{5}$
(7) $x=4\pm\sqrt{22}$ (8) $x=-3$
(9) $x=6$ 또는 $x=-8$

1 (1) $2x^2-10x=0$에서 $2x(x-5)=0$
$\therefore x=0$ 또는 $x=5$

(2) $x^2+5x-24=0$에서 $(x-3)(x+8)=0$
$\therefore x=3$ 또는 $x=-8$

(3) $10x^2-3x-1=0$에서 $(2x-1)(5x+1)=0$
$\therefore x=\frac{1}{2}$ 또는 $x=-\frac{1}{5}$

(4) $(x-1)(x+2)=40$에서 $x^2+x-2=40$
$x^2+x-42=0$, $(x-6)(x+7)=0$
$\therefore x=6$ 또는 $x=-7$

(5) $(x+2)(x-3)=-7x+1$에서
$x^2-x-6=-7x+1$
$x^2+6x-7=0$, $(x-1)(x+7)=0$
$\therefore x=1$ 또는 $x=-7$

(6) $16x^2=24x-9$에서 $16x^2-24x+9=0$
$(4x-3)^2=0$ $\therefore x=\frac{3}{4}$

2 (1) $49x^2-1=80$에서 $49x^2=81$
$x^2=\frac{81}{49}$
$\therefore x=\pm\frac{9}{7}$

(2) $(x+4)^2-18=0$에서 $(x+4)^2=18$
$x+4=\pm3\sqrt{2}$
$\therefore x=-4\pm3\sqrt{2}$

(3) $x^2-x-4=0$에서
$$x=\frac{-(-1)\pm\sqrt{(-1)^2-4\times1\times(-4)}}{2\times1}=\frac{1\pm\sqrt{17}}{2}$$

(4) $2x^2+4x-3=0$에서
$$x=\frac{-4\pm\sqrt{4^2-4\times2\times(-3)}}{2\times2}=\frac{-4\pm2\sqrt{10}}{4}=\frac{-2\pm\sqrt{10}}{2}$$

(5) $3x^2+6x-1=0$에서
$$x=\frac{-6\pm\sqrt{6^2-4\times3\times(-1)}}{2\times3}=\frac{-6\pm4\sqrt{3}}{6}=\frac{-3\pm2\sqrt{3}}{3}$$

(6) $5x^2-10x=2$에서 $5x^2-10x-2=0$
$$\therefore x=\frac{-(-10)\pm\sqrt{(-10)^2-4\times5\times(-2)}}{2\times5}=\frac{10\pm2\sqrt{35}}{10}=\frac{5\pm\sqrt{35}}{5}$$

3 (1) $3(x+1)(x-2)=x^2+3x-5$에서

$3(x^2-x-2)=x^2+3x-5$

$3x^2-3x-6=x^2+3x-5$, $2x^2-6x-1=0$

$\therefore x=\dfrac{-(-6)\pm\sqrt{(-6)^2-4\times2\times(-1)}}{2\times2}$

$=\dfrac{6\pm2\sqrt{11}}{4}=\dfrac{3\pm\sqrt{11}}{2}$

(2) $x^2-16x=(2x-1)^2$에서

$x^2-16x=4x^2-4x+1$, $3x^2+12x+1=0$

$\therefore x=\dfrac{-12\pm\sqrt{12^2-4\times3\times1}}{2\times3}$

$=\dfrac{-12\pm2\sqrt{33}}{6}=\dfrac{-6\pm\sqrt{33}}{3}$

(3) $0.1x^2+0.1x-0.5=0$의 양변에 10을 곱하면

$x^2+x-5=0$

$\therefore x=\dfrac{-1\pm\sqrt{1^2-4\times1\times(-5)}}{2\times1}=\dfrac{-1\pm\sqrt{21}}{2}$

(4) $\dfrac{1}{2}x^2-\dfrac{4}{3}x-\dfrac{7}{6}=0$의 양변에 6을 곱하면

$3x^2-8x-7=0$

$\therefore x=\dfrac{-(-8)\pm\sqrt{(-8)^2-4\times3\times(-7)}}{2\times3}$

$=\dfrac{8\pm2\sqrt{37}}{6}=\dfrac{4\pm\sqrt{37}}{3}$

(5) $0.5=\dfrac{5}{10}=\dfrac{1}{2}$이므로

$\dfrac{3}{4}x^2=\dfrac{1}{2}x+\dfrac{5}{6}$의 양변에 12를 곱하면

$9x^2=6x+10$, $9x^2-6x-10=0$

$\therefore x=\dfrac{-(-6)\pm\sqrt{(-6)^2-4\times9\times(-10)}}{2\times9}$

$=\dfrac{6\pm6\sqrt{11}}{18}=\dfrac{1\pm\sqrt{11}}{3}$

(6) $0.4=\dfrac{4}{10}=\dfrac{2}{5}$이므로

$\dfrac{1}{2}x^2-x+\dfrac{2}{5}=0$의 양변에 10을 곱하면

$5x^2-10x+4=0$

$\therefore x=\dfrac{-(-10)\pm\sqrt{(-10)^2-4\times5\times4}}{2\times5}$

$=\dfrac{10\pm2\sqrt{5}}{10}=\dfrac{5\pm\sqrt{5}}{5}$

(7) $\dfrac{x^2-3}{6}-\dfrac{2x+1}{2}=\dfrac{x}{3}$의 양변에 6을 곱하면

$(x^2-3)-3(2x+1)=2x$

$x^2-3-6x-3=2x$, $x^2-8x-6=0$

$\therefore x=\dfrac{-(-8)\pm\sqrt{(-8)^2-4\times1\times(-6)}}{2\times1}$

$=\dfrac{8\pm2\sqrt{22}}{2}=4\pm\sqrt{22}$

(8) $(x+5)^2-4(x+5)+4=0$에서

$x+5=A$로 치환하면

$A^2-4A+4=0$, $(A-2)^2=0$

$\therefore A=2$

즉 $x+5=2$이므로 $x=-3$

(9) $(x-2)^2+6(x-2)-40=0$에서

$x-2=A$로 치환하면

$A^2+6A-40=0$, $(A-4)(A+10)=0$

$\therefore A=4$ 또는 $A=-10$

즉 $x-2=4$ 또는 $x-2=-10$

$\therefore x=6$ 또는 $x=-8$

STEP 3 154쪽

01. ④	**02.** ②	**03.** 풀이 참조	**04.** ①
05. 5	**06.** ⑤	**07.** ⑤	

01 $3x^2-5x+1=0$에서

$x=\dfrac{-(-5)\pm\sqrt{(-5)^2-4\times3\times1}}{2\times3}=\dfrac{5\pm\sqrt{13}}{6}$

즉 $x=\dfrac{5\pm\sqrt{13}}{6}=\dfrac{a\pm\sqrt{b}}{6}$이므로

$a=5$, $b=13$

$\therefore a+b=5+13=18$

02 $3x^2-4x+a=0$에서

$x=\dfrac{-(-4)\pm\sqrt{(-4)^2-4\times3\times a}}{2\times3}$

$=\dfrac{4\pm2\sqrt{4-3a}}{6}=\dfrac{2\pm\sqrt{4-3a}}{3}$

즉 $x=\dfrac{2\pm\sqrt{4-3a}}{3}=\dfrac{b\pm\sqrt{19}}{3}$이므로

$2=b$, $4-3a=19$에서 $a=-5$

$\therefore a+b=-5+2=-3$

03 (1) $x^2-2x-3=0$에서 $(x+1)(x-3)=0$

$x+1=0$ 또는 $x-3=0$

$\therefore x=-1$ 또는 $x=3$ …… [30 %]

(2) $x^2-2x-3=0$에서

$x^2-2x=3$, $x^2-2x+1=3+1$

$(x-1)^2=4$, $x-1=\pm2$

$x-1=2$ 또는 $x-1=-2$

$\therefore x=3$ 또는 $x=-1$ …… [30 %]

(3) $x^2-2x-3=0$에서

$$x=\frac{-(-2)\pm\sqrt{(-2)^2-4\times1\times(-3)}}{2\times1}$$

$$=\frac{2\pm\sqrt{16}}{2}=\frac{2\pm4}{2}$$

$\therefore x=3$ 또는 $x=-1$ …… [40 %]

04 $(x-1)(x+3)=8x-6$에서

$x^2+2x-3=8x-6$

$x^2-6x+3=0$

$$\therefore x=\frac{-(-6)\pm\sqrt{(-6)^2-4\times1\times3}}{2\times1}$$

$$=\frac{6\pm2\sqrt{6}}{2}=3\pm\sqrt{6}$$

즉 $x=3\pm\sqrt{6}=A\pm\sqrt{B}$이므로

$A=3,\ B=6$

$\therefore A+B=3+6=9$

05 $\frac{1}{6}x^2+x-\frac{1}{3}=0$의 양변에 6을 곱하면

$x^2+6x-2=0$

$$\therefore x=\frac{-6\pm\sqrt{6^2-4\times1\times(-2)}}{2\times1}$$

$$=\frac{-6\pm2\sqrt{11}}{2}=-3\pm\sqrt{11}$$

즉 $x=-3\pm\sqrt{11}=A\pm\sqrt{B}$이므로

$A=-3,\ B=11$

$\therefore 2A+B=2\times(-3)+11=5$

06 $0.5=\frac{5}{10}=\frac{1}{2}$이므로

$\frac{1}{3}x^2-x+\frac{1}{2}=0$의 양변에 6을 곱하면

$2x^2-6x+3=0$

$$\therefore x=\frac{-(-6)\pm\sqrt{(-6)^2-4\times2\times3}}{2\times2}$$

$$=\frac{6\pm2\sqrt{3}}{4}=\frac{3\pm\sqrt{3}}{2}$$

07 $(x-4)^2-8(x-4)+15=0$에서

$x-4=A$로 치환하면

$A^2-8A+15=0,\ (A-3)(A-5)=0$

$\therefore A=3$ 또는 $A=5$

즉 $x-4=3$ 또는 $x-4=5$

$\therefore x=7$ 또는 $x=9$

2 이차방정식의 활용

개념 확인

155쪽~157쪽

1. (1) 2개 (2) 0개 (3) 1개 (4) 2개

2. (1) $2,\ 1,\ 4,\ 2x^2+6x-8=0$

(2) $5,\ 3x^2-30x+75=0$

3. ① $x+1$ ② $x+1,\ x+1$ ③ 2 ④ 2, 2, 3

1 (1) $x^2-4x+3=0$에서 $a=1,\ b=-4,\ c=3$이므로

$b^2-4ac=(-4)^2-4\times1\times3=4>0$

따라서 근의 개수는 2개이다.

(2) $x^2+2x+3=0$에서 $a=1,\ b=2,\ c=3$이므로

$b^2-4ac=2^2-4\times1\times3=-8<0$

따라서 근의 개수는 0개이다.

(3) $x^2=6x-9$에서 $x^2-6x+9=0$

$a=1,\ b=-6,\ c=9$이므로

$b^2-4ac=(-6)^2-4\times1\times9=0$

따라서 근의 개수는 1개이다.

(4) $3x^2-5x+1=0$에서 $a=3,\ b=-5,\ c=1$이므로

$b^2-4ac=(-5)^2-4\times3\times1=13>0$

따라서 근의 개수는 2개이다.

2 (1) $2(x-1)\{x-(-4)\}=0$에서 $2(x-1)(x+4)=0$

$2(x^2+3x-4)=0\quad \therefore 2x^2+6x-8=0$

(2) $3(x-5)^2=0$에서 $3(x^2-10x+25)=0$

$\therefore 3x^2-30x+75=0$

3 ② 방정식을 세우면 $x(x+1)=x^2+(x+1)^2-7$

$x^2+x=x^2+x^2+2x+1-7$

$x^2+x-6=0$

③ 이 방정식을 풀면 $(x-2)(x+3)=0$

$\therefore x=2$ 또는 $x=-3$

STEP 1

158쪽~159쪽

1-1. (1) 0개 (2) 2개 연구 (1) $0,\ -4,\ 0$ (2) $-2,\ -5,\ 24,\ 2$

1-2. (1) 1개 (2) 0개 (3) 2개

2-1. (1) $k<25$ (2) $k=25$ (3) $k>25$

연구 k (1) $100-4k$ (2) $100-4k$ (3) $100-4k$

2-2. (1) $k<13$ (2) $k=13$ (3) $k>13$

3-1. $6x^2-5x+1=0$ 연구 $\frac{1}{2},\ 0,\ 5,\ 1,\ 0,\ 5,\ 1$

3-2. (1) $x^2+4x+4=0$ (2) $2x^2-2x-12=0$
(3) $3x^2-x-2=0$

4-1. $x+2$, $x+2$, 11, 11 | 4-2. 6
5-1. $x-4$, $x-4$, 16, 16 | 5-2. 15 m
6-1. 120, 15, 15, 15 | 6-2. 십각형

1-1 (1) $x^2+1=0$에서 $a=1$, $b=0$, $c=1$이므로
$b^2-4ac=0^2-4\times1\times1=-4<0$
따라서 근의 개수는 0개이다.
(2) $x^2-2x-5=0$에서 $a=1$, $b=-2$, $c=-5$이므로
$b^2-4ac=(-2)^2-4\times1\times(-5)=24>0$
따라서 근의 개수는 2개이다.

1-2 (1) $x^2-4x+4=0$에서 $a=1$, $b=-4$, $c=4$이므로
$b^2-4ac=(-4)^2-4\times1\times4=0$
따라서 근의 개수는 1개이다.
(2) $2x^2-x+1=0$에서 $a=2$, $b=-1$, $c=1$이므로
$b^2-4ac=(-1)^2-4\times2\times1=-7<0$
따라서 근의 개수는 0개이다.
(3) $3x^2+7x+2=0$에서 $a=3$, $b=7$, $c=2$이므로
$b^2-4ac=7^2-4\times3\times2=25>0$
따라서 근의 개수는 2개이다.

2-1 (1) 서로 다른 두 근을 가지려면
$b^2-4ac=(-10)^2-4\times1\times k=100-4k>0$
$-4k>-100$ $\therefore k<25$
(2) 중근을 가지려면
$b^2-4ac=100-4k=0$
$-4k=-100$ $\therefore k=25$
(3) 근이 없으려면
$b^2-4ac=100-4k<0$
$-4k<-100$ $\therefore k>25$

2-2 $x^2+6x+k-4=0$에서 $a=1$, $b=6$, $c=k-4$
(1) $b^2-4ac=6^2-4\times1\times(k-4)>0$
$-4k+52>0$, $-4k>-52$ $\therefore k<13$
(2) $b^2-4ac=6^2-4\times1\times(k-4)=0$
$-4k+52=0$, $-4k=-52$ $\therefore k=13$
(3) $b^2-4ac=6^2-4\times1\times(k-4)<0$
$-4k+52<0$, $-4k<-52$ $\therefore k>13$

3-2 (1) $\{x-(-2)\}^2=0$에서 $(x+2)^2=0$
$\therefore x^2+4x+4=0$
(2) $2(x-3)\{x-(-2)\}=0$에서 $2(x-3)(x+2)=0$
$2(x^2-x-6)=0$ $\therefore 2x^2-2x-12=0$
(3) $3\left\{x-\left(-\frac{2}{3}\right)\right\}(x-1)=0$에서
$3\left(x+\frac{2}{3}\right)(x-1)=0$, $3\left(x^2-\frac{1}{3}x-\frac{2}{3}\right)=0$
$\therefore 3x^2-x-2=0$

4-2 두 자연수 중 작은 수를 x라 하면 큰 수는 $x+1$이므로
$x^2+(x+1)^2=85$
위의 방정식을 풀면
$x^2+x^2+2x+1=85$, $2x^2+2x-84=0$
$x^2+x-42=0$, $(x-6)(x+7)=0$
$\therefore x=6$ 또는 $x=-7$
이때 x는 자연수이므로 $x=6$
따라서 구하는 자연수는 6이다.

5-2 가로의 길이를 x m라 하면 세로의 길이는 $\left(\frac{1}{2}x+1\right)$ m이므로 $x\left(\frac{1}{2}x+1\right)=420$
위의 방정식을 풀면
$\frac{1}{2}x^2+x=420$, $x^2+2x=840$
$x^2+2x-840=0$, $(x-28)(x+30)=0$
$\therefore x=28$ 또는 $x=-30$
이때 $x>0$이므로 $x=28$
따라서 구하는 세로의 길이는 $\frac{1}{2}\times28+1=15$ (m)이다.

6-2 $\frac{n(n-3)}{2}=35$
위의 방정식을 풀면
$n(n-3)=70$, $n^2-3n=70$
$n^2-3n-70=0$, $(n+7)(n-10)=0$
$\therefore n=-7$ 또는 $n=10$
이때 n은 자연수이므로 $n=10$
따라서 구하는 다각형은 십각형이다.

STEP 2 160쪽~163쪽

1-2. ⑤ | 1-3. $a>-16$
2-2. 11 | 2-3. $x=\frac{1}{4}$
3-2. 4, 5, 6 | 4-2. 15명
5-2. 3 cm | 6-2. 2
7-2. (1) $x^2-12x+16=0$ (2) $x=6\pm2\sqrt{5}$ (3) $(6+2\sqrt{5})$ cm
8-2. (1) 1초 후 또는 7초 후 (2) 8초

1-2 ① $2x^2-1=0$에서 $a=2, b=0, c=-1$

$b^2-4ac=0^2-4\times2\times(-1)=8>0$이므로

근의 개수는 2개이다.

② $2x^2-5x+1=0$에서 $a=2, b=-5, c=1$

$b^2-4ac=(-5)^2-4\times2\times1=17>0$이므로

근의 개수는 2개이다.

③ $x^2-4x-1=0$에서 $a=1, b=-4, c=-1$

$b^2-4ac=(-4)^2-4\times1\times(-1)=20>0$이므로

근의 개수는 2개이다.

④ $x^2+6x+5=0$에서 $a=1, b=6, c=5$

$b^2-4ac=6^2-4\times1\times5=16>0$이므로

근의 개수는 2개이다.

⑤ $9x^2-6x+1=0$에서 $a=9, b=-6, c=1$

$b^2-4ac=(-6)^2-4\times9\times1=0$이므로

근의 개수는 1개이다.

따라서 근의 개수가 나머지 넷과 다른 하나는 ⑤이다.

1-3 $x^2-6x+9=4x+a$를 정리하면 $x^2-10x+9-a=0$

이 이차방정식이 서로 다른 두 근을 가지려면

$(-10)^2-4\times1\times(9-a)>0$이어야 하므로

$100-36+4a>0$, $4a>-64$ $\quad\therefore a>-16$

2-2 두 근이 1, $\frac{4}{3}$이고 x^2의 계수가 3인 이차방정식은

$3(x-1)\left(x-\frac{4}{3}\right)=0$, $3\left(x^2-\frac{7}{3}x+\frac{4}{3}\right)=0$

$\therefore 3x^2-7x+4=0$

따라서 $a=-7, b=4$이므로 $b-a=4-(-7)=11$

2-3 중근이 4이고 x^2의 계수가 1인 이차방정식은

$(x-4)^2=0$

즉 $x^2-8x+16=0$이므로 $a=-8, b=16$

$a=-8, b=16$을 $bx^2+ax+1=0$에 대입하면

$16x^2-8x+1=0$, $(4x-1)^2=0$

$\therefore x=\frac{1}{4}$

3-2 연속하는 세 자연수를 $x-1, x, x+1$(단, $x\geq2$)이라 하면

$(x+1)^2-(x-1)^2=x^2-5$

위의 방정식을 풀면

$x^2+2x+1-(x^2-2x+1)=x^2-5$

$x^2-4x-5=0$, $(x+1)(x-5)=0$

$\therefore x=-1$ 또는 $x=5$

이때 x는 $x\geq2$인 자연수이므로 $x=5$

따라서 구하는 세 자연수는 4, 5, 6이다.

4-2 학생 수를 x명이라 하면

한 학생이 받는 책의 수는 $(x-7)$권이므로

$x(x-7)=120$

위의 방정식을 풀면

$x^2-7x=120$, $x^2-7x-120=0$

$(x+8)(x-15)=0$ $\quad\therefore x=-8$ 또는 $x=15$

이때 x는 자연수이므로 $x=15$

따라서 구하는 학생 수는 15명이다.

5-2 처음 정사각형의 한 변의 길이를 x cm라 하면

$(x+2)(x+6)=5x^2$

위의 방정식을 풀면

$x^2+8x+12=5x^2$, $4x^2-8x-12=0$

$x^2-2x-3=0$, $(x+1)(x-3)=0$

$\therefore x=-1$ 또는 $x=3$

이때 $x>0$이므로 $x=3$

따라서 처음 정사각형의 한 변의 길이는 3 cm이다.

6-2

16 m
12 m
x m
x m
$(16-x)$ m
x m
$(12-x)$ m
x m

산책로를 제외한 공원의 넓이는 가로, 세로의 길이가 각각 $(16-x)$ m, $(12-x)$ m인 직사각형의 넓이와 같으므로

$(16-x)(12-x)=140$

위의 방정식을 풀면

$192-28x+x^2=140$, $x^2-28x+52=0$

$(x-2)(x-26)=0$ $\quad\therefore x=2$ 또는 $x=26$

이때 $0<x<12$이므로 $x=2$

7-2 (1)

x cm
3 cm
3 cm
x cm
3 cm
$(x-6)$ cm
$(x-6)$ cm

$3(x-6)^2=60$에서

$(x-6)^2=20$, $x^2-12x+36=20$

$\therefore x^2-12x+16=0$

(2) $x=\frac{-(-12)\pm\sqrt{(-12)^2-4\times1\times16}}{2\times1}$

$=\frac{12\pm4\sqrt{5}}{2}=6\pm2\sqrt{5}$

(3) $x>6$이므로 $x=6+2\sqrt{5}$

따라서 처음 골판지의 한 변의 길이는 $(6+2\sqrt{5})$ cm이다.

참고

$2\sqrt{5}=\sqrt{20}$이고 $4<\sqrt{20}<5$이므로 $10<6+2\sqrt{5}<11$

8-2 (1) $40t-5t^2=35$

위의 방정식을 풀면

$5t^2-40t+35=0$, $t^2-8t+7=0$

$(t-1)(t-7)=0$ $\therefore t=1$ 또는 $t=7$

따라서 물 로켓이 지면에서 높이가 35 m인 지점을 지나는 것은 쏘아 올린 지 1초 후 또는 7초 후이다.

(2) 물 로켓이 지면으로 떨어질 때의 높이는 0 m이므로

$40t-5t^2=0$

위의 방정식을 풀면

$t^2-8t=0$, $t(t-8)=0$ $\therefore t=0$ 또는 $t=8$

따라서 물 로켓을 쏘아 올린 후 지면으로 다시 떨어질 때까지 걸린 시간은 8초이다.

STEP 3 164쪽~165쪽

01. ⑤	**02.** ①	**03.** $\frac{9}{2}$	**04.** $a=-1$, $b=-12$	
05. ⑤	**06.** ⑤	**07.** 3	**08.** 11세	**09.** ①
10. 2 m	**11.** 12	**12.** ②	**13.** ②	

01 ① $(x-3)^2=9$에서 $x^2-6x=0$

$(-6)^2-4\times1\times0=36>0$ ⇨ 근의 개수는 2개

② $(-5)^2-4\times1\times(-2)=33>0$ ⇨ 근의 개수는 2개

③ $3x^2+7x=-3$에서 $3x^2+7x+3=0$

$7^2-4\times3\times3=13>0$ ⇨ 근의 개수는 2개

④ $0-4\times1\times(-25)=100>0$ ⇨ 근의 개수는 2개

⑤ $8^2-4\times1\times16=0$ ⇨ 근의 개수는 1개

따라서 근의 개수가 나머지 넷과 다른 하나는 ⑤이다.

02 $3x^2-4x+2+k=0$이 서로 다른 두 근을 가지려면

$(-4)^2-4\times3\times(2+k)>0$

$16-24-12k>0$, $-12k>8$

$\therefore k<-\frac{2}{3}$

따라서 상수 k의 값이 될 수 있는 것은 ①이다.

03 $2x^2-9x+4m=-3x+3m$에서

$2x^2-6x+m=0$ …… [30 %]

이 이차방정식이 중근을 가지려면

$(-6)^2-4\times2\times m=0$ …… [40 %]

$36-8m=0$ $\therefore m=\frac{9}{2}$ …… [30 %]

04 두 근이 -3, 4이고 x^2의 계수가 1인 이차방정식은

$(x+3)(x-4)=0$ $\therefore x^2-x-12=0$

$\therefore a=-1$, $b=-12$

05 중근이 2이고 x^2의 계수가 5인 이차방정식은

$5(x-2)^2=0$, $5(x^2-4x+4)=0$

$\therefore 5x^2-20x+20=0$

따라서 $a=-20$, $b=20$이므로

$b-a=20-(-20)=40$

06 $x^2+ax+b=0$의 일차항의 계수와 상수항을 바꾸면

$x^2+bx+a=0$

이때 두 근이 -2, 4이고 x^2의 계수가 1인 이차방정식은

$(x+2)(x-4)=0$ $\therefore x^2-2x-8=0$

즉 $a=-8$, $b=-2$이므로 처음 이차방정식은

$x^2-8x-2=0$이다.

따라서 $x^2-8x-2=0$의 해는

$$x=\frac{-(-8)\pm\sqrt{(-8)^2-4\times1\times(-2)}}{2\times1}$$

$$=\frac{8\pm6\sqrt{2}}{2}=4\pm3\sqrt{2}$$

07 연속하는 세 자연수를 $x-1$, x, $x+1$(단, $x\geq2$)이라 하면

$(x+1)(x-1)=2x+7$

위의 방정식을 풀면

$x^2-1=2x+7$, $x^2-2x-8=0$

$(x+2)(x-4)=0$

$\therefore x=-2$ 또는 $x=4$

이때 x는 $x\geq2$인 자연수이므로 $x=4$

따라서 구하는 가장 작은 수는 $4-1=3$이다.

08 언니의 나이를 x세라 하면 동생의 나이는 $(x-2)$세이므로

$7x=(x-2)^2-4$

위의 방정식을 풀면

$7x=x^2-4x+4-4$, $x^2-11x=0$

$x(x-11)=0$ $\therefore x=0$ 또는 $x=11$

이때 $x>2$이므로 $x=11$

따라서 구하는 언니의 나이는 11세이다.

09 사다리꼴의 높이를 x cm라 하면 사다리꼴의 윗변의 길이도 x cm이므로

$\frac{1}{2}\times(x+5)\times x=33$

위의 방정식을 풀면

$x^2+5x=66$, $x^2+5x-66=0$

$(x-6)(x+11)=0$

$\therefore x=6$ 또는 $x=-11$

이때 $x>0$이므로 $x=6$

따라서 구하는 사다리꼴의 높이는 6 cm이다.

10 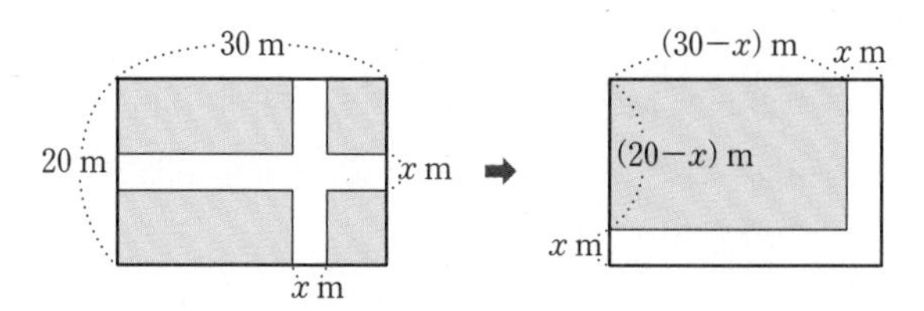

도로를 제외한 땅의 넓이는 가로의 길이가 $(30-x)$ m, 세로의 길이가 $(20-x)$ m인 직사각형의 넓이와 같으므로 …… [40 %]

$(30-x)(20-x)=504$

위의 방정식을 풀면

$600-50x+x^2=504$, $x^2-50x+96=0$

$(x-2)(x-48)=0$

$\therefore x=2$ 또는 $x=48$ …… [30 %]

이때 $0<x<20$이므로 $x=2$ …… [20 %]

따라서 구하는 도로의 폭은 2 m이다. …… [10 %]

11 $x(48-2x)=288$

위의 방정식을 풀면

$-2x^2+48x=288$, $2x^2-48x+288=0$

$x^2-24x+144=0$, $(x-12)^2=0$

$\therefore x=12$

따라서 구하는 x의 값은 12이다.

12 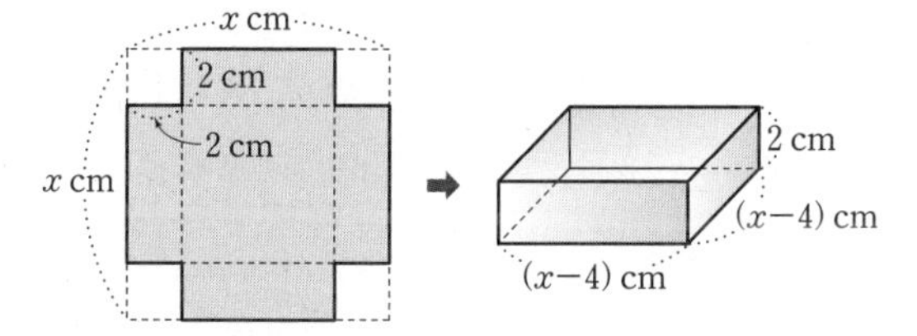

처음 종이의 한 변의 길이를 x cm라 하면

$2(x-4)^2=50$

위의 방정식을 풀면

$(x-4)^2=25$, $x-4=\pm5$

$\therefore x=9$ 또는 $x=-1$

이때 $x>4$이므로 $x=9$

따라서 처음 종이의 한 변의 길이는 9 cm이다.

13 $30x-5x^2=45$

위의 방정식을 풀면

$5x^2-30x+45=0$, $x^2-6x+9=0$

$(x-3)^2=0$ $\therefore x=3$

따라서 물체가 지면으로부터 높이가 45 m가 되는 지점을 지나는 것은 물체를 쏘아 올린 지 3초 후이다.

9. 이차함수의 그래프 (1)

1 이차함수 $y=ax^2$의 그래프

개념 확인

168쪽~171쪽

1. (1) × (2) ○ (3) ○ (4) ×

2. (1) −3 (2) 0 (3) −3

3. (1) 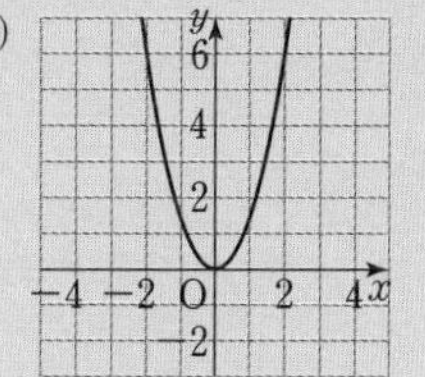

꼭짓점의 좌표 : (0, 0)

축의 방정식 : $x=0$

(2) 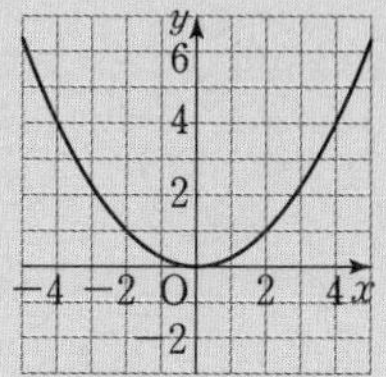

꼭짓점의 좌표 : (0, 0)

축의 방정식 : $x=0$

(3) 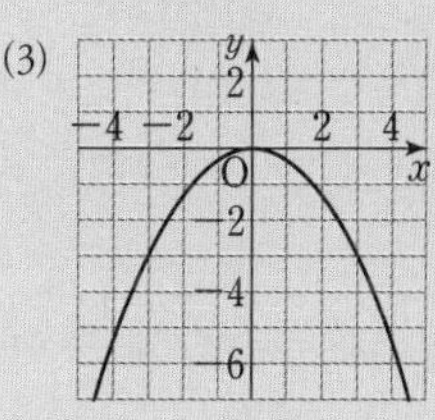

꼭짓점의 좌표 : (0, 0)

축의 방정식 : $x=0$

4. (1) ㉠, ㉡, ㉢, ㉣ (2) ㉢과 ㉤ (3) ㉤, ㉥ (4) ㉢과 ㉤

1 (1) 분모에 x가 있으므로 이차함수가 아니다.

(2) 이차함수이다.

(3) $y=(x-2)(x+5)=x^2+3x-10$이므로 이차함수이다.

(4) $y=2x^2-2x(x+1)=2x^2-2x^2-2x=-2x$이므로 일차함수이다.

2 (1) $f(0)=0^2-2\times0-3=-3$

(2) $f(-1)=(-1)^2-2\times(-1)-3=0$

(3) $f(2)=2^2-2\times2-3=-3$

4 $y=ax^2$의 꼴에서

(1) 위로 볼록한 그래프는 $a<0$이므로 ㉠, ㉡, ㉢, ㉣이다.

(2) x축에 서로 대칭인 그래프는 a의 절댓값이 같고 부호가 서로 다르므로 ㉢과 ㉤이다.

(3) 제1사분면과 제2사분면을 지나는 그래프는 $a>0$이므로 ㉤, ㉥이다.

(4) 그래프의 폭이 서로 같은 것은 a의 절댓값이 같으므로 ㉢과 ㉤이다.

STEP 1 172쪽~173쪽

1-1. (1) ◯ (2) × (3) × (4) ◯

1-2. ㉠, ㉣, ㉤

2-1. (1) 2 (2) 1 (3) 16 (4) 11

2-2. (1) 1 (2) 10

3-1. (1) 아래 (2) y (3) 감소 (4) 증가

3-2. (1) 위 (2) y (3) 증가 (4) 감소 (5) x

4-1. (1) 아래로 (2) 0, 0
(3) $x=0$ (4) ㉡
(5) 감소 (6) 증가
연구 아래

4-2. (1) 위로 (2) 0, 0
(3) $x=0$ (4) ㉠
(5) 증가 (6) 감소

5-1. (1)

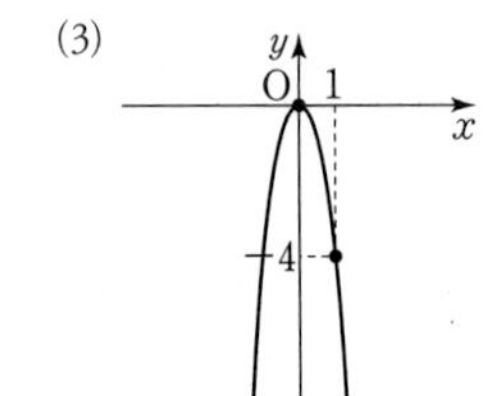

(2)

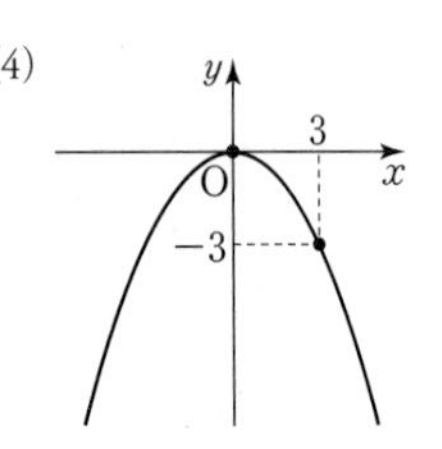

(3)

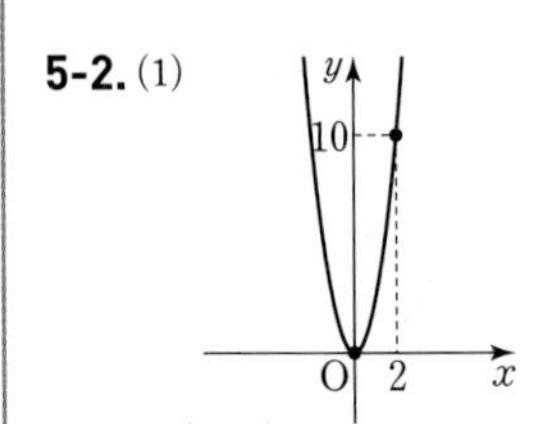

(4)

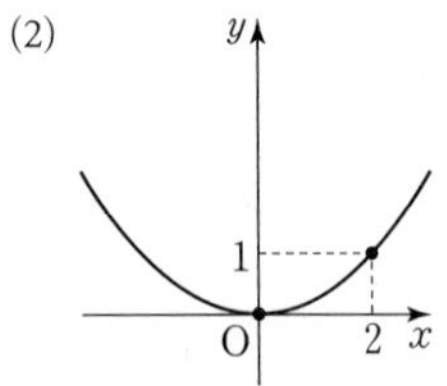

5-2. (1)

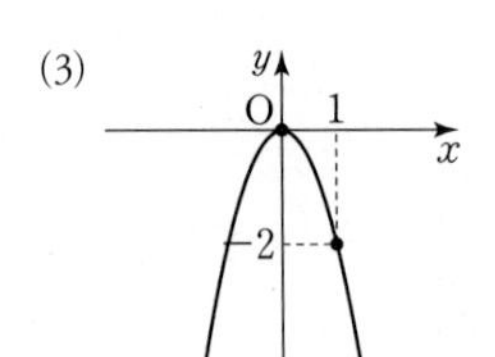

(2)

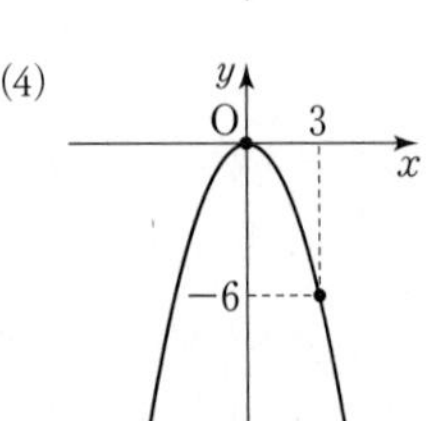

(3)

(4)

1-1 (1) 이차함수이다.
(2) $2x^2-x-x(2x+7)=2x^2-x-2x^2-7x=-8x$이므로 일차식이다.
(3) 분모에 $3x$가 있으므로 이차함수가 아니다.
(4) $y=x(x^2-2x)-x^3=x^3-2x^2-x^3=-2x^2$이므로 이차함수이다.

1-2 ㉠ 이차함수이다.
㉡ 이차식이다.
㉢ 분모에 x^2-2가 있으므로 이차함수가 아니다.
㉣ $y=x(x-5)-5x^2=x^2-5x-5x^2=-4x^2-5x$이므로 이차함수이다.
㉤ $y=2(3x+1)^2=2(9x^2+6x+1)=18x^2+12x+2$이므로 이차함수이다.
㉥ 최고차항의 차수가 3이므로 이차함수가 아니다.
따라서 이차함수인 것은 ㉠, ㉣, ㉤이다.

2-1 (1) $f(0)=2\times 0^2-3\times 0+2=2$
(2) $f(1)=2\times 1^2-3\times 1+2=1$
(3) $f(-2)=2\times(-2)^2-3\times(-2)+2=16$
(4) $f(3)=2\times 3^2-3\times 3+2=11$

2-2 (1) $f(-1)=-(-1)^2-(-1)+1=1$
(2) $f(4)=\frac{1}{2}\times 4^2-\frac{1}{4}\times 4+3=10$

5-1 (1) $x=3$일 때, $y=\frac{2}{3}\times 3^2=6$이므로 점 $(3, 6)$과 꼭짓점 $(0, 0)$을 지나는 곡선을 y축에 대칭이 되도록 그린다.
(2) $x=3$일 때, $y=\frac{1}{3}\times 3^2=3$이므로 점 $(3, 3)$과 꼭짓점 $(0, 0)$을 지나는 곡선을 y축에 대칭이 되도록 그린다.
(4) $x=3$일 때, $y=-\frac{1}{3}\times 3^2=-3$이므로 점 $(3, -3)$과 꼭짓점 $(0, 0)$을 지나는 곡선을 y축에 대칭이 되도록 그린다.

참고
지나는 점을 구할 때 x좌표와 y좌표가 정수가 되는 점을 찾는다.

5-2 (1) $x=2$일 때, $y=\frac{5}{2}\times 2^2=10$이므로 점 $(2, 10)$과 꼭짓점 $(0, 0)$을 지나는 곡선을 y축에 대칭이 되도록 그린다.
(2) $x=2$일 때, $y=\frac{1}{4}\times 2^2=1$이므로 점 $(2, 1)$과 꼭짓점 $(0, 0)$을 지나는 곡선을 y축에 대칭이 되도록 그린다.
(3) $x=1$일 때, $y=-2\times 1^2=-2$이므로 점 $(1, -2)$와 꼭짓점 $(0, 0)$을 지나는 곡선을 y축에 대칭이 되도록 그린다.
(4) $x=3$일 때, $y=-\frac{2}{3}\times 3^2=-6$이므로 점 $(3, -6)$과 꼭짓점 $(0, 0)$을 지나는 곡선을 y축에 대칭이 되도록 그린다.

STEP 2 174쪽~176쪽

1-2. ㉠, ㉥
2-2. 4 **2-3.** 2
3-2. ③ **3-3.** ±2
4-2. ㉡과 ㉢ **4-3.** ⑤
5-2. ② **5-3.** ①
6-2. $y=\frac{1}{9}x^2$

1-2 ㉠ $y=x(x+1)=x^2+x$이므로 이차함수이다.
㉡ $y=100x$이므로 일차함수이다.
㉢ $y=2\pi x$이므로 일차함수이다.
㉣ $(\text{시간})=\frac{(\text{거리})}{(\text{속력})}$이므로 $y=\frac{700}{x}$
즉 분모에 x가 있으므로 이차함수가 아니다.
㉤ $y=2\{x+(x+6)\}=4x+12$이므로 일차함수이다.
㉥ $y=\frac{1}{2}\times 2x\times x=x^2$이므로 이차함수이다.
따라서 y가 x에 대한 이차함수인 것은 ㉠, ㉥이다.

2-2 $f(1)=1^2+1-2=0$
$f(2)=2^2+2-2=4$
$\therefore f(1)+f(2)=0+4=4$

2-3 $f(-1)=3\times(-1)^2+a\times(-1)+2=5-a$
$f(-1)=3$에서 $5-a=3$ $\therefore a=2$

3-2 $y=2x^2$에 주어진 점의 좌표를 대입하여 등식이 성립하는 것을 찾는다.
① $-18\neq 2\times(-3)^2$ ② $-8\neq 2\times(-2)^2$
③ $2=2\times(-1)^2$ ④ $-2\neq 2\times 1^2$
⑤ $4\neq 2\times 2^2$
따라서 $y=2x^2$의 그래프가 지나는 점은 ③이다.

3-3 $y=ax^2$에 $x=4, y=-20$을 대입하면
$-20=a\times 4^2, 16a=-20$ $\therefore a=-\frac{5}{4}$, 즉 $y=-\frac{5}{4}x^2$
$y=-\frac{5}{4}x^2$에 $x=k, y=-5$를 대입하면
$-5=-\frac{5}{4}k^2, k^2=4$ $\therefore k=\pm 2$

4-2 x축에 서로 대칭인 그래프는 x^2의 계수의 절댓값이 같고 부호가 다르므로 ㉡과 ㉢이다.

4-3 ② $y=-6x^2$에 $x=-1, y=-6$을 대입하면
$-6=-6\times(-1)^2$이므로 점 $(-1, -6)$을 지난다.
⑤ $y=-6x^2$의 그래프와 x축에 대칭인 그래프의 식은 $y=6x^2$이다.
따라서 옳지 않은 것은 ⑤이다.

5-2 위로 볼록한 그래프는 ①, ②, ④이다.
이때 $\left|-\frac{1}{3}\right|<\left|-\frac{2}{5}\right|<|-2|$이므로 폭이 가장 넓은 것은 ②이다.

5-3 $y=ax^2$의 그래프는 아래로 볼록하므로 $a>0$이다.
이때 $y=3x^2$의 그래프보다 폭이 넓으므로 $0<a<3$이다.
따라서 a의 값이 될 수 없는 것은 ①이다.

6-2 원점을 꼭짓점으로 하는 포물선이므로 구하는 이차함수의 식을 $y=ax^2$이라 하자.
점 $(6, 4)$를 지나므로 $y=ax^2$에 $x=6, y=4$를 대입하면
$4=a\times 6^2$ $\therefore a=\frac{1}{9}$
따라서 구하는 이차함수의 식은 $y=\frac{1}{9}x^2$이다.

STEP 3 177쪽~178쪽

01. ③ **02.** ② **03.** ③ **04.** 5 **05.** 22
06. $\frac{5}{4}$ **07.** ② **08.** ④ **09.** ⑤ **10.** ③
11. ⑤ **12.** ③

01 ① $y=(x+5)^2=x^2+10x+25$이므로 이차함수이다.
② $y=(x-2)(x+3)=x^2+x-6$이므로 이차함수이다.
③ 분모에 x가 있으므로 이차함수가 아니다.
④, ⑤ 이차함수이다.

02 ① $y=\frac{4}{3}\pi x^3$
즉 최고차항의 차수가 3이므로 이차함수가 아니다.
② $y=\frac{x(x-3)}{2}=\frac{1}{2}x^2-\frac{3}{2}x$이므로 이차함수이다.
③ $y=2000x$이므로 일차함수이다.
④ $y=\frac{1}{2}\times 12\times x=6x$이므로 일차함수이다.
⑤ $y=20x$이므로 일차함수이다.

03 이차함수는 $y=(x$에 대한 이차식$)$의 꼴로 나타내어지므로 주어진 함수가 이차함수가 되기 위한 조건은 $a\neq 0$이다.
참고
$y=ax^2+bx+c$에서 반드시 $a\neq 0$이어야 하지만 b와 c는 0이 되어도 상관없다.

04 $f(-1)=(-1)^2-(-1)+3=5$

05 $f(2)=2\times2^2+2a+1=2a+9$ ...... [30 %]
이때 $f(2)=7$이므로 $2a+9=7$
$2a=-2 \quad \therefore a=-1$ ...... [30 %]
즉 $f(x)=2x^2-x+1$이므로 ...... [20 %]
$f(-3)=2\times(-3)^2-(-3)+1=22$ ...... [20 %]

06 $y=ax^2$의 그래프가 점 $(2, 5)$를 지나므로
$y=ax^2$에 $x=2$, $y=5$를 대입하면
$5=a\times2^2 \quad \therefore a=\frac{5}{4}$

07 $y=\frac{1}{2}x^2$에 각 점의 좌표를 대입하여 등식이 성립하지 않는 것을 찾는다.
① $8=\frac{1}{2}\times(-4)^2$ ② $-\frac{1}{2}\neq\frac{1}{2}\times(-1)^2$
③ $0=\frac{1}{2}\times0^2$ ④ $2=\frac{1}{2}\times2^2$
⑤ $8=\frac{1}{2}\times4^2$
따라서 $y=\frac{1}{2}x^2$의 그래프 위에 있지 않은 점은 ②이다.

08 ② $y=-\frac{1}{3}x^2$에 $x=3$, $y=-3$을 대입하면
$-3=-\frac{1}{3}\times3^2$이므로 점 $(3, -3)$을 지난다.
④ 위로 볼록한 포물선이다.
따라서 옳지 않은 것은 ④이다.

09 ⑤ 제1사분면과 제2사분면을 지나는 그래프는 ㉠, ㉢이다.

10 $\left|-\frac{1}{2}\right|<|-1|<\left|\frac{4}{3}\right|<|2|<|-3|$이므로 폭이 가장 넓은 것은 ③이다.

11 $y=-3x^2$의 그래프는 위로 볼록하고 $y=-x^2$의 그래프보다 폭이 좁으므로 $y=-3x^2$의 그래프로 적당한 것은 ㉤이다.

12 원점을 꼭짓점으로 하는 포물선이므로 구하는 이차함수의 식을 $y=ax^2$이라 하자.
점 $(3, -6)$을 지나므로 $y=ax^2$에 $x=3$, $y=-6$을 대입하면 $-6=a\times3^2$, $9a=-6 \quad \therefore a=-\frac{2}{3}$
따라서 구하는 이차함수의 식은 $y=-\frac{2}{3}x^2$이다.

2 이차함수 $y=ax^2+q$, $y=a(x-p)^2$의 그래프

개념 확인

179쪽~180쪽

1. $y=4x^2-5$

2.

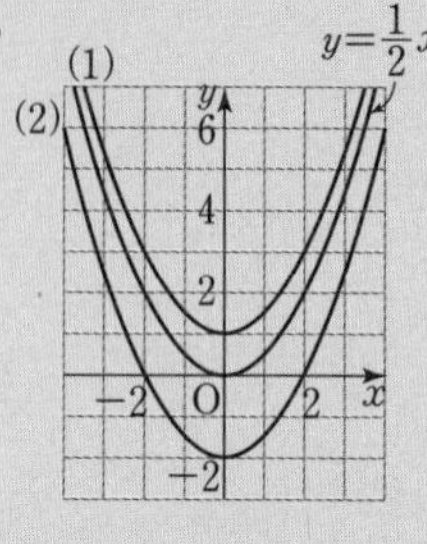

(1) 꼭짓점의 좌표 : $(0, 1)$, 축의 방정식 : $x=0$
(2) 꼭짓점의 좌표 : $(0, -2)$, 축의 방정식 : $x=0$

3. $y=3(x+1)^2$

4.

(1) 꼭짓점의 좌표 : $(-3, 0)$, 축의 방정식 : $x=-3$
(2) 꼭짓점의 좌표 : $(1, 0)$, 축의 방정식 : $x=1$

STEP 1

181쪽~182쪽

1-1.

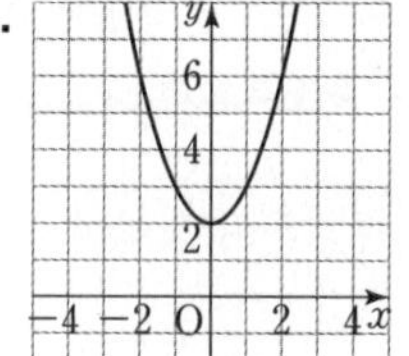

(1) y, 2 (2) 0, 2
(3) $x=0$ (4) 아래
(5) $x>0$

1-2.

(1) $-\frac{1}{4}x^2$, y, -3 (2) 0, -3
(3) $x=0$ (4) 위
(5) $x>0$

2-1. (1)

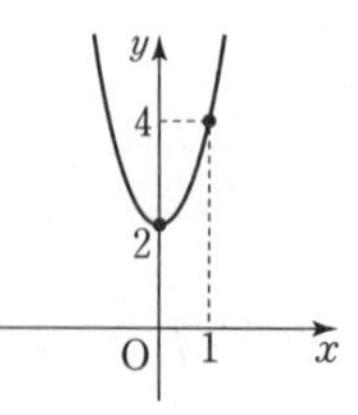

(2)

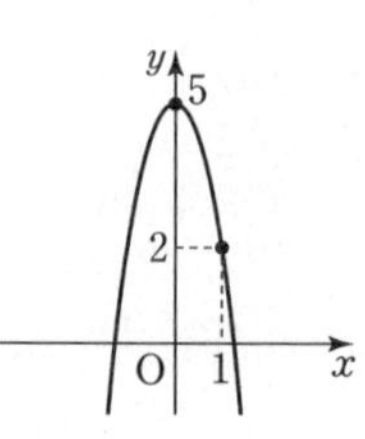

2-2. (1)

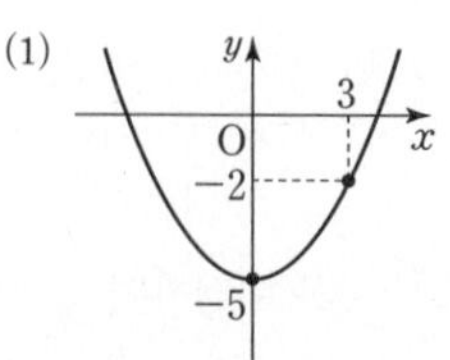

(2)

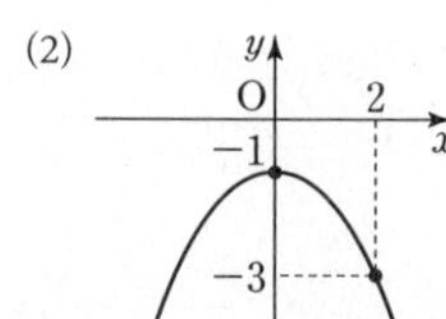

3-1. (1) $y=\frac{5}{2}x^2+3$,

꼭짓점의 좌표 : $(0, 3)$, 축의 방정식 : $x=0$

(2) $y=-4x^2-1$,

꼭짓점의 좌표 : $(0, -1)$, 축의 방정식 : $x=0$

3-2. (1) $y=3x^2-5$,

꼭짓점의 좌표 : $(0, -5)$, 축의 방정식 : $x=0$

(2) $y=-\frac{3}{4}x^2+2$,

꼭짓점의 좌표 : $(0, 2)$, 축의 방정식 : $x=0$

4-1.

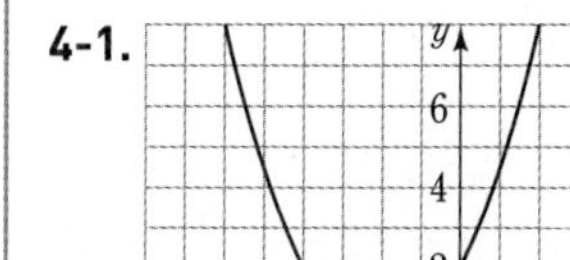

(1) $\frac{1}{2}$, x, -2

(2) -2, 0

(3) $x=-2$ (4) 아래

(5) $x>-2$

4-2.

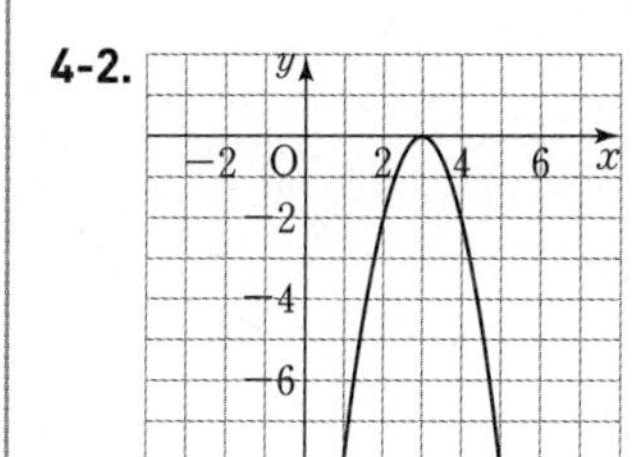

(1) $-2x^2$, x, 3

(2) 3, 0

(3) $x=3$ (4) 위

(5) $x<3$

5-1. (1)

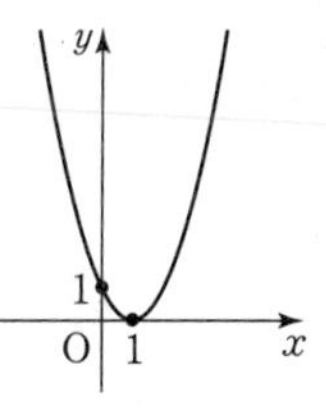

(2)

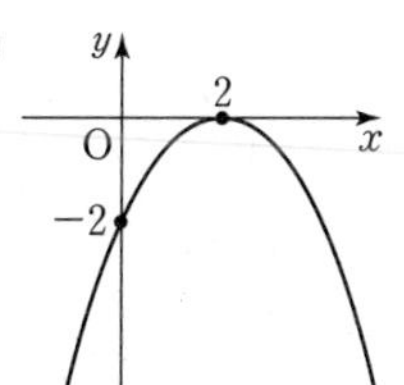

5-2. (1)

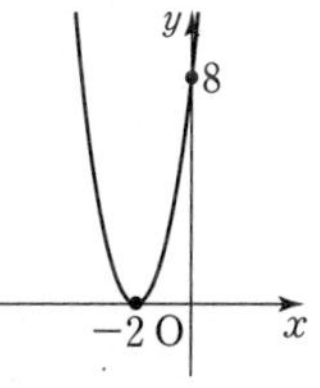

(2)

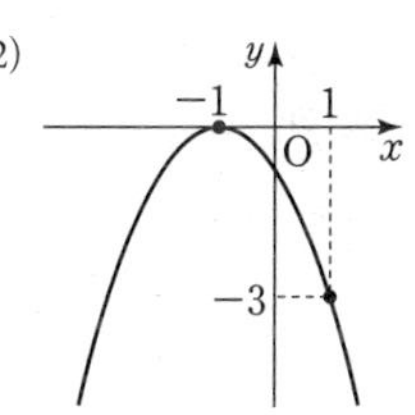

6-1. (1) $y=\frac{5}{2}(x-2)^2$,

꼭짓점의 좌표 : $(2, 0)$, 축의 방정식 : $x=2$

(2) $y=-3(x+5)^2$,

꼭짓점의 좌표 : $(-5, 0)$, 축의 방정식 : $x=-5$

6-2. (1) $y=4(x+1)^2$,

꼭짓점의 좌표 : $(-1, 0)$, 축의 방정식 : $x=-1$

(2) $y=-\frac{2}{3}(x-3)^2$,

꼭짓점의 좌표 : $(3, 0)$, 축의 방정식 : $x=3$

2-1 (1) $x=1$일 때, $y=2\times1^2+2=4$이므로 점 $(1, 4)$와 꼭짓점 $(0, 2)$를 지나는 곡선을 y축에 대칭이 되도록 그린다.

(2) $x=1$일 때, $y=-3\times1^2+5=2$이므로 점 $(1, 2)$와 꼭짓점 $(0, 5)$를 지나는 곡선을 y축에 대칭이 되도록 그린다.

2-2 (1) $x=3$일 때, $y=\frac{1}{3}\times3^2-5=-2$이므로 점 $(3, -2)$와 꼭짓점 $(0, -5)$를 지나는 곡선을 y축에 대칭이 되도록 그린다.

(2) $x=2$일 때, $y=-\frac{1}{2}\times2^2-1=-3$이므로 점 $(2, -3)$과 꼭짓점 $(0, -1)$을 지나는 곡선을 y축에 대칭이 되도록 그린다.

3-1 (1) $y=\frac{5}{2}x^2$의 그래프를 y축의 방향으로 3만큼 평행이동한 그래프의 식은 $y=\frac{5}{2}x^2+3$이므로 꼭짓점의 좌표는 $(0, 3)$, 축의 방정식은 $x=0$이다.

(2) $y=-4x^2$의 그래프를 y축의 방향으로 -1만큼 평행이동한 그래프의 식은 $y=-4x^2-1$이므로 꼭짓점의 좌표는 $(0, -1)$, 축의 방정식은 $x=0$이다.

3-2 (1) $y=3x^2$의 그래프를 y축의 방향으로 -5만큼 평행이동한 그래프의 식은 $y=3x^2-5$이므로 꼭짓점의 좌표는 $(0, -5)$, 축의 방정식은 $x=0$이다.

(2) $y=-\frac{3}{4}x^2$의 그래프를 y축의 방향으로 2만큼 평행이동한 그래프의 식은 $y=-\frac{3}{4}x^2+2$이므로 꼭짓점의 좌표는 $(0, 2)$, 축의 방정식은 $x=0$이다.

5-1 (1) $x=0$일 때, $y=(0-1)^2=1$이므로 점 $(0, 1)$과 꼭짓점 $(1, 0)$을 지나는 곡선을 $x=1$에 대칭이 되도록 그린다.

(2) $x=0$일 때, $y=-\frac{1}{2}\times(0-2)^2=-2$이므로 점 $(0, -2)$와 꼭짓점 $(2, 0)$을 지나는 곡선을 $x=2$에 대칭이 되도록 그린다.

5-2 (1) $x=0$일 때, $y=2\times(0+2)^2=8$이므로 점 $(0, 8)$과 꼭짓점 $(-2, 0)$을 지나는 곡선을 $x=-2$에 대칭이 되도록 그린다.

(2) $x=1$일 때, $y=-\frac{3}{4}\times(1+1)^2=-3$이므로 점 $(1, -3)$과 꼭짓점 $(-1, 0)$을 지나는 곡선을 $x=-1$에 대칭이 되도록 그린다.

6-1 (1) $y=\frac{5}{2}x^2$의 그래프를 x축의 방향으로 2만큼 평행이동한 그래프의 식은 $y=\frac{5}{2}(x-2)^2$이므로 꼭짓점의 좌표는 $(2, 0)$, 축의 방정식은 $x=2$이다.

(2) $y=-3x^2$의 그래프를 x축의 방향으로 -5만큼 평행이동한 그래프의 식은 $y=-3(x+5)^2$이므로 꼭짓점의 좌표는 $(-5, 0)$, 축의 방정식은 $x=-5$이다.

6-2 (1) $y=4x^2$의 그래프를 x축의 방향으로 -1만큼 평행이동한 그래프의 식은 $y=4(x+1)^2$이므로 꼭짓점의 좌표는 $(-1, 0)$, 축의 방정식은 $x=-1$이다.

(2) $y=-\frac{2}{3}x^2$의 그래프를 x축의 방향으로 3만큼 평행이동한 그래프의 식은 $y=-\frac{2}{3}(x-3)^2$이므로 꼭짓점의 좌표는 $(3, 0)$, 축의 방정식은 $x=3$이다.

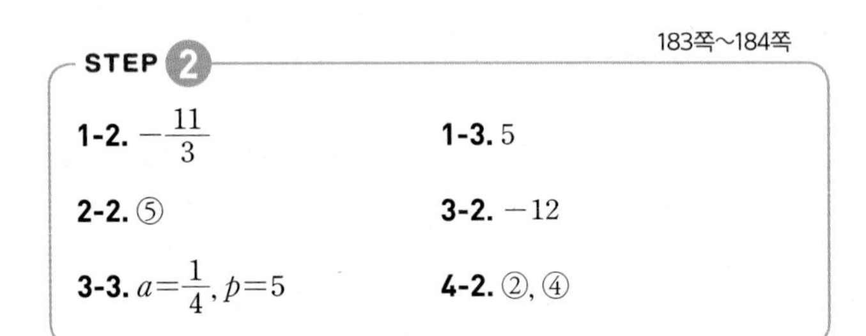

STEP 2 183쪽~184쪽

1-2. $-\frac{11}{3}$　**1-3.** 5
2-2. ⑤　**3-2.** -12
3-3. $a=\frac{1}{4}$, $p=5$　**4-2.** ②, ④

1-2 $y=\frac{1}{3}x^2$의 그래프를 y축의 방향으로 -4만큼 평행이동한 그래프의 식은 $y=\frac{1}{3}x^2-4$
이 그래프가 점 $(-1, k)$를 지나므로
$y=\frac{1}{3}x^2-4$에 $x=-1$, $y=k$를 대입하면
$k=\frac{1}{3}\times(-1)^2-4=-\frac{11}{3}$

1-3 $y=-2x^2$의 그래프를 y축의 방향으로 q만큼 평행이동한 그래프의 식은 $y=-2x^2+q$
이 그래프가 점 $(-1, 3)$을 지나므로
$y=-2x^2+q$에 $x=-1$, $y=3$을 대입하면
$3=-2\times(-1)^2+q$　$\therefore q=5$

2-2 이차함수 $y=2x^2+2$의 그래프는 오른쪽 그림과 같다.
① 아래로 볼록한 포물선이다.
② y축에 대칭이다.
③ 꼭짓점의 좌표는 $(0, 2)$이다.
④ $x>0$일 때, x의 값이 증가하면 y의 값도 증가한다.
따라서 옳은 것은 ⑤이다.

3-2 $y=-3x^2$의 그래프를 x축의 방향으로 2만큼 평행이동한 그래프의 식은 $y=-3(x-2)^2$
이 그래프가 점 $(4, a)$를 지나므로
$y=-3(x-2)^2$에 $x=4$, $y=a$를 대입하면
$a=-3\times(4-2)^2=-12$

3-3 $y=a(x-p)^2$의 그래프의 꼭짓점의 좌표가 $(5, 0)$이므로 $p=5$
$y=a(x-5)^2$의 그래프가 점 $(3, 1)$을 지나므로
$y=a(x-5)^2$에 $x=3$, $y=1$을 대입하면
$1=a\times(3-5)^2$　$\therefore a=\frac{1}{4}$

4-2 이차함수 $y=-(x+5)^2$의 그래프는 오른쪽 그림과 같다.

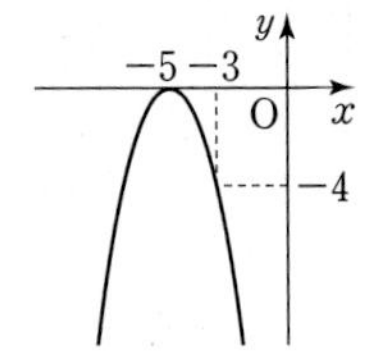

① $y=-x^2$의 그래프를 x축의 방향으로 -5만큼 평행이동한 것이다.
③ 꼭짓점의 좌표는 $(-5, 0)$이다.
④ $y=-(x+5)^2$에 $x=-3$, $y=-4$를 대입하면 $-4=-(-3+5)^2$이므로 점 $(-3, -4)$를 지난다.
⑤ 위로 볼록한 포물선이다.
따라서 옳은 것은 ②, ④이다.

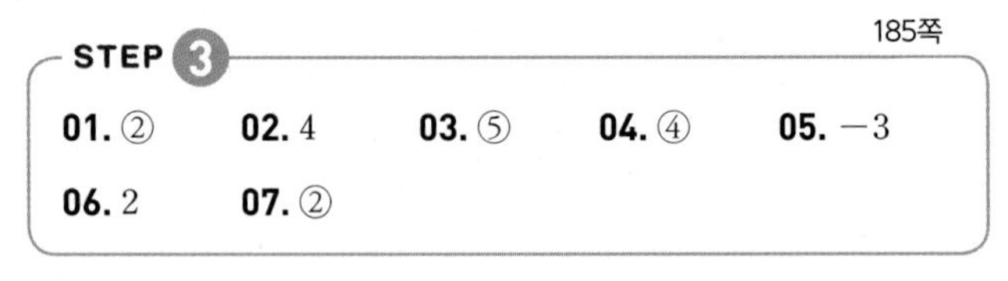

STEP 3 185쪽

01. ②　**02.** 4　**03.** ⑤　**04.** ④　**05.** -3
06. 2　**07.** ②

01 $y=-\frac{1}{5}x^2+2$의 그래프는 꼭짓점의 좌표가 $(0, 2)$이고 위로 볼록하므로 $y=-\frac{1}{5}x^2+2$의 그래프로 적당한 것은 ②이다.

02 $y=3x^2$의 그래프를 y축의 방향으로 q만큼 평행이동한 그래프의 식은 $y=3x^2+q$
이 그래프가 점 $(1, 5)$를 지나므로
$y=3x^2+q$에 $x=1$, $y=5$를 대입하면
$5=3\times1^2+q$　$\therefore q=2$
$\therefore 2q=2\times2=4$

03 ① 꼭짓점의 좌표는 $(0, -3)$이다.
② y축에 대칭이다.
③ 아래로 볼록한 포물선이다.
④ $y=4x^2$의 그래프를 y축의 방향으로 -3만큼 평행이동한 것이다.
따라서 옳은 것은 ⑤이다.

05 $y=a(x-p)^2$의 그래프의 꼭짓점의 좌표가 $(-3,\ 0)$이므로 $p=-3$
$y=a(x+3)^2$의 그래프가 점 $(-1,\ -12)$를 지나므로
$y=a(x+3)^2$에 $x=-1$, $y=-12$를 대입하면
$-12=a\times(-1+3)^2$, $-12=4a$ $\quad\therefore a=-3$

06 $y=2x^2$의 그래프를 x축의 방향으로 -2만큼 평행이동한 그래프의 식은 $y=2(x+2)^2$ …… [50 %]
이 그래프가 점 $(-3,\ k)$를 지나므로
$y=2(x+2)^2$에 $x=-3$, $y=k$를 대입하면
$k=2\times(-3+2)^2=2$ …… [50 %]

07 ① $y=(x+1)^2$에 $x=-2$, $y=1$을 대입하면
$1=(-2+1)^2$이므로 점 $(-2,\ 1)$을 지난다.
② $y=x^2$의 그래프를 x축의 방향으로 -1만큼 평행이동한 것이다.
따라서 옳지 않은 것은 ②이다.

3 이차함수 $y=a(x-p)^2+q$의 그래프

개념 확인 186쪽~189쪽

1. $y=3(x+1)^2+4$

2.

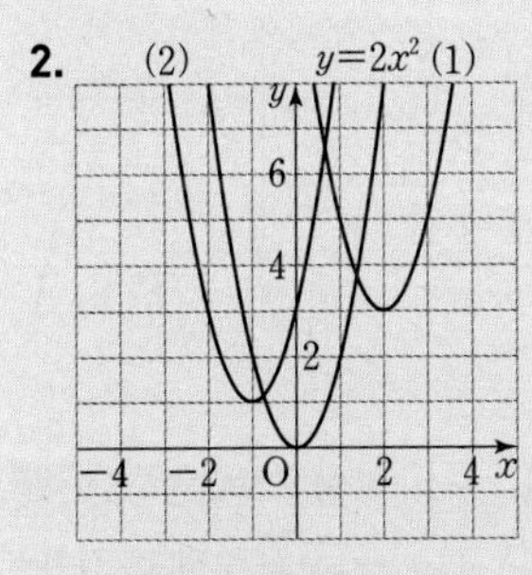

(1) 꼭짓점의 좌표 : $(2,\ 3)$
축의 방정식 : $x=2$
(2) 꼭짓점의 좌표 : $(-1,\ 1)$
축의 방정식 : $x=-1$

3. (1) 꼭짓점의 좌표 : $(0,\ 0)$, 축의 방정식 : $x=0$
(2) 꼭짓점의 좌표 : $(0,\ 0)$, 축의 방정식 : $x=0$
(3) 꼭짓점의 좌표 : $(0,\ 2)$, 축의 방정식 : $x=0$
(4) 꼭짓점의 좌표 : $(0,\ 5)$, 축의 방정식 : $x=0$
(5) 꼭짓점의 좌표 : $(1,\ 0)$, 축의 방정식 : $x=1$
(6) 꼭짓점의 좌표 : $(-2,\ 0)$, 축의 방정식 : $x=-2$
(7) 꼭짓점의 좌표 : $\left(-\frac{2}{3},\ 1\right)$, 축의 방정식 : $x=-\frac{2}{3}$
(8) 꼭짓점의 좌표 : $\left(3,\ -\frac{1}{2}\right)$, 축의 방정식 : $x=3$
(9) 꼭짓점의 좌표 : $\left(\frac{3}{2},\ \frac{3}{4}\right)$, 축의 방정식 : $x=\frac{3}{2}$

4.

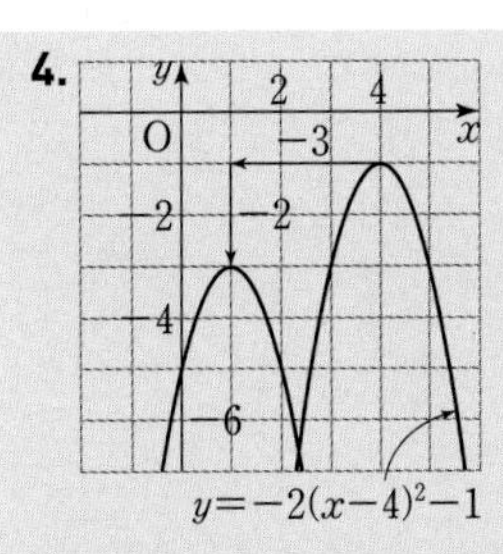

(1) $(1,\ -3)$
(2) $y=-2(x-1)^2-3$

5. (1) $>$, $=$, $>$ (2) $<$, $>$, $>$ (3) $>$, $<$, $<$

4 (1) $y=-2(x-4)^2-1$의 그래프를 x축의 방향으로 -3만큼, y축의 방향으로 -2만큼 평행이동한 그래프의 꼭짓점의 좌표는
$(4,\ -1)\xrightarrow[y\text{축의 방향으로 }-2\text{만큼 평행이동}]{x\text{축의 방향으로 }-3\text{만큼,}}(4-3,\ -1-2)$
즉 $(1,\ -3)$
(2) 평행이동한 그래프의 꼭짓점의 좌표가 $(1,\ -3)$이므로 구하는 이차함수의 식은 $y=-2(x-1)^2-3$이다.

5 (1) 그래프의 모양이 아래로 볼록하므로 $a>0$
꼭짓점이 y축 위에 있으므로 $p=0$
꼭짓점이 x축보다 위쪽에 있으므로 $q>0$
(2) 그래프의 모양이 위로 볼록하므로 $a<0$
꼭짓점이 제1사분면 위에 있으므로 $p>0$, $q>0$
(3) 그래프의 모양이 아래로 볼록하므로 $a>0$
꼭짓점이 제3사분면 위에 있으므로 $p<0$, $q<0$

STEP 1 190쪽~191쪽

1-1. (1) $-\frac{1}{2}$, -1, 5
(2) -1, 5 (3) $x=-1$
(4) 위 (5) $x<-1$

1-2. (1) $\frac{1}{4}$, -3, -2
(2) -3, -2 (3) $x=-3$
(4) 아래 (5) $x<-3$

2-1. (1)

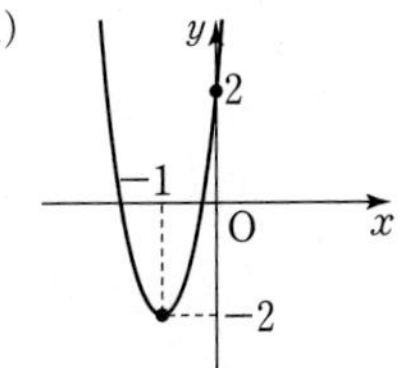

(2)

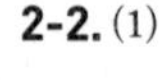

2-2. (1)

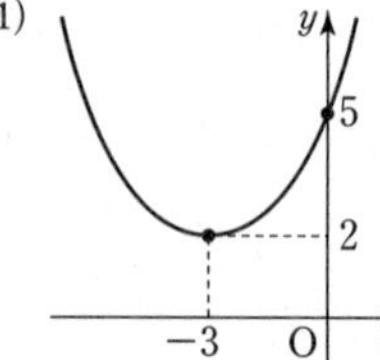

(2)

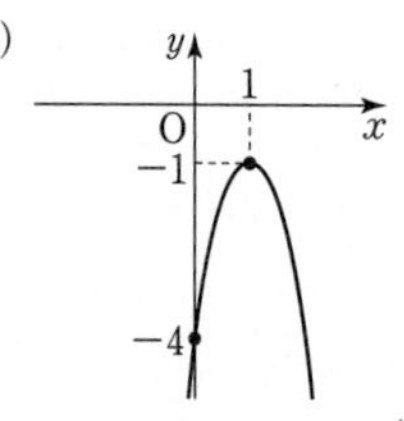

3-1. (1) $y=(x+3)^2+4$,

꼭짓점의 좌표 : $(-3, 4)$, 축의 방정식 : $x=-3$

(2) $y=-4\left(x-\frac{1}{2}\right)^2+\frac{3}{2}$,

꼭짓점의 좌표 : $\left(\frac{1}{2}, \frac{3}{2}\right)$, 축의 방정식 : $x=\frac{1}{2}$

3-2. (1) $y=3(x-1)^2-6$,

꼭짓점의 좌표 : $(1, -6)$, 축의 방정식 : $x=1$

(2) $y=-\frac{1}{2}(x+5)^2-3$,

꼭짓점의 좌표 : $(-5, -3)$, 축의 방정식 : $x=-5$

4-1. $x<-5$ **4-2.** $x>2$

5-1. $y=2(x-4)^2-3$ 연구 $q+n$

5-2. $y=-\frac{1}{4}(x+5)^2-2$

2-1 (1) $x=0$일 때, $y=4\times(0+1)^2-2=2$이므로
점 $(0, 2)$와 꼭짓점 $(-1, -2)$를 지나는 곡선을 $x=-1$에 대칭이 되도록 그린다.

(2) $x=0$일 때, $y=-\frac{1}{2}\times(0-4)^2+4=-4$이므로
점 $(0, -4)$와 꼭짓점 $(4, 4)$를 지나는 곡선을 $x=4$에 대칭이 되도록 그린다.

2-2 (1) $x=0$일 때, $y=\frac{1}{3}\times(0+3)^2+2=5$이므로
점 $(0, 5)$와 꼭짓점 $(-3, 2)$를 지나는 곡선을 $x=-3$에 대칭이 되도록 그린다.

(2) $x=0$일 때, $y=-3\times(0-1)^2-1=-4$이므로
점 $(0, -4)$와 꼭짓점 $(1, -1)$을 지나는 곡선을 $x=1$에 대칭이 되도록 그린다.

3-1 (1) $y=x^2$의 그래프를 x축의 방향으로 -3만큼, y축의 방향으로 4만큼 평행이동한 그래프를 나타내는 이차함수의 식은 $y=(x+3)^2+4$이므로 꼭짓점의 좌표는 $(-3, 4)$, 축의 방정식은 $x=-3$이다.

(2) $y=-4x^2$의 그래프를 x축의 방향으로 $\frac{1}{2}$만큼, y축의 방향으로 $\frac{3}{2}$만큼 평행이동한 그래프를 나타내는 이차함수의 식은 $y=-4\left(x-\frac{1}{2}\right)^2+\frac{3}{2}$이므로 꼭짓점의 좌표는 $\left(\frac{1}{2}, \frac{3}{2}\right)$, 축의 방정식은 $x=\frac{1}{2}$이다.

3-2 (1) $y=3x^2$의 그래프를 x축의 방향으로 1만큼, y축의 방향으로 -6만큼 평행이동한 그래프를 나타내는 이차함수의 식은 $y=3(x-1)^2-6$이므로 꼭짓점의 좌표는 $(1, -6)$, 축의 방정식은 $x=1$이다.

(2) $y=-\frac{1}{2}x^2$의 그래프를 x축의 방향으로 -5만큼, y축의 방향으로 -3만큼 평행이동한 그래프를 나타내는 이차함수의 식은 $y=-\frac{1}{2}(x+5)^2-3$이므로 꼭짓점의 좌표는 $(-5, -3)$, 축의 방정식은 $x=-5$이다.

4-1 $y=3(x+5)^2+3$의 그래프는 꼭짓점의 좌표가 $(-5, 3)$이고 아래로 볼록하므로 오른쪽 그림과 같다. 따라서 x의 값이 증가할 때, y의 값이 감소하는 x의 값의 범위는 $x<-5$이다.

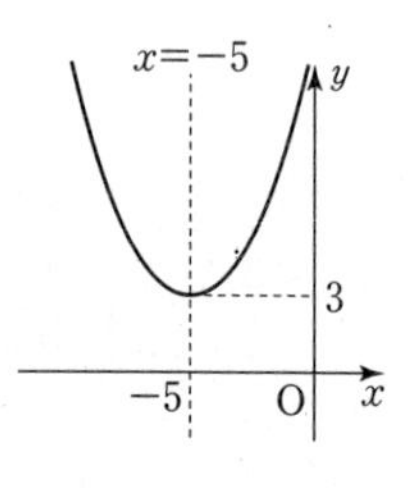

4-2 $y=-(x-2)^2+1$의 그래프는 꼭짓점의 좌표가 $(2, 1)$이고 위로 볼록하므로 오른쪽 그림과 같다. 따라서 x의 값이 증가할 때, y의 값이 감소하는 x의 값의 범위는 $x>2$이다.

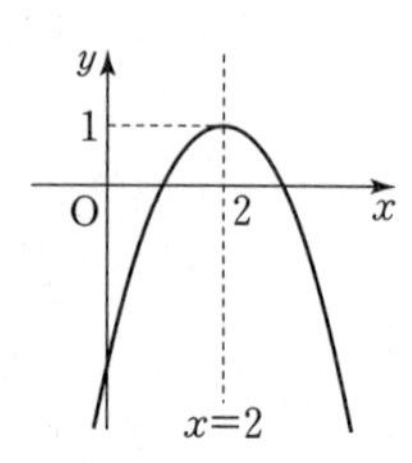

5-1 $y=2(x-1)^2+1$의 그래프를 x축의 방향으로 3만큼, y축의 방향으로 -4만큼 평행이동한 그래프의 꼭짓점의 좌표는

$$(1, 1) \xrightarrow[y\text{축의 방향으로 }-4\text{만큼 평행이동}]{x\text{축의 방향으로 }3\text{만큼,}} (1+3, 1-4)$$

즉 $(4, -3)$

따라서 평행이동한 그래프의 꼭짓점의 좌표가 $(4, -3)$이므로 구하는 이차함수의 식은 $y=2(x-4)^2-3$이다.

5-2 $y=-\frac{1}{4}(x+3)^2-5$의 그래프를 x축의 방향으로 -2만큼, y축의 방향으로 3만큼 평행이동한 그래프의 꼭짓점의 좌표는

$$(-3, -5) \xrightarrow[y\text{축의 방향으로 }3\text{만큼 평행이동}]{x\text{축의 방향으로 }-2\text{만큼,}} (-3-2, -5+3)$$

즉 $(-5, -2)$

따라서 평행이동한 그래프의 꼭짓점의 좌표가 $(-5, -2)$이므로 구하는 이차함수의 식은 $y=-\frac{1}{4}(x+5)^2-2$이다.

STEP 2 192쪽~194쪽

1-2. ②	**2-2.** 9
2-3. 2	**3-2.** 1
4-2. ⑤	**5-2.** 1
6-2. $a<0, p<0, q>0$	**6-3.** $a>0, p<0, q>0$

1-2 각 이차함수의 그래프를 그리면 다음과 같다.

① $y=-x^2+4$

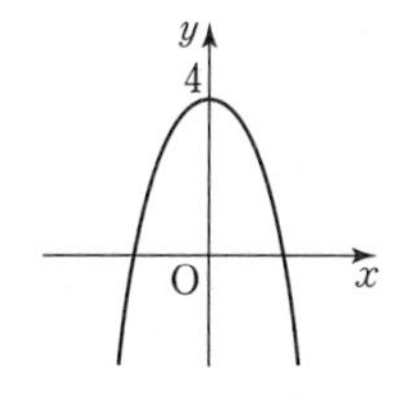

② $y=\frac{2}{3}(x+3)^2$

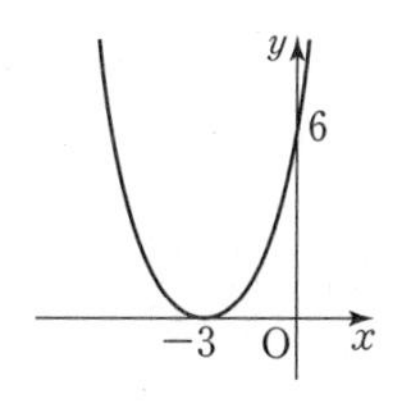

③ $y=-\frac{3}{4}(x+2)^2+5$

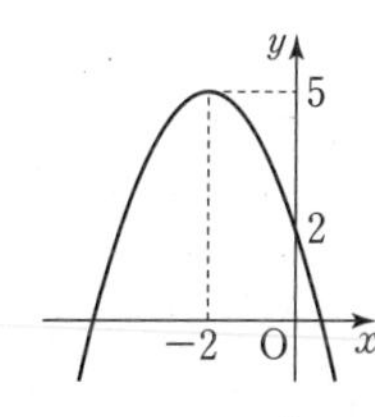

④ $y=(x-1)^2-4$

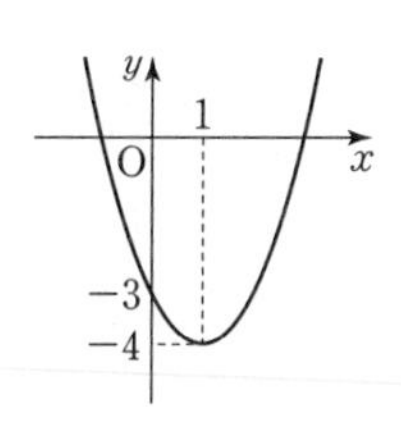

⑤ $y=3(x+1)^2-6$

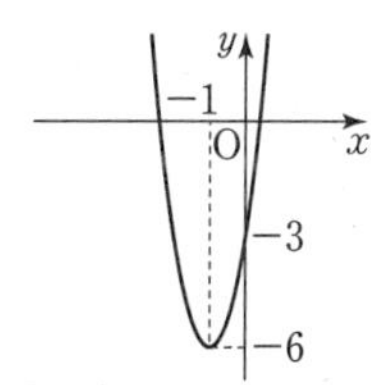

따라서 제1, 2, 3, 4사분면을 모두 지나는 그래프가 아닌 것은 ②이다.

2-2 $y=ax^2$의 그래프를 x축의 방향으로 3만큼, y축의 방향으로 q만큼 평행이동한 그래프의 식은 $y=a(x-3)^2+q$

이 그래프와 $y=\frac{3}{2}(x-p)^2+2$의 그래프가 일치하므로

$a=\frac{3}{2}, p=3, q=2$

$\therefore apq=\frac{3}{2}\times3\times2=9$

2-3 $y=-\frac{3}{4}x^2$의 그래프를 x축의 방향으로 -3만큼, y축의 방향으로 5만큼 평행이동한 그래프의 식은

$y=-\frac{3}{4}(x+3)^2+5$

이 그래프가 점 $(-5, k)$를 지나므로

$y=-\frac{3}{4}(x+3)^2+5$에 $x=-5, y=k$를 대입하면

$k=-\frac{3}{4}\times(-5+3)^2+5=-\frac{3}{4}\times4+5=2$

3-2 $y=a(x-p)^2+q$의 그래프의 꼭짓점의 좌표가 $(-1, 5)$이므로 $p=-1, q=5$

$y=a(x+1)^2+5$의 그래프가 점 $(0, 2)$를 지나므로

$y=a(x+1)^2+5$에 $x=0, y=2$를 대입하면

$2=a\times(0+1)^2+5, 2=a+5 \quad \therefore a=-3$

$\therefore a+p+q=-3+(-1)+5=1$

4-2 ⑤ $y=3x^2$의 그래프를 x축의 방향으로 5만큼, y축의 방향으로 4만큼 평행이동한 것이다.

5-2 $y=-(x+1)^2-3$의 그래프의 꼭짓점의 좌표는 $(-1, -3)$

$y=-(x-p)^2+q$의 그래프의 꼭짓점의 좌표는 (p, q)

$(-1, -3) \xrightarrow[y\text{축의 방향으로 } -2\text{만큼 평행이동}]{x\text{축의 방향으로 4만큼,}} (p, q)$

즉 $-1+4=p, -3-2=q$이므로

$p=3, q=-5$

$\therefore 2p+q=2\times3+(-5)=1$

6-2 그래프의 모양이 위로 볼록하므로 $a<0$

$y=a(x-p)^2+q$의 그래프에서 꼭짓점의 좌표가 (p, q)이고 제 2사분면 위에 있으므로 $p<0, q>0$

6-3 그래프의 모양이 아래로 볼록하므로 $a>0$

$y=a(x-p)^2-q$의 그래프에서 꼭짓점의 좌표가 $(p, -q)$이고 제 3사분면 위에 있으므로 $p<0, -q<0$

$\therefore a>0, p<0, q>0$

계산력 집중 연습 195쪽

1. (1) 꼭짓점의 좌표 : $(0, 0)$
축의 방정식 : $x=0$

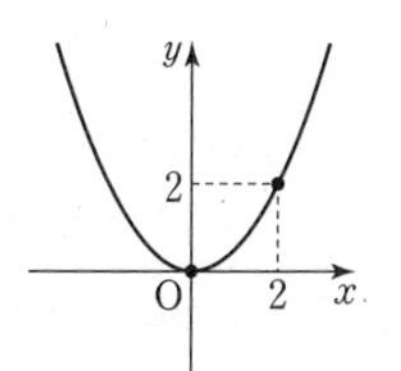

(2) 꼭짓점의 좌표 : $(0, 0)$
축의 방정식 : $x=0$

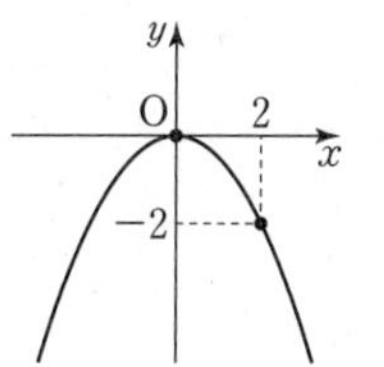

(3) 꼭짓점의 좌표 : $(0, 4)$
축의 방정식 : $x=0$

(4) 꼭짓점의 좌표 : $(0, -1)$
축의 방정식 : $x=0$

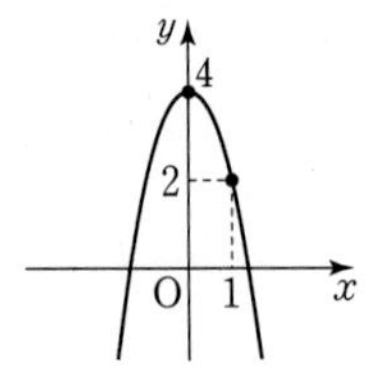

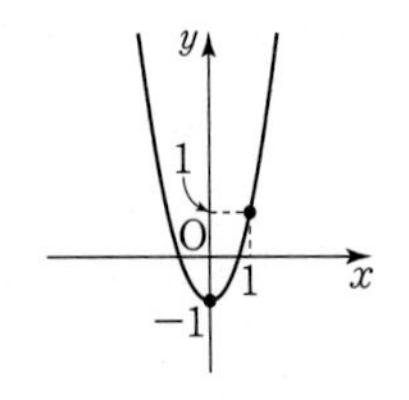

(5) 꼭짓점의 좌표 : $(1, 0)$
축의 방정식 : $x=1$

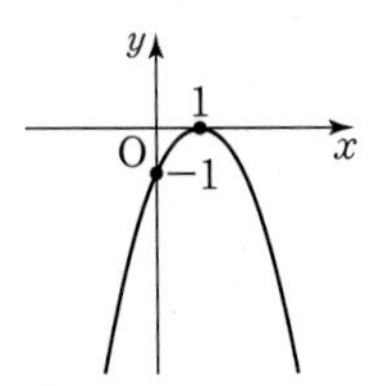

(6) 꼭짓점의 좌표 : $(-1, 0)$
축의 방정식 : $x=-1$

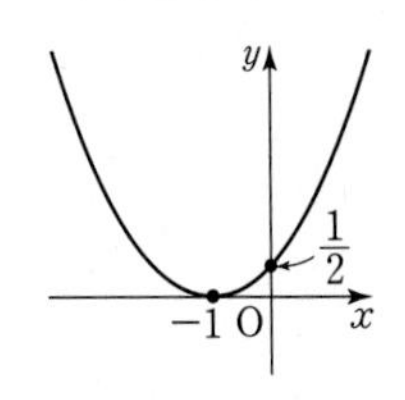

2. (1) 꼭짓점의 좌표 : $(-3, -1)$
축의 방정식 : $x=-3$

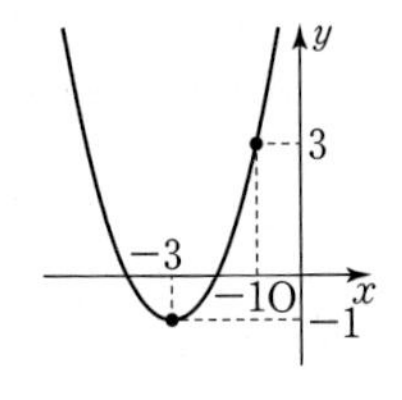

(2) 꼭짓점의 좌표 : $(-1, 3)$
축의 방정식 : $x=-1$

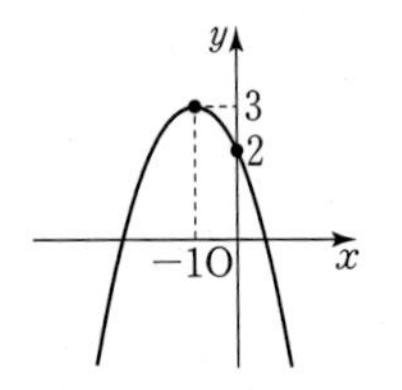

(3) 꼭짓점의 좌표 : $(-1, 4)$
축의 방정식 : $x=-1$

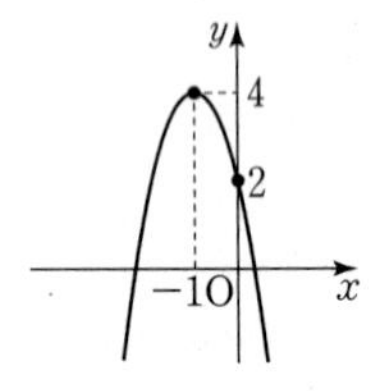

(4) 꼭짓점의 좌표 : $(2, -3)$
축의 방정식 : $x=2$

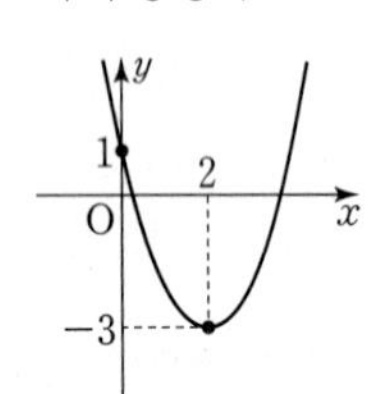

(5) 꼭짓점의 좌표 : $(4, 1)$
축의 방정식 : $x=4$

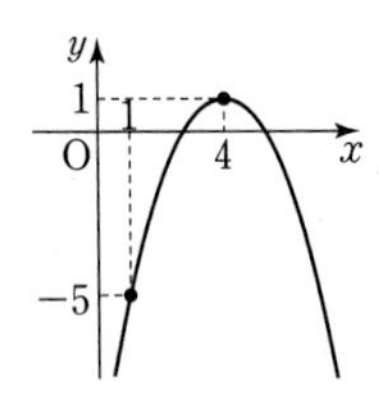

(6) 꼭짓점의 좌표 : $(1, -1)$
축의 방정식 : $x=1$

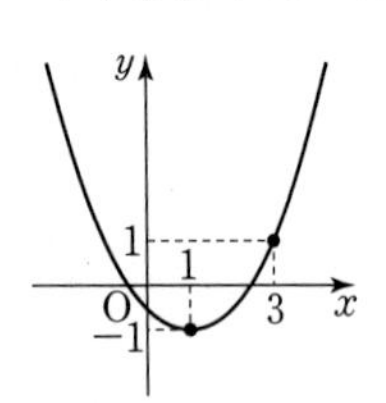

STEP 3

196쪽~197쪽

01. ③	**02.** ②	**03.** ④	**04.** ⑤	**05.** -7
06. 0, 4	**07.** 8	**08.** ④	**09.** ①	
10. ㉠, ㉡, ㉣		**11.** ②, ③	**12.** -14	

01 $y=\frac{5}{2}x^2$의 그래프를 x축의 방향으로 -1만큼, y축의 방향으로 -2만큼 평행이동한 그래프의 식은
$y=\frac{5}{2}(x+1)^2-2$

03 각 이차함수의 그래프를 그리면 다음과 같다.

① $y=-x^2-3$

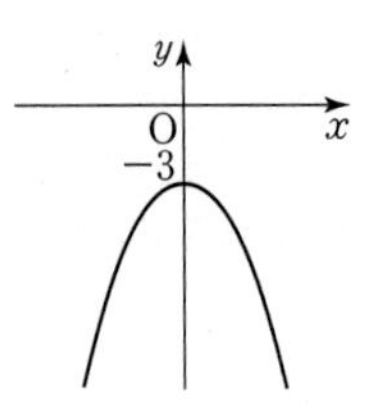

② $y=(x-4)^2$

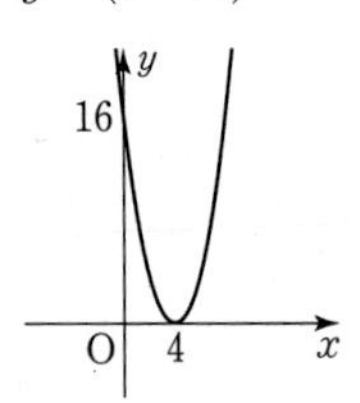

③ $y=-(x+1)^2-2$

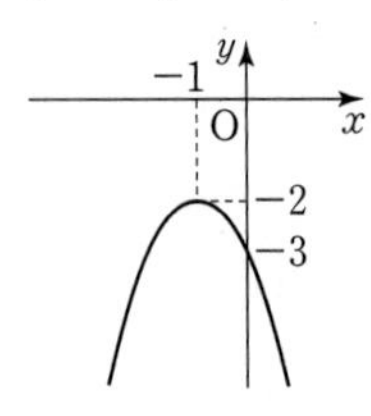

④ $y=-(x-1)^2+4$

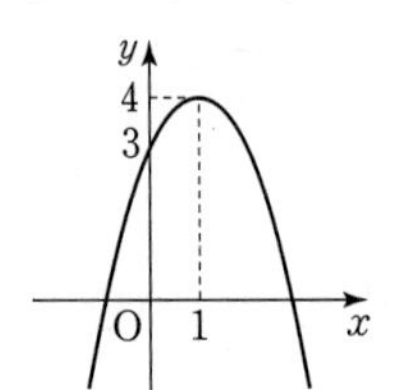

⑤ $y=2(x+4)^2-1$

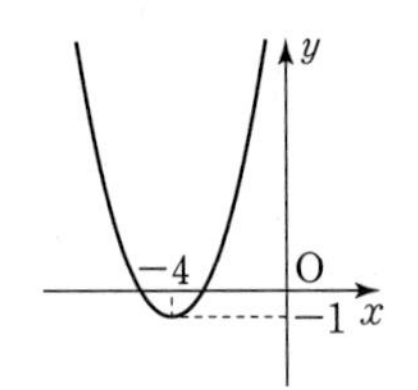

따라서 그래프가 모든 사분면을 지나는 것은 ④이다.

04 $y=-2(x-3)^2+5$의 그래프는 $y=-2x^2$의 그래프를 x축의 방향으로 3만큼, y축의 방향으로 5만큼 평행이동한 것이다. 즉 $m=3$, $n=5$이므로
$m+n=3+5=8$

05 $y=2(x-p)^2+q$의 그래프의 축의 방정식이 $x=1$이므로
$p=1$ ...... [30 %]
$y=2(x-1)^2+q$의 그래프가 점 $(3, 0)$을 지나므로
$y=2(x-1)^2+q$에 $x=3$, $y=0$을 대입하면
$0=2\times(3-1)^2+q$ $\quad\therefore q=-8$ ...... [50 %]
$\therefore p+q=1+(-8)=-7$ ...... [20 %]

06 $y=\frac{5}{4}x^2$의 그래프를 x축의 방향으로 2만큼, y축의 방향으로 -1만큼 평행이동한 그래프의 식은
$y=\frac{5}{4}(x-2)^2-1$
이 그래프가 점 $(k, 4)$를 지나므로
$y=\frac{5}{4}(x-2)^2-1$에 $x=k$, $y=4$를 대입하면
$4=\frac{5}{4}\times(k-2)^2-1$, $(k-2)^2=4$
$k-2=\pm2$ $\quad\therefore k=0$ 또는 $k=4$

07 그래프에서 꼭짓점의 좌표는 $(1, 3)$이므로 $p=1$, $q=3$
$y=a(x-1)^2+3$의 그래프가 점 $(0, 7)$을 지나므로

$y=a(x-1)^2+3$에 $x=0, y=7$을 대입하면
$7=a\times(0-1)^2+3, 7=a+3 \quad \therefore a=4$
$\therefore a+p+q=4+1+3=8$

08 $y=-\frac{4}{3}(x-1)^2+2$의 그래프는 꼭짓점의 좌표가 (1, 2)이고 위로 볼록하므로 오른쪽 그림과 같다.

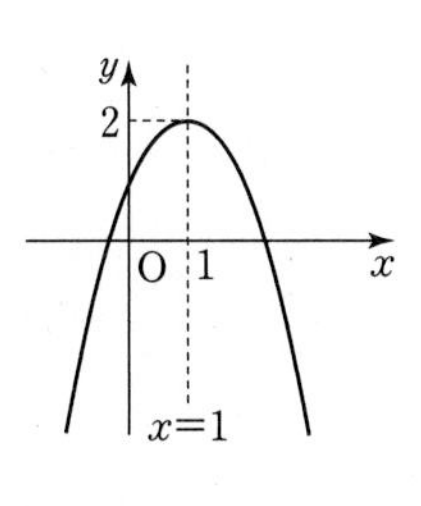

따라서 x의 값이 증가할 때, y의 값은 감소하는 x의 값의 범위는 $x>1$이다.

09 그래프의 모양과 폭이 같으면 평행이동하여 포갤 수 있다.
그래프의 모양과 폭을 결정하는 것은 x^2의 계수이므로 $y=-9x^2$과 x^2의 계수가 같은 것을 고르면 ①이다.

10 ㉢ 꼭짓점의 좌표는 (2, 3)이다.
㉤ $y=\frac{1}{2}x^2$의 그래프를 x축의 방향으로 2만큼, y축의 방향으로 3만큼 평행이동한 것이다.
㉥ x의 값이 증가할 때, y의 값도 증가하는 x의 값의 범위는 $x>2$이다.
따라서 옳은 것은 ㉠, ㉡, ㉣이다.

11 $y=-(x+1)^2-2$의 그래프를 x축의 방향으로 -1만큼, y축의 방향으로 4만큼 평행이동한 그래프의 꼭짓점의 좌표는
$(-1, -2) \xrightarrow[y\text{축의 방향으로 4만큼 평행이동}]{x\text{축의 방향으로 }-1\text{만큼,}} (-1-1, -2+4)$
즉 $(-2, 2)$이므로 이차함수의 식은 $y=-(x+2)^2+2$이다.
이때 $y=-(x+2)^2+2$에 각 점의 좌표를 대입하여 등식이 성립하는 것을 찾는다.
① $0\neq-(-2+2)^2+2$ ② $2=-(-2+2)^2+2$
③ $-2=-(0+2)^2+2$ ④ $2\neq-(0+2)^2+2$
⑤ $0\neq-(2+2)^2+2$
따라서 $y=-(x+2)^2+2$의 그래프가 지나는 점은 ②, ③이다.

12 $y=-\frac{1}{3}(x-4)^2-5$의 그래프의 꼭짓점의 좌표는 $(4, -5)$ …… [30 %]
$y=-\frac{1}{3}(x+4)^2+1$의 그래프의 꼭짓점의 좌표는 $(-4, 1)$ …… [30 %]
$(4, -5) \xrightarrow[y\text{축의 방향으로 }b\text{만큼 평행이동}]{x\text{축의 방향으로 }a\text{만큼,}} (-4, 1)$
즉 $4+a=-4, -5+b=1$이므로
$a=-8, b=6$ …… [30 %]
$\therefore a-b=-8-6=-14$ …… [10 %]

10. 이차함수의 그래프 (2)

1 이차함수 $y=ax^2+bx+c$의 그래프

개념 확인

201쪽~202쪽

1. (1) 1, 1, 1, 1, 1, 6
(2) $(-1, 6)$ (3) $(0, 5)$
(4)

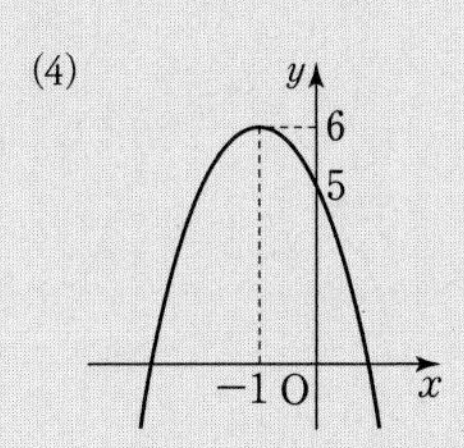

2. (1) $A(-6, 0), B(1, 0)$ (2) $C(0, -6)$
3. (1) $<$ (2) $<$ (3) $<$

2 (1) $y=x^2+5x-6$에 $y=0$을 대입하면
$x^2+5x-6=0, (x+6)(x-1)=0$
$\therefore x=-6$ 또는 $x=1$
$\therefore A(-6, 0), B(1, 0)$
(2) $y=x^2+5x-6$에 $x=0$을 대입하면
$y=0^2+5\times0-6=-6 \quad \therefore C(0, -6)$

STEP 1

203쪽

1-1. (1) $y=2(x+2)^2+1$,
꼭짓점의 좌표 : $(-2, 1)$, 축의 방정식 : $x=-2$
(2) $y=-(x-3)^2+4$,
꼭짓점의 좌표 : $(3, 4)$, 축의 방정식 : $x=3$
1-2. (1) $y=(x-1)^2+2$,
꼭짓점의 좌표 : $(1, 2)$, 축의 방정식 : $x=1$
(2) $y=-3\left(x+\frac{3}{2}\right)^2+\frac{7}{4}$,
꼭짓점의 좌표 : $\left(-\frac{3}{2}, \frac{7}{4}\right)$, 축의 방정식 : $x=-\frac{3}{2}$

2-1. (1) 꼭짓점의 좌표 : $(1,\ -2)$ (2) 꼭짓점의 좌표 : $(-1,\ 3)$

축의 방정식 : $x=1$ 축의 방정식 : $x=-1$

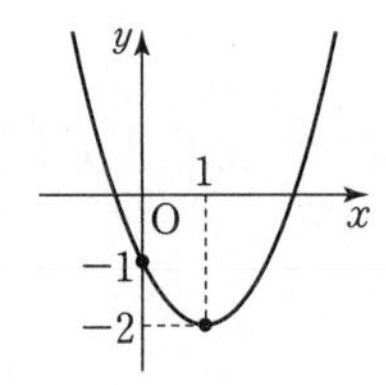

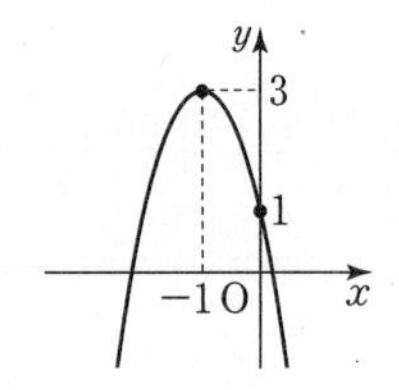

2-2. (1) 꼭짓점의 좌표 : $(4,\ 2)$ (2) 꼭짓점의 좌표 : $(3,\ 1)$

축의 방정식 : $x=4$ 축의 방정식 : $x=3$

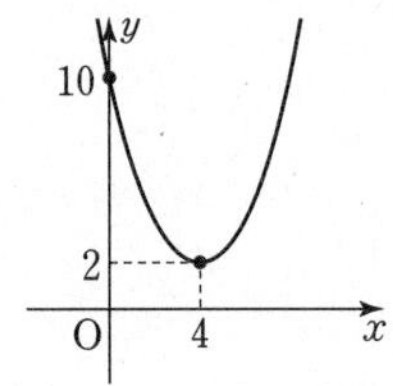

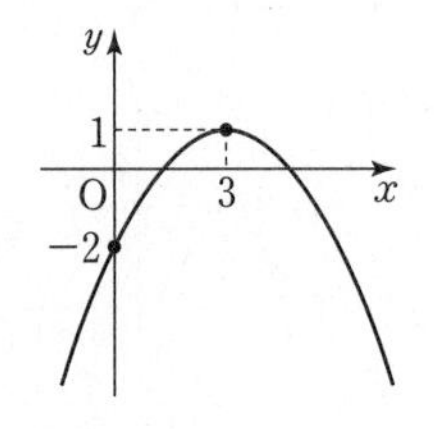

3-1. (1) $a>0,\ b>0,\ c>0$ (2) $a<0,\ b<0,\ c>0$

3-2. (1) $a<0,\ b>0,\ c=0$ (2) $a>0,\ b=0,\ c<0$

1-1 (1) $y=2x^2+8x+9$

$=2(x^2+4x+4-4)+9$

$=2(x^2+4x+4)-8+9$

$=2(x+2)^2+1$

따라서 꼭짓점의 좌표는 $(-2,\ 1)$이고 축의 방정식은 $x=-2$이다.

(2) $y=-x^2+6x-5$

$=-(x^2-6x+9-9)-5$

$=-(x^2-6x+9)+9-5$

$=-(x-3)^2+4$

따라서 꼭짓점의 좌표는 $(3,\ 4)$이고 축의 방정식은 $x=3$이다.

1-2 (1) $y=x^2-2x+3$

$=(x^2-2x+1-1)+3$

$=(x^2-2x+1)-1+3$

$=(x-1)^2+2$

따라서 꼭짓점의 좌표는 $(1,\ 2)$이고 축의 방정식은 $x=1$이다.

(2) $y=-3x^2-9x-5$

$=-3\left(x^2+3x+\frac{9}{4}-\frac{9}{4}\right)-5$

$=-3\left(x^2+3x+\frac{9}{4}\right)+\frac{27}{4}-5$

$=-3\left(x+\frac{3}{2}\right)^2+\frac{7}{4}$

따라서 꼭짓점의 좌표는 $\left(-\frac{3}{2},\ \frac{7}{4}\right)$이고 축의 방정식은 $x=-\frac{3}{2}$이다.

2-1 (1) $y=x^2-2x-1$

$=(x^2-2x+1-1)-1$

$=(x^2-2x+1)-1-1$

$=(x-1)^2-2$

즉 꼭짓점 $(1,\ -2)$, y축과의 교점 $(0,\ -1)$을 지나고 아래로 볼록한 포물선을 축 $x=1$에 대칭이 되도록 그린다.

(2) $y=-2x^2-4x+1$

$=-2(x^2+2x+1-1)+1$

$=-2(x^2+2x+1)+2+1$

$=-2(x+1)^2+3$

즉 꼭짓점 $(-1,\ 3)$, y축과의 교점 $(0,\ 1)$을 지나고 위로 볼록한 포물선을 축 $x=-1$에 대칭이 되도록 그린다.

2-2 (1) $y=\frac{1}{2}x^2-4x+10$

$=\frac{1}{2}(x^2-8x+16-16)+10$

$=\frac{1}{2}(x^2-8x+16)-8+10$

$=\frac{1}{2}(x-4)^2+2$

즉 꼭짓점 $(4,\ 2)$, y축과의 교점 $(0,\ 10)$을 지나고 아래로 볼록한 포물선을 축 $x=4$에 대칭이 되도록 그린다.

(2) $y=-\frac{1}{3}x^2+2x-2$

$=-\frac{1}{3}(x^2-6x+9-9)-2$

$=-\frac{1}{3}(x^2-6x+9)+3-2$

$=-\frac{1}{3}(x-3)^2+1$

즉 꼭짓점 $(3,\ 1)$, y축과의 교점 $(0,\ -2)$를 지나고 위로 볼록한 포물선을 축 $x=3$에 대칭이 되도록 그린다.

3-1 (1) 그래프의 모양이 아래로 볼록하므로 $a>0$

축이 y축의 왼쪽에 있으므로 a와 b의 부호는 같다.

즉 $b>0$

y축과의 교점이 x축보다 위쪽에 있으므로 $c>0$

(2) 그래프의 모양이 위로 볼록하므로 $a<0$

축이 y축의 왼쪽에 있으므로 a와 b의 부호는 같다.

즉 $b<0$

y축과의 교점이 x축보다 위쪽에 있으므로 $c>0$

3-2 (1) 그래프의 모양이 위로 볼록하므로 $a<0$
축이 y축의 오른쪽에 있으므로 a와 b의 부호는 다르다.
즉 $b>0$
y축과의 교점이 원점이므로 $c=0$
(2) 그래프의 모양이 아래로 볼록하므로 $a>0$
축이 y축이므로 $b=0$
y축과의 교점이 x축보다 아래쪽에 있으므로 $c<0$

STEP 2 204쪽~208쪽

1-2. 13	
1-3. 꼭짓점의 좌표 : $(-2, 3)$, 축의 방정식 : $x=-2$	
2-2. -4	**2-3.** $p=-1, q=-5$
3-2. ③	**4-2.** ⑤
5-2. ②, ④	**6-2.** -1
7-2. ③	**8-2.** -9
8-3. $k<-13$	**9-2.** ②
10-2. 15	**10-3.** 16

1-2 $y=-\frac{1}{2}x^2+6x-11$
$=-\frac{1}{2}(x^2-12x+36-36)-11$
$=-\frac{1}{2}(x^2-12x+36)+18-11$
$=-\frac{1}{2}(x-6)^2+7$
따라서 $p=6, q=7$이므로 $p+q=6+7=13$

1-3 $y=-3x^2-12x-9$
$=-3(x^2+4x+4-4)-9$
$=-3(x^2+4x+4)+12-9$
$=-3(x+2)^2+3$
따라서 꼭짓점의 좌표는 $(-2, 3)$, 축의 방정식은 $x=-2$이다.

2-2 $y=x^2$의 그래프를 x축의 방향으로 2만큼, y축의 방향으로 -3만큼 평행이동한 그래프의 식은 $y=(x-2)^2-3$
$y=(x-2)^2-3$
$=x^2-4x+4-3$
$=x^2-4x+1$
따라서 $a=1, b=-4, c=1$이므로
$abc=1\times(-4)\times1=-4$

2-3 $y=3x^2+6x-2$
$=3(x^2+2x+1-1)-2$
$=3(x^2+2x+1)-3-2$
$=3(x+1)^2-5$
즉 $y=3x^2$의 그래프를 x축의 방향으로 -1만큼, y축의 방향으로 -5만큼 평행이동한 것이므로
$p=-1, q=-5$

3-2 $y=x^2-4x$
$=(x^2-4x+4)-4$
$=(x-2)^2-4$
즉 꼭짓점 $(2, -4)$, y축과의 교점인 원점을 지나는 아래로 볼록한 포물선을 그리면 오른쪽 그림과 같다.
따라서 제3사분면을 지나지 않는다.

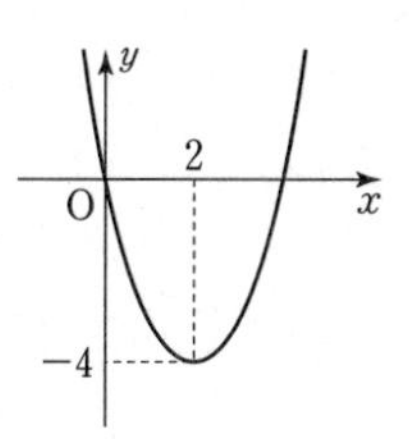

4-2 $y=2x^2-16x-1$
$=2(x^2-8x+16-16)-1$
$=2(x^2-8x+16)-32-1$
$=2(x-4)^2-33$
이 이차함수의 그래프는 오른쪽 그림과 같으므로 $x>4$일 때, x의 값이 증가하면 y의 값도 증가한다.

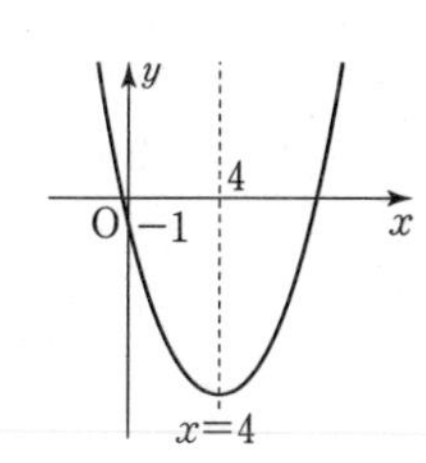

5-2 $y=-2x^2+8x-1$
$=-2(x^2-4x+4-4)-1$
$=-2(x^2-4x+4)+8-1$
$=-2(x-2)^2+7$
② 이 이차함수의 그래프는 오른쪽 그림과 같으므로 제1, 3, 4 사분면을 지난다.
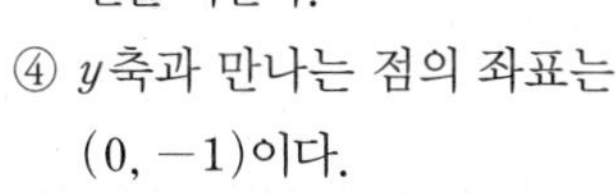
④ y축과 만나는 점의 좌표는 $(0, -1)$이다.

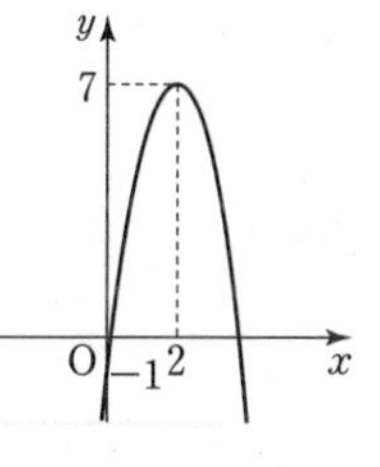

6-2 $y=-x^2+8x-7$
$=-(x^2-8x+16-16)-7$
$=-(x^2-8x+16)+16-7$
$=-(x-4)^2+9$
이므로 이 그래프의 꼭짓점의 좌표는 $(4, 9)$
$y=-x^2+10x-18$
$=-(x^2-10x+25-25)-18$
$=-(x^2-10x+25)+25-18$
$=-(x-5)^2+7$

이므로 이 그래프의 꼭짓점의 좌표는 $(5, 7)$

$(4, 9) \xrightarrow[y\text{축의 방향으로 } n\text{만큼 평행이동}]{x\text{축의 방향으로 } m\text{만큼,}} (5, 7)$

즉 $4+m=5$, $9+n=7$이므로 $m=1$, $n=-2$

$\therefore m+n=1+(-2)=-1$

7-2 ①, ③ $y=x^2+6x+5$에 $y=0$을 대입하면

$x^2+6x+5=0$, $(x+5)(x+1)=0$

$\therefore x=-5$ 또는 $x=-1$

즉 $A(-5, 0)$, $C(-1, 0)$

② $y=x^2+6x+5$

$=(x^2+6x+9)-9+5$

$=(x+3)^2-4$

이므로 $B(-3, -4)$

④ y축과의 교점의 좌표는 $(0, 5)$이므로

$D(0, 5)$

⑤ $\overline{DE}$는 x축에 평행하고, 점 D의 y좌표가 5이므로 점 E의 y좌표도 5이다.

$y=x^2+6x+5$에 $y=5$를 대입하면

$5=x^2+6x+5$, $x^2+6x=0$

$x(x+6)=0 \quad \therefore x=0$ 또는 $x=-6$

$\therefore E(-6, 5)$

따라서 옳지 않은 것은 ③이다.

8-2 $y=x^2-10x-3a-2$

$=(x^2-10x+25-25)-3a-2$

$=(x-5)^2-3a-27$

그래프가 x축과 한 점에서 만나려면 꼭짓점의 y좌표가 0이어야 한다.

즉 $-3a-27=0$이므로

$-3a=27 \quad \therefore a=-9$

8-3 $y=-3x^2-12x+k+1$

$=-3(x^2+4x+4-4)+k+1$

$=-3(x^2+4x+4)+12+k+1$

$=-3(x+2)^2+k+13$

이차항의 계수가 음수이므로 그래프가 x축과 만나지 않으려면 꼭짓점의 y좌표가 음수이어야 한다.

즉 $k+13<0$이므로 $k<-13$

9-2 그래프의 모양이 위로 볼록하므로 $a<0$

축이 y축의 오른쪽에 있으므로 a와 b의 부호는 다르다.

즉 $b>0$

y축과의 교점이 x축보다 위쪽에 있으므로 $c>0$

10-2 $y=-x^2-4x+5$에 $y=0$을 대입하면

$-x^2-4x+5=0$, $x^2+4x-5=0$

$(x+5)(x-1)=0 \quad \therefore x=-5$ 또는 $x=1$

즉 $B(-5, 0)$, $C(1, 0)$이므로

$\overline{BC}=1-(-5)=6$

한편 y축과의 교점의 좌표는 $(0, 5)$이므로

$A(0, 5) \quad \therefore \overline{AO}=5$

$\therefore \triangle ABC=\frac{1}{2}\times\overline{BC}\times\overline{AO}=\frac{1}{2}\times 6\times 5=15$

10-3 $y=\frac{1}{4}x^2+x-3$

$=\frac{1}{4}(x^2+4x+4-4)-3$

$=\frac{1}{4}(x+2)^2-4$

이므로 $A(-2, -4)$

$y=\frac{1}{4}x^2+x-3$에 $y=0$을 대입하면

$\frac{1}{4}x^2+x-3=0$, $x^2+4x-12=0$

$(x+6)(x-2)=0 \quad \therefore x=-6$ 또는 $x=2$

즉 $B(-6, 0)$, $C(2, 0)$ 또는 $B(2\ 0)$, $C(-6, 0)$이므로

$\triangle ABC=\frac{1}{2}\times\{2-(-6)\}\times 4$

$=\frac{1}{2}\times 8\times 4=16$

STEP 3 209쪽~210쪽

01. $y=\frac{1}{3}(x+3)^2+1$ **02.** ② **03.** -2 **04.** ⑤
05. ⑤ **06.** ③ **07.** 7 **08.** 8 **09.** -5
10. 27 **11.** ① **12.** ②

01 $y=\frac{1}{3}x^2+2x+4$

$=\frac{1}{3}(x^2+6x+9-9)+4$

$=\frac{1}{3}(x^2+6x+9)-3+4$

$=\frac{1}{3}(x+3)^2+1$

02 각 이차함수의 식을 $y=a(x-p)^2+q$의 꼴로 고쳐서 꼭짓점의 위치를 알아보면 다음과 같다.

① $y=x^2+4x+4=(x+2)^2$

꼭짓점의 좌표는 $(-2, 0)$ ➡ x축

② $y=x^2-3x+2=\left(x-\frac{3}{2}\right)^2-\frac{1}{4}$

꼭짓점의 좌표는 $\left(\frac{3}{2}, -\frac{1}{4}\right)$ ➡ 제4사분면

③ $y=-2x^2+2x+1=-2\left(x-\frac{1}{2}\right)^2+\frac{3}{2}$

꼭짓점의 좌표는 $\left(\frac{1}{2}, \frac{3}{2}\right)$ ➡ 제1사분면

④ $y=-3x^2-6x-4=-3(x+1)^2-1$

꼭짓점의 좌표는 $(-1, -1)$ ➡ 제3사분면

⑤ $y=-\frac{1}{2}x^2-6x-9=-\frac{1}{2}(x+6)^2+9$

꼭짓점의 좌표는 $(-6, 9)$ ➡ 제2사분면

따라서 꼭짓점이 제4사분면 위에 있는 것은 ②이다.

03 $y=x^2+ax+6=\left(x+\frac{a}{2}\right)^2-\frac{a^2}{4}+6$

이고 꼭짓점의 좌표가 $(2, b)$이므로

$-\frac{a}{2}=2, -\frac{a^2}{4}+6=b$

$\therefore a=-4, b=-4+6=2$

$\therefore a+b=-4+2=-2$

04 $y=\frac{1}{2}x^2$의 그래프를 평행이동하여 완전히 포갤 수 있는 것은 x^2의 계수가 $\frac{1}{2}$인 ⑤이다.

05 $y=-x^2+4x+3=-(x-2)^2+7$

이 이차함수의 그래프는 오른쪽 그림과 같으므로 $x>2$일 때, x의 값이 증가하면 y의 값은 감소한다.

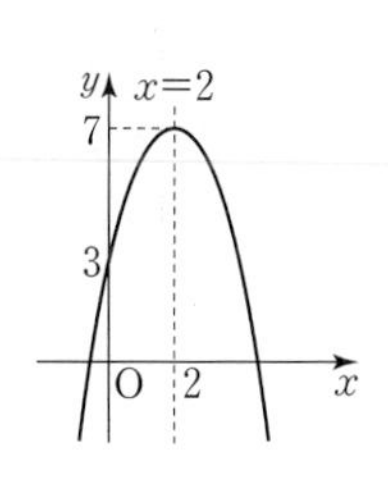

06 $y=-2x^2+4x-5=-2(x-1)^2-3$

③ 그래프는 오른쪽 그림과 같으므로 지나지 않는 사분면은 제1, 2사분면이다.

따라서 옳지 않은 것은 ③이다.

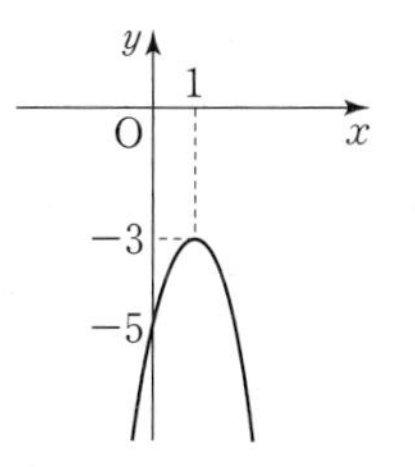

07 $y=2x^2+12x+17=2(x+3)^2-1$이므로

이 그래프의 꼭짓점의 좌표는 $(-3, -1)$ …… [30 %]

$y=2x^2-4x+4=2(x-1)^2+2$이므로

이 그래프의 꼭짓점의 좌표는 $(1, 2)$ …… [30 %]

$(-3, -1)$ $\xrightarrow[y\text{축의 방향으로 } b\text{만큼 평행이동}]{x\text{축의 방향으로 } a\text{만큼,}}$ $(1, 2)$

즉 $-3+a=1, -1+b=2$이므로 $a=4, b=3$

…… [30 %]

$\therefore a+b=4+3=7$ …… [10 %]

08 $y=2x^2-4x-30$에 $y=0$을 대입하면

$2x^2-4x-30=0, x^2-2x-15=0$

$(x+3)(x-5)=0$

$\therefore x=-3$ 또는 $x=5$

즉 x축과의 교점의 좌표는 $(-3, 0), (5, 0)$이므로

$A(-3, 0), B(5, 0)$ 또는 $A(5, 0), B(-3, 0)$

$\therefore \overline{AB}=5-(-3)=8$

09 $y=-2x^2-4x+a+3$

$=-2(x+1)^2+a+5$

그래프가 x축과 한 점에서 만나려면 꼭짓점의 y좌표가 0이어야 한다.

즉 $a+5=0$이므로 $a=-5$

10 $y=x^2-8x+7$에 $y=0$을 대입하면

$x^2-8x+7=0$

$(x-1)(x-7)=0$

$\therefore x=1$ 또는 $x=7$

즉 $B(1, 0), C(7, 0)$ 또는 $B(7, 0), C(1, 0)$ …… [40 %]

한편 $y=x^2-8x+7=(x-4)^2-9$이므로

$A(4, -9)$ …… [30 %]

$\triangle ABC=\frac{1}{2}\times(7-1)\times 9$

$=\frac{1}{2}\times 6\times 9=27$ …… [30 %]

11 그래프의 모양이 아래로 볼록하므로 $a>0$

축이 y축의 왼쪽에 있으므로 a와 b의 부호는 같다. 즉 $b>0$

y축과의 교점이 x축보다 위쪽에 있으므로 $c>0$

12 이차함수 $y=ax^2+bx+c$의 그래프에서

그래프의 모양이 위로 볼록하므로 $a<0$

축이 y축의 오른쪽에 있으므로 a와 b의 부호는 다르다.

즉 $b>0$

y축과의 교점이 x축보다 아래쪽에 있으므로 $c<0$

따라서 $y=bx^2+cx+a$의 그래프는

(i) $b>0$이므로 아래로 볼록하다.

(ii) $b>0, c<0$이므로 b와 c의 부호는 다르다. 즉 축이 y축의 오른쪽에 있다.

(iii) $a<0$이므로 y축과의 교점은 x축보다 아래쪽에 있다.

따라서 $y=bx^2+cx+a$의 그래프의 모양으로 가장 적당한 그래프는 ②이다.

2 이차함수의 식 구하기

개념확인 211쪽~212쪽

1. $y=2x^2-4x-2$ **2.** $y=-x^2-4x+3$

3. $y=-x^2-3x+4$ **4.** $y=2x^2+4x-16$

1 꼭짓점의 좌표가 $(1, -4)$이므로 이차함수의 식을 $y=a(x-1)^2-4$로 놓는다.
$y=a(x-1)^2-4$에 $x=3$, $y=4$를 대입하면
$4=4a-4$, $4a=8$ $\quad\therefore a=2$
따라서 구하는 이차함수의 식은
$y=2(x-1)^2-4=2x^2-4x-2$

2 축의 방정식이 $x=-2$이므로 이차함수의 식을 $y=a(x+2)^2+q$로 놓는다.
$y=a(x+2)^2+q$에 두 점의 좌표를 각각 대입하면
$6=a+q$ ⋯⋯ ㉠
$-2=9a+q$ ⋯⋯ ㉡
㉠, ㉡을 연립하여 풀면 $a=-1$, $q=7$
따라서 구하는 이차함수의 식은
$y=-(x+2)^2+7=-x^2-4x+3$

3 세 점 $(1, 0)$, $(0, 4)$, $(2, -6)$을 지나므로 이차함수의 식을 $y=ax^2+bx+c$로 놓는다.
$y=ax^2+bx+c$에 세 점의 좌표를 각각 대입하면
$0=a+b+c$ ⋯⋯ ㉠
$4=c$ ⋯⋯ ㉡
$-6=4a+2b+c$ ⋯⋯ ㉢
㉠, ㉡, ㉢을 연립하여 풀면 $a=-1$, $b=-3$, $c=4$
따라서 구하는 이차함수의 식은
$y=-x^2-3x+4$

4 x축과 두 점 $(2, 0)$, $(-4, 0)$에서 만나므로 이차함수의 식을 $y=a(x-2)(x+4)$로 놓는다.
$y=a(x-2)(x+4)$에 $x=1$, $y=-10$을 대입하면
$-10=a\times(-1)\times5$, $-10=-5a$ $\quad\therefore a=2$
따라서 구하는 이차함수의 식은
$y=2(x-2)(x+4)=2x^2+4x-16$

STEP 1 213쪽

1-1. $2, 2, a+2, 3, 3, 2, 3x^2-6x+5$

1-2. $y=2x^2-12x+13$

1-3. $y=-2x^2+12x-10$

2-1. $2, -3, \frac{3}{4}, -7, \frac{3}{4}x^2-7x+13$

2-2. $y=9x^2+4x-5$

2-3. $y=x^2-x-6$

1-2 꼭짓점의 좌표가 $(3, -5)$이므로 이차함수의 식을 $y=a(x-3)^2-5$로 놓는다.
$y=a(x-3)^2-5$에 $x=1$, $y=3$을 대입하면
$3=4a-5$, $4a=8$ $\quad\therefore a=2$
따라서 구하는 이차함수의 식은
$y=2(x-3)^2-5=2x^2-12x+13$

1-3 축의 방정식이 $x=3$이므로 이차함수의 식을 $y=a(x-3)^2+q$로 놓는다.
$y=a(x-3)^2+q$에 두 점의 좌표를 각각 대입하면
$4a+q=0$ ⋯⋯ ㉠
$9a+q=-10$ ⋯⋯ ㉡
㉠, ㉡을 연립하여 풀면 $a=-2$, $q=8$
따라서 구하는 이차함수의 식은
$y=-2(x-3)^2+8=-2x^2+12x-10$

2-2 세 점 $(-1, 0)$, $(1, 8)$, $(0, -5)$를 지나므로 이차함수의 식을 $y=ax^2+bx+c$로 놓는다.
$y=ax^2+bx+c$에 세 점의 좌표를 각각 대입하면
$0=a-b+c$ ⋯⋯ ㉠
$8=a+b+c$ ⋯⋯ ㉡
$-5=c$ ⋯⋯ ㉢
㉠, ㉡, ㉢을 연립하여 풀면 $a=9$, $b=4$, $c=-5$
따라서 구하는 이차함수의 식은
$y=9x^2+4x-5$

2-3 x축과 두 점 $(3, 0)$, $(-2, 0)$에서 만나므로 이차함수의 식을 $y=a(x-3)(x+2)$로 놓는다.
$y=a(x-3)(x+2)$에 $x=0$, $y=-6$을 대입하면
$-6=a\times(-3)\times2$, $-6=-6a$ $\quad\therefore a=1$
따라서 구하는 이차함수의 식은
$y=(x-3)(x+2)=x^2-x-6$

STEP 2 214쪽~215쪽

1-2. $(0, 7)$ **2-2.** 4

3-2. $y=-\frac{3}{8}x^2+\frac{3}{4}x+3$ **4-2.** $\left(\frac{1}{2}, \frac{27}{8}\right)$

1-2 꼭짓점의 좌표가 $(2, -9)$이므로 이차함수의 식을
$y=a(x-2)^2-9$로 놓는다.
$y=a(x-2)^2-9$에 $x=4, y=7$을 대입하면
$7=4a-9, 4a=16 \quad \therefore a=4$
따라서 구하는 이차함수의 식은
$y=4(x-2)^2-9=4x^2-16x+7$
즉 이차함수의 그래프가 y축과 만나는 점의 좌표는 $(0, 7)$이다.

2-2 축의 방정식이 $x=-1$이므로 이차함수의 식을
$y=a(x+1)^2+q$로 놓는다.
$y=a(x+1)^2+q$에 두 점의 좌표를 각각 대입하면
$2=a+q$ …… ㉠
$-4=4a+q$ …… ㉡
㉠, ㉡을 연립하여 풀면 $a=-2, q=4$
따라서 구하는 이차함수의 식은
$y=-2(x+1)^2+4=-2x^2-4x+2$
즉 $a=-2, b=-4, c=2$이므로
$a-b+c=-2-(-4)+2=4$

3-2 세 점 $(-2, 0), (0, 3), (2, 3)$을 지나므로 이차함수의 식을 $y=ax^2+bx+c$로 놓는다.
$y=ax^2+bx+c$에 세 점의 좌표를 각각 대입하면
$0=4a-2b+c$ …… ㉠
$3=c$ …… ㉡
$3=4a+2b+c$ …… ㉢
㉠, ㉡, ㉢을 연립하여 풀면 $a=-\frac{3}{8}, b=\frac{3}{4}, c=3$
따라서 구하는 이차함수의 식은 $y=-\frac{3}{8}x^2+\frac{3}{4}x+3$

4-2 x축과의 교점의 좌표가 $(-1, 0), (2, 0)$이므로 이차함수의 식을 $y=a(x+1)(x-2)$로 놓는다.
$y=a(x+1)(x-2)$에 $x=0, y=3$을 대입하면
$3=-2a \quad \therefore a=-\frac{3}{2}$
따라서 구하는 이차함수의 식은
$y=-\frac{3}{2}(x+1)(x-2)=-\frac{3}{2}(x^2-x-2)$
$=-\frac{3}{2}\left(x-\frac{1}{2}\right)^2+\frac{27}{8}$
이므로 꼭짓점의 좌표는 $\left(\frac{1}{2}, \frac{27}{8}\right)$이다.

STEP 3 216쪽

01. 5 **02.** $(0, -12)$ **03.** ② **04.** -7
05. $(2, -4)$ **06.** 5

01 꼭짓점의 좌표가 $(-1, -3)$이므로 이차함수의 식을
$y=a(x+1)^2-3$으로 놓는다.
$y=a(x+1)^2-3$에 $x=-3, y=5$를 대입하면
$5=4a-3, 4a=8 \quad \therefore a=2$
따라서 구하는 이차함수의 식은
$y=2(x+1)^2-3=2x^2+4x-1$
즉 $a=2, b=4, c=-1$이므로
$a+b+c=2+4-1=5$

02 축의 방정식이 $x=3$이고 이차항의 계수가 -2이므로 이차함수의 식을 $y=-2(x-3)^2+q$로 놓는다.
$y=-2(x-3)^2+q$에 $x=1, y=-2$를 대입하면
$-2=-8+q \quad \therefore q=6$
따라서 구하는 이차함수의 식은
$y=-2(x-3)^2+6=-2x^2+12x-12$
이므로 y축과의 교점의 좌표는 $(0, -12)$이다.

03 축의 방정식이 $x=-2$이므로 이차함수의 식을
$y=a(x+2)^2+q$로 놓는다.
$y=a(x+2)^2+q$에 두 점의 좌표를 각각 대입하면
$1=4a+q$ …… ㉠
$-5=16a+q$ …… ㉡
㉠, ㉡을 연립하여 풀면 $a=-\frac{1}{2}, q=3$
따라서 구하는 이차함수의 식은
$y=-\frac{1}{2}(x+2)^2+3$

04 $y=-3x^2+ax+b$에 $x=0, y=2$를 대입하면
$2=b$
$y=-3x^2+ax+2$에 $x=-3, y=-7$을 대입하면
$-7=-27-3a+2, 3a=-18$
$\therefore a=-6$
따라서 구하는 이차함수의 식은 $y=-3x^2-6x+2$이므로
$y=-3x^2-6x+2$에 $x=1, y=k$를 대입하면
$k=-3-6+2=-7$

05 세 점 $(-2, 0)$, $(0, -3)$, $(2, -4)$를 지나므로 이차함수의 식을 $y=ax^2+bx+c$로 놓는다.

$y=ax^2+bx+c$에 세 점의 좌표를 각각 대입하면

$0=4a-2b+c$ …… ㉠

$-3=c$ …… ㉡

$-4=4a+2b+c$ …… ㉢

㉠, ㉡, ㉢을 연립하여 풀면

$a=\frac{1}{4}$, $b=-1$, $c=-3$ …… [50 %]

따라서 구하는 이차함수의 식은

$y=\frac{1}{4}x^2-x-3=\frac{1}{4}(x-2)^2-4$ …… [30 %]

이므로 꼭짓점의 좌표는 $(2, -4)$이다. …… [20 %]

06 x축과의 교점의 좌표가 $(-3, 0)$, $(2, 0)$이므로 이차함수의 식을 $y=a(x+3)(x-2)$로 놓는다.

$y=a(x+3)(x-2)$에 $x=0$, $y=-2$를 대입하면

$-2=-6a \quad \therefore a=\frac{1}{3}$

따라서 구하는 이차함수의 식은

$y=\frac{1}{3}(x+3)(x-2)=\frac{1}{3}x^2+\frac{1}{3}x-2$

즉 $a=\frac{1}{3}$, $b=\frac{1}{3}$, $c=-2$이므로

$3a+6b-c=3\times\frac{1}{3}+6\times\frac{1}{3}-(-2)=5$

단원 종합 문제

1쪽~4쪽

❶ 제곱근의 뜻과 성질 ~ ❸ 근호를 포함한 식의 계산

01. ⑤	**02.** ⑤	**03.** ①	**04.** ④	**05.** ②
06. 30	**07.** 42	**08.** ④	**09.** ④	**10.** ③
11. ④	**12.** 점 P : $1+\sqrt{2}$, 점 Q : $1-\sqrt{2}$		**13.** ③	
14. ②	**15.** ⑤	**16.** ③	**17.** ⑤	**18.** ⑤
19. ①	**20.** $\frac{8}{25}$	**21.** ②	**22.** ②	**23.** ③
24. ④	**25.** ①	**26.** (1) $6\sqrt{3}+\sqrt{2}$ (2) $18+\sqrt{3}$		
27. $\sqrt{5}$				

02 ① 0의 제곱근은 0이다.
② -9의 제곱근은 없다.
③ $\sqrt{9}=3$의 제곱근은 $\pm\sqrt{3}$이다.
④ $\sqrt{16}=4$의 음의 제곱근은 $-\sqrt{4}$, 즉 -2이다.
⑤ $\sqrt{25}=5$의 양의 제곱근은 $\sqrt{5}$이다.
따라서 옳은 것은 ⑤이다.

03 $(-5)^2=25$의 음의 제곱근은 $-\sqrt{25}$, 즉 -5이므로
$A=-5$
$\sqrt{81}=9$의 양의 제곱근은 $\sqrt{9}$, 즉 3이므로 $B=3$
$\therefore A+B=(-5)+3=-2$

04 $\sqrt{(-6)^2}\div(-\sqrt{2})^2+\sqrt{5^2}\times\left(-\sqrt{\frac{1}{5}}\right)^2$
$=6\div2+5\times\frac{1}{5}$
$=3+1=4$

05 $-2<x<-1$일 때, $x+1<0$, $2-x>0$이므로
$-\sqrt{(x+1)^2}+\sqrt{(2-x)^2}$
$=-\{-(x+1)\}+(2-x)$
$=x+1+2-x=3$

06 120을 소인수분해하면 $120=2^3\times3\times5$
즉 $\sqrt{120x}=\sqrt{2^3\times3\times5\times x}$가 자연수가 되려면
$2^3\times3\times5\times x$가 제곱수가 되어야 한다.
이때 $2^3\times3\times5$에서 지수가 홀수인 소인수는 2, 3, 5이므로
$x=2\times3\times5\times1^2, 2\times3\times5\times2^2, 2\times3\times5\times3^2, \cdots$
따라서 가장 작은 값은
$2\times3\times5\times1^2=30$

07 $\sqrt{50-x}$가 정수가 되려면 $50-x$는 0 또는 50보다 작은 제곱수이어야 하므로
$50-x=0, 1, 4, 9, 16, 25, 36, 49$
$\therefore x=50, 49, 46, 41, 34, 25, 14, 1$ ...... [40 %]
$\sqrt{x+8}$이 정수가 되려면 $x+8$은 8보다 큰 제곱수이어야 하므로
$x+8=9, 16, 25, 36, 49, 64, \cdots$
$\therefore x=1, 8, 17, 28, 41, 56, \cdots$ ...... [40 %]
따라서 $\sqrt{50-x}$, $\sqrt{x+8}$이 모두 정수가 되게 하는 자연수 x의 값은 1, 41이므로 $1+41=42$ ...... [20 %]

08 ① $6=\sqrt{36}$이므로 $\sqrt{26}<6$
② $2=\sqrt{4}$이므로 $\sqrt{5}>2$
③ $-4=-\sqrt{16}$이므로 $-\sqrt{21}<-4$
④ $-3=-\sqrt{9}$이므로 $-\sqrt{12}<-3$
⑤ $-5=-\sqrt{25}$이므로 $-\sqrt{28}<-5$
따라서 대소 관계가 옳은 것은 ④이다.

09 $5<\sqrt{4x}<7$의 각 변을 제곱하면
$25<4x<49$ $\quad\therefore \frac{25}{4}<x<\frac{49}{4}$
따라서 구하는 자연수 x는 7, 8, 9, 10, 11, 12의 6개이다.

10 $\sqrt{\frac{4}{9}}=\frac{2}{3}$ ➡ 유리수
$\sqrt{2}+\sqrt{4}=\sqrt{2}+2$ ➡ 무리수
$\sqrt{0.36}=0.6$ ➡ 유리수
$\sqrt{81}=9$ ➡ 유리수
따라서 무리수는 $\sqrt{2}+\sqrt{4}$, π, $\sqrt{3}$, $\sqrt{0.4}$의 4개이다.

11 $\triangle$ABC에서 $\overline{AC}=\sqrt{1^2+3^2}=\sqrt{10}$
$\overline{AP}=\overline{AQ}=\overline{AC}=\sqrt{10}$이므로
$\overline{PQ}=\overline{PA}+\overline{AQ}=\sqrt{10}+\sqrt{10}=2\sqrt{10}$

12 $\overline{OA}=\sqrt{1^2+1^2}=\sqrt{2}$, $\overline{OC}=\sqrt{1^2+1^2}=\sqrt{2}$ ...... [30 %]
이므로 $\overline{OP}=\overline{OA}=\sqrt{2}$, $\overline{OQ}=\overline{OC}=\sqrt{2}$ ...... [30 %]
따라서 점 P에 대응하는 수는 $1+\sqrt{2}$,
점 Q에 대응하는 수는 $1-\sqrt{2}$이다. ...... [40 %]

13 ① -1과 $\sqrt{2}$ 사이에 있는 자연수는 1의 1개이다.
② $\sqrt{5}$와 $\sqrt{6}$ 사이에는 무수히 많은 무리수가 있다.
④ 서로 다른 두 유리수 사이에는 무수히 많은 실수가 있다.
⑤ 무한소수 중에서 순환소수는 유리수이다.
따라서 옳은 것은 ③이다.

14 ① $3-(\sqrt{3}+1)=2-\sqrt{3}>0 \quad \therefore 3>\sqrt{3}+1$
② $2+\sqrt{3}-(2+\sqrt{7})=\sqrt{3}-\sqrt{7}<0$
$\therefore 2+\sqrt{3}<2+\sqrt{7}$
③ $6-\sqrt{5}-4=2-\sqrt{5}<0 \quad \therefore 6-\sqrt{5}<4$
④ $-1+\sqrt{2}-(-1+\sqrt{3})=\sqrt{2}-\sqrt{3}<0$
$\therefore -1+\sqrt{2}<-1+\sqrt{3}$
⑤ $\sqrt{5}-\sqrt{7}-(-\sqrt{7}+4)=\sqrt{5}-4<0$
$\therefore \sqrt{5}-\sqrt{7}<-\sqrt{7}+4$
따라서 대소 관계가 옳은 것은 ②이다.

15 ① $2\sqrt{2}\times\sqrt{3}=2\sqrt{2\times3}=2\sqrt{6}$
② $2\sqrt{6}\times\frac{\sqrt{5}}{\sqrt{3}}=2\sqrt{6\times\frac{5}{3}}=2\sqrt{10}$
③ $3\sqrt{15}\div\sqrt{5}=\frac{3\sqrt{15}}{\sqrt{5}}=3\sqrt{\frac{15}{5}}=3\sqrt{3}$
④ $\frac{5\sqrt{7}}{2}\div\frac{\sqrt{14}}{\sqrt{2}}=\frac{5\sqrt{7}}{2}\times\frac{\sqrt{2}}{\sqrt{14}}=\frac{5}{2}\sqrt{7\times\frac{2}{14}}=\frac{5}{2}$
⑤ $\sqrt{27}\div\frac{1}{\sqrt{3}}=\sqrt{27}\times\sqrt{3}=\sqrt{27\times3}=\sqrt{81}=9$
따라서 옳지 않은 것은 ⑤이다.

16 $3\sqrt{2}=\sqrt{3^2\times2}=\sqrt{18}$이므로 $a=18$
$\sqrt{20}=\sqrt{2^2\times5}=2\sqrt{5}$이므로 $b=5$
$\therefore a-b=18-5=13$

17 $\sqrt{180}=\sqrt{2^2\times3^2\times5}=2\times(\sqrt{3})^2\times\sqrt{5}=2a^2b$

18 ① $\frac{3}{\sqrt{3}}=\frac{3\times\sqrt{3}}{\sqrt{3}\times\sqrt{3}}=\frac{3\sqrt{3}}{3}=\sqrt{3}$
② $\frac{\sqrt{5}}{\sqrt{2}}=\frac{\sqrt{5}\times\sqrt{2}}{\sqrt{2}\times\sqrt{2}}=\frac{\sqrt{10}}{2}$
③ $\frac{\sqrt{7}}{2\sqrt{3}}=\frac{\sqrt{7}\times\sqrt{3}}{2\sqrt{3}\times\sqrt{3}}=\frac{\sqrt{21}}{6}$
④ $\frac{\sqrt{5}}{\sqrt{2}\sqrt{3}}=\frac{\sqrt{5}}{\sqrt{6}}=\frac{\sqrt{5}\times\sqrt{6}}{\sqrt{6}\times\sqrt{6}}=\frac{\sqrt{30}}{6}$
⑤ $\frac{\sqrt{12}}{\sqrt{18}}=\frac{\sqrt{2}}{\sqrt{3}}=\frac{\sqrt{2}\times\sqrt{3}}{\sqrt{3}\times\sqrt{3}}=\frac{\sqrt{6}}{3}$
따라서 옳지 않은 것은 ⑤이다.

19 $\frac{\sqrt{5}}{2\sqrt{3}}=\frac{\sqrt{5}\times\sqrt{3}}{2\sqrt{3}\times\sqrt{3}}=\frac{\sqrt{15}}{6}$이므로 $a=\frac{1}{6}$
$\sqrt{27}=\sqrt{3^2\times3}=3\sqrt{3}$이므로 $b=3$
$\therefore ab=\frac{1}{6}\times3=\frac{1}{2}$

20 $\frac{4\sqrt{2}}{5}\div\frac{\sqrt{15}}{\sqrt{3}}\times\frac{2\sqrt{6}}{\sqrt{12}}=\frac{4\sqrt{2}}{5}\div\sqrt{5}\times\frac{2}{\sqrt{2}}$
$=\frac{4\sqrt{2}}{5}\times\frac{1}{\sqrt{5}}\times\frac{2}{\sqrt{2}}$
$=\frac{8}{5\sqrt{5}}$
$=\frac{8\sqrt{5}}{25}$
$\therefore a=\frac{8}{25}$

21 $\overline{BC}$를 한 변으로 하는 정사각형의 넓이가 2이므로
$\overline{BC}=\sqrt{2}$
$\overline{CD}$를 한 변으로 하는 정사각형의 넓이가 5이므로
$\overline{CD}=\sqrt{5}$
∴ (직사각형 ABCD의 넓이)$=\overline{BC}\times\overline{CD}$
$=\sqrt{2}\times\sqrt{5}$
$=\sqrt{10}$

22 ① $\sqrt{300}=\sqrt{100\times3}=10\sqrt{3}=10\times1.732=17.32$
② $\sqrt{3000}=\sqrt{100\times30}=10\sqrt{30}=10\times5.477=54.77$
③ $\sqrt{30000}=\sqrt{10000\times3}=100\sqrt{3}=100\times1.732=173.2$
④ $\sqrt{0.03}=\sqrt{\frac{3}{100}}=\frac{\sqrt{3}}{10}=\frac{1.732}{10}=0.1732$
⑤ $\sqrt{\frac{3}{1000}}=\sqrt{\frac{30}{10000}}=\frac{\sqrt{30}}{100}=\frac{5.477}{100}=0.05477$
따라서 옳은 것은 ②이다.

23 $\sqrt{9.8h}$에 $h=4000$을 대입하면
$\sqrt{9.8\times4000}=\sqrt{39200}=\sqrt{10000\times3.92}=100\sqrt{3.92}$
$=100\times1.98=198$ (m/초)

24 $2\sqrt{12}+3\sqrt{48}-2\sqrt{75}-3\sqrt{27}+\sqrt{108}$
$=4\sqrt{3}+12\sqrt{3}-10\sqrt{3}-9\sqrt{3}+6\sqrt{3}$
$=3\sqrt{3}$

25 $\sqrt{20}(3+\sqrt{5})-\sqrt{5}(4\sqrt{5}-a)$
$=6\sqrt{5}+10-20+a\sqrt{5}$
$=-10+(6+a)\sqrt{5}$
이때 유리수가 되려면 $6+a=0$이어야 하므로
$a=-6$

26 (1) $\sqrt{6}\times\sqrt{18}+\sqrt{(-4)^2}\div\sqrt{8}=\sqrt{6}\times3\sqrt{2}+4\div2\sqrt{2}$
$=3\sqrt{12}+\frac{4}{2\sqrt{2}}$
$=6\sqrt{3}+\sqrt{2}$

(2) $\sqrt{\frac{3}{2}}(\sqrt{8}-\sqrt{32})+\frac{6\sqrt{27}+9}{\sqrt{3}}$
$=\sqrt{\frac{3}{2}}(2\sqrt{2}-4\sqrt{2})+\frac{18\sqrt{3}+9}{\sqrt{3}}$
$=\sqrt{\frac{3}{2}}\times(-2\sqrt{2})+18+3\sqrt{3}$
$=-2\sqrt{3}+18+3\sqrt{3}$
$=18+\sqrt{3}$

27 $2<\sqrt{5}<3$에서 $-3<-\sqrt{5}<-2$
$\therefore 3<6-\sqrt{5}<4$ ······ [40 %]
따라서 $a=3$, $b=6-\sqrt{5}-3=3-\sqrt{5}$이므로 ······ [40 %]
$a-b=3-(3-\sqrt{5})$
$=3-3+\sqrt{5}=\sqrt{5}$ ······ [20 %]

5쪽~9쪽

4 다항식의 곱셈 ~ 6 인수분해 공식의 활용

01. ① **02.** ① **03.** ③ **04.** ④ **05.** ③
06. 3 **07.** 4 **08.** ③ **09.** ② **10.** ①
11. 25 **12.** ④ **13.** ⑤ **14.** ② **15.** ①
16. ① **17.** ⑤ **18.** ③ **19.** ⑤ **20.** -5
21. ③ **22.** 8
23. (1) $x^2+3x-18$ (2) $(x-3)(x+6)$
24. ④ **25.** ⑤ **26.** $(x+y+2)(x+y-3)$
27. -8 **28.** ② **29.** ③ **30.** ⑤ **31.** 1
32. ③ **33.** ① **34.** ② **35.** $x=17$, $y=13$
36. ②

01 xy가 나오는 항만 계산하면
$(-3x)\times(-2y)+ay\times x=6xy+axy=(6+a)xy$
이때 xy의 계수가 -8이므로
$6+a=-8$ $\therefore a=-14$

02 ㉢ $(-2x+3y)(2x+3y)=(3y-2x)(3y+2x)$
$=9y^2-4x^2$
㉣ $(5x-1)(2x-3)=10x^2-17x+3$
㉤ $(x-1)(2y+5)=2xy+5x-2y-5$
따라서 옳은 것은 ㉠, ㉡이다.

03 $(4x-a)(bx-3)=4bx^2+(-ab-12)x+3a$에서
$4b=8$, $-ab-12=c$, $3a=-15$
따라서 $a=-5$, $b=2$, $c=-2$이므로
$a+b+c=-5+2+(-2)=-5$

04 새로 만든 직사각형의 가로의 길이는 $x+3a$, 세로의 길이는 $x-2a$이므로 그 넓이는 $(x+3a)(x-2a)$이다.
이때 $(x+3a)(x-2a)=x^2+4x+b$에서
$x^2+ax-6a^2=x^2+4x+b$이므로
$a=4$, $-6a^2=b$
$b=-6\times4^2=-96$
$\therefore a-b=4-(-96)=100$

06 $\frac{2-\sqrt{3}}{2+\sqrt{3}}=\frac{(2-\sqrt{3})^2}{(2+\sqrt{3})(2-\sqrt{3})}$
$=\frac{7-4\sqrt{3}}{4-3}=7-4\sqrt{3}$ ······ [60 %]
따라서 $a=7$, $b=-4$이므로 ······ [20 %]
$a+b=7+(-4)=3$ ······ [20 %]

07 $(a\sqrt{2}-4)(3\sqrt{2}+3)=6a+3a\sqrt{2}-12\sqrt{2}-12$
$=(6a-12)+(3a-12)\sqrt{2}$
이때 유리수가 되려면 $3a-12=0$이어야 하므로
$3a=12$ $\therefore a=4$

08 $3(x-1)^2-(2x+1)(x-3)$
$=3(x^2-2x+1)-(2x^2-5x-3)$
$=3x^2-6x+3-2x^2+5x+3$
$=x^2-x+6$
따라서 $A=1$, $B=-1$, $C=6$이므로
$A+B+C=1+(-1)+6=6$

09 $(x-1)(x+1)(x^2+1)=(x^2-1)(x^2+1)=x^4-1$
따라서 $a=4$, $b=-1$이므로 $a-b=4-(-1)=5$

10 $\left(\frac{2}{3}a+\frac{1}{4}b\right)\left(\frac{2}{3}a-\frac{1}{4}b\right)=\left(\frac{2}{3}a\right)^2-\left(\frac{1}{4}b\right)^2$
$=\frac{4}{9}a^2-\frac{1}{16}b^2$
$\frac{4}{9}a^2-\frac{1}{16}b^2$에 $a^2=18$, $b^2=48$을 대입하면
$\frac{4}{9}\times18-\frac{1}{16}\times48=8-3=5$

11 $(a-b)^2=(a+b)^2-4ab$
$=3^2-4\times(-4)=25$

12 $-10x^2y+5xy=-5xy(2x-1)$
따라서 인수가 아닌 것은 ④이다.

13 ① $x^2-10x+25=x^2-2\times x\times 5+5^2$
$=(x-5)^2$
② $2a^2-12a+18=2(a^2-6a+9)$
$=2(a^2-2\times a\times 3+3^2)$
$=2(a-3)^2$
③ $16x^2+8x+1=(4x)^2+2\times 4x\times 1+1^2$
$=(4x+1)^2$
④ $x^2-x+\frac{1}{4}=x^2-2\times x\times\frac{1}{2}+\left(\frac{1}{2}\right)^2$
$=\left(x-\frac{1}{2}\right)^2$

14 ① $x^2-\square x+100=x^2-\square x+10^2$에서
$\square=2\times 10=20$
② $\square=\left(\frac{-10}{2}\right)^2=25$
③ $a^2+\square a+64=a^2+\square a+8^2$에서
$\square=2\times 8=16$
④ $\square=\left(\frac{6}{2}\right)^2=9$
⑤ $x^2-\square x+9=x^2-\square x+3^2$에서
$\square=2\times 3=6$
따라서 □ 안에 들어갈 양수 중 가장 큰 것은 ②이다.

15 $\sqrt{a^2-4a+4}-\sqrt{a^2+10a+25}$
$=\sqrt{(a-2)^2}-\sqrt{(a+5)^2}$
$-5<a<2$일 때, $a-2<0$, $a+5>0$이므로
$\sqrt{(a-2)^2}-\sqrt{(a+5)^2}=-(a-2)-(a+5)$
$=-a+2-a-5$
$=-2a-3$

16 $9x^2-121y^2=(3x)^2-(11y)^2$
$=(3x+11y)(3x-11y)$
따라서 두 일차식의 합은
$(3x+11y)+(3x-11y)=6x$

17 $(x+1)(x-7)+15=x^2-6x-7+15$
$=x^2-6x+8$
$=(x-2)(x-4)$

18 $12x^2+10x-12=2(3x-2)(2x+3)$이므로
$a=3$, $b=3$
$\therefore a+b=3+3=6$

19 ① $4ab^2-8a^2b^2=4ab^2(1-2a)$
② $x^2+16x+64=(x+8)^2$
③ $x^2+7x-18=(x+9)(x-2)$
④ $3x^2+16x+5=(3x+1)(x+5)$

20 $2x^2+Axy-6y^2=(2x+y)(x-By)$에서 우변을 전개하면
$2x^2+Axy-6y^2=2x^2+(-2B+1)xy-By^2$
각 항의 계수를 비교하면
$-6=-B$이므로 $B=6$
$A=-2B+1$이므로 $A=-2\times 6+1=-11$
$\therefore A+B=-11+6=-5$

21 $x^2-4x+3=(x-1)(x-3)$
$2x^2-5x-3=(x-3)(2x+1)$
따라서 두 다항식에 공통으로 들어 있는 인수는 $x-3$이다.

22 $x^2-Ax-8=(x+2)(x+\square)$로 놓으면
$2\times\square=-8$ $\therefore \square=-4$
즉 $(x+2)(x-4)=x^2-2x-8$이므로
$A=2$ …… [40 %]
$2x^2+7x-B=(x+2)(2x+\square)$로 놓으면
$\square+4=7$ $\therefore \square=3$
즉 $(x+2)(2x+3)=2x^2+7x+6$이므로
$B=-6$ …… [40 %]
$\therefore A-B=2-(-6)=8$ …… [20 %]

23 (1) A는 상수항을 제대로 보았으므로
$(x+2)(x-9)=x^2-7x-18$에서 상수항은 -18이다.
B는 x의 계수를 제대로 보았으므로
$(x+1)(x+2)=x^2+3x+2$에서 x의 계수는 3이다.
따라서 처음 이차식은 $x^2+3x-18$이다. …… [80 %]
(2) $x^2+3x-18=(x-3)(x+6)$ …… [20 %]

24 주어진 직사각형의 넓이의 합을 식으로 나타내면
$x^2+x+x+x+1+1=x^2+3x+2=(x+1)(x+2)$
따라서 만들어진 직사각형의 가로의 길이와 세로의 길이는 각각 $x+1$, $x+2$ 또는 $x+2$, $x+1$이므로 둘레의 길이는
$2\{(x+1)+(x+2)\}=2(2x+3)=4x+6$

25 $x-3=A$로 놓으면
$3A^2-5A+2=(3A-2)(A-1)$
$=\{3(x-3)-2\}\{(x-3)-1\}$
$=(3x-11)(x-4)$
따라서 두 일차식의 합은
$(3x-11)+(x-4)=4x-15$

26 $x+y=A$로 놓으면
$(x+y)(x+y-1)-6=A(A-1)-6$
$=A^2-A-6$
$=(A+2)(A-3)$
$=(x+y+2)(x+y-3)$

27 $3x-1=A$, $2x+3=B$로 놓으면

$(3x-1)^2-(2x+3)^2$

$=A^2-B^2=(A+B)(A-B)$

$=\{(3x-1)+(2x+3)\}\{(3x-1)-(2x+3)\}$

$=(5x+2)(x-4)$

이므로 $a=2$, $b=-4$

$\therefore ab=2\times(-4)=-8$

28 $ax^2-ay^2+bx^2-by^2=a(x^2-y^2)+b(x^2-y^2)$

$=(x^2-y^2)(a+b)$

$=(x+y)(x-y)(a+b)$

따라서 인수가 아닌 것은 ②이다.

29 $101^2-99^2=(101+99)(101-99)$

$=200\times2=400$

따라서 가장 편리한 인수분해 공식은 ③이다.

30 $6.25^2+2\times6.25\times3.75+3.75^2=(6.25+3.75)^2$

$=10^2=100$

31 $\dfrac{95\times96+95}{96^2-1}=\dfrac{95\times(96+1)}{(96+1)(96-1)}=\dfrac{95\times97}{97\times95}=1$

32 $2x^2-4xy+2y^2=2(x^2-2xy+y^2)$

$=2(x-y)^2$

$=2\times\{(2+\sqrt{2})-(2-\sqrt{2})\}^2$

$=2\times(2\sqrt{2})^2=16$

33 $x=\dfrac{1}{\sqrt{6}-\sqrt{5}}=\dfrac{\sqrt{6}+\sqrt{5}}{(\sqrt{6}-\sqrt{5})(\sqrt{6}+\sqrt{5})}=\sqrt{6}+\sqrt{5}$

$y=\dfrac{1}{\sqrt{6}+\sqrt{5}}=\dfrac{\sqrt{6}-\sqrt{5}}{(\sqrt{6}+\sqrt{5})(\sqrt{6}-\sqrt{5})}=\sqrt{6}-\sqrt{5}$

$\therefore x^2-y^2=(x+y)(x-y)$

$=\{(\sqrt{6}+\sqrt{5})+(\sqrt{6}-\sqrt{5})\}\{(\sqrt{6}+\sqrt{5})-(\sqrt{6}-\sqrt{5})\}$

$=2\sqrt{6}\times2\sqrt{5}=4\sqrt{30}$

34 $x^2-y^2-2y-1=x^2-(y^2+2y+1)$

$=x^2-(y+1)^2$

$=\{x+(y+1)\}\{x-(y+1)\}$

$=(x+y+1)(x-y-1)$

이때 $x+y=\sqrt{2}$이므로

$(\sqrt{2}+1)(x-y-1)=4$

$x-y-1=\dfrac{4}{\sqrt{2}+1}=\dfrac{4(\sqrt{2}-1)}{(\sqrt{2}+1)(\sqrt{2}-1)}=4\sqrt{2}-4$

$\therefore x-y=4\sqrt{2}-3$

35 두 정사각형의 한 변의 길이의 합이 30이므로

$x+y=30$ …… ㉠ …… [20 %]

두 정사각형의 넓이의 차가 120이므로

$x^2-y^2=120$ …… [20 %]

$(x+y)(x-y)=120$ …… ㉡

㉡에 ㉠을 대입하면

$30(x-y)=120$ $\therefore x-y=4$ …… ㉢ …… [30 %]

따라서 ㉠, ㉢을 연립하여 풀면

$x=17$, $y=13$ …… [30 %]

36 $1^2-3^2+5^2-7^2+9^2-11^2+13^2-15^2+17^2-19^2$

$=(1+3)(1-3)+(5+7)(5-7)+(9+11)(9-11)$

$+(13+15)(13-15)+(17+19)(17-19)$

$=-2\times(4+12+20+28+36)$

$=-2\times100$

$=-200$

10쪽~13쪽

❼ 이차방정식의 풀이 ~ ❽ 근의 공식과 이차방정식의 활용

01. ①, ⑤	**02.** ⑤	**03.** ③	**04.** -1	**05.** ⑤
06. ④	**07.** ④	**08.** ①	**09.** (1) $\frac{1}{2}$ (2) 2	
10. ⑤	**11.** ④	**12.** ③	**13.** 4	**14.** ②
15. ③	**16.** 16, 16, $(x-4)^2$, 14, $4\pm\sqrt{14}$			
17. $x=-1\pm\frac{\sqrt{10}}{2}$		**18.** ③	**19.** 3	**20.** ⑤
21. ①	**22.** ①	**23.** ②	**24.** ①, ②	**25.** 30
26. ④	**27.** ②	**28.** 4초		

01 ① $-5x^2-2x+3=0$ ➡ 이차방정식

② $2x^2+5x-3$ ➡ 이차식

③ $x^2+x-2=x^2$에서 $x-2=0$ ➡ 일차방정식

④ $x^2+x=x^2+1$에서 $x-1=0$ ➡ 일차방정식

⑤ $2x^2-5x-3=0$ ➡ 이차방정식

02 $(k-1)x^2-x+2=3x^2+x-2$에서

$(k-4)x^2-2x+4=0$

위의 식이 x에 대한 이차방정식이 되려면

$k-4\neq0$ $\therefore k\neq4$

따라서 k의 값으로 적당하지 않은 것은 ⑤이다.

03 ㉠ $4^2-2\times4-8=0$

㉡ $5^2-5\neq0$

㉢ $2\times1^2-1+1\neq0$

㉣ $3\times(3-3)=0$

㉤ $3^2+9=6\times3$

따라서 [ ] 안의 수가 주어진 이차방정식의 해가 되는 것은 ㉠, ㉣, ㉤의 3개이다.

04 $x=-2$를 $x^2+ax-6=0$에 대입하면

$4-2a-6=0$, $-2a=2$ $\quad\therefore a=-1$

05 $x=m$을 $x^2-3x+9=0$에 대입하면

$m^2-3m+9=0$ $\quad\therefore m^2-3m=-9$

$x=n$을 $x^2-6x-5=0$에 대입하면

$n^2-6n-5=0$ $\quad\therefore n^2-6n=5$

$\therefore m^2-3m+2n^2-12n=m^2-3m+2(n^2-6n)$

$=-9+2\times5=1$

06 $x=\alpha$를 $x^2-4x-1=0$에 대입하면

$\alpha^2-4\alpha-1=0$

이때 $\alpha\neq0$이므로 양변을 α로 나누면

$\alpha-4-\dfrac{1}{\alpha}=0$ $\quad\therefore \alpha-\dfrac{1}{\alpha}=4$

07 ① $x=2$ 또는 $x=-3$

② $x=-1$ 또는 $x=-5$

③ $(x-2)(x-3)=0$ $\quad\therefore x=2$ 또는 $x=3$

④ $(x-1)(x-3)=0$ $\quad\therefore x=1$ 또는 $x=3$

⑤ $(2x-1)(x-2)=0$ $\quad\therefore x=\dfrac{1}{2}$ 또는 $x=2$

08 $(x+6)(x-2)=4x-8$에서 $x^2+4x-12=4x-8$

$x^2-4=0$, $(x+2)(x-2)=0$

$\therefore x=-2$ 또는 $x=2$

09 (1) $x=1$을 $ax^2+(a-2)x+1=0$에 대입하면

$a+a-2+1=0$, $2a=1$ $\quad\therefore a=\dfrac{1}{2}$ ...... [30 %]

(2) $a=\dfrac{1}{2}$을 $ax^2+(a-2)x+1=0$에 대입하면

$\dfrac{1}{2}x^2-\dfrac{3}{2}x+1=0$, $x^2-3x+2=0$

$(x-1)(x-2)=0$ $\quad\therefore x=1$ 또는 $x=2$

따라서 다른 한 근은 2이다. ...... [70 %]

10 $x=3$을 $x^2+ax-6=0$에 대입하면

$9+3a-6=0$, $3a=-3$ $\quad\therefore a=-1$

즉 $x^2-x-6=0$에서 $(x+2)(x-3)=0$

$\therefore x=-2$ 또는 $x=3$

따라서 다른 한 근은 -2이므로

$x=-2$를 $3x^2-7x+b=0$에 대입하면

$12+14+b=0$ $\quad\therefore b=-26$

$\therefore a-b=-1-(-26)=25$

11 $x^2+x-12=0$에서 $(x+4)(x-3)=0$

$\therefore x=-4$ 또는 $x=3$

$2x^2-11x+15=0$에서 $(x-3)(2x-5)=0$

$\therefore x=3$ 또는 $x=\dfrac{5}{2}$

따라서 두 이차방정식의 공통인 해는 $x=3$이다.

12 ① $(3x-5)^2=0$ $\quad\therefore x=\dfrac{5}{3}$

② $x=-1$

③ $x^2+x-2=0$, $(x-1)(x+2)=0$

$\therefore x=1$ 또는 $x=-2$

④ $(x-5)^2=0$ $\quad\therefore x=5$

⑤ $x^2-6x+9=0$, $(x-3)^2=0$ $\quad\therefore x=3$

13 $x^2-10x+4m+9=0$이 중근을 가지려면

$4m+9=\left(\dfrac{-10}{2}\right)^2$, $4m+9=25$

$4m=16$ $\quad\therefore m=4$

14 $2(x-3)^2=20$에서 $(x-3)^2=10$

$x-3=\pm\sqrt{10}$ $\quad\therefore x=3\pm\sqrt{10}$

따라서 $a=3$, $b=10$이므로

$a+b=3+10=13$

15 $x^2-6x=1+2x^2$에서 $x^2+6x=-1$

양변에 $\left(\dfrac{6}{2}\right)^2=9$를 더하면

$x^2+6x+9=-1+9$, $(x+3)^2=8$

따라서 $p=-3$, $q=8$이므로

$p+q=-3+8=5$

17 $2x^2+4x-3=0$의 양변을 2로 나누면

$x^2+2x-\dfrac{3}{2}=0$, $x^2+2x=\dfrac{3}{2}$ ...... [30 %]

양변에 $\left(\dfrac{2}{2}\right)^2=1$을 더하면

$x^2+2x+1=\dfrac{3}{2}+1$, $(x+1)^2=\dfrac{5}{2}$ ...... [40 %]

$x+1=\pm\dfrac{\sqrt{10}}{2}$ $\quad\therefore x=-1\pm\dfrac{\sqrt{10}}{2}$ ...... [30 %]

18 $x=\dfrac{-(-5)\pm\sqrt{(-5)^2-4\times2\times1}}{2\times2}=\dfrac{5\pm\sqrt{17}}{4}$

따라서 $A=5$, $B=17$이므로 $A+B=5+17=22$

19 $x=\dfrac{-(-5)\pm\sqrt{(-5)^2-4\times1\times a}}{2\times1}=\dfrac{5\pm\sqrt{25-4a}}{2}$

이때 $x=\dfrac{5\pm\sqrt{25-4a}}{2}=\dfrac{5\pm\sqrt{13}}{2}$이므로

$25-4a=13,\ 4a=12 \quad \therefore a=3$

20 $x=\dfrac{-(-1)\pm\sqrt{(-1)^2-a\times(-5)}}{a}=\dfrac{1\pm\sqrt{1+5a}}{a}$

이때 $x=\dfrac{1\pm\sqrt{1+5a}}{a}=\dfrac{1\pm\sqrt{b}}{4}$이므로

$a=4,\ 1+5a=b$에서 $b=21$

$\therefore a+b=4+21=25$

21 $(x+1)(x-5)=-2(3x+1)$에서

$x^2-4x-5=-6x-2,\ x^2+2x-3=0$

$(x+3)(x-1)=0 \quad \therefore x=-3$ 또는 $x=1$

따라서 $a=-3,\ b=1$ 또는 $a=1,\ b=-3$이므로

$a+b=-2$

22 $\dfrac{1}{5}x^2-0.4x-\dfrac{1}{2}=0$에서 $2x^2-4x-5=0$

$\therefore x=\dfrac{-(-2)\pm\sqrt{(-2)^2-2\times(-5)}}{2}=\dfrac{2\pm\sqrt{14}}{2}$

23 $x+2=A$로 놓으면

$A^2-5A-24=0,\ (A+3)(A-8)=0$

$\therefore A=-3$ 또는 $A=8$

즉 $x+2=-3$ 또는 $x+2=8$

$\therefore x=-5$ 또는 $x=6$

이때 $a>b$이므로 $a=6,\ b=-5$

$\therefore a-b=6-(-5)=11$

24 $2x^2-5x+3+k=0$이 서로 다른 두 근을 가지려면

$(-5)^2-4\times2\times(3+k)>0$

$25-24-8k>0,\ -8k>-1 \quad \therefore k<\dfrac{1}{8}$

따라서 상수 k의 값이 될 수 있는 것은 ①, ②이다.

25 두 근이 $-2,\ 5$이고 x^2의 계수가 1인 이차방정식은

$(x+2)(x-5)=0 \quad \therefore x^2-3x-10=0$ …… [60 %]

따라서 $a=-3,\ b=-10$이므로 …… [20 %]

$ab=(-3)\times(-10)=30$ …… [20 %]

26 연속하는 세 자연수를 $x-1,\ x,\ x+1$(단, $x\geq2$)이라 하면

$(x+1)^2=(x-1)^2+x^2-21$

$x^2+2x+1=x^2-2x+1+x^2-21$

$x^2-4x-21=0,\ (x-7)(x+3)=0$

$\therefore x=7$ 또는 $x=-3$

이때 x는 $x\geq2$인 자연수이므로 $x=7$

따라서 세 자연수는 6, 7, 8이고 그 합은

$6+7+8=21$

27 산책로의 폭을 x m라 하면

$\pi\times(50+x)^2-\pi\times50^2=204\pi$

$(50+x)^2-2500=204$

$2500+100x+x^2-2500=204$

$x^2+100x-204=0,\ (x+102)(x-2)=0$

$\therefore x=-102$ 또는 $x=2$

이때 $x>0$이므로 $x=2$

따라서 산책로의 폭은 2 m이다.

28 공이 땅에 떨어질 때의 높이는 0 m이므로

$-4x^2+16x=0,\ x^2-4x=0$

$x(x-4)=0 \quad \therefore x=0$ 또는 $x=4$

이때 $x>0$이므로 $x=4$

따라서 공이 땅에 떨어질 때까지 걸린 시간은 4초이다.

14쪽~16쪽

9 이차함수의 그래프 (1) ~ 10 이차함수의 그래프 (2)

01. ①, ⑤	**02.** ①	**03.** ②	**04.** ⑤	**05.** ④
06. ③	**07.** ③	**08.** -12	**09.** ②, ③	**10.** ②
11. 1	**12.** 3	**13.** ③	**14.** ②	**15.** ②
16. ①, ⑤	**17.** ②	**18.** $\dfrac{125}{8}$	**19.** ②	**20.** ①
21. ②				

01 ① $y=x(x+1)=x^2+x$ ➡ 이차함수

② $y=60\times3x=180x$ ➡ 일차함수

③ $y=\dfrac{x}{4}\times\pi=\dfrac{\pi}{4}x$ ➡ 일차함수

④ $y=(2x)^3=8x^3$ ➡ 이차함수가 아니다.

⑤ $y=(3x-2)x=3x^2-2x$ ➡ 이차함수

02 $f(2)=3\times2^2-2\times2+a=a+8$

$f(2)=9$에서 $a+8=9 \quad \therefore a=1$

03 $y=ax^2$에 $x=-4,\ y=12$를 대입하면

$12=a\times(-4)^2 \quad \therefore a=\dfrac{3}{4}$

04 ⑤ $y=\dfrac{1}{4}x^2$의 그래프와 x축에 대칭이다.

05 $y=-\frac{1}{3}x^2$의 그래프는 위로 볼록하고 $y=-x^2$의 그래프보다 폭이 넓다.

따라서 $y=-\frac{1}{3}x^2$의 그래프로 적당한 것은 ㉣이다.

06 $y=\frac{1}{3}x^2$의 그래프를 y축의 방향으로 a만큼 평행이동한 그래프의 식은 $y=\frac{1}{3}x^2+a$

$y=\frac{1}{3}x^2+a$에 $x=3$, $y=1$을 대입하면

$1=\frac{1}{3}\times 3^2+a \qquad \therefore a=-2$

07 ③ 꼭짓점의 좌표는 $(0, 2)$이다.

08 $y=-3x^2$의 그래프를 x축의 방향으로 2만큼 평행이동한 그래프의 식은 $y=-3(x-2)^2$

$y=-3(x-2)^2$에 $x=4$, $y=a$를 대입하면

$a=-3\times(4-2)^2=-12$

09 ① 위로 볼록한 포물선이다.

④ $x>-4$일 때, x의 값이 증가하면 y의 값은 감소한다.

⑤ $y=-5x^2$의 그래프를 x축의 방향으로 -4만큼 평행이동한 것이다.

10 $y=-\frac{1}{2}(x-3)^2+1$의 그래프는 오른쪽 그림과 같으므로 그래프가 지나지 않는 사분면은 제2사분면이다.

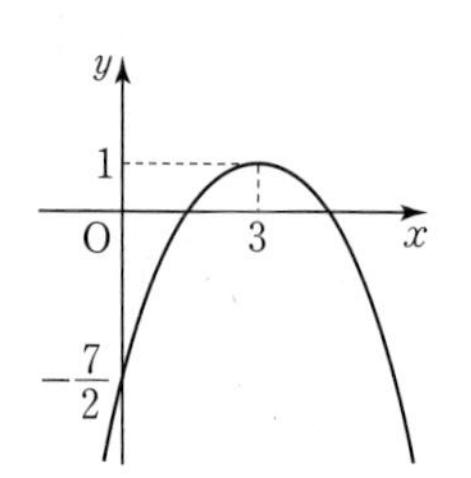

11 $y=2x^2$의 그래프를 x축의 방향으로 4만큼, y축의 방향으로 -1만큼 평행이동한 그래프의 식은

$y=2(x-4)^2-1$ …… [50 %]

$y=2(x-4)^2-1$에 $x=3$, $y=k$를 대입하면

$k=2\times(3-4)^2-1=1$ …… [50 %]

12 $y=a(x-p)^2+q$의 그래프의 꼭짓점의 좌표가 $(1, 4)$이므로 $p=1$, $q=4$

$y=a(x-1)^2+4$의 그래프가 점 $(0, 2)$를 지나므로

$y=a(x-1)^2+4$에 $x=0$, $y=2$를 대입하면

$2=a\times(0-1)^2+4 \qquad \therefore a=-2$

$\therefore a+p+q=-2+1+4=3$

13 $y=x^2+6x+1$

$=x^2+6x+9-9+1$

$=(x+3)^2-8$

따라서 $a=1$, $p=3$, $q=-8$이므로

$a+p+q=1+3+(-8)=-4$

14 $y=-x^2+2ax+3=-(x-a)^2+a^2+3$

이 그래프의 축의 방정식은 $x=a$이므로 $a=-1$

따라서 $y=-(x+1)^2+4$이므로 그래프의 꼭짓점의 좌표는 $(-1, 4)$이다.

15 $y=-2x^2+8x-5$

$=-2(x-2)^2+3$

이 이차함수의 그래프는 오른쪽 그림과 같으므로 $x>2$일 때, x의 값이 증가하면 y의 값은 감소한다.

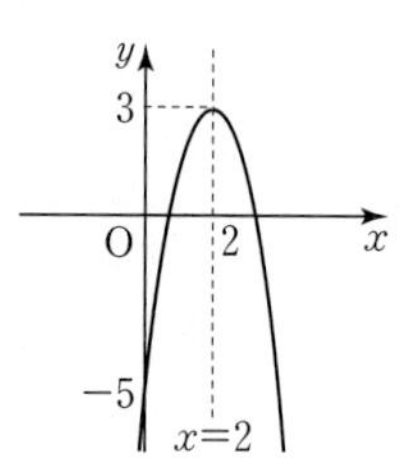

16 $y=2x^2-4x-1=2(x-1)^2-3$

② 꼭짓점의 좌표는 $(1, -3)$이다.

③ y축과의 교점의 좌표는 $(0, -1)$이다.

④ $y=2x^2$의 그래프를 x축의 방향으로 1만큼, y축의 방향으로 -3만큼 평행이동한 것이다.

⑤ 이 이차함수의 그래프는 오른쪽 그림과 같으므로 모든 사분면을 지난다.

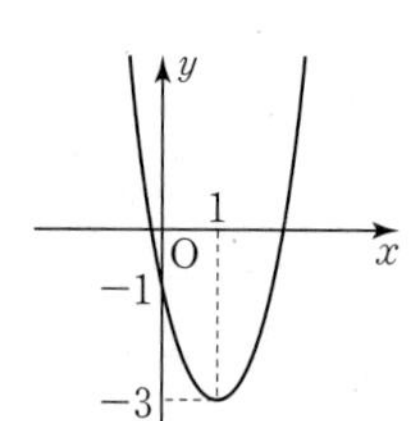

17 $y=2x^2-12x+3=2(x-3)^2-15$이므로 그래프의 꼭짓점의 좌표는 $(3, -15)$이다.

$y=2x^2-1$의 그래프의 꼭짓점의 좌표는 $(0, -1)$이다.

즉 $3+m=0$, $-15+n=-1$이므로

$m=-3$, $n=14$

$\therefore m+n=-3+14=11$

18 $y=x^2-3x-4$에 $y=0$을 대입하면

$x^2-3x-4=0$, $(x+1)(x-4)=0$

$\therefore x=-1$ 또는 $x=4$

즉 $\mathrm{A}(-1, 0)$, $\mathrm{B}(4, 0)$ 또는 $\mathrm{A}(4, 0)$, $\mathrm{B}(-1, 0)$

…… [40 %]

또 $y=x^2-3x-4=\left(x-\frac{3}{2}\right)^2-\frac{25}{4}$이므로

$\mathrm{C}\left(\frac{3}{2}, -\frac{25}{4}\right)$ …… [30 %]

$\therefore \triangle\mathrm{ABC}=\frac{1}{2}\times\{4-(-1)\}\times\frac{25}{4}$

$=\frac{1}{2}\times 5\times\frac{25}{4}=\frac{125}{8}$ …… [30 %]

19 그래프가 아래로 볼록하므로 $a>0$
축이 y축의 오른쪽에 있으므로 a와 b의 부호는 다르다.
$\therefore b<0$
y축과의 교점이 x축보다 아래쪽에 있으므로 $c<0$
즉 $y=cx^2+bx+a$의 그래프는 $c<0$이므로 위로 볼록하다.
$c<0$, $b<0$이므로 축이 y축의 왼쪽에 있다.
$a>0$이므로 y축과의 교점이 x축보다 위쪽에 있다.
따라서 $y=cx^2+bx+a$의 그래프는 오른쪽 그림과 같으므로 꼭짓점은 제2사분면 위에 있다.

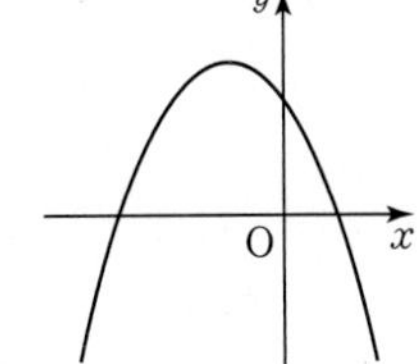

20 꼭짓점의 좌표가 $(4, 11)$이므로 이차함수의 식을 $y=a(x-4)^2+11$로 놓고 $x=0$, $y=-5$를 대입하면
$-5=a\times(-4)^2+11 \qquad \therefore a=-1$
$\therefore y=-(x-4)^2+11=-x^2+8x-5$
따라서 $a=-1$, $b=8$, $c=-5$이므로
$a-b+c=-1-8+(-5)=-14$

21 $y=ax^2+bx+c$에 세 점 $(0, -1)$, $(-1, -4)$, $(1, -2)$의 좌표를 각각 대입하면
$-1=c$, $-4=a-b+c$, $-2=a+b+c$
위의 세 식을 연립하여 풀면
$a=-2$, $b=1$, $c=-1$
$\therefore a+2b+c=-2+2\times1+(-1)=-1$

개념 해결의 법칙
memo

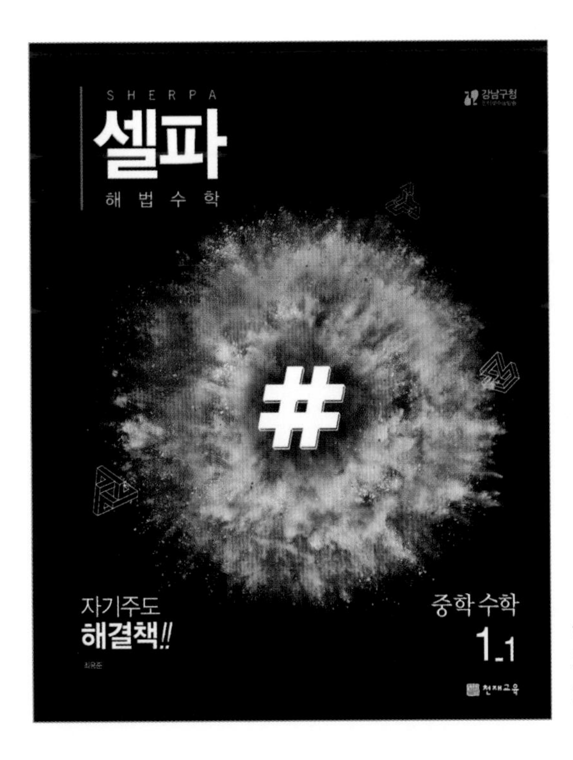
SHERPA
셀파
해법수학
#
자기주도
해결책!!
중학 수학
1-1
천재교육